Colombie

Façade à Cartagena.
B. Falk/age fotostock

Les régions du guide :
(voir la carte à l'intérieur de la couverture ci-contre)

Sommaire

NOS INCONTOURNABLES

ORGANISER SON VOYAGE

COMPRENDRE LA COLOMBIE

DÉCOUVRIR LA COLOMBIE

1 BOGOTÁ ET SES ENVIRONS

2 LES ANDES DU NORD-EST

3 LES ANDES DU NORD-OUEST

4 LA CÔTE CARAÏBE

POUR CHAQUE SITE, RETROUVEZ NOS ADRESSES

5 LA CÔTE PACIFIQUE

6 LE SUD-OUEST

7 LES PLAINES ORIENTALES ET L'AMAZONIE

Nos incontournables

Carthagène des Indes★★★,
la « Perle de la Caraïbe » *(p. 279)*.

La **plaza Botero★★★** de Medellín,
un musée en plein air *(p. 226)*.

Une sélection de nos plus beaux sites étoilés.

Le **parc archéologique de San Agustín**★★★ et ses fascinantes statues monumentales *(p. 408)*.

Le **carnaval de Barranquilla**★★★, classé par l'Unesco au Patrimoine immatériel de l'humanité *(p. 306)*.

Les **baleines à bosse**★★★ sur la côte pacifique *(p. 350)*.

Barichara★★★, un ravissant village colonial *(p. 196)*.

La **Sierra Nevada del Cocuy**★★★, un défi pour les andinistes *(p. 186)*.

Le **musée de l'Or**★★★ de Bogotá, mémoire éblouissante des peuples précolombiens *(p. 130)*.

Le **parc national Tayrona**★★★, un bout de paradis entre mer et jungle *(p. 318)*.

Caño Cristales★★★, la « rivière aux sept couleurs » *(p. 436)*.

Crédits photographiques :
Page 4 : Ch. Kober/Robert Harding Picture Library/age fotostock (haut) ; CCO_Photostock_BS/age fotostock (bas)
Page 5 : P. Tisserand/Michelin (haut gauche) ; J. Sochor/age fotostock (haut droit) ; Ch. Sonderegger/age fotostock (bas)
Page 6 : P. Tisserand/Michelin (haut) ; Ch. Kober/Robert Harding Picture Library/age fotostock (bas)
Page 7 : F. Kopp/imageBROKER/age fotostock (haut gauche) ; J. Sweeney/age fotostock (haut droit) ; Ch. Sonderegger/Prisma/age fotostock (bas)

EL VERDOLAGO
LA CARIÑOSA
TIE·801
MEDELLIN

ORGANISER SON VOYAGE

Chiva dans les rues de Cartagena.
P. Tisserand/Michelin

Suggestions d'itinéraires

12 JOURS	LA COLOMBIE CÔTÉ CULTURE
Programme	**Jour 1** : matinée dans le centre historique de Bogotá, la Candelaria *(p. 115)* ; musée Botero *(p. 126)*, musée d'Art *(p. 126)* et hôtel de la Monnaie *(p. 123)* ; l'apr.-midi, musée de l'Or *(p. 130)* et Musée national *(p. 134)*. **Jour 2** : la charmante ville coloniale de Popayán *(p. 394)*. **Jour 3** : excursion vers les hypogées de Tierradentro *(p. 401)* ; nuit sur place. **Jour 4** : trajet vers San Agustín : statues monumentales du parc archéologique *(p. 408)*. **Jour 5** : balade à cheval sur la piste El Tablón-El Purutal *(p. 411)* ; retour à Popayán et vol pour Medellín. **Jour 6** : bain de culture contemporaine dans la capitale de l'Antioquia *(p. 222)* : parque de la Luz, place Botero, musée de l'Antioquia. **Jour 7** : escapade à Santa Fé de Antioquia *(p. 246)* pour apprécier l'architecture paisa ancienne. **Jours 8-10** : plein nord vers la Caraïbe et la cité fortifiée de Cartagena *(p. 279)*. **Jour 11** : retour vers Bogotá et route pour Tunja et son éblouissante chapelle baroque du Rosaire *(p. 165)*. **Jour 12** : excursion à Villa de Leyva *(p. 172)* ; retour à Bogotá.
Transport	Vols intérieurs Bogotá-Popayán, Popayán-Medellín, Medellín-Cartagena, Cartagena-Bogotá. Bus entre les autres villes.
Conseils	Avec 2 j. de plus, vous pouvez prévoir une excursion à Mompox *(p. 290)* au départ de Cartagena.
12 JOURS	**VERTE COLOMBIE : NATURE ET PLEIN AIR**
Programme	**Jour 1** : en excursion depuis Bogotá, découverte des *páramos* du parc national Sumapaz *(p. 154)*. **Jours 2-3** : vol pour Bucaramanga *(p. 202)* puis bus pour rejoindre San Gil *(p. 192)* avec un programme rafting et parapente *(p. 201)*, ou les paysages glacés de la Sierra Nevada del Cocuy *(p. 183)*. **Jours 4-5** : de Bucaramanga, vol pour Riohacha *(p. 326)*, sur la Caraïbe ; échappée en 4x4 dans le désert de La Guajira ; bivouac au Cabo de la Vela *(p. 331)* ; retour le soir à Santa Marta. **Jours 6-7** : randonnées et baignade dans le parc Tayrona ; le soir, route vers Cartagena *(p. 279)*. **Jour 8** : journée et nuit dans une île privée du parc Corales del Rosario *(p. 297)*. **Jours 9-10** : vol pour Medellín, d'où l'on se rendra au choix à Manizales pour une excursion au parc de los Nevados *(p. 260)*, à Armenia pour randonner dans le Valle del Cocora *(p. 269)* ou sur la côte pacifique pour observer les baleines *(p. 358)*. **Jour 11** : autour de Popayán, randonnée dans le parc national du Puracé *(p. 400)* ; détente aux sources chaudes de Coconuco *(p. 400)* ; bus de nuit pour Neiva. **Jour 12** : les paysages lunaires du désert de la Tatacoa *(p. 390)* ; retour à Bogotá.
Transport	Vols intérieurs Bogotá-Bucaramanga, Bucaramanga-Riohacha, Cartagena-Medellín, Medellín-Popayán. Bus entre les autres villes.
Conseils	Prenez le temps de vous acclimater à l'altitude avant de randonner dans la Sierra Nevada del Cocuy. Avec 5 j. de plus, randonnée à la Ciudad Perdida *(p. 319)*, dans la Sierra Nevada de Santa Marta. Avec 3 j. de plus, excursion à Caño Cristales, dans le parc de la Macarena *(p. 436)*.

21 JOURS	UN GRAND TOUR DE LA COLOMBIE
Programme	**Jour 1** : prise de contact avec Bogotá dans les ruelles de la Candelaria *(p. 115)* ; musée Botero *(p. 126)* ; dîner dans la Zona Gourmet *(p. 145)*. **Jour 2** : cathédrale de sel de Zipaquirá *(p. 150)* le matin, musée de l'Or *(p. 130)* et Eje Ambiental *(p. 127)* l'apr.-midi. Bus de nuit pour San Agustín. **Jour 3** : statues monumentales du parc archéologique *(p. 408)* ; l'apr.-midi, balade à cheval vers les pétroglyphes de la piste El Tablón-El Purutal *(p. 411)*. **Jour 4** : route vers la jolie ville coloniale de Popayán *(p. 394)*. **Jour 5** : excursion à Tierradentro et balade à cheval pour découvrir ses hypogées à fresques *(p. 401)* ; nuit sur place *(p. 405)*. **Jour 6** : départ pour Cali *(p. 369)*, promenade dans le barrio San Antonio *(p. 375)* et soirée salsa *(p. 385)*. **Jour 7** : route vers le Triangle du café *(p. 256)*, étape dans le pittoresque village de Salento *(p. 268)*. **Jour 8** : randonnée dans le Valle del Cocora *(p. 269)*, célèbre pour ses palmiers à cire ; en fin de journée, direction Pereira pour un vol vers Medellín. **Jour 9** : prise de contact panoramique avec la capitale de l'Antioquia depuis le téléphérique du parc Arví *(p. 237)* ou au Cerro Nutibara *(p. 237)* puis balade dans les artères piétonnes de Medellín *(p. 226 et 228)* ; dîner dans le quartier El Poblado *(p. 242)*. **Jour 10** : excursion vers le bourg colonial de Santa Fé de Antioquia *(p. 246)* ou vers le village de Guatapé *(p. 251)*, au pied du piton rocheux d'El Peñol *(p. 252)* ; retour à Medellín pour la soirée. **Jour 11** : vol pour Cartagena *(p. 279)* ; flânerie sur les remparts au coucher du soleil. **Jour 12** : baignade dans les eaux cristallines de Playa Blanca *(p. 289)* et retour à Cartagena pour la soirée. **Jour 13** : route pour Santa Marta puis taxi jusqu'au parc Tayrona *(p. 318)* où vous passerez la nuit. **Jour 14** : plages et randonnée vers le hameau kogui d'El Pueblito *(p. 318)* puis retour à Santa Marta pour la nuit. **Jour 15** : vol pour Bucaramanga et route pour El Cocuy *(p. 185)*. **Jour 16** : randonnée au pied des pics enneigés de la Sierra Nevada del Cocuy *(p. 186)*. **Jour 17** : route andine vers San Gil *(p. 192)* et apr.-midi rafting *(p. 201)*. **Jour 18** : excursion aux villages préservés de Barichara *(p. 196)* et Guane *(p. 198)*. **Jour 19** : départ pour Villa de Leyva *(p. 172)*. **Jour 20** : excursion à l'observatoire muisca d'El Infiernito *(p. 176)* et à Tunja *(p. 162)*. **Jour 21** : retour vers Bogotá et dernier coup d'œil sur la ville depuis la basilique de Monserrate *(p. 137)*.
Transport	Vols intérieurs Pereira-Medellín, Medellín-Cartagena, Santa Marta-Bucaramanga. Bus entre les autres villes.
Conseils	Ce programme traversant aussi bien les Andes que la Caraïbe, prenez des vêtements pour tous les types de climat.

Types de séjour

CÔTÉ CULTURE	
Sites archéologiques	Les *chinas* et les pétroglyphes de San Agustín *(p. 410 et 412)*. Les hypogées à fresque de Tierradentro *(p. 401)* Les mystérieuses terrasses de la Ciudad Perdida *(p. 319)*.
Architecture coloniale	Les remparts et les édifices classés de Cartagena *(p. 280)*. Mompox *(p. 290)* et ses églises. La « ville blanche » de Popayán *(p. 394)*. Les bourgades de Barichara *(p. 196)* et Villa de Leyva *(p. 172)* avec leurs ruelles pavées et leurs maisons blanches.
Musées	Les musées de l'Or de Bogotá *(p. 130)*, Santa Marta *(p. 313)*, Cartagena *(p. 285)*, Armenia *(p. 265)*, Cali *(p. 375)* et Pasto *(p. 418)*. Peintures et sculptures de Fernando Botero au musée Botero *(p. 126)* et au Musée national *(p. 134)* de Bogotá ainsi qu'au musée de l'Antioquia *(p. 227)*, à Medellín. Le musée d'Art colonial de Bogotá *(p. 120)*. Le musée d'Art moderne de Medellín *(p. 236)*. À Barranquilla, le musée de la Caraïbe *(p. 303)*.
Édifices religieux	Le sanctuaire néogothique de Las Lajas *(p. 422)*. La chapelle du Rosaire *(p. 165)* à Tunja, chef-d'œuvre baroque. L'étrange église Santa Bárbara à Mompox *(p. 291)*. Les vitraux de la cathédrale de Barranquilla *(p. 305)*. L'imposante cathédrale de brique de Medellín *(p. 228)*. L'éblouissante église-musée Santa Clara, à Bogotá *(p. 122)*.
SPORT ET NATURE	
Randonnée	Tour de la Sierra Nevada del Cocuy *(p. 188)* dans un paysage somptueux de lacs et de glaciers. Le parc national Sumapaz *(p. 154)* près de Bogotá et ses *páramos*. Dans la Sierra Nevada de Santa Marta, la Ciudad Perdida *(p. 319)*, l'ancienne cité des Tayronas, qui se dévoile à l'issue de 3 jours de marche au plus profond de la jungle. Le Camino Real, qui relie les villages coloniaux de Barichara et de Guane *(p. 197)*.
Plage et plongée	Découverte des fonds coralliens dans le parc Corales del Rosario *(p. 290)* et au large des plages de Capurganá *(p. 294)*. Farniente sur les plages de Taganga *(p. 317)*, Playa Blanca *(p. 289)*, du parc Tayrona *(p. 318)* et du Rodadero *(p. 317)*. Pour les pros, plongée au large de l'île de Malpelo *(p. 362)*.
Sports d'aventure	Parapente à la Mesa de Ruitoque *(p. 209)*, au-dessus du Cañón del Chicamocha *(p. 198 et 201)* et dans la région de Medellín *(p. 245)* ; rafting sur le río Fonce à San Gil *(p. 200)* ou sur le río Magdalena *(p. 415)* ; tyrolienne à Popayán *(p. 407)*, Santa Marta *(p. 325)* et Manizales *(p. 275)*.
Paysages	Les étendues désertiques de La Guajira frangées par la mer *(p. 335)*, la rivière aux sept couleurs de Caño Cristales *(p. 436)*, les paysages glaciaires de la Sierra Nevada del Cocuy *(p. 186)*, la jungle au bord de la Caraïbe au parc Tayrona *(p. 318)*… pour ne citer que quelques-uns des paysages d'exception dans un pays qui en regorge.

Aller en Colombie

Nom officiel : République de Colombie
Capitale : Bogotá
Superficie : 1 138 914 km²
Population : 48 483 650 habitants
Langue : espagnol
Monnaie : le peso colombien (COP)
1 € = 2 500 COP ; 1 US $ = 2 300 COP

En avion

Un vol Paris-Bogotá prend env. 11h.

COMPAGNIES RÉGULIÈRES

Air France – ✆ 36 54 *(0,34 €/mn)* - www.airfrance.fr. Vol direct pour Bogotá au départ de Paris Roissy-CDG (env. 11h de trajet). Comptez env. 1 200 € pour un billet AR plein tarif. Escale à prévoir au départ de la province ou à destination d'autres villes colombiennes.

Avianca – ✆ 0 825 869 883 *(0,15 €/mn)* - www.avianca.com. La compagnie colombienne assure la liaison entre Paris ou certaines villes de province et la Colombie avec escale à Madrid ou Barcelone.

Iberia – ✆ 0 825 800 965 *(0,15 €/mn)* - www.iberia.fr.

Les compagnies **Lufthansa** (www.lufthansa.com), **Delta** (fr.delta.com), **United** (united.com) et **Continental Airlines** (www.continental.com) relient aussi la France et la Colombie avec escale(s). Si vous êtes déjà en **Amérique latine**, sachez qu'**Avianca** propose des vols de/vers Buenos Aires, Mexico, Lima, Panama, Quito, Santiago du Chili et San José. Autres compagnies : **TACA** (www.taca.com), **Copa** (www.copaair.com) et **Aerolineas Argentinas** (www.aerolineas.com.ar).

AÉROPORTS INTERNATIONAUX

Pour gagner le centre-ville depuis ces aéroports, voir les pages pratiques à la fin des chapitres concernés.

Barranquilla

Aéroport Ernesto Cortissoz – À 7 km du centre-ville - ✆ +57 (5) 334 2110 ou +57 (5) 334 8202. Vols vers Miami, Panama, Bogotá, Cali et Medellín.

Bogotá

Aéroport international El Dorado – À 15 km du centre-ville - http://eldorado.aero. Deux terminaux pour le trafic passagers : **El Dorado** - ✆ +57 (1) 266 2000 et **Puente Aéreo** - ✆ +57 (1) 425 1000. Vols pour Madrid, Paris et la plupart des capitales nord- et sud-américaines.

Cali

Aéroport Alfonso Bonilla Aragón – À 20 km du centre-ville - ✆ +57 (2) 280 1515 - www.aerocali.com.co. Relie Madrid, Miami, El Salvador, Panama et San Andrés.

Cartagena

Aéroport international Rafael Núñez – À 1,5 km du centre-ville - ✆ +57 (5) 656 9200 - www.sacsa.com.co. Vols sur Miami, New York, Panama et San Andrés.

Medellín

Aéroport international Río Negro/José María Córdova – Río Negro, à 35 km du centre-ville - ✆ +57 (4) 562 2885 - www.airplan.aero. Dessert Madrid, Lima, Miami, Panama, Caracas, San Andrés.

SUR INTERNET

Pour trouver les meilleurs tarifs pour votre vol international, utilisez les comparateurs de vols en ligne : www.jetcost.com ; www.expedia.fr ; www.fr.lastminute.com ; www.lebonprix.com, entre autres.
Déplacements à l'intérieur du pays, voir « Transports intérieurs » p. 36.

Voyagistes

GÉNÉRALISTES

Easy Voyage – 71 r. Desnouettes - 75015 Paris - 01 44 25 94 00 - www.easyvoyage.com. Circuits culturels et trekkings.
Le Voyage Autrement – 2 allée Guillaumin - Domaine St-Martin - 83580 Gassin - 06 87 29 88 70 - www.le-voyage-autrement.com. Renvoie vers des agences locales qui s'attachent à promouvoir un tourisme solidaire et responsable (excursions locales, circuits ou voyages à la carte).
Voyageurs du Monde – 55 r. Ste-Anne - 75002 Paris - 01 42 86 17 70 - www.vdm.com. Voyages itinérants de Bogotá à Cartagena.

SPÉCIALISTES DE LA COLOMBIE

Altiplano Voyage – 18, r. du Pré-d'Avril - 74940 Annecy-le-Vieux - 04 57 09 80 06 - www.altiplano-voyage.com. Circuits complets personnalisés (sites archéologiques, villes coloniales, randonnées, etc.) dans toutes les régions du pays. Hébergements de charme, guides francophones.
Colombie Authentique – 1 r. d'Hauteville - 75010 Paris - 01 53 34 92 78 - www.colombie-authentique.com. Réservation d'hôtels, excursions et circuits (8 j. : Bogotá et Cartagena ; 10 j. : Cartagena, San Andrés et Bogotá ; 10 j. : l'Amazonie, la Zona Cafetera et Cartagena).

VOYAGES SPORTIFS ET AVENTURE

Allibert Trekking – 37 bd Beaumarchais - 75003 Paris - 01 44 59 35 35 ; 19 r. Léon Gambetta - 31000 Toulouse - 05 34 44 55 70 - www.allibert-trekking.com. Randonnées et trekkings organisés selon le niveau des participants.
Huwans Club Aventure – 04 96 15 10 20 - www.huwans-clubaventure.fr. Deux agences en France : 18 r. Séguier - 75006 Paris ; 2 r. Vaubecour - 69002 Lyon. Randonnées en petits groupes et circuits culturels.
Nomade Aventure – 0 825 701 702 - www.nomade-aventure.com. Quatre agences en France : Paris, Lyon, Toulouse et Marseille. Six circuits dont un trek à la Ciudad Perdida, avec possibilité d'extensions vers d'autres sites (à partir de 4 pers.).
Terres d'Aventure – 30 r. St-Augustin - 75002 Paris - 0 825 700 825 *(0,15 €/mn)* - www.terdav.com. Patrimoine et randonnées : la Ciudad Perdida, villages coloniaux, Sierra Nevada del Cocuy.

AGENCES BASÉES EN COLOMBIE

Aventure Colombia – Calle de la Factoria, n° 36-04 - Centro - Cartagena - (mob.) +57 311 534 4554 - www.aventurecolombia.com. Circuits à la rencontre des habitants dans l'esprit d'un tourisme durable, dans la région de Cartagena.
Chaska Tours – +57 (8) 837 3437 ou (mob.) 311 271 4802 - www.elmaco.ch/chaska. Circuits organisés dans tout le pays, randonnées dans des parcs nationaux.
Marymar – +57 (5) 664 0848 - www.voyagemarymar.com. Des circuits à travers le pays mais aussi des croisières, des cours de danse, des promenades en calèche…
Terra Colombia – +57 (6) 313 1768 - www.voyage-colombie.com. Voyages à la carte et circuits hors des sentiers battus.

Avant de partir

Le bon moment pour partir

CARACTÉRISTIQUES CLIMATIQUES

Plutôt qu'en véritables « saisons » à l'européenne, l'année se divise en **saisons sèches** (approximativement déc.-janv. et juil.-août, sauf exceptions régionales) et **saisons des pluies** (avr.-mai et oct.-nov., mais ces périodes restent extrêmement variables d'un bout à l'autre du pays).

Les appellations de saison sèche et saison des pluies n'ont rien de catégorique : il peut **pleuvoir** à tout moment de l'année – mais l'inverse est également vrai, le soleil peut briller en toute saison, dans n'importe quelle région.

VARIATIONS RÉGIONALES

La Colombie bénéficie d'un **climat agréable**, avec des températures qui restent stables tout au long de l'année, mais varient considérablement en fonction de l'altitude où vous vous trouvez, avec des écarts de 10° à 15° entre un territoire proche des côtes pacifique ou caraïbe et une zone montagneuse. Les thermomètres de **Medellín**, la « Ville de l'éternel printemps », affichent 22° en moyenne, 12 mois sur 12. Il fait en revanche très chaud et humide sur les côtes et en Amazonie.

Les variations régionales sont en effet considérables : certaines régions (**côte pacifique**, **Amazonie**, **Triangle du café**) sont arrosées toute l'année, d'autres à l'inverse (péninsule de **La Guajira**) souffrent d'une sécheresse chronique.

HAUTE SAISON ET RÉSERVATIONS

De la **mi-juin à la mi-août**, période la plus prisée par les touristes occidentaux, les **vacances scolaires** colombiennes obligent à réserver bien à l'avance son hébergement et ses transferts intérieurs. De même, réservez billets de bus, vols intérieurs et hôtels dès que possible si vous voyagez lors de **jours fériés** *(voir p. 29)*, car les Colombiens se déplacent alors en nombre pour rendre visite à leurs proches.

Consultez aussi les dates des **festivités locales**, nombreuses *(voir p. 40)*, pour choisir la période de votre voyage. Là encore, pensez à réserver si vos dates recoupent celles de grands festivals ou de pèlerinages importants.

TEMPÉRATURES MOYENNES PAR MOIS EN DEGRÉS CELSIUS (SOURCE IDEAM)

	J	F	M	A	M	J	J	A	S	O	N	D
Bogotá	14.3	14,5	14,9	14,9	15	14,5	14,6	14,1	14,3	14,3	14,4	14,6
Cali	23,7	23,7	23,5	23,3	23,4	23,3	23,7	23,8	23,6	23,1	22,9	23,2
Cartagena	26,7	26,6	27	27,5	28	28,1	28,1	28	28	27,6	27,6	27,1
Leticia	27	27	27	27	26,5	26,5	26	26,5	27	27,0	27	27
Medellín	21,9	22,1	22,3	21,8	21,8	21,9	22	21,9	21,5	20,8	21	21,4

Adresses utiles

OFFICES DE TOURISME

En l'absence d'office du tourisme de Colombie en France, Belgique et Suisse, vous trouverez une documentation sommaire dans les sections consulaires, mais surtout sur Internet.

SITES INTERNET

Conseils aux voyageurs

Des informations régulièrement mises à jour sur les questions de sécurité :

www.diplomatie.gouv.fr – Le site du ministère des Affaires étrangères répertorie les régions déconseillées, donne des conseils de sécurité, et rappelle les formalités d'entrée et de séjour.

www.voyage.gc.ca *(en français)* – Site du ministère des Affaires étrangères et du Commerce international canadien.

Actualités

http://colombiareports.com *(en anglais)* – Informations, débats, sports, culture, loisirs et voyages.

www.eltiempo.com *(en espagnol)* – Version en ligne du premier quotidien de Colombie.

www.elcolombiano.com *(en espagnol)* – Version en ligne du plus important quotidien de Medellín.

www.colombiajournal.org *(en anglais)* – Une analyse complète de la situation politique, sociale et économique de Colombie.

http://equinoxio.org *(en espagnol et en anglais)* – Un magazine numérique indépendant offrant différents éclairages sur l'actualité colombienne.

http://institucional.ideam.gov.co/jsp/index.jsf *(en espagnol)* – Portail officiel de l'IDEAM (Institut colombien d'études hydrologiques, météorologiques et environnementales). Bulletin météo quotidien et alertes (incendies, inondations, éruptions et séismes) pour les grandes villes et toutes les régions du pays.

Tourisme

www.colombia.travel/fr – Portail officiel du tourisme colombien : articles, documentation audio et vidéo, visites virtuelles et photos pour découvrir sites et activités.

www.todacolombia.com *(en espagnol)* – Le pays, sa culture, ses habitants et plus encore.

Culture

www.igac.gov.co *(en espagnol et en anglais)* – Cartes officielles du pays sur le site de l'Institut géographique Agustín Codazzi.

www.colarte.com *(en espagnol)* – Pour tout connaître sur les grands noms, les courants, les styles, les œuvres et les événements de la Colombie artistique.

www.museos.unal.edu.co *(en espagnol)* – Présente les musées et les espaces culturels gérés par l'Université nationale de Colombie.

www.icanh.gov.co, rubrique « Parques y Asociados » *(en espagnol et en anglais)* – Le portail de l'Institut colombien d'anthropologie et d'histoire présente les grands sites archéologiques et les musées nationaux.

www.banrepcultural.org/blaavirtual *(en espagnol)* – Visite virtuelle de la Biblioteca Luis Ángel Arango (Bogotá). Accès gratuit aux œuvres numérisées : livres (texte intégral), journaux, biographies, mais aussi photos et documents audio et vidéo.

Nature

www.parquesnacionales.gov.co *(en espagnol et en anglais)* – Le site officiel des parcs nationaux colombiens : tout sur les parcs, les réserves naturelles et leurs écosystèmes, les accès, les permis et les services qu'on y trouve.

www.colparques.net *(en espagnol)* – Région par région, les parcs nationaux, les réserves naturelles, les sanctuaires de faune et de flore, mais aussi les parcs archéologiques.

www.colombiaextrema.com *(en espagnol)* – En un coup d'œil, l'ensemble des sports extrêmes proposés en Colombie, classés par région et par type d'activité.

www.worldwildlife.org/places/amazon *(en anglais)* – Le WWF présente ses initiatives pour la protection de la forêt tropicale et le développement d'une économie forestière durable.

www.aquaverde.org *(en espagnol)* – Cette association de conservation de l'Amazonie rassemble une somme d'informations sur les forêts et les peuples de la région.

Blogs en français

http://parisblogota.com – Une autre vision de la Colombie, par un journaliste français et un écrivain colombien.

www.enroutes.com/blogs-colombie.html – Récits de voyage retraçant la visite de villes colombiennes.

www.darloup.com/blog/ – Blog d'un professeur de français sur Barranquilla et la côte caraïbe.

www.asihablamos.com/word/pais/co/ – Pour tout savoir sur les spécificités du vocabulaire colombien.

REPRÉSENTATIONS DIPLOMATIQUES

Pour les représentations européennes et canadiennes en Colombie : voir « Sur place de A à Z », p. 26.

France

Ambassade de Colombie – 22 r. de l'Élysée - 75008 Paris - 01 42 65 46 08 - http://francia.embajada.gov.co.

Consulat de Colombie – 12 r. de Berri - 75008 Paris - 01 53 93 91 91 - www.consulatcolombie.com - lun.-vend. 8h-14h.

Belgique

Ambassade de Colombie – Av. Franklin D. Roosevelt 95A - B-1050 Bruxelles - 2649 70 09 - http://belgica.embajada.gov.co.

Suisse

Ambassade de Colombie – Dufourstrasse 47 - 3005 Berne - 031/350 14 00 - http://suiza.embajada.gov.co.

Canada

Consulat de Colombie – 1010 Sherbrooke Ouest, Bureau 920 - Montréal H3A 2R7 - +1 (514) 849 48 52 - http://montreal.consulado.gov.co.

Formalités

Les informations ci-dessous sont données à titre indicatif et susceptibles d'être modifiées. Renseignez-vous auprès des représentations diplomatiques colombiennes de votre pays au moins un mois avant votre départ.

DOCUMENTS

Pièce d'identité et visa

Tous les ressortissants étrangers doivent présenter à leur arrivée en Colombie un passeport **valide au moins 6 mois** après la date du retour. Pas de visa pour les séjours de **moins de 90 jours** pour les ressortissants de la plupart des pays d'Europe occidentale et du Canada. Vous devrez être en mesure de présenter votre **billet retour** et d'attester de votre **solvabilité** pour la durée du séjour.

Durée du séjour

Si vous comptez rester 90 jours, spécifiez-le à votre arrivée, où l'on délivre des autorisations de séjour de 30, 60 ou 90 jours.

Pour prolonger votre séjour une fois sur place, contactez le **Bureau de l'immigration** à Bogotá (Calle 100, n° 11B-27 - www.migracioncolombia.gov.co).

Taxe de sortie

Pour un séjour de plus de 60 jours, une **taxe de sortie** de 74 000 COP est exigée, en espèces, à l'aéroport le jour du départ. Assurez-vous de bien disposer de cette somme.

Conseil – Par sécurité, gardez sur vous une photocopie de votre billet d'avion et de votre passeport (six 1res pages et page de visa). Cela facilitera vos démarches en cas de perte ou de vol de vos documents.

DOUANES

Possibilité d'acheter des **produits hors taxes** à hauteur de 1 500 US $. Si vous entrez en Colombie avec plus de **10 000 US $** en espèces (devises locales ou étrangères), vous devez le signaler sur le formulaire de déclaration de bagages et de devises. Des restrictions s'appliquent à l'importation de **denrées périssables**.

ASSURANCES

Avant de partir, pensez à souscrire une assurance. Renseignez-vous en prenant votre billet d'avion : si vous l'achetez auprès d'un tour-opérateur, on vous proposera une police d'assurance complète. Certaines mutuelles complémentaires proposent également ce service. Informez-vous au préalable auprès de votre banque : certaines cartes bancaires donnent droit à une assurance voyage. Vous pouvez enfin vous adresser aux organismes proposant ces prestations, dont :

AVA – 01 53 20 44 20 - www.ava.fr.

Europ Assistance – 01 41 85 93 65 - www.europ-assistance.fr.

Mondial Assistance – 01 53 05 86 00 - www.mondial-assistance.fr.

Vérifiez que votre assurance couvre la durée de votre séjour et qu'elle s'applique à toutes les régions de Colombie où vous comptez vous rendre. Si votre gouvernement déconseillait certaines zones à ses ressortissants, votre assurance pourrait alors ne pas être valable *(voir le site du ministère des Affaires étrangères p. 17)*. Vérifiez aussi que vous êtes couvert pour la pratique de tous les sports que vous envisagez de pratiquer sur place. Plongée et randonnée, par exemple, sont parfois classées dans les sports dits « à risque ».

SANTÉ

Pour les risques médicaux en Colombie, voir aussi « Santé » dans « Sur place de A à Z », p. 32.

Vaccinations

Avant votre départ, vérifiez que vous êtes à jour dans vos vaccinations contre la **polio**, le **tétanos** et la **diphtérie**, sans oublier l'**hépatite A** et la **typhoïde**. Si vous comptez vous rendre dans des zones isolées, les vaccins contre la **rage** et l'**hépatite B** sont recommandés.

Par ailleurs, un certificat de vaccination contre la **fièvre jaune** est exigé à l'aéroport de Leticia ainsi que dans les pays frontaliers, lorsqu'on arrive de Colombie.

Centre international de vaccinations d'Air France – 148 r. de l'Université - 75007 Paris - 01 43 17 22 00 - www.vaccinations-airfrance.fr - lun.-vend. 8h45-18h, sam. 8h45-16h.

Centre médical de l'Institut Pasteur – 209-211 r. de Vaugirard - 75015 Paris - 01 45 68 80 00 - www.pasteur.fr - lun.-vend. 9h-16h30, sam. 9h-11h30.

Trousse à pharmacie

Une trousse à pharmacie de base comprendra : lotion antimoustiques, crème antibiotique,

Calculez votre budget quotidien

La vie en Colombie est bon marché sauf à Bogotá (capitale), Carthagène et les îles de San Andrés et Providencia (très touristiques) ainsi que dans les régions difficiles d'accès comme la côte pacifique ou l'Amazonie. Les tarifs hôteliers varient aussi selon les saisons pour atteindre un pic au moment des vacances de Noël et pendant la *Semana Santa* (Pâques).

Les budgets indiqués ci-dessous s'entendent **par jour et par personne** ; ils comprennent la nuit dans une chambre double (sauf dans les hôtels de catégorie moyenne et supérieure, le petit-déj. est rarement inclus), le déjeuner et le dîner. Pensez à y ajouter transports, visites des monuments, excursions et activités selon votre programme.

Petit budget (environ **20 €/j/pers.**) : hébergement dans un *hostal*, ou un hôtel simple de la catégorie « premier prix ». Vous déjeunerez dans une gargote de rue ou au marché, et dînerez dans un restaurant simple (moins de 6 €).

Budget moyen (de **35** à **50 €/j/pers.**) : étape dans des établissements confortables, plus fonctionnels que charmants. Déjeuner léger et dîner dans un restaurant plus haut de gamme (env. 15 €/pers.).

Budget plus large (à partir de **80 €/j/pers.**) : votre séjour s'effectuera dans des conditions très confortables. Nuit dans des hôtels de luxe, des *resorts* sur la plage ou de belles *fincas* traditionnelles et dîner dans des établissements renommés ou de cuisine occidentale (plus de 25 €).

Voir aussi le tableau des prix ci-contre.

désinfectant, pansements, paracétamol, bandages, analgésique, crème apaisante pour les démangeaisons, crème solaire haute protection, crème apaisante pour les coups de soleil et les brûlures, et éventuellement pastilles pour purifier l'eau si vous partez en randonnée longue durée. Prévoyez également un antidiarrhéique, un antiseptique intestinal, un réhydratant, un antihistaminique (contre le rhume, les allergies et le mal des transports).

On trouve sur place la plupart des médicaments ou leur équivalent, ainsi que tous les produits d'usage courant (mousse à raser, protections périodiques, etc.).

Argent

La monnaie nationale est le **peso colombien** (**COP**).

En 2015 : 1 € = env. 2 500 COP.

Pour connaître les taux de change en vigueur : www.xe.com ou www.exchange-rates.org (**convertisseurs** en ligne).

Voir aussi la rubrique « Argent » dans « Sur place de A à Z », p. 26.

Espèces et cartes bancaires

Vous pourrez changer de l'argent ou trouver un distributeur automatique de billets *(cajero automático)* sans problème dans toutes les villes. Attention cependant, les plafonds de retrait sont très bas : 300 000 COP dans la plupart des distributeurs, et 500 000 COP dans ceux du Banco AV Villas. Évitez de porter sur vous des sommes importantes ou de grosses coupures. Des dollars US en petites coupures pourront vous être utiles.

Les cartes de paiement internationales – **Visa** et **MasterCard** surtout – sont acceptées quasiment partout, sauf mention contraire (). Cela est moins vrai pour les cartes Diners Club, et peu de commerces acceptent la carte American Express.

Conseil – Informez votre banque de votre voyage en Colombie afin qu'elle autorise les débits pendant votre séjour. Demandez également à votre agence le numéro à composer de l'étranger pour faire **opposition** en cas de perte ou de vol.
À toutes fins utiles, un serveur vocal est valable pour tous les types de cartes : 0 892 705 705 ou (33) 442 605 303 depuis l'étranger.

Chèques de voyage

Il est **très difficile** de changer des chèques de voyage en Colombie. Cela reste possible dans les banques des grandes villes ou dans certaines *casas de cambio* (bureaux de change), mais la démarche est fastidieuse et l'on vous réclamera généralement vos empreintes digitales. Vous devrez présenter votre passeport ainsi qu'une photocopie de celui-ci. Certains établissements peuvent demander une preuve d'achat des chèques.
La plupart des hôtels refusent le règlement des prestations en chèques de voyage et ne les changent pas.

SERVICES OU ARTICLES	PRIX MOYEN	ÉQUIVALENT EN EUROS
Un lit en dortoir dans un *hostal*	25 000 COP	10 €
Une chambre double dans un hôtel simple (« petit budget »)	50/60 000 COP	20-24 €
Une chambre double dans un hôtel de catégorie intermédiaire (« budget moyen »)	100/150 000 COP	40-60 €
Une chambre double dans un hôtel de catégorie supérieure ou une *finca* (« budget plus large »)	180/250 000 COP	72-100 €
Une *empanada*	800-2 000 COP	0,30-0,80 €
Un repas dans un bon restaurant (« budget moyen »)	40 000 COP	16 €
Une heure de randonnée à cheval	10/20 000 COP	2,40-4 €
Une descente en rafting (1h30)	40 000 COP	16 €
Une location de vélo (1/2 j.)	20 000 COP	8 €
Un billet de bus Bogotá-Medellín (450 km)	60 000 COP	24 €
Un billet d'avion Bogotá-Medellín	160 000 COP	64 €
Un trajet entre l'aéroport de Bogotá et le centre-ville en taxi	25 000 COP	10 €
Une entrée de musée	3/10 000 COP	1,20-4 €
Un service de laverie (kg)	3 500 COP	1,40 €
Une bouteille d'eau minérale	2 500 COP	1 €
Un café *(tinto)* dans la rue	500 COP	0,20 €
Une bière	2 000 COP	0,80 €
Un jus de fruits frais dans la rue	3 000 COP	1,20 €
Une carte SIM	5 000 COP	2 €

Décalage horaire

GMT -5 sur l'ensemble du territoire. Lorsqu'il est midi à Bogotá, il est 19h à Paris en été, 18h en hiver, la Colombie n'appliquant pas le passage aux heures d'été et d'hiver. La Colombie utilise le système horaire de 12 heures (am/pm, *ante meridiem* et *post meridiem*) : 4pm correspond à 16h.

Téléphoner

Pour appeler la Colombie depuis l'étranger, composez : 00 + 57 (indicatif de la Colombie) + indicatif régional (indiqué entre parenthèses dans les numéros de ce guide) + le numéro demandé.

Téléphoner depuis la Colombie ou à l'intérieur du pays : voir p. 35.

Se loger

On trouve des logements pour tous budgets, y compris dans les petites villes, et le parc hôtelier s'accroît à vive allure, à mesure que le tourisme – national et étranger – se développe dans le pays. Les hôtels de chaînes internationales et les établissements haut de gamme sont surtout présents dans les grandes villes et les stations balnéaires.

La plupart des hôtels de moyen et haut de gamme ne vous feront pas payer la TVA (IVA, 16 %) si vous leur montrez votre passeport avec votre visa de tourisme. Pensez à le demander, on ne vous le proposera pas toujours spontanément.

Vous trouverez une sélection d'hôtels dans les pages « Nos adresses à… » de la section « Découvrir », ville par ville. Pour les catégories de prix, voir le tableau ci-contre.

CATÉGORIES D'HÉBERGEMENTS

Premier prix

Les petits budgets s'orienteront vers les *hostales, hosterías, posadas, hospedajes, casas de huespedes* (maisons d'hôtes) ou encore *mesones*. Dans ces catégories, le meilleur côtoie le pire. Le prix varie selon le niveau de confort et les prestations mais, en règle générale, vous paierez moins de 25 € pour une chambre double.

Il est généralement possible de réserver sur Internet, mais vous aurez tout intérêt à aller voir directement sur place et à jeter un œil à la chambre et à la salle de bains avant de vous engager.

Quelques sites à consulter : www.hostelworld.com/countries/colombiahostels.htm ou http://colombianhostels.com.co. Pour les **auberges de jeunesse** : www.hihostels.com/destinations/co/hostels ou www.alberguesdejuventud.com.

Hostales – Comportant des chambres particulières et/ou des dortoirs, ils appartiennent généralement à des particuliers, souvent des expatriés. Ils sont bien équipés – wifi, cuisine commune, laverie… – et attirent une clientèle plutôt jeune. Il est parfois possible de payer avec une carte de crédit mais, dans les petites villes, on vous demandera plutôt de régler votre séjour en liquide.

Casas de huespedes – Ce sont souvent des chambres à louer chez un particulier. Vous serez généralement bien logé, bien accueilli, voire bien nourri (possibilité de demi-pension). Mieux vaut maîtriser quelques rudiments d'espagnol si vous choisissez cette option – mais un séjour de ce type sera parfait si vous cherchez à apprendre la langue ou à vous perfectionner.

Bon à savoir – Évitez les **acostaderos**, où on loue des chambres à l'heure et qui sont en fait des maisons de passe.

Budget moyen

Les noms donnés aux hébergements pour petit budget *(hostales, hosterías, casas de huespedes)* peuvent aussi s'appliquer aux hôtels de catégorie moyenne, ce qui prête à confusion. Fiez-vous au prix (maximum 72 € la chambre double dans un hôtel de catégorie moyenne) ou demandez à voir la chambre pour vous faire une idée précise. Souvent sans caractère, ces hôtels s'avèrent néanmoins pratiques, se trouvant généralement en **centre-ville**, près des sites à visiter, des restaurants, des bars et des boutiques. Certains disposent d'un **restaurant**, et le **petit-déjeuner** est parfois inclus dans le prix de la chambre. La plupart proposent des chambres avec **salle de bains** privative (toilettes, douche) et **air conditionné**. On trouve là aussi de tout, mais on peut dénicher des hôtels d'un bon rapport qualité-prix. Il est généralement possible de payer par carte de crédit et de réserver directement sur le site Internet de l'hôtel.

Haut de gamme

Vous trouverez dans les grandes villes des hôtels de standing international offrant tous les équipements et les services souhaités : room service, wifi, business center, restaurants, bars, service de blanchisserie, coffre-fort et TV par câble. Pour une nuit dans un hôtel haut de gamme, comptez une centaine d'euros.
La plupart sont situés dans les beaux quartiers des grandes villes, comme **El Poblado** à Medellín ou la **Zona T** à Bogotá. Certains font partie de **chaînes internationales**, d'autres sont uniques, comme ceux qui se sont installés dans des bâtiments restaurés de l'époque coloniale, en particulier à Cartagena.
Des **hôtels-boutique** à l'atmosphère plus intime ont aussi ouvert leurs portes, notamment à Cartagena et à Bogotá.
Pour les **hôtels-boutique** : www.colombia.travel/es/directorios/Hoteles-Boutique. Pour les **hôtels de luxe** : www.luxurylatinamerica.com/lux_colombia.html.

TOURISME RURAL

De nombreuses caféières ou **fincas** ont attrapé le virus du tourisme. On peut non seulement visiter les lieux et déguster le café produit sur place, mais aussi y séjourner. Certaines exploitations ont été reconverties en hôtel tout confort, d'autres, toujours en activité, offrent un cadre plus rustique et plus authentique. On peut combiner un séjour dans une *finca* avec des randonnées équestres ou pédestres dans la Zona Cafetera, voire prêter main-forte aux activités de la propriété pour approcher le processus de la fabrication du café.
Pour les **fincas** : www.clubhaciendasdelcafe.com ; www.paisatours.com/coffee_country.htm ; www.turismoquindio.com.
Pour les **logements en zones rurales** : www.colombia.travel/es/directorios/Alojamientos-Rurales.

NOS CATÉGORIES DE PRIX		
	Hébergement	**Restauration**
Premier prix	moins de 100 000 COP (40 €)	moins de 30 000 COP (12 €)
Budget moyen	de 100 000 à 180 000 COP (de 40 € à 72 €)	de 30 000 à 60 000 COP (de 12 € à 24 €)
Pour se faire plaisir	de 180 000 à 300 000 COP (de 72 € à 120 €)	de 60 000 à 100 000 COP (de 24 € à 40 €)
Une folie	plus de 300 000 COP (120 €)	plus de 100 000 COP (40 €)

ÉCOTOURISME

www.parquesnacionales.gov.co (rubrique « Ecoturismo ») – Pour connaître les parcs nationaux qui proposent des écolodges *(en anglais et en espagnol).*

Posadas turísticas

Ce programme lancé par le gouvernement a pour objectif de développer des **infrastructures touristiques** dans les régions ayant un riche patrimoine naturel, avec un minimum d'impact sur l'environnement. Ne vous attendez pas à trouver des hôtels 5 étoiles : ces hébergements privilégient l'authenticité par rapport au confort et s'adressent à ceux qui veulent découvrir le mode de vie local.
Pour trouver une *posada turística* : www.posadasturisticasdecolombia.gov.co/catalogos_digitales.php.

Se restaurer

Vous trouverez une sélection de tables simples ou recherchées dans les pages « Nos adresses à… » de la section « Découvrir », ville par ville. Pour les catégories de prix, voir le tableau p. 23.

REPAS ET HORAIRES

Le **desayuno** (petit-déjeuner), que l'on prend entre 6h30 et 8h30, se compose généralement de *pan dulce* (petits pains sucrés) et de viennoiseries ou d'œufs brouillés et d'*arepas* (crêpes de maïs frites), de *tinto* (café, *voir p. 67*) et de jus de fruits frais (orange, ananas, pastèque ou mangue). Peu de restaurants sont ouverts à ces heures matinales : tentez plutôt votre chance du côté des *panaderias* (boulangeries) et des *pastelerias* (pâtisseries), dont beaucoup ont aménagé un coin repas.
La plupart des restaurants ouvrent vers 12h pour l'**almuerzo** (déjeuner), repas principal de la journée, qui se prend généralement entre 12h30 et 14h30. La plupart des établissements, surtout les plus simples, proposent un **menu del día** (menu du jour), **comida corriente** ou **comida del día** se composant d'une soupe *(sopa)*, d'un plat principal (*plato fuerte* : viande grillée, poisson ou poulet accompagné de riz, haricots noirs et banane plantain) et d'un verre de jus de fruit. Le tout généralement *casero* (maison), frais et copieux. Ces formules (autour de 6 000-10 000 COP) reviennent nettement moins cher que le reste de la carte et sont souvent beaucoup plus savoureuses. N'hésitez pas à poser la question : le menu du jour n'est pas toujours affiché. Quant à la **cena** (dîner), où prévalent plutôt les choix *a la carta*, elle se prend entre 19h30 et 20h30. De nombreux restaurants cessent leur service vers 18h, et, en dehors des grandes villes et des localités touristiques, il devient difficile de trouver un endroit ouvert passé 21h.

LES RESTAURANTS

Dans les grandes villes, vous aurez l'embarras du choix pour trouver un bon restaurant, dans des quartiers comme **El Poblado** à Medellín et la **Zona Gourmet** à Bogotá.
En général, les établissements ne se contentent pas de proposer de la cuisine colombienne et vous aurez tout loisir de dîner italien, chinois, péruvien ou mexicain.
Depuis quelques années, on assiste par ailleurs à une sorte de petite **« révolution culinaire »** en Colombie. Derrière leurs fourneaux, certains chefs n'hésitent pas à faire évoluer la traditionnelle *comida criolla* (cuisine locale) pour servir des plats inattendus à base de produits locaux. C'est dans les quartiers huppés des grandes villes que vous rencontrerez ces tenants

de la **cuisine d'auteur**, talentueux et inventifs.
Dans les lieux situés à l'écart des sentiers touristiques, l'offre est nettement moins variée.
Les établissements, très simples, ont souvent des plats du jour réalisés avec des ingrédients locaux, mais la nourriture y est généralement savoureuse et bon marché.
Les restaurants de cuisine colombienne, à commencer par les *asaderos* (spécialisés dans les grillades), plairont aux amateurs de viandes. Ceux qui veulent manger plus sain et plus léger se replieront sur les pizzerias, nombreuses, et les **restaurants végétariens**, qui portent souvent des noms indiens et que l'on trouve dans la plupart des villes.

Pourboire

Dans les restaurants d'un certain standing, le **service** (10-15 % de la note) sera souvent ajouté d'office au montant de l'addition. Sachez qu'il n'a aucun caractère d'obligation et est laissé à votre appréciation. Vous pouvez aussi choisir de ne pas le faire figurer sur la note et le laisser directement au serveur : précisez-le avant qu'on ne vous apporte l'addition. Dans les petits établissements ou les restaurants bon marché, le pourboire n'est pas obligatoire (sauf zone touristique), mais sera toujours apprécié.

LES PLATS

Voir aussi « La gastronomie », p. 64.
Dans les assiettes, les portions sont généralement copieuses, mais, malgré l'abondance et la variété des fruits et des légumes qui poussent en Colombie, on y aime avant tout la **viande** *(carne)*. En accompagnement, on sert souvent du **riz** *(arroz)* et des **haricots noirs** *(frijoles)*, ainsi que des galettes de maïs *(arepas)* et des bananes plantains aplaties en galettes *(patacones)* ou coupées en tranches.
Le **bœuf** *(rés)* est souvent servi en tranches fines et très cuit. Outre le poulet *(pollo)*, omniprésent, le **porc** *(cerdo)* domine au menu, en particulier dans l'Eje Cafetero d'où vient le « plateau *paisa* » *(bandeja paisa)*, véritable cauchemar des végétariens…
Dans ce pays qui compte deux accès à la mer (Pacifique et mer des Caraïbes) et de nombreuses rivières, le **poisson** *(pescado)* et les **fruits de mer** *(mariscos)* sont frais et savoureux.
Dans les Andes et les régions en altitude (Bogotá, par exemple), on préfère les **ragoûts** *(guisados)* roboratifs et les **soupes** *(sopas)* consistantes.
Il n'est pas d'usage d'accompagner les repas de **boissons** alcoolisées. Les Colombiens commandent plutôt des sodas, dont ils font une grosse consommation. Dans les restaurants populaires, on vous proposera un *jugo natural* (jus de fruit pressé, goyave, corossol, ananas ou pastèque selon la saison), une *agua* (jus de fruit allongé d'eau et sucré) ou une *limonada*, tous beaucoup plus sains.

SUR LE POUCE

Les en-cas vendus partout par des marchands ambulants sont généralement confectionnés à partir d'une pâte de farine de maïs, plus rarement de blé, et frits. Les hamburgers, pizzas, *salchipapas* (saucisse-frites), *perros calientes* (hot-dog) et autres *comidas rapidas* font une rude concurrence aux snacks typiquement colombiens : **arepas** (galette de maïs nature ou fourrée), **tamales** (pâte de maïs vapeur farcie à la viande), **empanadas** ou **patacones** *(voir « La gastronomie »,p. 66)*.

Sur place de A à Z

ACHATS

Les magasins sont généralement ouverts de 9h à 20h, sauf le dimanche. Dans les grandes villes, la fermeture peut être plus tardive.

AMBASSADES ET CONSULATS

France (ambassade et consulat) – Carrera 11, n° 93-12 - Bogotá - ✆ +57 (1) 638 1400 - www.ambafrance-co.org.
Belgique (ambassade) – Calle 26, n° 4A-45, piso 7 - Edificio KLM - Bogotá - ✆ +57 (1) 380 0370/80 - http://diplomatie.belgium.be/colombia.
Suisse (ambassade) – Carrera 9a, n° 74-08, piso 11 - Edificio Profinanzas - Bogotá - ✆ + 57 (1) 349 7230 - www.eda.admin.ch.
Canada (ambassade) – Carrera 7, n° 115-33 - Bogotá - ✆ +57 (1) 657 9800/9951 - www.canadainternational.gc.ca.

ARGENT

Sauf mention contraire (), en ville, les principales cartes de paiement internationales sont acceptées dans presque tous les hôtels et restaurants de standing moyen et supérieur.

Monnaie

La monnaie colombienne est le **peso** (**COP**). **Billets** de 50 000, 20 000, 10 000, 5 000, 2 000 et 1 000 pesos ; **pièces** de 1 000, 500, 200, 100 et 50 pesos.
En 2015 : 1 € = env. 2 500 COP.
Vous aurez du mal à écouler les grosses coupures en dehors des grands centres urbains, certains magasins ou les taxis ne possédant pas la monnaie nécessaire. Faites de la monnaie dès que possible (en payant votre hôtel par exemple) et gardez sur vous des petites coupures et des pièces.
Voir aussi la rubrique « Argent » dans « Avant de partir », p. 20.

Banques

En général, elles sont ouvertes lun.-vend. 8h-11h30 ou 12h et 14h-16h30. Dans les grandes villes, les banques restent ouvertes à l'heure du déjeuner. Certains **bureaux de change** *(casas de cambio)* ne ferment qu'à 18h. Le change de devises en COP se fait sur présentation du passeport et la plupart des officines vous demanderont vos empreintes digitales.

Distributeurs automatiques

Les *cajeros automáticos* sont nombreux en ville : cela vous évitera d'avoir à garder des sommes importantes en poche.
Les distributeurs colombiens ne fonctionnent pas comme en Europe : la carte n'est pas « avalée » par la machine pendant la transaction. Vous devrez passer votre carte dans le lecteur, puis taper votre code secret et le montant souhaité du retrait.
Si, pour une raison ou une autre, le distributeur avale votre carte, *ne tapez pas* votre code secret.
En cas de perte ou de vol :
Visa – ✆ 01 800 912 5713.
MasterCard – ✆ 01 800 912 1303.

EAU POTABLE

L'**eau du robinet** est potable et plutôt saine. Évitez toutefois de la consommer dans certaines régions isolées – San Andrés, Providencia, péninsule de La Guajira

AGE

nesco : le parc national de **…atíos**, dans le Chocó, fermé …ublic ; et le sanctuaire de faune …e flore de **Malpelo** *(p. 362)*.

…ons
…tés

…lle

…SERVES

…rales
…ales (R. N.),
…lora (S. F. F.),
…antaine sur
…re. L'entrée
… 50 000 COP.
…s à un quota
…urs et il faut
… 24h à l'avance.
…un guide vous sera
…e, gratuitement ou
…ration.
…esnacionales.gov.co.

…E DE L'UNESCO

…eresses et ensemble …ntal de **Cartagena** *(p. 280)*.
…historique de **Santa Cruz …npox** *(p. 290)*.
…ations du **Triangle du café** …s du Nord-Ouest, *p. 256*).
…cs archéologiques …an Agustín *(p. 408)* et **Tierradentro** *(p. 401)*.
…Qhapaq Ñan, réseau de routes …ndines démarrant près de Pasto et …e poursuivant jusqu'au Chili.
Outre ces biens culturels, deux zones naturelles colombiennes figurent aussi au Patrimoine

…LAGES

…Les quelque 3 000 km de côtes de la Colombie offrent des plages de sable blanc du côté de la **mer des Caraïbes** (sans oublier les plages des îles) et de sable gris, bordées par une jungle inextricable, sur la **côte pacifique**.

Côte caraïbe

Capurganá *(p. 294)* – À quelques encablures du Panama, des plages à l'état brut, encore très préservées.
San Bernardo, Rosario et Barú *(voir p. 290)* – Des miettes d'éden. Accès facile depuis Cartagena.
Santa Marta *(p. 317)*. Elles comptent parmi les plus populaires du pays.
Tayrona *(p. 318)* – Des plages de toute beauté bordées par la jungle, dans un parc national.
La Guajira *(p. 331)* – Sur la terre des Wayúus, d'immenses étendues désertes.
Providencia *(p. 341)* – Des plages paradisiaques, à l'écart du monde, baignées par des eaux cristallines.
San Andrés *(p. 339)* – Des plages superbes, mais très fréquentées.

Côte pacifique

Bahía Solano et **El Valle** *(p. 350 et 353)*. Quelques magnifiques plages toutes proches, d'où l'on part observer les baleines.
Ladrilleros *(p. 360)*. Des plages très appréciées des habitants de Cali lors des fêtes de fin d'année.
Nuquí *(p. 355)*. Surf et observation des baleines sur ces plages sauvages et peu fréquentées.

POSTE

Le principal service postal, **4-72** *(www.4-72.com.co)*, est géré par le gouvernement. Comptez 3 à 4 semaines pour qu'une carte ou une lettre arrive en Europe.

et Amazonie. Si vous voyagez en Amazonie, munissez-vous de **pastilles désinfectantes**. L'eau minérale **Agua Manantial** est bonne, bon marché et distribuée dans tout le pays.

ÉCOTOURISME

Observation des oiseaux

Voir aussi « La faune », dans « Nature et paysages », p. 104.
On admire les oiseaux des Andes dans le **Parque Regional Natural Ucumarí**, surnommé la « Terre des Oiseaux », et le **Santuario de Fauna y Flora Otún Quimbaya,** près de Pereira *(voir « Le Triangle du café », p. 263)*. Le **Parque Nacional Natural Amacayacu** *(voir « Leticia », p. 442)* accueille les espèces amazoniennes et le **Santuario de Fauna y Flora Isla de la Corota** *(voir « Pasto et ses environs », p. 420)* permet d'observer 32 espèces aquatiques. Dans la région caraïbe, la **Sierra Nevada de Santa Marta**, un incontournable, affiche la plus forte densité au monde d'espèces endémiques notamment autour de **Minca** *(voir p. 319)*.

Pour en savoir plus :

http://rnoa.org *(en espagnol)* – Site du RNOA (Réseau national des observateurs d'oiseaux de Colombie). Les ornithologues passionnés y trouvent des informations utiles sur les sites d'observation.

www.proaves.org *(en espagnol et en anglais)* – Site de ProAves, fondation à but non lucratif dédiée à la protection de l'avifaune et gérant deux sanctuaires ornithologiques dans les Andes (Cerulean Warbler et El Paujil), un autre près de Santa Marta (Eldorado).

www.birdingcolombia.com *(en anglais)* – Liens vers les voyagistes colombiens spécialisés dans les circuits d'observation ornithologique tels que www.ecoturs.org (ProAves Partner) ou Colombia Birding (www.colombiabirding.com - *en anglais*).

Observation des b…

La **côte caraïbe** … se prêtent à l'ob… des baleines et de… La migration des **ba…** quittant la **côte pacifi…** chaque année un extrao… spectacle. Ces baleines pa… des milliers de kilomètres de… l'Antarctique pour mettre bas … les eaux chaudes de Colombie où elles demeurent de **juillet** à **novembre**. On peut parfois les observer depuis la côte du Chocó, à **Bahía Solano**, **El Valle** et **Nuquí**, et au **Parque Nacional Natural Ensenada de Utría** *(voir « La région du Chocó », p. 354)*. Les eaux chaudes de **Bahía Málaga** *(voir p. 360)*, à 20 km de Buenaventura, enregistrent un des plus forts taux de naissances de baleines à bosse au monde.

ÉLECTRICITÉ

Voltage : 110 V (Europe : 220 V). Les prises étant de type américain, avec deux fiches plates d'entrée, un **adaptateur** est nécessaire. Vous en trouverez sur place dans les magasins d'électricité.

INTERNET

En dehors des villages, vous trouverez partout des **cybercafés**. Comptez en moyenne 1 000-1 500 COP/h. La plupart des hôtels, de nombreux cafés et certaines compagnies de bus offrent un accès **wifi** gratuit à leurs clients.

Applications pour smartphones et tablettes

Elles seront surtout utiles à Bogotá.

Rutas TransMilenio – Calcul d'itinéraire et plans des lignes du TransMilenio (Bogotá).

de l'U… **Los K…** au p… et c…

églises ne sont généralement ouvertes que pour les offices. Quant aux **parcs nationaux**, ouverts tlj, leur visite est souvent soumise à une réservation préalable 24h à l'avance.

OFFICES DE TOURISME

Les **PIT** *(Puntos de Información Turística* : points d'information touristique), signalés **i** dans la partie « Découvrir » du guide, sont implantés dans les zones les plus touristiques de Colombie. Des **professionnels** vous y fourniront, en anglais voire en français, toutes les informati… sur les sites à visiter et les activ… à pratiquer. Vous y trouverez également cartes, plans de v… et brochures touristiques.

PARCS NATIONAUX ET RÉ…

Parques Nacionales Natu… (P. N. N.), Reservas Natu… Santuarios de Fauna y F… ils sont près d'une soix… l'ensemble du territo… varie entre 20 000 et… Certains sont soum… journalier de visite… réserver au moins… La compagnie d'… souvent imposé… contre rémuné… www.parqu…

PATRIMOIN…

– Port, fort… monumen…
– Centre… **de Mon…**
– Plant… (Ande…
– Par… de **S…** de…
– … a…

… du **6 sem… de Pâq…** **9 sem. et … Pâques** : Co… **10 sem. et 1 j… de Pâques** : Sag… (Sacré-Cœur)
1er lun. après le 29 j… San Pablo (Saint-Pierre…
20 juil. : Grito de indepe… (fête nationale)
7 août : Bataille de Boyacá
1er lun. après le 15 août : Asun… de la Virgen (Assomption)
1er lun. après le 12 oct. : Día de la Raza (jour de Christophe Colomb)
1er lun. après le 1er nov. : Todos los Santos (Toussaint)
1er lun. après le 11 nov. : Independencia de Cartagena
8 déc. : Inmaculada Concepción (Immaculée Conception)
25 déc. : Navidad (Noël)
À ces dates s'ajoutent les festivités locales : *voir p. 40.*

MÉDIAS

Presse écrite

La presse colombienne compte un grand nombre de titres, abondance

Ce… fran…

MUSÉE…

La plupart … le lundi ; si le l… de fermeture he… reporté au mardi. … coûtera généraleme… et 10 000 COP. Ceux qu… par la municipalité (*casa…* notamment) ferment le sa… dim. Hormis les cathédrales … les villes les plus importantes, …

LES PLUS BEAUX PARCS ET RÉSERVES DE COLOMBIE	
★★ **P. N. N. Sumapaz** *(p. 154)*	Le plus vaste páramo au monde aux portes de Bogotá
★★★ **P. N. N. El Cocuy** *(p. 186)*	Ses somptueux glaciers séduisent les andinistes
★★ **P. N. del Chicamocha** *(p. 194)*	Un puissant canyon à survoler en parapente ou en téléphérique
★★ **P. N. N. Los Nevados** *(p. 260)*	Cinq pics enneigés à découvrir en excursion depuis Manizales
★ **P. N. N. Corales del Rosario y San Bernardo** *(p. 290)*	Un parc maritime à visiter palmes aux pieds, avec masque et tuba
★★★ **P. N. N. Tayrona** *(p. 318)*	Très fréquenté mais doté de plages sublimes : à ne pas manquer
★★★ **P. N. N. Sierra Nevada de Santa Marta** *(p. 319)*	Il ouvre les portes de la Cité perdue au terme d'une longue marche dans la jungle
★ **P. N. N. Macuira** *(p. 333)*	Un parc très peu visité, tout au bout de la péninsule de La Guajira
★ **P. N. N. Old Providence McBean Lagoon** *(p. 341)*	Mangroves et forêt tropicale sèche au bord d'un lagon
★★ **P. N. N. Ensenada de Utría** *(p. 354)*	Les grandes mangroves du Chocó, remplies d'oiseaux migrateurs
★★ **P. N. Uramba Bahía Málaga** *(p. 360)*	Dans le Pacifique sud, un lieu de reproduction des baleines à bosse
★ **P. N. N. del Puracé** *(p. 400)*	Aux portes de Popayán, son volcan reste un défi pour les plus sportifs
★★ **P. N. N. Cueva de los Guácharos** *(p. 391)*	Un oiseau de nuit cavernicole lui a donné son nom
★ **Santuario de Flora y Fauna Iguaque** *(p. 178)*	Non loin de Villa de Leyva, il entoure un lac sacré pour le peuple muisca
★★ **Santuario de Fauna y Flora Otún Quimbaya** *(p. 263)*	Sa serre aux papillons est la plus belle du Triangle du café
★ **Santuario de Flora y Fauna Los Flamencos** *(p. 329)*	Le sanctuaire des flamants des Caraïbes
★★★ **Santuario de Fauna y Flora Malpelo** *(p. 362)*	Ce rocher dans les eaux du Pacifique est un véritable incubateur de la vie marine
★★ **Santuario de Fauna y Flora Isla de la Corota** *(p. 420)*	Une île au milieu de la Laguna de la Cocha, à 2 830 m d'altitude
★★ **R. N. Laguna de Sonso** *(p. 380)*	Un rêve pour les ornithologues
★★ **R. N. de Yotoco** *(p. 380)*	Orchidées, papillons et singes hurleurs aux environs de Cali
★ **R. N. La Planada** *(p. 421)*	Broméliacées et orchidées sur le territoire des Indiens awas
★ **R. N. Aguas Calientes** *(p. 433)*	Forêt, cascades et eaux thermales dans les Llanos, les plaines orientales
★★★ **P. N. N. Sierra de la Macarena** *(p. 436)*	Caño Cristales, la spectaculaire « rivière aux sept couleurs »

Les messageries privées (Deprisa, Servientrega, FedEx, DHL) assurent des délais de livraison (local et international) plus rapides mais leurs services sont plus chers.
Horaires d'ouverture – Lun.-vend. 8h-18h, sam. 9h-13h.
Tarifs – Pour les cartes postales et les lettres jusqu'à 20 g, 5 300 COP à destination de l'Europe et 3 600 COP pour le Canada.

RANDONNÉE

Voir aussi le tableau des parcs nationaux, p. 31.
Curiosités géologiques à foison, biodiversité exceptionnelle : de nombreux parcs et réserves se prêtent à ce mode de découverte nature. Vous pourrez suivre en solo leurs sentiers balisés, y louer les services de guides ou passer par les services d'associations spécialisées.
www.salsipuedes.org *(en espagnol)* – Basée à Bogotá, l'association non gouvernementale **Sal Si Puedes**, sensible aux problèmes environnementaux, organise des randonnées dans le Cundinamarca et la région de Bogotá.
www. organizacion camineradeantioquia.org *(en espagnol)* – L'**Organizacion Caminera de Antioquia** (région de Medellín) s'attache à faire découvrir la culture locale.

SANTÉ

Pour les vaccinations, la trousse à pharmacie, voir aussi « Santé », dans « Avant de partir », p. 19.
Problèmes gastriques – L'eau du robinet est potable presque partout *(voir p. 26)* et, sauf exception, l'hygiène est convenable dans les restaurants, mais le changement de climat et d'habitudes alimentaires peuvent être facteurs de *turista* (diarrhées), des troubles plus désagréables que graves. Lavez-vous soigneusement les mains avant les repas, n'abusez pas des fruits et légumes crus en début de séjour. En cas de problèmes intestinaux, buvez beaucoup pour éviter la déshydratation, et suivez un régime de bananes et de riz blanc pendant quelques jours. Si les symptômes persistent, consultez un médecin.
Mal des montagnes – Bogotá est située à 2 640 m d'altitude : acclimatez-vous progressivement en vous reposant les premiers jours. Buvez beaucoup d'eau.
Soleil et chaleur – Sur la côte comme en altitude, le soleil peut taper extrêmement fort. Portez un chapeau et mettez de l'**écran total**. Buvez suffisamment pour éviter la **déshydratation**.
Malaria et **dengue** – Ces deux maladies graves, véhiculées par les moustiques, sévissent en Amazonie : prévoyez antipaludéens et répulsif antimoustiques si vous vous rendez dans cette zone.

SÉCURITÉ

La Colombie, au moins dans sa partie centrale et sur la côte nord, est devenue un pays beaucoup **plus sûr** ces dernières années ; toutefois, les voyageurs doivent être conscients que, dans certaines régions, la situation peut basculer d'un jour à l'autre. Plus vous vous aventurez dans une zone reculée, plus l'insécurité grandit. Lisez la presse locale et tenez-vous informé de la situation dans les régions où vous vous rendez. Les offices de tourisme sauront vous dire si telle ou telle **excursion** est sûre, s'il vaut mieux vous faire accompagner d'un guide local, ou s'il est impératif d'y aller et d'en revenir avec un taxi qui vous attendra sur place.
Avec un demi-million d'habitants et plus, les **grandes villes** du pays souffrent des problèmes liés à leur taille : quartiers défavorisés, afflux de personnes déplacées vivant dans

un état d'extrême pauvreté, etc. Soyez prudent quand vous sortez à la nuit tombée, informez-vous auprès des locaux sur les rues et les quartiers à éviter, privilégiez les zones éclairées et passantes. Vêtements de marque, appareils photo en bandoulière, bijoux : évitez les signes extérieurs de richesse. Surveillez vos affaires et soyez toujours vigilant.
Comme partout dans le monde, les **pickpockets** affectionnent les foules et les endroits touristiques.

SITES ARCHÉOLOGIQUES

Peuplée depuis plus de 12 000 ans, la Colombie a vu se développer des civilisations brillantes. Les potiers, orfèvres, architectes et ingénieurs des peuples **tayrona**, **muisca**, **zenú** et **quimbaya**, pour ne nommer qu'eux, ont laissé leur empreinte sur le territoire.
Site de l'Institut colombien d'anthropologie et d'histoire : **www.icanh.gov.co** (rubrique « Parques y Asociados »).

Ciudad Perdida (Parque Arqueológico de Teyuna)

Système complexe de terrasses, routes pavées, murs et canaux d'irrigation attribué à la civilisation tayrona, la Cité perdue se dresse entre 950 et 1 300 m d'altitude dans la **Sierra Nevada de Santa Marta** (département du Magdalena). Tapi dans une jungle dense, le site reste difficile d'accès. *Voir p. 319.*

San Agustín

Le Parque Arqueológico de San Agustín, dans le département du Huila, est inscrit sur la liste du Patrimoine mondial de l'**Unesco** depuis 1995. Ses sculptures monumentales et celles des sites Alto de los Ídolos et Alto de las Piedras, tout proches, forment l'un des témoignages les plus marquants du patrimoine colombien antique. *Voir p. 408.*

Tierradentro

Cette nécropole précolombienne du département du Cauca figure également à l'**Unesco** depuis 1995. Ses étonnants hypogées, ornés de dessins et de symboles colorés, se dissimulent dans un paysage volcanique isolé. *Voir p. 401.*

SPORTS ET LOISIRS

Plusieurs organismes multi-activités se sont spécialisés dans le tourisme sport et nature en Colombie :
www.colombiarafting.com *(en français, anglais et espagnol)* – Descente de rivière en kayak, rafting ou hydrospeed, parapente, VTT, randonnée, rappel, équitation.
www.kumanday.com *(en espagnol et en anglais)* – VTT, randonnée et trekking, plongée, escalade, kayak, canyoning, observation animalière.
http://selvaventura.wix.com/selvaventura *(en espagnol et en anglais)* – Randonnées dans la jungle (amazonienne notamment), kayak, accrobranche.
www.colombiaextrema.com *(en espagnol)* – Rafting et canyoning, ULM et parapente, escalade et rappel, spéléo, plongée, trek en haute montagne, sports mécaniques… Un catalogue très complet.

Accrobranche et tyrolienne

L'activité connaît un succès croissant dans le pays. Si vous avez le cœur bien accroché, équipé d'un harnais et d'une poulie, grimpez au sommet des arbres et franchissez à la tyrolienne des ravins spectaculaires.
Plusieurs parcours de tyrolienne *(tirolesa)* aménagés dans l'**Ecoparque Los Yarumos** *(p. 275)*, près de Manizales, dans la Zona Cafetera. Tentez le parcours de **Las Ardillas** à 1 200 m d'altitude, non loin de Popayán *(p. 407)*.
Voyez aussi **Parque Ecoturístico Arví** *(p. 237)*, **P. N. del Chicamocha** *(p. 194)*, **R. N. Mamancana** *(p. 325)*.

Cyclisme et VTT

Les Colombiens sont fous de vélo. Le week-end, on pédale en famille sur les routes… un vrai challenge car le relief est accidenté ! Méfiez-vous des effets de l'altitude avant de vous lancer.

Bogotá possède 376 km de **pistes cyclables** et, le dimanche, nombre de rues de la capitale sont interdites aux voitures pour laisser la place aux bicyclettes *(voir p. 133)*.

Suesca, à env. 45 km au nord de Bogotá, et ses énormes rochers accueillent les amoureux de **VTT** *(voir p. 153)*, tout comme **San Gil**, capitale des sports extrêmes.

Pour visualiser le parcours de **tous les itinéraires VTT** en Colombie : http://fr.wikiloc.com/itineraires/vtt/colombie *(en français)*. Voyez également **P. N. N. Los Nevados** *(p. 260)* et **R. N. Mamancana** *(p. 325)*.

Équitation

Les **plaines des Llanos** et les **plateaux andins** se prêtent le mieux à une découverte à cheval.

La plupart des agences d'excursion et des structures d'hébergement de **San Agustín** organisent des sorties à cheval en direction des sites archéologiques entourant la ville *(voir p. 415)*. Le parc archéologique de **Tierradentro** peut se parcourir à cheval.

Voyez également **San Gil** *(p. 201)*, **P. N. Chicaque** *(p. 154)*, **El Bosque del Samán** *(p. 275)*, **Santa Fé de Antioquia** *(p. 255)* ; vous trouverez aussi des balades équestres dans de nombreuses autres localités.

Escalade et rappel

La cordillère des Andes recèle de nombreux sites de descente en rappel. À 45 km au nord de Bogotá, **Suesca** *(voir p. 153)* offre près de 400 itinéraires de grimpe ainsi qu'un site de descente en rappel situé 8 km plus loin, dans le bassin supérieur du Bogotá.

Parapente

Vent et relief : toutes les conditions sont réunies, toute l'année.

La région de **Bucaramanga**, dans le département du Santander, offre 8 sites d'envol, dont la **Mesa del Ruitoque** *(p. 209)* et le spectaculaire **Cañón del Chicamocha** *(p. 198 et 201)*. Le parapente se pratique aussi au nord de Medellín *(p. 245)*.

www.colombiaparagliding.com *(en anglais)* – Site très complet ; infos et réservations. **www.nativoxsangil.com** *(en espagnol)* – Tous les renseignements sur le parapente à San Gil.

Plongée et pêche sous-marine

Direction la **côte caraïbe** et ses **îles**, notamment les eaux transparentes de **San Andrés** et **Providencia** *(voir p. 336)*. San Andrés compte à elle seule plus de 40 sites de plongée, tandis que Providencia est frangée par les superbes récifs de corail de **Old Providence McBean Lagoon**.

Non loin de Cartagena, le **Parque Natural Nacional Corales del Rosario** *(voir p. 290)* protège 43 îles coralliennes. Les récifs, à 30 m de profondeur, sont un précieux conservatoire de la faune marine, de la fragile crevette aux tortues de mer géantes.

Sans oublier les sorties au large de **Capurganá** et **Sapzurro** *(voir p. 301)* : grottes sous-marines, murs de corail, observation de requins et de raies manta.

La **côte pacifique**, plus sauvage mais aussi plus difficile d'accès, invite à la **plongée sur épaves** au large de la côte de Bahía Solano *(voir p. 350)*.

Les **plongeurs aguerris** ayant une âme de voyageur intrépide rejoindront les îles du Pacifique, certes moins paradisiaques que celles des Caraïbes, mais où abonde la faune marine : requins au large d'**Isla Malpelo**, baleines à bosse (de juil. à nov.) autour d'**Isla Gorgona** *(p. 361)*.

Rafting et kayak

Rivières tumultueuses, gorges et rapides font de la région de **San Gil** un incontournable des sports en eaux vives, sur les cours des **ríos Fonce**, **Chicamocha** et **Suarez** : décharges d'adrénaline garanties en se mesurant aux rapides de classe IV et V+ du Chicamocha *(voir p. 200)*. Vous partirez à l'assaut des rapides du cours inférieur du Magdalena *(p. 415)* près de **San Agustín**, ou descendrez le turbulent río Honda *(p. 407)* près de Popayán.

Spéléologie

Exploration de cavernes (niveaux facile et moyen) dans les environs de **San Gil** *(voir p. 201)* ou dans le **Parque Nacional Natural Cueva de los Guácharos** (département du Huila) qui présente un réseau complexe de cavernes abritant cascades, rivières et étangs souterrains *(voir p. 391)*. On pratique également la spéléologie dans les environs de **Suesca** *(voir p. 153)*.

Surf, planche à voile et kitesurf

Les plus grosses vagues de Colombie déferlent sur la **côte pacifique**. Attention, certains spots de surf comme **Playa Olímpica**, près de Nuquí *(voir p. 355)*, sont strictement réservés aux surfeurs émérites.

Sur la **côte caraïbe**, les spots proches de **Barranquilla** et de **Riohacha** offrent des vagues plus modestes, qu'on surfera de préférence en hiver (déc.-mars). Au rang des sites de surf les plus spectaculaires de Colombie : **Cabo de la Vela**, dans la péninsule de La Guajira *(voir p. 331)*.

Profitez également des vents d'hiver (janv.-avr.) dans la région pour pratiquer le **kitesurf** et la **planche à voile**.

On peut aussi naviguer et s'essayer à la planche à voile sur le **lac Calima**, près de Cali *(voir p. 385)*, et le lac **El Peñol**, près de Medellín *(voir p. 252)*.

www.colombiakite.com *(en espagnol)* – Une plate-forme communautaire bien connue des kitesurfeurs.

TAXI

On trouve des taxis partout, à des tarifs raisonnables. Ils se reconnaissent à leur couleur jaune canari, la même dans tout le pays. On peut les héler dans la rue mais, par sécurité, demandez plutôt à votre **hôtel** ou au **restaurant** de vous en commander un. Le compteur doit afficher 25 (soit 2 500 COP, tarif de la prise en charge, dont le montant peut néanmoins varier d'une ville à l'autre) au début de la course. S'il n'y a pas de compteur, mettez-vous d'accord sur le tarif **au préalable**. Vérifiez la présence du **badge officiel** obligatoire sur le tableau de bord.

À Bogotá, en arrivant à l'aéroport ou à la gare routière principale, réglez à l'avance votre trajet auprès des **comptoirs de taxi**, puis présentez votre **récépissé** et précisez votre destination à l'un des chauffeurs garés à l'extérieur.

Conseil – Ne montez jamais dans un taxi où se trouve déjà un autre passager : c'est souvent un guet-apens.

TÉLÉPHONE

Rens. téléphoniques : 115.

En ville, des cabines sont à votre disposition dans les boutiques **larga distancia** (longue distance). Vous composez vous-même le numéro ou un employé peut le faire pour vous. Le coût de l'appel s'affiche sur le téléphone pendant la communication (appels locaux, nationaux ou internationaux) et vous réglez à la fin de votre appel.

Dans la rue, les **cabines téléphoniques** se raréfient devant la généralisation des portables. Utilisez un téléphone portable colombien, un usage courant et bon marché : aux carrefours, sur les places, les personnes qui **louent des portables** le temps d'un appel, même rapide, arborent un gilet aux couleurs des opérateurs de téléphonie Claro, MoviStar et Tigo, pour env. 150-200 COP/mn (entendez-vous sur le tarif au préalable). Le loueur composera le numéro pour vous.
Vous pourrez utiliser votre propre téléphone portable s'il fonctionne en mode tri-bande. Achetez une **carte SIM** colombienne si votre appareil est débloqué, ou un **portable** colombien (env. 40 €, carte SIM comprise). La **couverture réseau** est bonne, sauf dans les régions montagneuses ou les zones très isolées.

Appels

Téléphoner en Colombie depuis un poste fixe peut sembler assez compliqué. En effet, le préfixe à composer avant le numéro de votre correspondant – local, national ou international – varie selon l'opérateur : 9 pour l'opérateur public **MoviStar**, 7 pour **ETB**, 5 pour **Une-EPM**, 456 pour Claro. Demandez à la réception de votre hôtel ou aux personnes qui vous hébergent chez quel opérateur ils sont pour savoir quel préfixe composer.
D'un portable vers un poste fixe – Composez le préfixe 03, suivi de l'indicatif régional puis du numéro de votre correspondant.
Appel international depuis un téléphone fixe – 00 + 9 ou 7 ou 5 ou 456 (selon votre opérateur) + indicatif international (France = 33 ; Belgique = 32 ; Suisse = 41 ; Canada = 1) + le numéro de votre correspondant sans le 0 initial.
Appel interurbain de poste fixe à poste fixe – 9, 7, 5 ou 456 + indicatif urbain (indiqué entre parenthèses avant chaque n°) + les 7 chiffres du numéro demandé.
Appel local de poste fixe à poste fixe – Composez le 9, 7, 5 ou 456 (selon l'opérateur) suivi des 7 chiffres de votre numéro.

TRANSPORTS INTÉRIEURS

Voir aussi les rubriques « Taxi » et « Voiture » dans ce chapitre.

Avion

Les **compagnies colombiennes** exploitent un vaste réseau de lignes intérieures. Prenez l'avion pour rallier les différentes villes, les trajets par la route étant fort longs, surtout si vous devez franchir l'une des 3 chaînes de montagnes. Le trajet Bogotá-Medellín prend entre 9h et 10h en bus… contre 1h seulement en avion.
Avianca – www.avianca.com - ✆ +57 (1) 212 8969 (Bogotá) ; ✆ +57 (4) 266 8789 (Medellín) ; ✆ +57 (2) 666 3028 (Cali) ; ✆ +57 (5) 353 4989 (Barranquilla).
Satena – www.satena.com - ✆ +57 (1) 605 2222 ou ✆ 01 8000 912 034. Vols sur le Pacifique, San Andrés et l'Amazonie.
Copa Airlines – www.copaair.com - ✆ +57 (1) 320 9090 ou 01 8000 112 600. Dessert San Andrés depuis Cartagena, Barranquilla et Bogotá.
Aerolineas de Antioquia – www. ada-aero.com - ✆ 01 8000 514 232. Dessert la côte pacifique, la vallée du Cauca et la côte caraïbe depuis Medellín.
Easyfly – www.easyfly.com.co - ✆ +57 (1) 4148 111. Vols intérieurs *low cost*, notamment dans le Nord.
VivaColombia – www. vivacolombia.co - ✆ +57 (1) 489 7989. Nombreuses dessertes *low cost*, nationales et internationales.

Autocar

Un **vaste réseau** de bus quadrille la quasi-totalité du territoire, à l'exception de l'Amazonie et du Pacifique. Les bus sont **confortables** (certains ont le wifi à bord), ponctuels et plutôt **bon marché**, mais les distances à parcourir sont souvent énormes et les routes encombrées. Attention ! Plus la ville est grande, plus la **gare routière** sera située à l'**écart du centre-ville**.

Dans certaines régions, vous rencontrerez des **postes de contrôle militaires**. Les formalités sont brèves, mais cela contribue à ralentir le voyage. Les bus sont arrêtés aléatoirement.

Si vous êtes sujet au **mal des montagnes** ou pas encore acclimaté à l'altitude, ayez vos médicaments à portée de main pour la traversée des Andes ou l'arrivée sur Bogotá.

Catégories – **Ejecutivos** et **Servicio de Lujo**, **Pullmans** et **Silencios**, et enfin **Corrientes**, les grands types de cars interurbains, se distinguent par leurs niveaux de confort et leur qualité de service.

- **Ejecutivos** et **Servicio de Lujo**, préférables pour les longs trajets, assurent un excellent confort, sont ponctuels et fréquents. Les bus **longue distance** s'arrêtent aux heures de repas, le midi et le soir. Gardez toujours un œil sur le chauffeur pour qu'il ne reparte pas sans vous par inadvertance ! Munissez-vous de **bouchons d'oreille** (des films bruyants et violents sont diffusés dans l'habitacle), d'un **masque** pour les yeux si vous souhaitez dormir, d'une bouteille d'eau et d'un en-cas (des vendeurs peuvent monter à bord vous proposer des snacks).
- **Pullmans** et **Silencios** circulent sur de plus courtes distances et sont fréquents.
- Les **Corrientes** assurent les dessertes locales, sont bon marché mais d'un confort rudimentaire. Ils s'arrêtent partout (il suffit de leur faire signe au bord de la route), ce qui est pratique dans les zones isolées.

Estimation des temps de trajet – Bogotá-Barranquilla : 18h ; Bogotá-Cali : 10h ; Bogotá-Cartagena : 22h ; Bogotá-Pasto : 25h ; Bogotá-Medellín : 9h ; Bogotá-Santa Marta : 17h ; Medellín-Cartagena : 14h.

Services de bus – La concurrence, féroce, permet d'obtenir des tarifs compétitifs. Parmi les meilleures compagnies (il en existe d'autres) :

Berlinas – www.berlinasdelfonce.com. Tunja, San Gil, Bucaramanga, Cúcuta, Santa Marta, Cartagena.

Bolivariano – www.bolivariano.com.co. Bogotá, Medellín, Cali, Manizales, Pereira, Neiva, Popayán, Ipiales.

Coomotor – www.coomotor.com.co. San Agustín, La Plata (Tierradentro), Cali, Pitalito, Medellín, Popayán.

Copetran – www.copetran.com.co. Bucaramanga, Cartagena, Medellín, Cúcuta, Barranquilla.

Expreso Brasilia – www.expresobrasilia.com. Armenia, Barranquilla, Cali, Ciénaga, Cartagena, Mompox, Honda, etc.

Expreso Palmira – www.expresopalmira.com.co. Armenia, Buenaventura, Buga, Cali, Ibagué, Manizales, Pereira, Medellín, Popayán.

Flota Magdalena – www.flotamagdalena.com. Dessert les vallées du Cauca et du Magdalena.

Rapido Ochoa – www.rapidoochoa.com. Guaduas, Honda, Baranquilla, Cartagena, Montería, Magangué, etc.

Chiva

Peintes de couleurs vives, souvent celles du drapeau colombien, elles sont aussi appelées *escaleras* (l'échelle fixée à l'arrière permet aux passagers, en cas d'affluence, de monter sur le toit, avec les marchandises et les animaux).

Ce sont des bus dotés d'un châssis de bois ou de métal. Originaires du département de l'**Antioquia**, où elles fonctionnent toujours, les *chivas* desservent surtout les régions rurales et font aujourd'hui partie du folklore colombien. Mises en service à Medellín au début du 20e s., la plupart ont été remplacées par des bus modernes, mais elles restent présentes en ville, où elles sont utilisées à des fins festives ou comme bus touristiques.

Transports urbains

Bus de ville – Les villes sont sillonnées par des **busetas** ou des **colectivos** (minivans ou pick-ups), plus petits. On règle directement le chauffeur, à la montée (dans les *busetas*) ou à la descente (dans les *colectivos*). En ville, il y a des **arrêts** *(paradas)*, mais à la campagne, les bus s'arrêtent à la demande, il suffit de faire signe au chauffeur. Les *colectivos* suivent un itinéraire préétabli mais ne partent en général qu'une fois pleins. On peut descendre ou monter à tout moment.

Certaines lignes de *colectivos* relient entre elles des villes proches. Cette solution est plus onéreuse qu'avec un bus classique, mais elle peut valoir le coup si vous êtes pressé et que les liaisons par bus sur votre destination sont peu fréquentes.

Autres transports en commun – **Medellín** possède un **métro aérien** ainsi que 2 lignes de **télécabines** qui desservent les banlieues de Santo Domingo Savio et San Javier. D'autres villes ont développé leur propre système de transports en commun, moderne et efficace : TransMilenio à **Bogotá**, MÍO à **Cali**, Metrolínea à **Bucaramanga**. Il y a un **tarif unique** par trajet, et les tickets peuvent s'acheter à l'avance. Les **rames** sont plutôt propres et confortables. Bien que souvent bondés, ils constituent la meilleure solution pour se déplacer dans des centres-villes où le trafic de surface est surchargé. Comme dans tous les transports en commun, méfiez-vous des pickpockets.

URGENCES

Police, urgences – ✆ 123, 112, 146.
Pompiers – ✆ 119.
Ambulances – ✆ 132.

VOITURE

Pour louer une voiture, il suffit de présenter son permis de conduire. Vous aurez le choix entre des **loueurs locaux** et des compagnies internationales comme **Avis** (www.avis.com.co), **Hertz** (www.hertz.com.co), **Budget** (www.budget.com.co), **National** (www.nationalcar.com).

Avec un taux d'accidents élevé, la **sécurité routière** en Colombie est problématique. En ville, l'agressivité des conducteurs peut être très stressante (un million de véhicules sillonnent Bogotá chaque jour). L'état des routes varie selon les régions. Les routes de montagne et leurs virages en lacets, les routes de campagne où l'on se fait surprendre par des troupeaux sont impressionnantes. Pour toutes ces raisons, plutôt que de prendre le volant et vous aventurer seul à l'intérieur des terres, utilisez les transports en commun, bien plus sûrs et souvent moins chers. Par ailleurs, certaines zones demeurent dangereuses : renseignez-vous absolument sur la situation régionale et sur l'état des routes que vous comptez emprunter. Fermez les portières de votre véhicule ; ne vous arrêtez qu'aux postes de contrôle militaires officiels et proscrivez les déplacements de nuit.

Mémo

Agenda

Une sélection des moments forts du calendrier colombien. Attention, pour certains, les dates peuvent changer d'une année sur l'autre. www.colombia.travel/fr/foires-et-festivals.

JANVIER

Pasto - Carnaval de Negros y Blancos – *www.carnavaldepasto.org.* Du 4 au 6. Le Carnaval des Noirs et des Blancs qui se déroule dans la ville andine est inscrit au Patrimoine culturel immatériel de l'humanité.
Manizales - Feria – 1re sem. Courses de taureaux, défilés, feux d'artifice et concours de beauté dans la Zona Cafetera.
Cartagena - Hay Festival – *www.hayfestival.com.* 4 j., à la fin du mois. Festival littéraire et culturel.

FÉVRIER

Barranquilla - Carnaval – *www.carnavaldebarranquilla.org.* Durant les 4 j. précédant le carême. Déclaré « chef-d'œuvre du Patrimoine culturel immatériel de l'humanité » par l'Unesco.

MARS

Cartagena - Festival Internacional de Cine – *http://ficcifestival.com.* Le festival du film ibéro-américain dure une semaine.

MARS-AVRIL

Semana Santa – **À Mompox** : les plus anciennes célébrations pascales de Colombie s'y tiennent depuis 1564. **À Pamplona** : processions religieuses et festival international de musique chorale. **À Popayán** : fêtes traditionnelles de la Semaine sainte, avec les 3 grandes processions du dimanche des Rameaux, du Mardi saint et du Vendredi saint.

AVRIL

Bogotá - Festival Iberoamericano de Teatro – *www.festivaldeteatro.com.co.* Années paires. Le Festival ibéro-américain de Bogotá est l'un des plus grands festivals du monde pour les arts de la scène.

JUIN

Neiva - Festival Folclórico y Reinado Nacional del Bambuco – Défilés folkloriques, démonstrations de *bambuco* et concours de beauté pour les fêtes de la Saint-Pierre et de la Saint-Paul.
Ibagué - Festival Folclórico – *www.festivalfolclorico.com.* La « capitale musicale » de Colombie rend hommage aux rythmes traditionnels andins.
Villavicencio - Torneo Internacional del Joropo – Pendant 5 j., la musique traditionnelle des Llanos est à l'honneur.
Calarcá - Fiesta Nacional del Café – L'héroïne de ces 5 j. de fête est l'Yipao, c'est-à-dire la jeep Willy, symbole de la Zona Cafetera.
Ginebra - Festival del Mono Núñez – *http://funmusica.org.* Festival de musique andine.
Medellín - Festival Internacional de Tango – *www.festivaldetangomedellin.com.* 5 j. à la fin du mois.

JUILLET

Medellín - Colombiamoda – *http://colombiamoda.inexmoda.org.co.* Le plus grand salon dédié à la mode en Colombie.

AOÛT

Bogotá - Festival Rock al Parque – *www.rockalparque.gov.co*. Le plus important festival de rock en plein air d'Amérique latine dure 2 j. *Certaines années, le festival a lieu en nov.*

Sevilla (Valle del Cauca) - Festival Bandola – *www.festivalbandola.com*. Le festival de musique folklorique du Valle del Cauca.

Bogotá - Feria Internacional del Libro – *www.feriadellibro.com*. La Foire internationale du livre de Bogotá se concentre particulièrement sur la littérature et les auteurs hispano-américains.

Medellín - Feria de las Flores – *www.feriadelasfloresmedellin.gov.co*. Plus de 140 manifestations durant les 10 j. de la Foire aux fleurs : concours de *trova* (chant), caravane de *chivas* et un spectaculaire défilé de structures en fleurs, et surtout d'orchidées.

Cali - Festival Petronio Álvarez – *www.festivalpetronioalvarez.com*. La fête la plus représentative du folklore afro-colombien de la côte pacifique.

Villa de Leyva - Festival del Viento y de las Cometas – 2 j. de concours de cerfs-volants.

SEPTEMBRE

Providencia - Festival de la Luna Verde – 3 j. de fête sur l'île de Providencia en l'honneur du peuple afro-caribéen. On chante en anglais sur des airs de calypso et de reggae.

Barranquilla - Barranquijazz – *http://barranquijazz.com*. Principal festival de *latin jazz* de la région caraïbe.

Bogotá - Festival Jazz al Parque – *www.jazzalparque.gov.co*. Festival de jazz en plein air, avec les plus grandes stars d'Amérique latine et d'ailleurs.

Manizales - Festival de Teatro – *www.festivaldemanizales.com*. Festival international de théâtre.

OCTOBRE

Cali - Festival Mundial de Salsa – *www.mundialdesalsa.com*. 1 sem. en sept.-début oct. On danse en couple et en équipe pour cette grande compétition internationale.

Armenia - Desfile del Yipao – Concours de jeeps colorées, chargées de sacs de café et de régimes de bananes.

Villavicencio - Encuentro Mundial del Coleo – *www.mundialcoleo.com.co*. Festivités vachères dans les plaines de l'est de la Colombie. Spécialités culinaires, musique et danses *joropo*, concours de rodéo.

Bogotá - Festival de Cine – *www.bogocine.com*. Un festival donnant la parole aux jeunes réalisateurs de tous pays dans le domaine du documentaire.

San Basilio de Palenque - Festival de Tambores – Pendant 3 j., les tambours résonnent dans la nuit caribéenne.

NOVEMBRE

Cartagena - Independencia de Cartagena - Reinado Nacional de Belleza – 1re quinz. Défilés, concours de beauté et célébrations.

Leticia - El Pirarucú de Oro – Un festival international de musique populaire amazonienne, durant 3 j.

DÉCEMBRE

Villa de Leyva - Festival de Luces – Dans la nuit du 7 au 8, la ville s'illumine de milliers de bougies. Feux d'artifice pour ce Festival des lumières.

Quibdó - Fiestas de San Pacho – *www.sanpachobendito.org*. Sur la côte pacifique, hommage à saint François d'Assise.

Cali - Feria – *www.feriadecali.com.co*. Organisée juste après Noël, cette foire est réputée pour ses groupes de salsa, ses chevauchées, ses orchestres et ses courses de taureaux.

Bibliographie

Écrivain de renommée internationale, **Gabriel García Márquez** *(voir p. 95)* a reçu le prix Nobel de littérature en 1982. À lire notamment, en poche : **L'Amour aux temps du choléra** (1985, adapté au cinéma en 2007), l'histoire d'un amour contrarié à Cartagena, et **Douze Contes vagabonds** (1992), recueil de nouvelles écrites dans les années 1970 et 1980.

ABAD FACIOLINCE Héctor, **Angosta**, éd. J.-C. Lattès (2010). Une petite ville des Andes, comme le portrait d'un pays à la société divisée.

CABALLERO Antonio, **Un mal sans remède**, Belfond (2009). Le mal de vivre d'un antihéros dans les nuits de Bogotá. Roman.

CAICEDO, Andrés, **Traversé par la rage**, Belfond (2013). Un adolescent rebelle dans la Colombie des années 1970.

GAMBOA, Santiago, **Perdre est une question de méthode**, Points (2009). Un héros journaliste et détective privé face à la corruption. Roman noir.

MUTIS, Alvaro, **Abdul Bashur, le rêveur de navires**, Grasset (2012). À la recherche du bateau idéal sur toutes les mers du globe.

VALLEJO Fernando, **Carlitos qui êtes aux cieux**, Belfond (2007). Les rêves du maire d'une petite ville face à une réalité de crime, de mort et de misère. Un portrait noir du pays.

VASQUEZ, Juan Gabriel, **Le Bruit des choses qui tombent**, Seuil (2012). Retour dans les bas-fonds de Bogotá. Roman.

Discographie

BUENAVENTURA Yuri, **Herencia Africana** (1996). Un succès planétaire pour une version salsa de *Ne me quitte pas*, de J. Brel.

GRUPO NICHE, **Originales : 20 Éxitos** (2005). Groupe de salsa originaire de Cali.

JUANES, **Mi Sangre** (2004). L'artiste originaire de Medellín mêle rock et musiques traditionnelles colombiennes.

SHAKIRA, **Sale el Sol** (2010). L'artiste colombienne la plus connue à l'étranger. Sa chanson *Waka Waka*, écrite avec le groupe sud-africain Freshlyground, a servi d'hymne officiel pour la Coupe du monde de football de 2010.

Filmographie

Aguirre, la colère de Dieu, Werner Herzog, 1972. La mort tragique de Don Pedro de Ursúa (1526–1561) parti à la recherche de l'Eldorado.

La Stratégie de l'escargot, Sergio Cabrera, 1993. Un groupe d'habitants se bat pour éviter d'être expulsé de son immeuble à Bogotá.

La Petite Marchande de roses, Víctor Gaviria, 1998. Des gamins à la dérive sur les trottoirs de Medellín.

La Vierge des tueurs, Barbet Schroeder, 2000. Tueur à gages et passions sulfureuses à Medellín.

Marie pleine de grâce, Joshua Marston, 2004. Passeuse de drogue dans l'espoir d'un avenir… Prix d'interprétation féminine pour Catalina Sandino.

Sumas y restas, Víctor Gaviria, 2005. Plongée dans l'univers des cartels de la drogue de Medellín.

Les Voyages du vent, Ciro Guerra, 2009. Traversée des paysages andins et caribéens avec Ignacio l'accordéoniste.

Le Piège à crabe (La Barra), Óscar Ruiz de Navia, 2009. Tentative de fuite dans un village de la côte pacifique.

Les Couleurs de la montagne, Carlos César Arbeláez, 2011. Un monde de violence vu par des yeux d'enfants.

La Sirga, William Vega, 2012. Un village des Andes qui n'échappe pas aux échos de la guerre civile.

L'Accolade du serpent, Ciro Guerra, 2015. Un chaman d'Amazonie rencontre deux scientifiques à la recherche d'une plante médicinale sacrée.

COMPRENDRE LA COLOMBIE

Carnaval de Barranquilla.
J. Sochor/age fotostock

La Colombie aujourd'hui

La Colombie est le quatrième pays d'Amérique latine par la taille après le Brésil, l'Argentine et le Mexique. La plus ancienne démocratie d'Amérique du Sud doit relever un défi complexe : gouverner une population très hétérogène, une tâche rendue plus difficile encore par l'exode rural massif auquel elle a été confrontée ces dernières décennies. Pourtant, aujourd'hui, le pays a laissé derrière lui les années sombres de la violence et de la guerre civile. Et le mythique El Dorado qui fit tant rêver les conquistadors espagnols est en passe de devenir réalité : entre mines, pétrole et forêt, la Colombie regorge de ressources naturelles, qu'elle commence seulement à exploiter à grande échelle. La nette amélioration de son image aux yeux du reste du monde et l'engouement des visiteurs étrangers pour ce beau pays sont autant de signes de ce changement de cap.

La population

Avec un total de 48,5 millions d'habitants, la Colombie affiche une densité de population modérée de 42 personnes par km^2. Les principaux centres urbains se trouvent dans les vallées fluviales du Magdalena et du Cauca, les deux fleuves majeurs du pays, ainsi que sur la côte caraïbe.
Quatre grandes conurbations régionales concentrent la majorité des citadins. **Bogotá**, capitale du pays, qui compte env. 7 879 000 habitants, est au cœur de la Colombie centrale. Le plus grand centre urbain du nord-ouest de la Colombie est **Medellín**, deuxième ville du pays avec env. 2 464 000 habitants. **Cali**, située dans le sud-ouest, vient en troisième position avec env. 2 370 000 habitants. **Barranquilla** (env. 1 219 000 hab.) est le centre urbain de la région caraïbe, suivi de la cité historique de **Cartagena** (env. 1 002 000 hab.).
Les **plaines orientales** représentent près de la moitié de la superficie du pays, mais abritent moins de 3 % de sa population.

L'ATTRACTION DES VILLES

La population est majoritairement citadine : alors que 30 % seulement des Colombiens vivaient dans les villes à la fin des années 1930, ils étaient presque 75 % au milieu des années 2010.
Cet **exode rural**, que l'on retrouve dans le reste de l'Amérique latine pour les mêmes raisons (meilleures opportunités d'études et de travail, meilleur confort de vie), s'explique en outre ici par les violences qui ravageaient les campagnes et l'absence de sécurité qui y a longtemps régné – et y règne encore dans certaines régions –, les zones

Bogotá, un urbanisme dynamique.
K. Lang/age fotostock

rurales formant le foyer d'activité des paramilitaires et de la guérilla. Au cours des cinquante dernières années, les conflits ont entraîné le déplacement d'un grand nombre de communautés pastorales, et ils sont plusieurs millions de Colombiens à avoir cherché refuge dans les villes, au prix de bouleversements sociétaux énormes.

L'urbanisme à la va-vite

Confrontées à cette **explosion démographique**, les villes ont réagi en se lançant dans des programmes de construction incontrôlés et parfois anarchiques. En témoignent ces édifices aux lignes datées typiques des années 1970 ou 1980 qui parsèment le centre de toutes les villes, visiblement plus soucieux de fonctionnalité que d'esthétique. La pagaille d'axes de circulation et de bâtiments construits à la va-vite n'a pas disparu, le manque de logements et d'espaces publics se fait toujours sentir, mais la situation s'améliore : les municipalités ont pris conscience des conséquences d'un urbanisme mal contrôlé en termes de mal-être social et affichent leur souci de rénover les villes et d'en faire des lieux de vie plus agréables et plus ouverts. Medellín, qui s'est métamorphosée entre 1995 et 2005, est en ce sens la ville qui remporte haut la main la palme de la réussite dans ce pari ambitieux.

Des transports modernes

Dans le dernier quart du 20e s., **Bogotá**, la capitale, était paralysée par une circulation automobile pléthorique, anarchique et dangereuse. Pour désengorger le trafic et réduire les émissions polluantes, elle a instauré le système **Pico y Placa** (repris depuis par plusieurs autres agglomérations) de circulation alternée : les véhicules privés sont priés de rester au parking un jour par semaine en fonction de leur numéro de plaque d'immatriculation, et sur certains axes, il est interdit de circuler avec moins de trois personnes à bord.

CALLES ET CARRERAS

Déconcertant de prime abord, le système des **adresses** répond en fait à une logique stricte et finalement très pratique. Le plan de la plupart des villes, composé de *carreras* (avenues) et de *calles* (rues), est d'autant plus simple à suivre que celles-ci adoptent un schéma en damier, toujours le même, typique des fondations urbaines dans les colonies espagnoles : *calles* et *carreras* se croisent à angle droit autour d'une *plaza mayor* ou d'un *parque principal*, le square faisant office de place centrale. À Bogotá, les *carreras* vont du nord au sud et les *calles* d'est en ouest. Si vous cherchez par exemple l'adresse « calle 16, n° 7-05 », il vous faudra d'abord vous diriger vers la calle 16, puis vers le pâté de maisons (ou *cuadra*) situé entre les *carreras* 7 et 8, le 05 étant le numéro du bâtiment. Dans certaines villes anciennes, comme Cartagena ou Mompox, les numéros des rues et avenues se doublent de véritables noms, à l'européenne, mais c'est toujours aux numéros que vous vous référerez pour trouver votre chemin.

Autre mesure fondamentale pour réguler le trafic automobile, le réseau de **bus TransMilenio** est entré en service en 2001. Efficace, rapide et propre, il consiste en un ensemble de lignes de bus articulés desservant toute l'agglomération et roulant sur des couloirs spéciaux, lui permettant d'éviter les embouteillages.
À sa suite, plusieurs grandes villes ont adopté le même système de transport intégré : Barranquilla, Cali, Cartagena, Medellín et Bucaramanga.
Medellín, la ville la mieux dotée de Colombie en matière de réseau de **transports publics**, a misé sur lui pour résoudre les problèmes d'intégration sociale auxquels elle était confrontée, ou tout au moins minimiser leur impact. Comment réconcilier le centre-ville commerçant et aisé qui s'étend au fond de la vallée d'Aburrá et les quartiers pauvres situés aux limites de la ville, investissant de leurs constructions anarchiques les flancs des cordillères ? Les urbanistes, confrontés aux problèmes posés par la topographie de la ville, ont imaginé de prolonger le métro par deux lignes de téléphérique desservant les collines et désenclavant les quartiers défavorisés. Le réseau de *metrocable* de Medellín, ouvert et intégré (les lignes de métro sont interconnectées avec les lignes de téléphérique et celles de bus en plusieurs points stratégiques de la ville) est aujourd'hui un modèle pour les autres agglomérations. Climatisé, parfaitement entretenu, il est même devenu une attraction touristique.

LE BRASSAGE ETHNIQUE

La majorité des Colombiens appartiennent à trois grands groupes : les Indiens, les Colombiens d'origine espagnole et ceux d'origine africaine, un **multiculturalisme** qui reflète l'histoire du pays. S'y mêlent les populations venues des pays frontaliers, Panama, Venezuela, Équateur, Brésil et Pérou.
Le dernier recensement effectué par le DANE (Departamento Administrativo Nacional de Estadística) en 2005 estime à 49 % le nombre de **mestizos** (métis de Blancs et d'Indiens) dans la population, à 37 % celui des **Blancs**, le groupe le plus influent (les racines basques restent fortes dans la région **paisa**, par exemple), à 10,6 % celui des **Afro-Colombiens**, qui vivent

essentiellement sur le **littoral pacifique** (région du Chocó) et sur la côte caraïbe, autour de Cartagena, lieu d'arrivée des esclaves au 16e s. Les groupes **indiens** représentent quant à eux 3,4 % de la population et sont très présents dans les cordillères andines. Le **Cauca**, au sud-ouest, où vivent les Indiens nasa-páez, et la péninsule de **La Guajira**, au nord-est, terre des Wayúus, abritent les plus nombreux groupes indiens du pays, puisqu'elles comptent respectivement un quart et un cinquième des populations autochtones.
Au-delà de ces « étiquettes » statistiques, l'essentiel de la population (86 %) ne se considère pourtant pas comme appartenant à un groupe ethnique particulier, la notion de brassage des origines étant prédominante.
L'**immigration** a été particulièrement importante à la fin du 19e s. puis après la Première Guerre mondiale et la guerre froide ; originaires d'Europe mais aussi d'Asie et du Moyen-Orient, les nouveaux arrivants débarquèrent en masse à Barranquilla, d'où ils essaimèrent dans les régions proches. Aujourd'hui, la majorité des immigrés vient du Venezuela, qui souffre de difficultés économiques majeures et d'insécurité, d'Équateur et d'Espagne.

Les langues

L'**espagnol**, langue officielle de la Colombie, coexiste avec plus de 60 langues et dialectes indiens de groupes ethniques reconnus par l'article 10 de la Constitution. Ces langues ont cours sur le territoire de chacun de ces groupes où les écoles assurent un **enseignement bilingue**, mais beaucoup sont peu à peu délaissées au profit de la langue majoritaire et risquent de disparaître, ce qui menace directement l'identité culturelle des minorités indiennes.

L'ESPAGNOL COLOMBIEN

Les Colombiens parlent le plus souvent un espagnol pur et clair, facile à comprendre. Comme dans tous les pays d'Amérique latine, c'est un mélange d'espagnol européen et d'américanismes, avec, ici, une affection particulière pour les formules de politesse et les échanges d'amabilités.
Ce vaste pays n'échappe pas aux particularismes régionaux. D'une province à l'autre, le *Usted* (vouvoiement de politesse) ou le *Vos* (vouvoiement simple) remplacera le *Tú* (tutoiement) plus communément utilisé ailleurs. Ailleurs encore, on s'adressera plutôt à vous par un *sumercé*, *Su Merced*, Votre Grâce.
Pour parler comme un Colombien, il vous faudra d'abord maîtriser

LE DICTIONNAIRE CUERVO

Rares sont les ouvrages linguistiques qui ont eu un impact aussi grand sur le monde hispanophone que le *Diccionario de Construcción y Regimen de la Lengua Castellana* (dictionnaire du castillan). Considéré comme faisant partie du patrimoine de l'Amérique du Sud depuis le début des années 1920, il est l'œuvre de **Rufino José Cuervo** (1844-1911), écrivain né à Bogotá, grammairien, linguiste et philologue, qui consacra sa vie à étudier les versions dialectales de l'espagnol dans son pays natal et à promouvoir l'unification des diverses variantes de l'espagnol. Le dictionnaire Cuervo est aujourd'hui enrichi en permanence par les universitaires du prestigieux **Instituto Caro y Cuervo** de Bogotá.

quelques-uns des centaines de *colombianismos*, phrases et mots originaux qui émaillent la conversation au quotidien.

LES LANGUES INDIENNES

Appartenant à 13 familles linguistiques différentes, elles dérivent pour l'essentiel des idiomes **chibchanes**, **arawak**, **caribe, guahibanes, tucanoanes** et **quechua**. Elles contiennent bien plus de phonèmes que les langues européennes, et sont quasiment impossibles à écrire avec l'alphabet standard ; peu d'entre elles ont d'ailleurs fait l'objet d'une transcription. Le **nasa-yuwè**, par exemple, dans les montagnes de Tierradentro, comprend 37 consonnes et 20 voyelles, chacune pouvant être nasale, glottale, aspirée ou longue, contre 20 consonnes et 5 voyelles pour l'espagnol standard.

LES VARIANTES RÉGIONALES

Il existe en Colombie onze grands **dialectes** incluant des centaines de mots et d'expressions qui leur sont propres. Les habitants du **Cundinamarca** et du **Boyacá** (régions de Bogotá et de Tunja) se distinguent par l'emploi du pronom *sumercé* (*Su Merced*, Votre Grâce), à la deuxième personne, au lieu de *Usted*. L'**accent paisa**, rythmique et chantant, est celui des départements de l'Antioquia, du Quindío, du Risaralda et du Caldas. Les **Costeños** (de la côte caraïbe) parlent très rapidement en écrasant les mots, et leur espagnol ressemble à celui de Cuba. Le **pastuso**, dialecte andin parlé dans le sud-ouest du pays, emprunte au quechua. Le langage des habitants du **Popayán** est également influencé par le Sud. La langue parlée sur la **côte pacifique** se caractérise par des inflexions traînantes prononcées et le **dialecte chocó**, aux caractéristiques linguistiques africaines, est reconnaissable entre mille. Le **rolo**, considéré comme la forme la plus pure de l'espagnol, est parlé par les habitants de Bogotá, qui ont une diction claire et chantante, très différente du **criollo sanandresano** ; parlé à San Andrés, Providencia et Santa Catalina, ce dernier, atone et entraînant, est dérivé de l'anglais, de l'espagnol et des langues africaines.
L'**anglais**, parlé dans les milieux instruits, n'est pratiquement pas usité en dehors des grandes villes, sauf dans l'île de Providencia, où il nourrit le dialecte principal.

Le gouvernement

La Colombie, qui est la **démocratie** officielle la plus ancienne d'Amérique latine, professe un respect profond pour les droits civils et politiques malgré son histoire tumultueuse et souvent dramatique.
La **Constitution de 1991** précise que la République est dirigée par un président élu pour un mandat de quatre ans. Les élections sont libres

EMBLÈMES ET COULEURS

Drapeau : trois bandes horizontales, une double bande jaune en haut, une bleue au centre et une rouge en bas. Le **jaune** représente la richesse de l'or colombien. Le **bleu** évoque l'océan Pacifique et la mer des Caraïbes. Le **rouge** symbolise les vies perdues pendant les guerres d'indépendance et le sang de Jésus, en référence aux « racines » chrétiennes de la Colombie.

Devise : *Libertad y Orden* (liberté et ordre).

Hymne national : *¡ Oh Gloria Inmarcesible !* (Ô gloire impérissable !).

et contrôlées, tous les citoyens de plus de 18 ans ont le droit de vote. En 2005, la Constitution a été amendée par le Parlement colombien afin de permettre au président d'effectuer deux mandats successifs. **Juan Manuel Santos** occupe ce poste depuis 2010.

La **séparation des pouvoirs** exécutif, législatif et judiciaire est stricte, et la légalité des actes exécutifs et législatifs peut être contestée devant la Cour constitutionnelle.

Le paysage politique colombien est composé de 13 **partis politiques** reconnus dans le cadre de la loi de 2002 : il s'agit des partis ayant obtenu plus de 2 % des voix aux élections législatives. Les principaux sont le **Parti conservateur** (PC), le **Parti libéral** (PL) et le **Parti social d'unité nationale** (Partido de la U), fondé en 2005 pour soutenir la candidature d'Álvaro Uribe, dissident du PL, à la présidence de la République.

LE POUVOIR EXÉCUTIF

Dirigé par le président de la République, le pouvoir exécutif repose sur différents ministères, des administrations et des centaines d'organismes semi-autonomes.

La présidence de la République

Le président, chef de l'État et du gouvernement, dirige une **démocratie représentative** qui compte plusieurs partis. L'une de ses prérogatives est de choisir les membres du **Conseil des ministres**, qui forment un cabinet de conseillers. Il nomme également les dirigeants des nombreuses agences administratives qu'il contrôle sans que le Parlement ait à approuver ces nominations. Le président est assisté dans l'exercice de ses fonctions par un **vice-président**.

Les affaires régionales

La République de Colombie est formée d'un **district capital** (Bogotá) et de 32 **départements**, divisions administratives qui regroupent des **municipalités** et jouissent d'une certaine autonomie. Représentants de l'exécutif, les **gouverneurs** des départements et les **maires** des villes gèrent les affaires régionales ; ils sont élus pour un mandat de quatre ans, renouvelable pour les maires mais non pour les gouverneurs.
À l'échelon provincial, l'exécutif peut être confié à des administrateurs locaux qui gèrent de petites sous-divisions administratives : ce sont les *corregidores* pour les **corregimientos** (généralement des zones rurales très peu peuplées).

LE POUVOIR LÉGISLATIF

À l'instar de la France, la Colombie a un **Parlement bicaméral** *(Congreso de la República de Colombia)* composé d'une Chambre des députés et d'un Sénat.
La **Chambre des députés** *(Cámara de Representantes)* comprend 166 sièges, et le **Sénat** *(Senado)* 102. Les parlementaires sont élus pour un mandat de quatre ans, et peuvent être réélus indéfiniment. Les sénateurs sont élus à l'occasion d'un scrutin national, tandis que les députés sont choisis par les électeurs de leur circonscription.
À l'échelon provincial, le pouvoir législatif est représenté par les **conseils municipaux** et les organes départementaux, nommés 17 mois après l'élection présidentielle.

LE POUVOIR JUDICIAIRE

Le pouvoir judiciaire colombien s'inspire du système espagnol. Dans les années 1990, il a été profondément remanié et a abandonné la procédure inquisitoire pour une procédure contradictoire. Un nouveau Code pénal inspiré de celui des États-Unis a été introduit en 2004.
Le système judiciaire colombien est divisé en **quatre organes** habilités à contrôler la légalité des actes du législatif et de l'exécutif. Deux **hautes cours de justice** dont les juges sont nommés pour 8 ans exercent des fonctions distinctes. La première est la **Cour suprême** (plus haute juridiction civile) qui comprend 23 magistrats nommés par le pouvoir législatif et qui est divisée en une chambre civile-agraire, une chambre du travail et une chambre pénale. La seconde est la **Cour constitutionnelle** dont les membres sont désignés par le Parlement sur proposition du président et d'autres juridictions de haut rang ; elle interprète la Constitution et veille au respect des lois. Elle est chargée des révisions constitutionnelles et des traités internationaux.
Le **Conseil d'État** est la plus haute juridiction administrative ;

La récolte du café.
Glow Botanica/Glowimages Botanica/age fotostock

ses juges sont également choisis par le Conseil judiciaire suprême et nommés pour une durée de 8 ans. Le **Conseil judiciaire suprême** contrôle les juridictions civiles et tranche les conflits de compétences entre les autres cours. Ses membres, qui sont choisis par le Parlement au sein des trois autres cours, sont eux aussi nommés pour une durée de 8 ans.

L'économie

Au sein de la **Communauté andine**, zone de libre-échange comprenant aussi la Bolivie, l'Équateur et le Pérou, la Colombie est le pays dont l'industrie est la plus diversifiée. Elle a en outre beaucoup développé ses échanges internationaux ces dernières années. Aujourd'hui, les cargaisons de café, textiles, charbon, nickel, émeraudes, coton, fleurs coupées, canne à sucre, bétail sur pied, riz, maïs, tabac et bananes de Colombie sont expédiées dans le monde entier, et le pays a pris la place de 4e économie d'Amérique latine. Le pétrole (1 million de barils/j.) et l'industrie minière représentent près de 70 % des revenus de ses exportations.

Après une croissance très rapide entre 2002 et 2007, alimentée par la confiance générale résultant de l'amélioration de la sécurité intérieure en Colombie et de la hausse des cours des matières premières, la croissance s'est ralentie avec la crise économique mondiale. Elle reste toutefois confortable, à 4 % en 2014. Le chômage, la pauvreté et la nécessité de rénover en profondeur les infrastructures restent toutefois des défis majeurs pour le pays.

L'AGRICULTURE

Elle joue un rôle important dans l'économie nationale depuis l'époque coloniale et suit toujours un schéma très inégalitaire : alors qu'un cinquième environ de la population active travaille dans le domaine agricole, majoritairement employé par de gros propriétaires terriens, plus de la moitié des terres appartiennent à 0,04 % seulement

de la population. Bien qu'elle ait cédé du terrain au profit des secteurs secondaire et tertiaire, l'agriculture pèse encore 9 % du PIB, et contribue, quoique modestement (4,6 %) aux recettes tirées des exportations.
La variété des zones climatiques dans le pays se traduit par une belle **diversité des cultures** : le cacao, la canne à sucre, les noix de coco, les bananes, les bananes plantains, le riz, le coton, le tabac, le manioc *(yuca)* sont cultivés à faible altitude, de même que la majorité du bétail (l'élevage constitue 45 % de la production agricole nationale) ; le café, les légumes, les fleurs et les fruits, eux, poussent en altitude, dans des zones plus tempérées.
La mécanisation et l'emploi de fertilisants et de pesticides se sont généralisés et permettent désormais d'obtenir des rendements supérieurs pour le blé, le maïs, l'orge et les pommes de terre, ainsi que le bétail et la volaille.
On exploite le **bois** dans tout le pays, de l'eucalyptus et du pin dans les régions montagneuses aux bois tropicaux durs dans les plaines.

Le café

La Colombie, 4e producteur mondial de café, produit environ 10 % du café consommé dans le monde. La variété colombienne, de type arabica, a gagné ses lettres de noblesse en Europe avec l'attribution d'une IGP (indication géographique protégée) en 2007.
Mise en vedette depuis son inscription au Patrimoine de l'Unesco en 2011, la **Zona Cafetera**, à cheval sur les trois principales régions caféières (Quindío, Caldas et Risaralda), fournit plus de la moitié de la production nationale dans une zone couvrant à peine 1 % de la superficie du pays.
La Federación Nacional de Cafeteros de Colombia (Fedecafé) est la principale fédération agricole de Colombie et la plus puissante ; elle représente plus de 560 000 producteurs, en majorité des petits exploitants gérant des entreprises familiales.

LES RESSOURCES NATURELLES

Fort de sa richesse en ressources naturelles, le pays a fait de l'**exploitation minière** une activité majeure, non sans susciter les inquiétudes des défenseurs de l'environnement. Réputé dans le monde entier pour ses émeraudes et son or, il est également l'un des principaux producteurs de **nickel** d'Amérique latine et le premier de **charbon**, grâce à la mine à ciel ouvert du Cerrejón (péninsule de La Guajira), la plus grande d'Amérique latine.
Il dispose aussi de ressources énergétiques considérables et produit de grosses quantités de **minerais**. On exploite dans tout le pays des gisements d'argile et de kaolin, de dolomite, de gypse, de calcaire, de magnésite, de sel gemme et de sel marin, de sable, de gravier, de marbre, de feldspath, de phosphate et de composés du sodium, ainsi que des gisements de moindre taille de soufre, d'amiante, de bauxite, de bentonite, de calcite, de diatomite, de fluorite, de mercure, de mica, de talc, de stéatite, de pyrophyllite et de zinc.
La Colombie était autrefois le seul producteur de **platine** d'Amérique latine, et reste un gros fournisseur de **ciment**.

Des émeraudes et de l'or

Réputées pour leur qualité et leur limpidité, les émeraudes colombiennes sont très recherchées. Les gisements des Andes (département du Boyacá) fournissent environ 60 % de la production mondiale.
La Colombie est par ailleurs le 5e producteur d'or d'Amérique

latine. Berceau de la légende de l'**Eldorado** *(voir p. 69 et 152)*, elle a fourni jusqu'à un tiers de l'or extrait dans le monde. Les principales exploitations se trouvent dans les départements du Chocó, de l'Antioquia et du Tolima.
Sur les **55 tonnes d'or** extraites dans le pays chaque année, seules sept le sont par de grands groupes (souvent à capitaux étrangers) : on estime à 80 % les mines exploitées de façon illégale, un mouvement encouragé par la flambée des cours du métal jaune sur les marchés mondiaux ces dernières années. Entre extraction à grande échelle et exploitation sans contrôle, les **conséquences écologiques**, mais aussi sociales, sont souvent dramatiques : déforestation, déversement de mercure dans les rivières, financement des groupes armés, déplacement des populations indiennes qui s'opposent aux mineurs.

L'énergie

Les **réserves de gaz naturel** du pays s'élevaient à 1,81 milliard de m^3 en 2015, et ses réserves de **pétrole brut** à 2,4 milliards de barils, ce qui le place au 3e rang en Amérique du Sud. La majeure partie du pétrole brut est extraite dans les contreforts des Andes et dans l'est de la jungle amazonienne, dans le département du Meta ; cette importante zone de production se développe à un rythme soutenu. La Colombie a aussi su exploiter son potentiel **hydroélectrique** et se place au 4e rang en Amérique latine ; l'hydroélectricité représente environ 68 % de la production d'électricité en Colombie.

L'INDUSTRIE

L'industrie colombienne (soit environ 38 % du PIB) emploie 20 % de la population active ; le ralentissement économique a entraîné un léger recul de la production et de l'emploi dans ce secteur.
Les **zones industrielles** se trouvent surtout dans les aires métropolitaines de **Bogotá**, **Medellín**, **Barranquilla**, **Cali** et **Cartagena**, qui concentrent près de 90 % de la production du secteur secondaire. Usines de petite ou moyenne taille et grands conglomérats s'y spécialisent dans les **denrées alimentaires** et les **boissons**, les matériaux de construction, les dérivés du papier, les **textiles** (dont la lingerie et les uniformes), les machines, la céramique, le cuir, les véhicules et les composants pour automobiles, la sidérurgie et les outils. L'industrie **chimique** (engrais, insecticides, détergents, produits pétrochimiques…) est également un secteur de poids.

LE SECTEUR TERTIAIRE

Transports, **assurances**, **télécommunications**, **tourisme**, **commerce**, etc. : il représente 53 % de l'économie et emploie 69 % de la population active.
Le **secteur bancaire**, très développé, dirigé par la Banque de la République qui fait office de banque centrale, et la **distribution**, secteur implanté dans les zones urbaines, en constituent deux branches majeures. La Colombie a à cœur de montrer qu'elle sait que des services efficaces et de bonne qualité sont un élément crucial de la compétitivité dans une économie mondialisée.

Le tourisme

C'est une activité importante et promise à un développement considérable : depuis 2003, le nombre d'arrivées de touristes étrangers a été multiplié par 8. Depuis quelques années, la Colombie a en effet le vent en poupe et son image s'est grandement améliorée, ses efforts en matière de sécurité et de développement des infrastructures d'accueil se faisant enfin connaître hors des frontières.

Les revenus générés par le tourisme se classent en 3e position, juste après les exportations de pétrole et de charbon. En 2014, près de 4,2 millions de visiteurs étrangers (en progression de 4,7 % par rapport à l'année précédente) sont arrivés dans le pays, en provenance majoritairement des États-Unis, d'Europe et du Mercosur, apportant dans leur sillage une manne de devises estimée à environ 5 milliards d'euros.

À cela s'ajoutent les nouvelles opportunités de travail qui se créent dans l'hôtellerie, l'accueil et l'information ou les services d'excursions : l'industrie du tourisme représente environ 1,7 million d'emplois, dont la moitié salariés. Les croisiéristes, qui font escale à Cartagena, Santa Marta et San Andrès, comptent pour 16 % dans le total des arrivées.

Le commerce

Si la Colombie **exporte** pétrole, café, charbon, nickel, émeraudes, textiles, bananes et fleurs coupées, elle **importe** pour l'essentiel des équipements destinés aux secteurs industriels et des transports, des carburants et combustibles, des biens de consommation, des produits chimiques et de l'électricité.

Membre fondateur de la **Communauté andine** et défenseur de longue date de la liberté des échanges, le pays est membre de l'**Organisation mondiale du commerce** (OMC). Il a pour principal partenaire commercial les États-Unis, suivis de l'Union européenne et de la Chine, représentant respectivement 36, 15 et 6 % des exportations, tandis que les importations proviennent majoritairement des États-Unis, de la Chine et du Mexique.

Les relations avec le **Venezuela**, 5e partenaire commercial de la Colombie, se sont refroidies depuis 2009 en raison de tensions provoquées par des incursions frontalières. La mise en place de contrôles frontaliers très stricts a par ailleurs entraîné une baisse significative du volume de la contrebande, et les villes proches de la frontière, comme Cúcuta ou Riohacha, en ont lourdement pâti.

La religion

En 1991, la Constitution a pris acte du déclin de l'influence de l'Église catholique en ôtant au catholicisme son caractère de religion officielle. En 1997, un accord a jeté les bases de la reconnaissance d'autres religions.

PRÉDOMINANCE DU CATHOLICISME

Bien que toutes les religions soient reconnues en Colombie, la population reste très fortement attachée à l'Église catholique. L'annonce d'une visite du pape François pour 2017 a déclenché des manifestations d'enthousiasme de grande ampleur. Souvent citée comme « la nation la plus catholique d'Amérique du Sud », la Colombie compte 80 % de catholiques et 1 prêtre pour 4 000 habitants, l'un des ratios les plus élevés d'Amérique latine. Paradoxalement, la Colombie figure pourtant sur la liste des pays où les chrétiens souffrent de persécutions, en particulier dans les campagnes. La responsabilité en incombe essentiellement aux mouvements de guérilla qui, pour des raisons historiques autant qu'idéologiques, ne cachent pas leur hostilité vis-à-vis d'une Église qui a longtemps eu partie liée avec les pouvoirs en place.

LES TELENOVELAS COLOMBIENNES

Les chaînes de télévision colombiennes diffusent chaque soir au moins quatre ou cinq *telenovelas* (feuilletons à l'eau de rose) dont les scénarios souvent mélodramatiques captivent de nombreux téléspectateurs. À la fin des années 1990, **Café Con Aroma de Mujer**, qui se déroule dans la Zona Cafetera, a remporté un succès considérable, au point que les Colombiens viennent toujours en masse visiter le petit village de Filandia *(voir p. 270)* où a été tournée la série. Les *soaps* colombiens n'échappent pas à une certaine ambiguïté : les thèmes de la drogue et du narcotrafic, que beaucoup aimeraient laisser derrière eux, restent récurrents dans des séries télévisées aux titres évocateurs : *Muñecas de la Mafia (Marionnettes de la Mafia), El Cartel de los Sapos (Le Cartel des Crapauds), Saluda al Diablo de mi Parte (Salue le Diable de ma part)*. L'une des plus plébiscitées d'entre elles, *El Patrón del Mal*, fait revivre la Medellín de Pablo Escobar *(voir p. 234)* ; lors de sa première diffusion, la série a atteint en Colombie un pic d'audience de 80 % qui en a fait l'émission la plus regardée de l'histoire de la télévision dans le pays.

LES AUTRES RELIGIONS

Les écoles confessionnelles privées de tous types peuvent exercer (l'équivalent n'a pas cours dans le secteur public) et les populations d'origine **libanaise**, **palestinienne** et **juive** ont des lieux de culte dans la plupart des grandes villes.
Les communautés **évangéliques** et **protestantes**, qui comptent quelque 8 millions de fidèles, ont essaimé dans le pays et sont fortes de 5 000 congrégations.
L'**islam** est surtout présent sur la côte nord. À Maicao, dans la péninsule de La Guajira, la mosquée **Omar Ibn-al-Khattab** est la 3e d'Amérique du Sud par la taille.

Les médias

LA PRESSE ÉCRITE

Deux journaux de haute tenue, *El Tiempo* (plus grosse diffusion dans le pays) et *El Espectador* (l'un des journaux les plus influents de Colombie et d'Amérique latine) dominent le paysage de l'information écrite *(voir aussi p. 29)*.
Bien que la liberté de la presse soit officiellement garantie par la Constitution de 1991 et que la situation se soit améliorée ces dernières années, la Colombie reste l'un des pays les plus dangereux d'Amérique du Sud pour les journalistes ; en 2014, le classement de Reporters sans Frontières pour la **liberté de la presse** la plaçait au 126e rang mondial, après le Guatemala et avant l'Afghanistan.

LA TÉLÉVISION

La Commission nationale de la télévision supervise les programmes des cinq chaînes nationales et des innombrables chaînes locales et régionales qui composent le paysage audiovisuel colombien. On citera entre autres chaînes Señal Colombia, Señal Institucional, Caracol, RCN et Canal Uno.

Traditions et art de vivre

Les Colombiens adorent célébrer leur culture, leur histoire et leur patrimoine. Des communautés entières s'investissent dans l'organisation de grandes manifestations qui nécessitent plusieurs mois de préparation et attirent des foules gigantesques. Compte tenu de la grande diversité ethnique du pays, ces événements ont souvent pour thème des traditions dont les racines puisent dans les rituels des esclaves africains, les fêtes catholiques d'inspiration espagnole, les carnavals des Caraïbes ou des usages qui perdurent depuis les temps précolombiens. Ces racines multiples se côtoient et s'enchevêtrent dans l'artisanat comme dans la gastronomie, dans les jeux et les sports populaires comme dans les musiques et les danses qui rythment le calendrier festif.

Les sports

Bien que le **tejo** *(voir p. 168)* soit officiellement désigné comme le sport national, peu d'activités suscitent autant de ferveur que le **football**, aussi bien au niveau local et régional, que national. L'émulation est vive entre villes et régions, et les matchs entre équipes rivales déchaînent les passions.
L'échec de **Los Cafeteros**, l'équipe nationale, à se qualifier pour la Coupe du monde de 2010 fut l'objet de toutes les conversations.
Le **base-ball**, moins populaire, se joue dans des championnats locaux et nationaux.
Même si les autorités font moins d'efforts que l'Europe pour promouvoir le **cyclotourisme**, Bogotá est l'une des villes les plus accueillantes au monde pour les cyclistes. Les sommets de la cordillère des Andes ont donné naissance à plusieurs des meilleurs grimpeurs au niveau international, comme **Nairo Quintana**.
Comme une grande partie du reste des Amériques, le pays compte de plus en plus d'amateurs de **golf**, surtout depuis l'ascension fulgurante du golfeur colombien **Camilo Villegas**.

Les combats de taureaux

La tradition tauromachique est un héritage du passé colonial. Les combats de taureaux, événements de grande ampleur qui drainent les foules, se déroulent dans **80 arènes permanentes**, dont les plus grandes se trouvent à Manizales, Bucaramanga, Bogotá, Cali, Medellín et Cartagena.
Une trentaine d'**élevages** produisent des taureaux de combat, et huit écoles (dont celles de Cali, Medellín et Manizales) forment les matadors aux techniques et au protocole.
La **saison** s'étale de janvier à février ; une corrida a lieu tous les ans à **Manizales**, la « capitale

Les *bóvedas* de Cartagena, reconverties en boutiques d'artisanat.
DANITA DELIMONT STOCK/Danita Delimont Agency/age fotostock

tauromachique » de Colombie, pendant la feria de la ville.
Malgré plusieurs tentatives de groupes de protection des animaux pour **abolir** les corridas, la tauromachie reste un passe-temps populaire et légal en Colombie. En 2004, les professionnels du secteur ont réussi à faire passer une loi controversée, qui établit un **Code de la tauromachie** régulant la pratique et la qualifiant d'« expression du génie artistique de l'homme ». En 2015, dans un différend avec la ville de Bogotá qui avait interdit les combats, la Cour constitutionnelle a jugé que les mairies ne pouvaient pas légalement interdire les corridas ; les arènes de la Santamaría *(voir p. 132)* devraient donc rouvrir en 2016.

L'artisanat

TEXTILES, TISSAGES ET TRESSAGES

Si l'ensemble « jean et T-shirt » s'est répandu en Colombie comme partout ailleurs, quelques articles vestimentaires, adaptés à l'altitude et au climat, restent l'apanage du pays, voire d'une région en particulier : d'est en ouest, des cordillères aux côtes, le patrimoine textile donne parfois l'impression que l'on a changé de pays.
Le **vueltiao**, adopté en 2004 comme symbole de la Colombie, est un chapeau à larges bords confectionné avec les fibres tressées d'un palmier, la *caña flecha* (canne flèche). Plus le tressage est fin et plus il est aisé de plier ou de rouler le chapeau ; meilleure est alors sa qualité et plus son coût est élevé. La tradition du tressage a été léguée par les Indiens **zenús** installés dans la région caraïbe ; on suppose qu'elle jouait un rôle dans leur cosmologie.
La **ruana** est un poncho sans manches, d'usage très courant, porté par les **populations andines** pour se protéger du froid et de l'humidité de ces régions montagneuses. On le rencontre en particulier dans les départements du Boyacá et de l'Antioquia. Ce manteau « à quatre

LA FILIGRANA MOMPOSINA

Mompox (département du Bolívar, *voir p. 290*), belle cité coloniale sur les rives du río Magdalena, a donné son nom à une technique de **filigrane** particulière, utilisée pour réaliser des bijoux délicats très appréciés en Colombie. L'**or**, et surtout l'**argent**, sont fondus, laminés puis délicatement pliés en spirales pour être façonnés en boucles d'oreille, pendentifs, colliers et bracelets. Le style de ces bijoux est devenu plus contemporain et s'est internationalisé ces dernières années, mais dans l'ensemble, ces bijoux restent d'une conception traditionnelle qui conjugue les influences hispaniques, indiennes, africaines et arabes, traduisant ainsi l'héritage multiethnique de Mompox.

pointes » serait un compromis entre les ponchos indiens et les manteaux faits d'une seule pièce fabriqués à Rouen (d'où leur nom) et rapportés par les Européens à l'époque coloniale. La *ruana* a perdu sa connotation de « vêtement du pauvre » pour devenir un symbole du patrimoine national.
Dans la région caraïbe, à la frontière du Venezuela, les **Wayúus** de la péninsule de La Guajira tricotent des **chinchorros** (hamacs) et des **mochilas** (sacs à bandoulière) au maillage serré et aux couleurs vives. De belle facture, solides et durables, ils sont aujourd'hui très à la mode en Colombie comme à l'étranger.
Dans le golfe d'Urabá, au sud du Panama, les Indiens **kunas** et **tules** confectionnent des **molas**, des patchworks faits main, colorés, avec des représentations d'animaux et des références à la cosmologie.
La ville de **Cartago** (Valle del Cauca) est réputée pour ses **broderies** aux motifs floraux et géométriques réalisées à la main, un héritage arabo-andalou.
À **San Jacinto**, entre Cartagena et Mompox, vous trouverez des **hamacs** en coton de toutes formes, couleurs et tailles.

LA VANNERIE

Dans le **Boyacá**, sur les terres ancestrales des Indiens **laches** et **tunebos**, les populations locales perpétuent les traditions indiennes de vannerie et réalisent paniers, plats et petits récipients à partir de **paja** *(Carludovica palmata)* et de **fique**, une fibre tirée de plantes de la famille des agaves. La **vannerie spiralée** utilise des rouleaux de brins de *fique*. Lorsque le vannier a obtenu la forme souhaitée, les fibres sont teintes avec des pigments naturels.
Sur le littoral pacifique (**Chocó**), les Indiens **waunanas** tissent de magnifiques **paniers werregue** selon une technique qui trouve probablement ses racines en Afrique : les fibres souples du palmier *werregue* sont roulées en spirale et fixées sur une base en bois. Selon sa taille, la confection d'un panier peut prendre un à deux mois.

LA POTERIE

Marmites et cruches, plats de service et figurines décoratives pour le jardin, parfois produits à l'échelle industrielle : **Ráquira** (dans le Boyacá), « la Ville des pots » en chibcha, est l'épicentre de la poterie, largement exportée vers les régions voisines. Les argiles rouges (contenant des oxydes de fer), blanches, jaunes et noires (à forte densité de charbon) que l'on trouve dans la région permettent aux potiers de varier la tonalité des articles fabriqués.
Dans le département andin du **Tolima**, les artisans fabriquent

des poteries noires fidèles à des traditions indiennes ancestrales. L'argile est réduite en poudre et façonnée à la main, puis mise à sécher pendant un mois avant d'être cuite au four. On la polit ensuite pour lui donner un fini brillant.

La musique et la danse

Reflet de l'histoire du pays, musique et danse en Colombie se sont nourries d'**influences** africaines, européennes et caribéennes en plus ou moins forte proportion selon les régions. De nombreux chants commémoratifs célèbrent des moments forts, des personnes ou des événements marquants.

Dans les Andes

Les mélodies et les rythmes varient considérablement d'une région à l'autre, chacune leur imprimant sa propre touche. **Guitares, tiple** à 12 cordes au son clair et **bandolas** (petites guitares arabo-andalouses) grattées et pincées sont accompagnées ici d'une flûte, d'un harmonica ou d'une lyre, là de maracas ou d'un tambour. La **guacharaca**, un instrument de percussion taillé dans une section de palmier ou de canne à sucre présentant des aspérités régulières, est grattée avec une sorte de peigne métallique, le *trinche*, et accompagne souvent l'accordéon.

Le **bambuco**, danse nationale à trois temps appuyés, suit un rythme assez proche de celui de la valse européenne et accompagne une mélodie écrite en octosyllabes. Le **pasillo** («petits pas»), très apprécié, se retrouve jusqu'en Équateur et au Venezuela. La **guabina** se danse sur un chant typiquement andin accompagné au *tiple* et à la *bandola*. On danse le **torbellino**, surtout dans le Boyacá, le Cundinamarca et le Santander, à l'occasion des fêtes familiales et religieuses.

Sur la côte caraïbe

Les esclaves de la région caraïbe entretenaient le souvenir de leurs origines et le transmettaient aux jeunes générations par des chants au phrasé simple accompagnés de danses à vocation narrative. Le martèlement des **tambours** rythmait l'ensemble, et des traînements de pieds évoquaient les mouvements des cordes et les bruits des chaînes symbolisant leur exil. Dans les années 1940 et 1950, ces sonorités se sont transformées et sophistiquées en même temps qu'elles se popularisaient dans toute l'Amérique latine et prenaient une dimension commerciale sous le nom de **cumbia**. Rythmique, très appréciée, la *cumbia* est souvent pratiquée au sein de grands groupes: des femmes aux longues jupes tourbillonnantes tiennent une chandelle tandis que les hommes dansent derrière elles, une main dans le dos. Plusieurs artistes contemporains ont associé la *cumbia* avec d'autres genres, le *vallenato*, la pop ou le rock.

LA SALSA

La salsa, qui a fait son apparition dans les années 1960, a rejoint les nombreuses variantes colombiennes de genres musicaux plus anciens. Cette danse sur fond de musique sensuelle et entraînante, originaire de Porto Rico et de Cuba, est rapidement devenue un élément essentiel de la culture *latina*. **Cali,** capitale incontestée de la salsa en Colombie, ne compte plus les clubs, festivals, écoles de danse et concerts dédiés à la salsa. La ville accueille chaque été un **Festival de la salsa** qui dure une semaine *(voir p. 374)*.

Mythes et légendes

Suspendre un aloès la tête en bas devant la porte d'entrée apporterait richesse et amour aux habitants de la maison… Ce n'est qu'une des **superstitions** qui persistent dans la vie quotidienne et montrent combien la société colombienne se nourrit de singularités et de rituels nés dans la mémoire de ses peuples d'origine. Transmis de génération en génération, mythes, tabous, proverbes et légendes propres à chaque communauté, à une région géographique ou à une origine ethnique, imprègnent sa culture. Nombre d'entre eux ont trait aux fantômes, aux monstres, aux contes de bonne femme, aux pratiques occultes et aux porte-bonheur. Les traditions populaires influencées par l'Afrique, par exemple, restées très fortes dans l'archipel de San Andrés, plongent leurs racines dans la magie noire à laquelle croyaient les ancêtres des insulaires. Les créatures fantastiques dominent le **Desfile de Mitos y Leyendas** (défilé des mythes et légendes) qui se déroule le 7 décembre dans plusieurs municipalités, en particulier dans l'Antioquia. Un grand nombre de Colombiens croient en leur existence, et nombreux sont ceux qui affirment les avoir rencontrées. Voici quelques-uns de ces contes, sachant qu'il y a autant de variantes que de régions.

EL HOMBRE CAIMÁN

L'histoire se déroule sur les rives du río Magdalena, où les Indiens chimilas révéraient jadis le caïman, leur totem. Un jour, un pêcheur connu pour être un coureur de jupons demanda à un chaman de le transformer en caïman pour pouvoir espionner les femmes qui se baignaient dans la rivière. Le pêcheur ne put jamais retrouver complètement sa forme humaine. Aujourd'hui, cette créature effrayante **mi-homme mi-caïman** revient de temps à autre pour faire peur aux femmes.

LA LLORONA

Par une nuit de pleine lune, une femme légère craignant pour sa réputation noya son fils illégitime dans la rivière. Pleine de remords et accablée de douleur, elle retourna à la rivière et disparut dans l'eau. Depuis lors, les villageois entendent régulièrement les cris déchirants de la « **dame qui pleure** », cet esprit qui pénètre dans les maisons à la recherche d'enfants à enlever.

LA PATASOLA

C'est l'esprit d'une femme magnifique mais si cruelle et si perverse qu'on lui coupa à la hache une jambe, que l'on jeta dans un feu d'épis de maïs. Depuis, dans sa colère, la créature **unijambiste** au sabot de vache n'a cessé de hanter les montagnes et les forêts. Pour la faire fuir, les paysans disent une « prière de la forêt ».

LA MADREMONTE

Cet esprit se manifeste sous la forme d'une créature furieuse et putride couverte de mousse, aux dents semblables à des crocs et aux yeux lançant des flammes. Veillant sur tous les êtres vivants dans les jungles et les montagnes, elle règne également sur le monde végétal, et a le pouvoir de déclencher inondations, tempêtes et sécheresses. Farouche protectrice de l'environnement, elle punit les paysans qui commettent de mauvaises actions.

Le **vallenato**, célébré par l'auteur-compositeur **Rafael Escalona** (1927-2009), est un genre très répandu dans l'extrémité septentrionale de la Colombie. Il combine riffs d'accordéon dans le style européen et thèmes populaires traditionnels. **Carlos Vives**, ancien acteur à succès de feuilletons télévisés, a accédé au rang de héros national pour s'être fait le champion du *vallenato*, de la *cumbia* et du *porro* devant un jeune public.

De Barranquilla à Cartagena, la **champeta** puise dans ses racines africaines, particulièrement dans le corregimiento de San Basilio de Palenque, en mêlant reggaeton et rap aux rythmes traditionnels. Phénomène social autant que culturel, elle a donné naissance à une musique de rue aux rythmes fougueux et aux paroles osées qui lui ont valu, en 2015, les foudres des autorités municipales, ces dernières souhaitant la faire interdire aux mineurs.

Sur la côte pacifique

Les musiciens afro-colombiens de la côte pacifique composent des chants **currulao** qui parlent d'amour, de divinités et de famille, et qu'ils accompagnent à la *marimba de chonta* (l'équivalent du xylophone d'Afrique de l'Ouest, fabriqué en bambou et bois de chonta), au *bombo* (sorte de grosse caisse à la tonalité basse) et au *guasá* (tube de bambou rempli de graines utilisé par les percussionnistes).

La côte pacifique est la région qui a conservé le plus de liens musicaux avec l'Afrique, dont les rythmes ont été perpétués par les descendants d'esclaves entretenant la mémoire de leurs ancêtres et leur patrimoine.

De jeunes artistes ont créé un style de hip-hop très populaire, qui a été adopté dans toute la région. Parmi les groupes les plus appréciés figure **ChocQuibTown**, connu pour son tube *Somos Pacifico*.

Dans les plaines orientales

Dans les vastes plaines sans fin des Llanos, terres de pâture et de bétail, des airs chaleureux et sentimentaux clament l'amour et la fierté régionale mais aussi la solitude pesant sur la vie des vachers. Les mélodies font généralement intervenir une **harpe**, popularisée dans la région de Villavicencio dans les années 1960, un **cuatro** (petite guitare à quatre cordes) et des **maracas**.

LES NOUVEAUX TALENTS MUSICAUX

La musique pop est incarnée par des stars nationales qui font la une des journaux. **Shakira**, qui a remporté à deux reprises le Grammy Award de la musique latino, reste la principale célébrité ; elle a vendu 50 millions d'albums et est la seule artiste colombienne à avoir figuré à la première place du Billboard Hot 100 et au hit-parade des *singles* au Royaume-Uni. Le double disque de platine de **Juan Fernando Fonseca**, idole de Bogotá, combine *vallenato*, *bullerengue*, *tambora* et musique de *boys band*. **Juanes**, né à Medellín en 1972, s'est lancé dans une carrière solo en 1998 et a conquis le monde hispanophone ; il a remporté à trois reprises un Grammy Award et, en 2006, a reçu des mains du ministre français de la Culture la médaille des Arts et des Lettres. Les couches populaires restent friandes de hip-hop et de reggae joués par **La Etnnia** et **Gotas de Rap**, considérés comme les pionniers du rap colombien. Gros succès du moment avec *Mi Noche* (2013) et *Secretos* (2014), **Reykon** caracole en tête des ventes de disques, y compris dans les pays voisins.

Le **joropo** se danse en couple. Il s'inspire du fandango espagnol et se décline en plusieurs variantes régionales. Les airs **llaneros** du *joropo* sont accompagnés à la harpe, au *cuatro*, à la mandoline ou à la *bandola*, et soutenus par des maracas. Ils mêlent rythmes saccadés du flamenco et cadence régulière de la valse européenne. Les refrains, joyeux, adoptent une cadence syncopée.
Luis Ariel Rey (1934-1975), Carlos Rojas, Arnulfo Briceño (1938-1989) et Orlando Valdemarra sont quelques-uns des plus grands noms de la musique *llanera*.

En Amazonie

La région amazonienne de Colombie, restée très isolée en raison des difficultés d'accès, compte une centaine de tribus indiennes qui maintiennent vivantes leur langue et leur musique traditionnelle.
La **cumbia andina** (rythme péruvien) est ici fréquemment combinée aux rythmes brésiliens de la samba, du *forró* et de la *lambada*, et présente des similitudes avec les traditions musicales andines.
L'accompagnement instrumental se résume souvent à l'emploi d'une **flûte** en bois sculpté, qui vient en appui d'une voix lancinante et hypnotique.

La gastronomie

Voir aussi « Se restaurer », p. 24.
Tout comme la musique, la cuisine colombienne mélange épices africaines, influences espagnoles et traditions amérindiennes. La **comida criolla** (cuisine locale ou cuisine traditionnelle) puise dans un grand nombre d'ingrédients déjà utilisés à l'époque précolombienne, tels que les haricots rouges ou noirs, les tomates, les avocats et le maïs. Inutile de dire que la nourriture des provinces andines de l'intérieur ne ressemble en rien à celle du littoral. Mais où que vous soyez, vous apprécierez une cuisine chaleureuse, savoureuse et de bonne qualité.

LES SPÉCIALITÉS

La **bandeja paisa** n'a pas tout à fait le statut de plat national, mais ce plat généreux est reconnu comme l'une des spécialités culinaires du pays. Desserrez votre ceinture d'un cran avant de vous attaquer à cette spécialité de l'Antioquia (région paisa), plus copieuse que raffinée : elle comprend généralement du bœuf grillé (en steak, *carne asada*, ou haché, *carne molida*), du *chicharrón* (couenne de porc frite), des haricots rouges *(frijoles)*, du riz *(arroz)*, du chorizo, un œuf

Préparation des *patacones*.
Ton Koene/age fotostock

au plat *(huevo frito)*, une banane plantain en tranches ou sous forme de *patacón* (galette aplatie et frite), une tranche d'avocat *(aguacate)* et une *arepa* (crêpe de maïs frite). Certaines variantes incluent de la tomate ou des sauces comme l'*hogao*, des pommes de terre ou un morceau de boudin noir *(morcilla)*, parfois farci avec du riz *(rellena)*. La *bandeja paisa* est généralement précédée d'un bol de **mazamorra**, maïs doux souvent servi avec de la **panela** (canne à sucre) moulue et du **dulce de leche** (lait sucré).

Un autre plat traditionnel copieux est l'**asado bogotano**, version colombienne de la *parrillada* argentine. Cet assortiment de viandes grillées combine dans un même plat du chorizo épicé ou non, du boudin noir, de l'andouille, des ris, une côtelette de porc, un bifteck, un morceau de poulet voire de chevreau ; on le sert en général sans accompagnement. La plupart des restaurants ne verront pas d'inconvénient à ce que vous ne commandiez qu'un plat pour deux ou trois (*para compartir*, à partager) – les portions sont assez généreuses pour que tous soient rassasiés. Si vous ne finissez pas votre plat, n'hésitez pas à demander qu'on vous le conditionne *para llevar* (pour emporter) : beaucoup de familles le font.

LES PLATS

Les soupes

Les *sopas*, variées, souvent très bonnes, peuvent constituer un repas complet, car elles sont généralement préparées avec des **pommes de terre**, du maïs ou de la *yuca* (manioc). Chaque région a sa spécialité : les soupes du littoral contiennent du poisson ou des fruits de mer et des épices des Caraïbes, tandis que celles des provinces intérieures sont souvent moins épicées et à base de viande.

Très populaire, l'**ajiaco** est une soupe parfumée aux herbes aromatiques (dont le *guasca*, une plante sauvage répandue dans le pays) faite à partir de trois variétés locales de pommes de terre, de morceaux de poulet, d'avocat et de maïs. La version bogotanaise, plat savoureux qui vous réchauffera par une journée claire et froide en altitude, est appelée **ajiaco santafereno**.

Le **mondongo** est une soupe aux tripes, plutôt savoureuse.

Le **cuchuco** épais et compact, très présent dans le département du Boyacá, est fait de blé, de haricots, de pommes de terre et de pois.

On trouve le **sancocho** dans toute la Colombie, mais la recette n'est jamais la même : ces soupes roboratives à base de manioc,

QUELQUES SPÉCIALITÉS	
Charapa	viande de tortue braisée, de la région amazonienne
Cuy	cochon d'Inde, plat traditionnel de la région andine, au sud du pays
Lechona	cochon de lait farci aux pois et au riz, cuit dans une cocotte en argile
Posta cartagenera	bœuf ou veau mijoté avec des oignons, tomates, poivrons, ail, farine et vin ; plat originaire de Cartagena
Puchero	soupe-ragoût du Cundinamarca, avec plusieurs sortes de viandes, du manioc, des plantains, un œuf et de la sauce piquante

d'igname, maïs et légumes ou banane plantain, peuvent être agrémentées de volaille, de poisson ou de porc.

Les arepas

Ces galettes de farine de maïs cuites sur une plaque en fonte, fourrées ou non, sont considérées comme un aliment de base. L'**arepa de choclo** est faite avec du maïs doux et du fromage fermier. L'**arepa boyacense**, farcie au fromage, est douce au goût.
Goûtez aussi à l'**almojábana**, petit pain rond à base de maïs, ou aux **buñuelos**, des beignets en forme de boule à base de fromage frais, d'œuf et de farine de maïs ou de *yuca*, que l'on retrouve au petit-déjeuner et dans les repas de Noël. Salés dans les Andes, les *buñuelos* sont sucrés sur la côte caraïbe, où ils sont faits avec des haricots noirs et du maïs jeune, et servis avec du fromage frais.
Le **pandebono**, à base de fromage moelleux, est quant à lui originaire de la vallée du Cauca.

Les sauces et snacks

Préparé dans tout le pays, le **hogao** est une sauce confectionnée avec des oignons émincés que l'on fait revenir, des oignons primeurs, des tomates concassées, de l'ail, du cumin, du sel et du poivre. Utilisé pour relever les soupes et les *empanadas*, l'**ají**, une variante épicée du *hogao*, contient du piment *(chile)*.
Le **pipián** est quant à lui une purée à base de pommes de terre rouges, de cacahuètes, sauce tomate et oignon.
En cas de petit creux, vous trouverez à chaque coin de rue de minuscules échoppes ou des vendeurs ambulants proposant **arepas** (galette de maïs nature ou fourrée de viande hachée, d'œufs, poulet, etc.), **tamales** (pâte de maïs vapeur farcie à la viande, cuite et servie dans une feuille d'épi de maïs ou de bananier), **empanadas** (petits chaussons en demi-lune plongés dans un bain de friture, farcis à la viande et/ou aux légumes), **papas rellenas** (pommes de terre fourrées au poulet, à la viande et/ou aux œufs), **pastelitos de pollo** (beignet de poulet et pomme de terre), etc.
Au lieu des frites *(papas francesas)*, essayez les **patacones**, leur version locale, une banane plantain verte aplatie et frite, servie avec ou sans garniture.
Dans le Santander et notamment dans la région de San Gil, la **hormiga culona** est une spécialité saisonnière : ce sont des fourmis reines cuisinées comme à l'époque précolombienne et vendues dans la rue par des marchands ambulants *(voir l'encadré p. 197)*.
Bien que le **riz à la noix de coco** *(arroz con coco)* soit

un accompagnement caribéen typique, on le trouve parfois loin du littoral, servi avec du poisson et des fruits de mer.

Les boissons

Les jus de fruits *(jugos naturales)* sont rois en Colombie, où vous trouverez une variété de fruits inégalée : fraise, mûre, banane, papaye, mangue, ananas, goyave, pastèque, mandarine, pomme, et d'autres espèces moins connues comme la *pitaya* (fruit d'un cactus dont la chair, violette ou blanche et parsemée de minuscules pépins, a le goût du kiwi), le *lulo* (narangille), un fruit acide, le *borojó*, plein de fer, de phosphore et de vitamine C et réputé aphrodisiaque, la *tomate de árbol* (tamarillo) au goût un peu fade, le mangoustan, la *guanábana* (corossol), l'anone, la carambole… Vendus dans la rue ou sur les marchés, ils sont mixés avec du lait *(con leche* ou *licuados)* ou de l'eau *(con agua)* et de la glace. Vous pouvez choisir votre propre mélange de deux ou trois fruits et le demander « sans sucre » *(sin azúcar)*. Mi-dessert, mi-boisson, le **cholado** est une salade de fruits frais mêlés de lait condensé, de glace pilée et de sirop. Pas d'inquiétude à avoir sur les glaçons, toujours faits avec de l'eau purifiée.

Les **vins** locaux *(voir p. 179)* n'ayant pas encore fait leurs preuves, ceux que vous trouverez au restaurant ou dans les épiceries sont généralement importés du **Chili** ou d'**Argentine**, et de ce fait assez chers.

Plusieurs sortes de **bières** sont produites sur place ; parmi les plus populaires, citons Pilsen, Club Colombia (en version ambrée) ou Aguila.

Au rang des boissons faiblement alcoolisées, essayez le **guarapo**, une boisson fermentée à base de *panela* (mélasse de la canne à sucre), et la **chicha**, résultant de la fermentation du maïs.

En matière de boissons fortes et très alcoolisées, tentez (avec modération) l'**aguardiente**, eau-de-vie tirée de la canne à sucre, qui peut titrer jusqu'à 40°. Le **rhum** *(ron)*, fabriqué dans les régions de Medellín et de Manizales, est généralement servi avec de la glace et du citron vert.

Il va sans dire que le **café** est la boisson nationale. Essayez de visiter une caféière, où vous pourrez vous livrer à une dégustation, ou mieux, passez la nuit dans une *finca* de la Zona Cafetera pour découvrir le processus de traitement du café. Partout en ville, des vendeurs ambulants circulant avec leurs grandes thermos vous proposent dans des gobelets en plastique du *tinto* (café noir), du *perico* ou *pintado* (avec du lait) et du *café con leche* (avec beaucoup de lait).

Histoire

Jaune comme l'or, bleu comme le Pacifique et la Caraïbe qui baignent ses côtes, rouge comme le sang versé pour son indépendance et comme celui du Christ, le drapeau colombien synthétise aussi son histoire. Héritier d'anciennes civilisations qui laissèrent un fascinant patrimoine d'or et de céramique, dominé et exploité par la Couronne espagnole, meurtri par les guerres d'indépendance menées par Bolívar, une guerre civile sanglante, une brève période de dictature et des cartels de la drogue impitoyables, le pays des émeraudes et du café est entré dans le 21e s. avec de nouvelles espérances et dans un contexte plus sûr.

Les civilisations précolombiennes

Avant 1550

La période qui précède la conquête reste mystérieuse. On ne peut guère l'appréhender à partir des récits des colons espagnols, trop peu fiables, et les troubles qui ont longtemps régné dans le pays ont, par le climat d'insécurité qu'ils engendraient, considérablement entravé le travail des archéologues et des chercheurs – tout en facilitant la tâche des pilleurs.

On pense que les premiers habitants seraient arrivés sur le territoire il y a quelque 1 500 ans, venus du nord par l'isthme de Panama et le Darién. Les traces les plus anciennes de colonies de peuplement ont été découvertes à **El Abra**, aux alentours de Bogotá, dans la commune de Zipaquirá. Les fouilles effectuées là depuis 1969 ont mis au jour, dans des abris rocheux autour de marécages, des vestiges qui datent d'il y a environ 14 000 ans ; ils comptent parmi les plus vieux jamais découverts sur le continent. Un lien a été établi avec les restes de gibier trouvés sur le site de **Tibito**, à proximité de la ville de Tocancipá (Cundinamarca).

Plus récentes, plusieurs civilisations précolombiennes ont été identifiées, chacune avec ses caractéristiques propres, en différentes parties du territoire.

Sur les arts précolombiens, voir p. 80.

LA CIVILISATION TAYRONA

De filiation chibcha, c'est l'une des civilisations anciennes de Colombie les mieux connues actuellement. Installée au long de la **Caraïbe orientale**, elle a occupé les actuels départements de La Guajira, du Magdalena et du Cesar. Ses descendants directs, les **Arhuacos** et les **Koguis**, vivent toujours dans la Sierra Nevada de Santa Marta.

La **Ciudad Perdida** *(voir p. 319)* a été abondamment étudiée. Fondée en 700 ou 800, cette « cité perdue » organisée en terrasses, également connue sous le nom de **Teyuna**, aurait abrité plus de 2 000 habitants. Les Tayronas, qui pratiquaient l'assolement et savaient lutter contre l'érosion des sols, ont laissé des objets en céramique et en or de facture

Dolmen funéraire à San Agustín.
P. Tisserand/Michelin

exceptionnelle. On estime qu'ils étaient entre 30 000 et 50 000 avant l'arrivée des Espagnols. Au milieu du 16e s., la civilisation tayrona était presque éteinte.

LA CIVILISATION MUISCA

Les Muiscas ont habité les **régions montagneuses** au centre de la Colombie entre 600 av. J.-C. et 1550. Organisés au départ en petites colonies de peuplement indépendantes, ils adoptèrent une société plus centralisée à l'orée du 13e s. Appartenant à la famille linguistique chibcha, les Muiscas, originaires du sud de l'Amérique centrale, se sont établis sur les hauts plateaux proches de Bogotá (ou Bacatá), dans les actuels départements du **Cundinamarca** et du **Boyacá**, vers 545 av. J.-C. Les Muiscas, excellents cultivateurs, chasseurs et orfèvres, seraient à l'origine de la légende de l'**Eldorado**, née des cérémonies effectuées au lac sacré de **Guatavita**. Les Espagnols eurent beau jeu de conquérir cette société divisée par les querelles opposant deux communautés, les **Zipas** et les **Zaques**, qui se disputaient le contrôle des terres et des mines de sel de la région de **Zipaquirá**. Les ruines muiscas les mieux conservées à ce jour sont les structures de pierres qui marquent les monticules funéraires et l'observatoire astronomique d'**El Infiernito** *(voir p. 176)*, dans le Santander.

LA CIVILISATION AGUSTINIENNE

Les **sculptures anthropomorphes** de **San Agustín** *(voir p. 410)*, dans le Huila (Sud-Ouest), leurs représentations de divinités hybrides et d'animaux mythiques sont les vestiges les plus spectaculaires de l'époque préhispanique dans le pays. On suppose qu'elles marquaient l'avant-poste le plus septentrional de l'**Empire inca**, qui connut son apogée entre 100 et 800 apr. J.-C. Malgré les nombreuses interrogations qui subsistent, les experts ont identifié trois ères : une **période formative** (1000 av. J.-C.-300), caractérisée par l'existence de petits habitats ruraux, une **période régionale classique** (300-800), qui fut une ère d'expansion démographique, et une **période moderne** (800-1500), caractérisée par la diversification des cultures et des pratiques agricoles. Lorsque les Espagnols arrivèrent, cette civilisation avait déjà disparu ; on suppose que ses membres émigrèrent vers les plaines de l'Amazone et de l'Orénoque (Orinoco).

Tierradentro (Cauca ; *voir p. 401*), connu pour sa **nécropole** qui remonterait à 600-800 apr. J.-C. (des dates à prendre avec beaucoup de précautions étant donné le manque d'informations dont on dispose) pourrait être rattaché à la civilisation agustinienne. Une hypothèse cependant sujette à caution, car tout ce que l'on sait aujourd'hui des hommes de Tierradentro, c'est qu'ils étaient d'excellents sculpteurs et peintres, qu'ils empruntaient probablement le même réseau de chemins que leurs voisins agustiniens et qu'ils commerçaient avec ceux-ci.

LES AUTRES CIVILISATIONS

Le département du **Valle del Cauca**, dans le sud-ouest du pays, abrite d'importants vestiges de communautés préhispaniques parmi lesquelles les **Quimbayas** (300-1550), réputés pour leur travail de l'or, et les **Calimas**, chasseurs-cueilleurs qui s'établirent dans la région vers 5000 av. J.-C. Ces civilisations se divisèrent en plusieurs groupes et déclinèrent à partir du 13e s.

La civilisation **nariño**, partagée entre les territoires équatorien et colombien actuels, est connue pour ses liens étroits avec les populations du Pacifique et d'Amazonie ; ce sont peut-être les derniers descendants des Incas.

Dans le Pacifique, les **Tumacos**, peuple d'agriculteurs et de pêcheurs qui vécurent entre 600 av. J.-C. et 400 apr. J.-C., habitaient les estuaires et les bras de rivière du littoral. Tournés vers l'océan, ils créèrent aussi des réseaux d'irrigation pour l'agriculture.

Les **Zenús** (200 av. J.-C.-1500) peuplèrent le littoral caribéen et les vallées arrosées par le río Sinú. Vivant sur des terres régulièrement inondées par le fleuve, ils développèrent un ingénieux système de canaux et de barrages leur permettant de réguler leurs récoltes. Ils ont eux aussi laissé trace de leur talent de potiers et d'orfèvres, que l'on admirera au musée de l'Or de Cartagena (*voir p. 285*).

La conquête

1500-1549

Alonso de Ojeda (1465-1515) fut le premier conquistador espagnol à fouler le sol colombien et à tenter d'y établir une colonie de peuplement. Méconnu, ce personnage clé de l'histoire du Nouveau Monde participa à la deuxième expédition de **Christophe Colomb** en 1493. Il aurait voyagé avec **Amerigo Vespucci** en 1499 vers Trinidad, et embarqué en 1509 avec 300 hommes, parmi lesquels **Francisco Pizarro**, pour une expédition de reconnaissance de la côte du Panama jusqu'au lac Maracaibo, au Venezuela. C'est à cette occasion qu'Ojeda fonda **San Sebastián de Urabá**, une des premières colonies européennes, dans la région du Darién, non loin de l'actuelle **Necoclí**. Cette colonie au destin funeste fut abandonnée à la suite des attaques répétées des tribus locales et de difficultés de ravitaillement.

LA LUTTE POUR L'OR ET LE POUVOIR

Trois conquistadors avides de pouvoir et de fortune s'affrontèrent pour obtenir les droits de pillage et la propriété des terres en **Nouvelle-Grenade**, un territoire qui englobait Panama, Colombie, Équateur et Venezuela. Ils explorèrent et conquirent la majeure partie de la Colombie. **Gonzalo Jiménez de Quesada** (1499-1579), qui servit de modèle au Don Quichotte de Cervantès, fonda en 1538 la ville de **Santa Fé de Bogotá** et s'aventura dans les régions du **Guaviare** et de l'**Orénoque** à la recherche infructueuse de l'Eldorado. Pendant ce temps, son rival, l'Allemand **Nikolaus Federmann** (1501-1542), se lançait à partir du Venezuela dans la même quête, parcourant les Llanos. **Sebastián de Benalcázar** (1480-1551), gouverneur de Quito, obsédé par l'espoir de faire fortune, partit du nord de l'Équateur et fonda les villes de **Cali** et **Popayán**. Benalcázar essaya en vain de conclure une alliance avec Federmann contre Quesada. Les trois conquistadors continuèrent à se livrer une lutte acharnée pour accaparer les richesses de ces territoires, et c'est finalement le roi d'Espagne **Charles Quint** qui trancha leur querelle en 1539. Quesada perdit en 1540 le contrôle de Bogotá lorsque Charles Quint confia à Benalcázar l'autorité sur Popayán, sous la supervision de la vice-royauté du Pérou.

LES PREMIÈRES COLONIES DE PEUPLEMENT

La région caraïbe, où débarquaient les navires en provenance d'Europe, accueillit les premières colonies de peuplement pérennes. **Rodrigo de Bastidas** (1445-1527) fonde en 1525 **Santa Marta**, l'une des villes les plus anciennes de Colombie. En 1533, **Pedro de Heredia** (mort en 1555) fonde **Cartagena**, qui surpasse rapidement Santa Marta et devient le plus grand port négrier et commerçant du pays. Son frère Alonso fonde **Mompox**, au bord du Magdalena, sept ans plus tard. **Francisco de Orellana** (1490-1546) fonde la ville de **Guayaquil**, en Équateur, en 1537, et navigue sur l'**Amazone**, après l'avoir rejointe par le Napo. Contre toute attente, lui et ses hommes parviennent à survivre à huit pénibles mois au cours desquels ils sont en butte aux attaques de tribus hostiles, aux maladies et à la faim. Orellana navigue à nouveau sur l'Amazone en 1545, après avoir été autorisé par la Couronne à exploiter les terres qu'il a découvertes ; il explore le delta amazonien sur une distance de 500 km.

La domination espagnole

1549-1808

Jusqu'au milieu du 16e s., la région colombienne est entièrement administrée par le **vice-roi du Pérou**, basé à Lima. Mais ce système de gouvernement centralisé se révèle inefficace pour un territoire aussi vaste. En 1549, l'**Audience royale de Santa Fé de Bogotá** est créée pour déléguer des responsabilités à des régions plus autonomes et lointaines afin de surveiller les provinces clés de Popayán, Santa Marta, Cartagena et les Guyanes. Le président de l'Audience royale rend compte à la toute-puissante Lima. L'ampleur des missions du vice-roi, qui gouverne une région allant du Panama au Chili et à l'Argentine à l'est, conjuguée à l'opportunisme de certains, fait sombrer les territoires dans le désordre, provoquant la séparation des territoires nord et sud au 18e s.

LA VICE-ROYAUTÉ

En 1717, la **vice-royauté de Nouvelle-Grenade** est créée à Santa Fé de Bogotá pour contrôler les territoires englobant Colombie, Équateur, Venezuela, Panama, l'ouest du Brésil, le nord du Pérou et jusqu'à la Guyane. Ce vaste territoire, dirigé à partir de Santa Fé par un gouverneur-président, est divisé en provinces de taille plus modeste dont la plus grande, **Popayán**, s'étend du nord de l'Antioquia au bassin amazonien à l'est et au Chocó à l'ouest.
La vice-royauté obéit d'une part à des impératifs géographiques et logistiques, et d'autre part à une volonté d'administrer plus efficacement les ports d'entrée dans la région, de percevoir des **taxes** sur les marchandises et de combattre plus vigoureusement la **piraterie** tout en contrant les desseins des nations étrangères sur les colonies espagnoles.
Bien qu'ayant des liens officiels avec Santa Fé, la **Capitania General** à **Caracas** et l'**Audience royale** à **Quito** bénéficient d'une certaine autonomie politique et régionale en raison de leur situation géographique. La vice-royauté de Nouvelle-Grenade est suspendue en 1723 pour des raisons financières et rattachée à l'autorité de Lima. Rétablie en 1739, elle disparaît avec l'indépendance.

L'émancipation

1808-1819

UN CONTEXTE FAVORABLE

Les événements qui se déroulent en Europe à la fin du 18e s. et les difficultés géographiques rencontrées par la vice-royauté de Nouvelle-Grenade expliquent que la Colombie ait été un terreau fertile pour les mouvements d'indépendance face à un empire espagnol au bord de la chute et miné par les problèmes intérieurs.
Lorsque **Antonio Nariño** (1765-1823) traduit la Déclaration des droits de l'Homme (1794), ce qui lui vaut une lourde peine de prison, il diffuse des idéaux nouveaux de liberté et d'indépendance dans les territoires de Nouvelle-Grenade.
L'invasion de l'Espagne par les troupes napoléoniennes pendant la **guerre de la Péninsule** (1808-1814) est catastrophique pour les Espagnols qui ont des biens en Nouvelle-Grenade.
Avec une Couronne d'Espagne financièrement exsangue, l'évolution de la guerre en Espagne ravive les velléités d'indépendance en Amérique du Sud ; les colonies refusent de reconnaître le frère de Napoléon comme leur nouveau monarque.

LES LUTTES INTESTINES

Les nouvelles de la guerre en Espagne, qui parviennent en Nouvelle-Grenade en 1810, entraînent une vacance du pouvoir entre 1810 et 1816, période connue sous le nom de **Patria Boba** (la nation idiote).
Les luttes entre provinces cherchant à tirer leur épingle du jeu culminent en une guerre civile. La province de **Santa Fé de Bogotá** est la première à mettre en place un **gouvernement autonome** *(junta)*, et proclame son indépendance le 20 juillet 1810 (jour férié en Colombie). D'autres villes – entre autres Cartagena, Antioquia, Tunja, Mariquita et Neiva – lui emboîtent le pas et se dotent d'une Constitution.
Les provinces de Pasto, Santa Marta et Popayán, qui ne souhaitent pas devenir indépendantes, combattent aux côtés des royalistes.
Le 27 novembre 1811, plusieurs provinces tiennent un congrès à Tunja, où toutes les provinces deviennent les **Provinces unies de**

Nouvelle-Grenade, à l'exception du Chocó et du Cundinamarca. Rassemblant des **traditionalistes** et des **libéraux**, le mouvement pro-indépendantiste donne naissance à deux idéologies : le **centralisme** (dans le Cundinamarca), et le **fédéralisme** (dans les Provinces unies).
Une lutte armée éclate entre les deux parties qui tentent de rallier à leur cause les provinces encore indécises. Après une campagne couronnée de succès (1812-1813), **Antonio Nariño**, commandant des troupes militaires centralistes, prend le contrôle des Provinces unies de Nouvelle-Grenade. Rattachées au Cundinamarca, ces provinces sont fusionnées, et restent indépendantes de l'Espagne pendant quelques années. Nariño poursuit les forces loyales à la Couronne dans le sud du pays. Il prend Popayán en 1814, puis se dirige vers Pasto où il est vaincu et capturé faute de renforts d'Antioquia. Condamné à plusieurs années de prison, il reste absent de la scène politique jusqu'en 1821.

LA RECONQUÊTE ESPAGNOLE

Ferdinand VII remonte sur le trône d'Espagne en 1814, après les guerres napoléoniennes. L'Espagne s'intéresse alors de nouveau aux Amériques et aux troubles qui y règnent. Le général **Pablo Morillo** (1775-1837), vétéran de la bataille de Trafalgar et de la guerre de la Péninsule, surnommé « le Pacificateur », est chargé de rétablir l'ordre dans les colonies. En 1815, il assiège **Cartagena** et en prend le contrôle. En 1816, les efforts conjugués des sympathisants royalistes et de l'armée espagnole qui marchent du sud de Cartagena et Santa Marta et du nord des bastions de Pasto, Quito et Popayán permettent de **reconquérir Bogotá** et provoquent la **chute de la Nouvelle-Grenade**.
Le **régime militaire** instaure une répression brutale, confisquant les biens de ceux jugés coupables de rébellion ou de trahison contre la Couronne, et les traduisant devant les tribunaux. Certains accusés sont enrôlés de force dans l'armée royale, d'autres sont condamnés à mort ou exilés.
Les patriotes **Camilo Torres**, **Joaquín Camacho** et **Jorge Tadeo Lozano** sont exécutés.

LES GUERRES D'INDÉPENDANCE

Le Vénézuélien **Simón Bolívar** (1783-1830), héraut de l'indépendance de son pays, doit battre en retraite à la Nouvelle-Grenade en 1813 après avoir perdu Caracas. Connu sous le surnom d'« El Libertador », il combat aux côtés des partisans de l'indépendance colombienne avant de se réfugier aux Antilles pour échapper à la campagne de reconquête brutale menée par le général Morillo.
Bolívar est bien accueilli par le gouvernement haïtien, qui vient de conquérir son indépendance vis-à-vis de la France. Il collecte des fonds et réunit des troupes à Haïti avant de retourner en Amérique du Sud en 1816.
Bolívar, qui a pris ses quartiers dans le sud du Venezuela, est épaulé par des **mercenaires britanniques**. Il conçoit un plan pour vaincre Morillo et décide de prendre par surprise les troupes espagnoles en déplaçant ses troupes pendant la saison des pluies. Quittant les Llanos du Venezuela, il traverse les plaines colombiennes, ralliant au passage 400 hommes à Mompox, et franchit les Andes à **Mérida** (Venezuela). Le 25 juillet 1819, après un périple épuisant, les troupes bolivariennes en haillons affrontent les troupes royalistes au **Pantano de Vargas** (bataille du marais de Vargas, *voir p. 168*), et, farouchement déterminées,

les mettent en déroute, infligeant une cuisante défaite à l'armée espagnole. À la **bataille de Boyacá**, qui se déroule le 7 août, Bolívar réussit à vaincre 3 000 soldats *(voir p. 161)*. La grande majorité des membres du gouvernement royaliste installé à Bogotá, dont le **vice-roi Juan José de Samáno**, fuient la capitale, laissant le champ libre aux troupes de Bolívar qui entrent dans la ville le 10 août.

La naissance de l'État moderne

LA RÉPUBLIQUE DE GRAN COLOMBIA (1819-1830)

La victoire de Bolívar et son entrée triomphante à Bogotá ne sonnent pas le glas de la domination espagnole en Nouvelle-Grenade. L'indépendance n'est acquise qu'en 1824.

En 1819, Bolívar réunit le **Congrès d'Angostura** (aujourd'hui au Venezuela), qui poursuit ses travaux jusqu'en 1821. Vingt-six délégués du Venezuela et de Nouvelle-Grenade jettent les fondements de la nouvelle **République de Grande Colombie**. Celle-ci comprend tous les territoires de la Nouvelle-Grenade, soit la Colombie actuelle, le Venezuela, l'Équateur, le Panama, certaines régions du Brésil, le Pérou, la Guyane, quelques territoires dans les Caraïbes dont la côte des Mosquitos (aujourd'hui au Nicaragua) et le Costa Rica. Leur projet est de faire de la Grande Colombie un État cohérent, diversifié et puissant économiquement, capable de rivaliser avec l'Europe.

En 1821, le **Congrès de Cúcuta** adopte la Constitution de la nouvelle république. Bolívar prend ses fonctions de président de Grande Colombie, avec **Francisco de Paula Santander** pour vice-président. La république trouve rapidement ses marques et transcende ses différences régionales pour poursuivre la lutte armée contre l'empire espagnol. Bolívar se consacre à la libération des poches royalistes qui subsistent en Équateur et au Venezuela, et obtient l'indépendance du Pérou. Auréolés de ces victoires, Bolívar et Santander sont réélus en 1826. Le courant régionaliste qui traverse la Grande Colombie secoue toutefois les fondements de la jeune république, et les courants fédéralistes et centralistes reviennent en force. Les **divergences idéologiques** entre Bolívar et Santander sur le mode de gouvernement à adopter aggravent l'instabilité. Le vice-président Santander, ardent partisan d'un plus grand fédéralisme, est en désaccord avec Bolívar sur ce point. Bolívar décide alors d'abolir la charge de vice-président en 1828, et se proclame **dictateur**.

Santander, qui a gouverné le pays lors des longues absences de Bolívar, est contraint à l'exil, accusé d'être impliqué – ce qui n'a jamais été prouvé – dans un complot visant à assassiner Bolívar.

LA PRÉSIDENCE SANTANDER

La dissolution de la Grande Colombie est effective en 1830 avec la sécession du Venezuela et de l'Équateur ; Bolívar démissionne de son poste de président lorsque la république commence à vaciller.

En 1832, Santander revient à la Nouvelle-Grenade dont il est élu **président**, fonction qu'il exerce jusqu'en 1837. C'est un administrateur compétent, soucieux d'établir un équilibre entre catholiques conservateurs et libéraux, encourageant les échanges commerciaux avec les **États-Unis** et investissant beaucoup dans l'éducation.

Il contribue à stabiliser la nouvelle république.

Buste de Simón Bolívar (1783-1830).
F. Lamontagne/age fotostock

À la mort de Santander en 1840, le **Panama** déclare son indépendance (qu'il n'obtiendra qu'en 1903), et la Colombie plonge dans les affres de la guerre civile.

LES GUERRES CIVILES (1849-1880)

Les deux factions rivales opposent les **centralistes** (ou conservateurs) aux **fédéralistes** (ou libéraux). Ces derniers prônent la séparation de l'Église et de l'État et un gouvernement décentralisé. Les conservateurs sont partisans d'un gouvernement central fort et refusent l'élargissement du droit de vote. Les libéraux gouvernent de 1849 à 1857 et de 1861 à 1880, et instaurent la décentralisation ; ce sont des périodes d'insurrection et de guerre civile.

La **Confédération grenadine**, créée en 1856, comprend huit États membres : Antioquia, Bolívar, Boyacá, Cauca, Cundinamarca, Panama, Magdalena et Santander. Profédéraliste, elle accorde une autonomie plus large aux provinces, suscitant une forte résistance des conservateurs. Une guerre civile éclate, et la Confédération grenadine est remplacée en 1863 par les **États-Unis de Colombie**, qui comprennent les membres de la Confédération ainsi que le Tolima. Les hostilités se poursuivent entre les camps libéraux et conservateurs jusqu'en 1886, date à laquelle les États-Unis de Colombie deviennent la **République de Colombie** sous la présidence du conservateur **Rafael Núñez** (1825-1894).

L'INDÉPENDANCE DU PANAMA

Peu après la terrible guerre des Mille Jours *(voir l'encadré p. 76)*, qui a laissé la Colombie brisée, démoralisée et humiliée, la région **Istmo** (Panama) proclame son indépendance en 1903 avec le soutien des États-Unis. Cet événement inattendu est déclenché par le refus du Sénat colombien de ratifier le **traité Hay-Herrán** qui prévoit de louer la zone aux États-Unis pour y construire le **canal de Panama**. La République de Panama n'est reconnue par la Colombie qu'en 1914, en échange de droits

LA GUERRE DES MILLE JOURS (1899-1902)

L'une des pires guerres civiles de l'histoire de la Colombie éclate à la fin du 19e s., alors que la nouvelle et fragile république fait ses premiers pas. Connu sous le nom de **Guerra de los Mil Días**, ce conflit sanglant est engendré par les profondes divergences entre les factions des **libéraux** et des **conservateurs**. Les troubles éclatent lorsque les conservateurs sont accusés de vouloir à tout prix se maintenir au pouvoir, après des élections entachées de fraudes en 1899. Cette guerre, ponctuée par les tristement célèbres batailles de **Peralonso** et **Palonegro**, fait des milliers de victimes, et gagne toutes les régions du pays, précipitant la ruine économique d'un pays qui souffre déjà de l'effondrement du marché du café. Les conservateurs revendiquent une victoire à la Pyrrhus, qui laisse le pays exsangue, sans pour autant résoudre les divergences entre les deux factions. Un **traité de paix** met fin à ce conflit sanglant en 1902.

sur le canal. En 1921, le **traité Thomson-Urrutia** signé entre les États-Unis et la Colombie octroie à celle-ci une indemnité de 25 millions de dollars pour la perte du Panama.

La Colombie moderne

Hébétée par d'interminables guerres civiles et la perte d'une partie de son territoire, la Colombie cherche son **identité** au début du 20e s. Les conservateurs gouvernent de 1909 à 1930 et les libéraux de 1930 à 1942.

LE NATIONALISME

Le gouvernement colombien, confronté à la menace de perdre d'autres parties de son territoire, réagit violemment lorsque des civils péruviens prennent en 1932 le contrôle du port amazonien de **Leticia**. La fièvre nationaliste qui s'empare alors du pays éclipse ses dissensions internes. Le traité signé en 1922, qui ménageait à la Colombie un accès à l'**Amazone**, avait fixé la frontière entre Colombie et Pérou sur le **Putumayo**, fleuve proche du petit poste avancé de Leticia. Le gouvernement colombien envoie des troupes qui sortent victorieuses, bien que moins nombreuses et mal équipées.

LA « VIOLENCIA » (1948-1964)

La recrudescence de la violence et l'aggravation des divisions politiques marquent l'après-guerre. Le 9 avril 1948, l'assassinat de **Jorge Eliécer Gaitán**, candidat libéral à la présidence, met le feu aux poudres, ouvrant la période dite de **la Violencia** qui ravage le pays de 1948 à 1964. L'assassinat de Gaitán déclenche le **Bogotázo**, émeutes urbaines qui font 3 000 victimes en une seule journée et détruisent le cœur historique de la capitale. La situation, explosive, provoque un exode parmi les populations rurales fuyant les persécutions. Les **groupes armés** saccagent les villages et les villes, pillant et tuant, tandis que conservateurs et libéraux s'affrontent sporadiquement. La Violencia fait plus de 200 000 victimes.

UN RÉGIME AUTORITAIRE

Confrontée à la violence et aux effusions de sang, la Colombie s'oriente vers un régime dictatorial. En 1953, un coup d'État de **Gustavo Rojas Pinilla** (1900-1975), officier de l'armée colombienne, renverse le **président Laureano Gómez**. L'une de ses premières décisions est d'amnistier tous les combattants à condition que ceux-ci rendent leurs armes – une proposition que certaines factions, dont les communistes, refusent. Après un bref répit, les combats reprennent de plus belle dans la région du Tolima, et la popularité chancelante de Rojas Pinilla s'effondre. Il démissionne en 1957 et confie le pouvoir à une **junte militaire**.

LES GUÉRILLAS COMMUNISTES

Les **groupes rebelles** apparus dans les campagnes à l'époque de la Violencia se renforcent. La nouvelle et grave menace représentée par la guérilla d'obédience communiste émerge pendant l'expérience du **Front national** *(voir ci-dessous)*; à partir des années 1960, le gouvernement colombien tente de prévenir le déclenchement d'une révolution à la cubaine. Plusieurs mouvements d'extrême gauche montent en puissance : l'**ELN** (Ejército de Liberación Nacional, fondé en 1964), l'**EPL** (Ejército Popular de Liberación, 1965), les **FARC** (Fuerzas Armadas Revolucionarias de Colombia, fondées en 1964) et le **M19** (Movimiento 19 de Abril, 1970-1990), qui ont tous pour but affiché le renversement de l'État colombien. L'EPL et le M19 ont aujourd'hui déposé les armes, et plusieurs de leurs anciens membres, dont Gustavo Petro, le maire de Bogotá, sont entrés officiellement en politique, mais il fut une époque où ces deux groupes inspiraient la terreur en Colombie. Le M19 mena quelques actions très médiatisées comme le vol de l'épée de Bolívar et l'attaque sanglante du **Palais de justice** de Bogotá en 1985. Nombre de ses combattants rejoignirent les rangs de l'ELN et des FARC.
En 2008, les FARC sont durement touchées non seulement par la politique du président Uribe, mais aussi par la mort de leur numéro deux, **Raul Reyes**, lors d'un bombardement de l'armée colombienne en territoire équatorien, et par la disparition de leur leader et idéologue **Manuel « Tirofijo » Marulanda**. On mentionnera également le sauvetage audacieux d'Íngrid Betancourt, ancienne candidate à la présidence de la République, et de trois militaires américains au cours de l'**opération « Jaque »** (échec).

LES MILICES D'EXTRÊME DROITE

Le territoire et l'influence des FARC ont également décru avec l'émergence de **groupes paramilitaires d'extrême droite**. Ces milices, créées au départ par des propriétaires terriens soucieux de défendre collectivement leurs biens, trouvent une source de financement dans le trafic de cocaïne. Elles ont le soutien du gouvernement qui, soucieux de lutter contre le communisme et les FARC, considère ces exactions comme un mal nécessaire. Parmi elles, l'**AAA** (Alliance anticommuniste

LE « FRONT NATIONAL » OU L'ALTERNANCE AU POUVOIR

Les dirigeants politiques, soucieux de remédier à la situation désastreuse du pays, instaurent en 1958 un « Front national ». Soutenu par les deux camps, il consiste à mettre en place un régime politique d'une durée de 16 ans divisé en quatre mandats présidentiels, dont deux exercés par les **libéraux** et deux par les **conservateurs**. En 1958, le libéral Alberto Lleras Camargo remporte les élections, et le conservateur Guillermo León Valencia lui succède en 1962, suivi par le libéral Carlos Lleras Restrepo en 1966 puis par le conservateur Misael Pastrana Borrero en 1970. Le système bipartisan est rétabli sans difficulté en 1974, et le libéral Alfonso López Michelsen est élu président.

DES GUÉRILLAS ENCORE ACTIVES

Les **FARC** et l'**ELN** continuent à contrôler des territoires et des itinéraires qui jouent un rôle majeur dans le trafic de stupéfiants, et à rançonner les entreprises et les propriétaires fonciers, même s'ils ne sont plus aussi puissants qu'avant. L'**ELN**, dont les effectifs étaient estimés entre 2 000 et 3 000 hommes en 2010, est plus petit que les FARC; il a participé à plusieurs reprises à des négociations de paix avec le gouvernement colombien à Cuba. Les **FARC** comptaient environ 18 000 combattants armés en 1998, à leur apogée; elles ont beaucoup pâti de la méthode forte employée par l'ancien président **Uribe**; certains combattants sont morts, d'autres ont déserté, et leurs effectifs sont aujourd'hui estimés à 8 000 hommes. Malgré de vives oppositions parmi certains courants politiques, les négociations menées à Cuba entre FARC et gouvernement ont repris en 2015.

américaine) est responsable d'attentats (notamment contre le siège de journaux d'opposition) et d'enlèvements dans les années 1978-1980; nombre de ses membres dirigeants faisaient partie des forces armées.

Les **AUC** (Autodéfenses unies de Colombie), fondées en 1996, vont fédérer les groupes d'extrême droite préexistants et coordonnent des actions paramilitaires jusqu'en 2006, date à laquelle elles déposent les armes. Elles sont accusées d'avoir commis d'abominables exactions – massacres, escadrons de la mort, torture – et sont considérées comme les principales responsables des déplacements massifs de population en Colombie. En 2006, des révélations de la presse mettent en évidence les liens entre les AUC et la classe politique : c'est le **scandale de la parapolitique**, qui va contraindre le pouvoir à accorder une amnistie aux membres des AUC qui déposent les armes. La majorité d'entre eux le font et se démobilisent dans le cadre d'un accord passé avec le président Uribe, mais une faction renaît sous le nom d'**Aguilas Negras**; leur présence se fait sentir principalement dans le Nord, où leurs activités vont du narcotrafic à l'extorsion et au vol en bande organisée. Oubliant leurs racines politiques, ils s'emploient comme mercenaires, collaborant aussi bien avec les FARC qu'avec les groupes de pression ayant des intérêts fonciers ou miniers afin de museler toute opposition locale, prenant pour cible syndicalistes, activistes et journalistes.

LES DOMMAGES COLLATÉRAUX

Ces conflits n'ont épargné aucune classe sociale et ont entraîné le déplacement de trois à cinq millions de Colombiens, selon les chiffres de l'ONU. Contraints de quitter leur domicile et leurs terres pour se réfugier dans les villes, ceux-ci forment une classe marginale très nombreuse parmi les populations les plus défavorisées. Le **trafic de cocaïne** a également fait son lot de victimes et rendu le pays tristement célèbre. **Pablo Escobar** (1949-1993), qui dirigeait le **cartel de Medellín** avant d'être abattu dans sa ville natale, fut le trafiquant le plus fameux dans les années 1980; impitoyable, il est directement responsable de l'assassinat de Luis Carlos Galán, candidat aux élections présidentielles, d'attaques à la voiture piégée contre plusieurs journaux, d'un attentat à la bombe contre un avion de ligne, et de l'attaque du Palais de justice orchestrée par le M19. Tout aussi cruel et violent, le cartel rival de **Cali** était dirigé par les **frères Orejuela**.

Les cartels de la drogue n'ont pas disparu, mais se sont faits plus discrets. La lutte contre le trafic de stupéfiants, qui est une source de revenus énorme, reste le principal défi à relever : dès que le chef d'un cartel est assassiné, capturé ou extradé, un autre surgit pour prendre sa place…

UN PAYS QUI PANSE SES PLAIES

L'arrivée au pouvoir du président **Álvaro Uribe** en 2002 a marqué un tournant pour la Colombie et sur le plan international. Si, pendant ses deux mandats (2002-2010), la **sécurité intérieure** s'est nettement améliorée, l'écart entre riches et pauvres s'est accru – 10 millions de Colombiens vivent sous le seuil de pauvreté. Son mandat est entaché de nombreux scandales.
Son successeur, **Juan Manuel Santos**, ex-ministre de la Défense, est élu en juin 2010 et réélu pour un second mandat en 2014. Il va engager le dialogue avec la guérilla pour tenter de parvenir à des accords de paix et s'investit en faveur des victimes du conflit avec un programme de retour des personnes déplacées, à qui leurs terres sont restituées.

Chronologie

- **12400 av. notre ère** – Premier peuplement à El Abra.
- **545 av. J.-C.** – Premiers peuplements muiscas.
- **1000-1400** – Âge d'or des Tayronas.
- **1509-1520** – Conquête du nord de l'Amérique du Sud par l'Espagne.
- **1549** – Création d'une Audience royale à Bogotá, sous l'autorité de la vice-royauté du Pérou.
- **1717** – La Nouvelle-Grenade est élevée au rang de vice-royauté.
- **1808-1810** – La Couronne espagnole est renversée par Napoléon ; grand mouvement d'indépendance en Amérique du Sud.
- **1810** – Bogotá déclare son indépendance vis-à-vis de l'Espagne.
- **1811-1813** – Nariño unifie la majeure partie de la Colombie sous l'autorité républicaine.
- **1816** – L'Espagne reconquiert la Nouvelle-Grenade.
- **1819** – Bolívar défait l'armée espagnole à la bataille de Boyacá.
- **1821** – Congrès de Cúcuta. Bolívar devient président de la République de Gran Colombia.
- **1830** – L'Équateur et le Venezuela quittent la Grande Colombie.
- **1899-1902** – Guerre civile des Mille Jours.
- **1903** – Indépendance du Panama.
- **1948** – L'assassinat de Jorge Eliécer Gaitán déclenche la Violencia, une période de troubles politiques majeurs.
- **1960-1970** – Émergence des guérillas d'extrême gauche et des groupes paramilitaires d'extrême droite.
- **1980** – De puissants cartels de la drogue assoient leur pouvoir à Medellín et Cali.
- **2000** – Lancement du « Plan Colombia » financé par les États-Unis.
- **2002** – Élection à la présidence d'Álvaro Uribe.
- **2010** – Juan Manuel Santos, candidat du Partido de la U, est élu président de Colombie.
- **2011** – Des inondations dramatiques frappent plusieurs régions du pays.
- **2014** – Juan Manuel Santos est réélu avec 51 % des suffrages.
- **2015** – Reprise des négociations de paix entre le gouvernement et les FARC.

Arts et culture

Puisant dans les traditions de la terre mère espagnole, les arts et l'architecture en Colombie se sont peu à peu affranchis des styles européens pour adopter des thèmes et des éléments propres au pays – à commencer par un regain d'intérêt pour ses sources précolombiennes. Dans ce pays en rapide mutation, les arts plastiques apparaissent comme une pause bienfaisante au milieu du chaos urbain. Les arts de la scène, eux, parlent et reparlent des années noires comme pour pouvoir exorciser plus vite ce terrible passé. Vous retrouverez Gabriel García Márquez et Fernando Botero, les deux grands noms de l'art contemporain, à toutes les étapes de votre voyage.

Les arts précolombiens

L'ORFÈVRERIE

Sur les civilisations précolombiennes, voir aussi p. 68.

Les Espagnols ne se seraient certainement pas tant attardés dans le pays s'il n'avait regorgé d'or, symbole solaire, image du pouvoir temporel et spirituel pour les peuples précolombiens.

La **légende de l'Eldorado** est née dans les montagnes du Cundinamarca et du Boyacá, terres des **Muiscas**, qui jetaient des offrandes d'or dans le **lac Guatavita** pour rendre hommage à la terre et maintenir l'équilibre du monde.

Les résultats des fouilles archéologiques et les trouvailles des pilleurs de tombes *(guaqueros)* témoignent de la maîtrise et de la sophistication des artisans précolombiens en matière d'orfèvrerie. Les pièces les plus intéressantes et les mieux conservées se trouvent dans les différents **Museos del Oro** du pays : celui de Bogotá, de loin le plus grand, mais aussi ceux de Cartagena, de Santa Marta et d'Armenia. Grenouilles, serpents, abeilles, félins, oiseaux, tout un bestiaire tropical donnait prétexte à de petites figurines.

La civilisation **calima** (200-1200) a notamment livré des ornements pectoraux et des diadèmes en feuilles d'or martelé.

Les **Quimbayas** (300 av. J.-C.-1550, région du Cauca) fabriquaient des figurines zoomorphes, des boucles de narines et des parures, ainsi que des **poporos**, récipients utilisés lors des cérémonies et qui contenaient la chaux utilisée pour mastiquer les feuilles de coca.

Les **Urabás**, installés sur une voie commerciale importante entre l'isthme de Panama et le sud du continent, ont laissé des figurines féminines ainsi que des pendentifs et des flacons.

Dans la Sierra Nevada de Santa Marta, les **Tayronas** (900-1600) réalisaient des *narigueras* (plaques pour le nez) et des cuirasses ainsi que des figurines d'animaux.

Dans le **Chocó**, sur le littoral pacifique, les peuples indiens avaient accès à d'abondants gisements d'or et créèrent des

Disque solaire en or, Museo del Oro, Bogotá.
F. Kopp/imageBROKER/age fotostock

masques ornés de plumes qui étaient portés par les **chamans**. Les pièces d'orfèvrerie des **Muiscas** (545 av. J.-C.-1550) représentent généralement des sujets **anthropomorphes** et des hommes-oiseaux.
Le **tumbaga**, mot espagnol, désigne un alliage d'**or** et de **cuivre** très utilisé par les civilisations précolombiennes. Ayant un point de fusion inférieur à l'or pur, il était plus facile à travailler que celui-ci. Les conquistadors fondaient fréquemment les butins de leurs pillages en lingots de *tumbaga* pour les rapporter plus facilement en Espagne.

CÉRAMIQUE ET POTERIE

Reflet des croyances, les récipients et figurines en céramique illustraient des aspects de la vie quotidienne ou évoquaient les éléments et les saisons.
Nombreuses sont les poteries précolombiennes adoptant, dans leur forme propre ou en guise d'ornementation, des **figures humaines**, masculines ou féminines. Les **Muiscas**, par exemple, fabriquaient des bols tenus par de petits personnages. La civilisation **nariño** (600 av J.-C.-1500) est connue pour ses **coqueros** en céramique, petits personnages assis en train de mâcher des feuilles de coca.
La **fertilité** et la **maternité** se retrouvent parmi les thèmes récurrents, toutes civilisations confondues. Certaines pièces adoptent la forme de femmes enceintes. La civilisation **tolima** (1200 av. J.-C.-1500), dans la vallée du Magdalena, à proximité d'Ibagué, a produit des **urnes funéraires** spectaculaires.
Les plats, pots et tripodes étaient parfois ornés de motifs peints en noir, brun café et rouge sombre.
Les **Zenús** (200 av. J.-C.-1600), dans la région caraïbe, ornaient leurs poteries de représentations de la faune locale telles que cervidés, poissons, félins et crocodiles, mi-réalistes, mi-symboliques, qu'ils modelaient aussi en délicates figurines d'or. La civilisation **tierradentro** décorait ses urnes

funéraires de serpents et de lézards, animaux liés au monde souterrain et aux cycles de la vie et de la mort.
La civilisation **nariño** (600 av. J.-C.-1500) avait recours à la technique dite de peinture négative, consistant à réserver une partie de la surface et à appliquer de la couleur autour pour la souligner. Coupes et gobelets étaient enduits d'une couche de peinture noire ou crème sur laquelle le rouge de l'argile ressortait pour former les motifs décoratifs.
La civilisation **tumaco** (500 av. J.-C.-300) se distingue par l'emploi de moules destinés à une production en série.

PEINTURE ET STATUAIRE

Des **pétroglyphes** ont été dégagés en divers endroits du pays, notamment près de San Jacinto (département du Bolívar, dans le Huila, entre Cartagena et Mompox), de Chimita (Santander, vers 1300 av. J.-C.), de Choachí (département du Cundinamarca) et de Honda (département du Tolima).
On a également retrouvé des **peintures rupestres** dans des endroits reculés de la forêt amazonienne. Celles de la Sierra de Chiribiquete (départements du Guaviare et du Caquetá) évoquent le quotidien des populations de chasseurs-cueilleurs qui vivaient ici il y a plusieurs milliers d'années. Elles figurent des scènes de chasse, des bovidés, des félins (jaguars) et des oiseaux peints en rouge (oxyde de fer).
Mais en matière de tradition picturale, les **hypogées de Tierradentro** (Cauca) restent le témoignage le plus spectaculaire : le site abrite plusieurs dizaines de tombes creusées sous terre, peut-être vers 600 à 800 apr. J.-C., et dans un bon nombre d'entre elles, les parois sont ornées de fresques aux dessins géométriques rouge, noir et blanc *(voir p. 401)*.
Pour ce qui est de la statuaire, les *chinas* de **San Agustín** (Huila), inscrites au Patrimoine mondial de l'humanité par l'Unesco, ont été rassemblées dans un remarquable site archéologique réparti sur trois zones, à quelques kilomètres d'écart les unes des autres *(voir p. 408)*. Ces **statues anthropomorphes**, souvent monumentales, soutenaient des dolmens ou jouaient le rôle de gardiennes à l'entrée de chambres funéraires. Parmi les œuvres les plus originales figure la représentation d'un **aigle** tenant dans ses serres un serpent, ainsi qu'un **« double moi »**, personnage combinant des traits humains et animaux.
Dans les alentours de Villa de Leyva (Boyacá), les **Muiscas** ont érigé des rangées de colonnes de pierre sur le site d'**El Infiernito**, dont on pense qu'il servait d'observatoire astronomique *(voir p. 176)*.

La sculpture

L'ÉPOQUE COLONIALE (16e-18e S.)

Les premières **sculptures religieuses** de l'époque coloniale étaient apportées d'Espagne ou, faites sur place par des artisans locaux, imitaient le plus fidèlement possible des originaux réalisés par les Espagnols.
La Capilla de los Mancipes de la cathédrale de **Tunja**, qui était une grande ville au 16e s., fut ainsi ornée de sculptures importées, réalisées par **Juan Bautista Vázquez le Vieux** (1510-1588), l'un des fondateurs de l'école de Séville, qui avait contribué à l'édification des cathédrales de Séville et de Tolède. Les personnages représentés à côté de l'autel s'inspiraient quant à eux des œuvres de l'artiste hollandais de la Renaissance **Vredeman de Vries** (1527-1609).

Le sculpteur de Colombie le plus fameux au 17e s. se nomme **Pedro de Lugo Albarracín**. On lui doit le *Cristo Caído*, ou « El Señor de Monserrate », que les pèlerins viennent vénérer à la basilique de Monserrate, sur la montagne dominant Bogotá.

L'arrivée du **baroque** dans les colonies multiplia les sculptures religieuses. Toujours dans la ville de Tunja, la **Capilla del Rosario**, dans l'église de Santo Domingo, comprend quinze tableaux de bois polychrome sculptés en bas-relief par **Lorenzo de Lugo** ; cette chapelle entièrement tapissée de rouge et d'or est l'un des exemples les plus éblouissants laissés par l'art baroque en Nouvelle-Grenade *(voir p. 165)*.

Le courant **rococo** qui l'a suivi, et dont on peut voir une belle illustration à Bogotá dans l'église de la Tercera *(voir p. 130)*, a eu pour maître sculpteur **Pedro Laboria** (1700-1784), qui œuvra en particulier dans l'église San Ignacio de Loyola, à Bogotá *(voir p. 120)*.

LE RÉALISME RÉPUBLICAIN

Au 19e s., la sculpture colombienne devient plus réaliste et académique. **Bernabé Martínez** et son fils **Toribio Martínez** ont donné naissance à une véritable dynastie de sculpteurs.

LA SCULPTURE MODERNE

Santiago Martínez Delgado (1906-1954) et **Pedro Nel Gómez** (1899-1984), également peintres *(voir p. 86)*, ont joué un rôle dans la sculpture du 20e s. et laissé un héritage artistique considérable. Martínez Delgado a travaillé aux sculptures de la façade du Palais national de Cúcuta, et Gómez a réalisé des créations avec des matériaux divers, comme le bois pour *Mujeres emigrantes*, le bronze pour la fontaine *Cacique Nutibara* à Medellín, ou le marbre pour la *Barequera melancólica*.

Gustavo Arcila Uribe (1895-1963) est un sculpteur **académique** de premier plan. Dans la capitale, impossible de manquer sa *Virgen milagrosa* (1946), illuminée et visible de jour comme de nuit : c'est la monumentale statue blanche qui se dresse au sommet du Cerro de Guadalupe, surplombant le quartier de la Candelaria.

Hugo Martínez González (né en 1923), dont les lignes fluides et les mouvements prudents transparaissent dans la *Cabeza* et *La Huida*, est le représentant par excellence de la **sculpture abstraite**.

Edgar Negret (1920-2012) est considéré comme l'un des meilleurs sculpteurs colombiens ; il a commencé par s'exprimer avec la pierre dans sa phase **moderniste** avant d'adopter le métal dans sa phase **constructiviste**. La plupart de ses œuvres appartiennent à des collections privées.

Eduardo Ramírez Villamizar (1923-2004) est lui aussi considéré comme l'un des maîtres de la sculpture colombienne ; son inspiration est plus traditionnelle, malgré l'abstraction et l'ampleur de ses œuvres constructivistes.

L'œuvre de **Rodrigo Arenas Betancourt** (1919-1995) intitulée *Monumento a la Raza*, à Medellín, est un très bon exemple de sculpture **nationaliste**. Cette œuvre en bronze et béton se dresse à une hauteur de 38 m. Rodrigo Arenas Betancourt a également réalisé le *Monumento conmemorativo de la batalla del Pantano de Vargas* à Paipa (Boyacá), sculpture monumentale en bronze, béton et acier.

Fernando Botero *(voir p. 84)* est certainement l'artiste colombien le plus connu à l'étranger.

L'univers rond de Botero

Fernando Botero (né en 1932), **sculpteur** accompli et **peintre** talentueux, est l'artiste colombien le plus connu. D'une dextérité comparable à celle des vieux maîtres, il a créé un univers tout en rondeurs, peuplé de personnages et d'animaux corpulents qui sont devenus sa marque de fabrique et lui ont valu une reconnaissance universelle.

À L'ORIGINE DE L'INSPIRATION

Très marqué par son éducation, Botero parsème son œuvre de références à sa Colombie natale. Il traduit ainsi dans sa fameuse série sur la corrida l'expérience qu'il fit lorsque, jeune homme, on l'envoya pour se former à la tauromachie. Ses peintures et ses sculptures, qui associent **art populaire colombien** et **traditions artistiques occidentales**, montrent des silhouettes déformées inspirées des travaux d'artistes célèbres comme Velázquez et Dürer. Certains critiques estiment que ces parodies élaborées sont de nature satirique.
Botero s'intéresse essentiellement à la **vie quotidienne**, et ses sujets de prédilection sont les portraits de famille, les nus, les natures mortes, la nourriture, la musique et la religion. Ses représentations étranges empreintes de gaieté expriment son souci de traduire l'**identité colombienne**. Sa composition religieuse *Nuestra Señora de Colombia* inclut un minuscule drapeau du pays, et même son œuvre intitulée *Marie-Antoinette et Louis XVI* semble avoir pour décor une rue de village en Colombie.

AU-DELÀ DES APPARENCES

La plupart des **peintures** de Botero, à la fois étranges et joyeuses, mettent en scène des plaisirs simples. L'artiste a pourtant le chic pour surprendre le spectateur avec des œuvres qui expriment un jugement sur la société colombienne ou qui montrent sobrement son côté obscur. Quand on commence à s'habituer à sourire à ces femmes insouciantes qui s'admirent dans le miroir ou à ce jeune couple qui se tient par la main dans le parc, une peinture comme *Carrobomba* ou *Secuestro* vient brutalement remettre en question l'idée que l'on se faisait de la naïveté ou de la simplicité de Botero. Le meilleur exemple en est le portrait très stylisé du fameux baron de la drogue, *La Muerte de Pablo Escobar*, gisant, criblé de balles, sur le toit de tuiles d'un village traditionnel de l'Antioquia.
La situation en Colombie est parfaitement rendue par l'histoire de la sculpture intitulée *L'Oiseau*, qui se trouve dans le **parque San Antonio** de Medellín. En 1995, une bombe placée au pied de la sculpture a fait 23 victimes. Lorsqu'on lui a demandé s'il souhaitait remplacer la sculpture, Botero a refusé et réalisé une statue identique qui a été placée à côté de l'œuvre détruite pour montrer l'inutilité de l'attentat.

À VOIR

Une visite à **Medellín**, ville natale de Botero, permet de découvrir un grand nombre de ses œuvres. Quatorze sculptures en bronze bien en chair, dont *La Mano*, *Cabeza* et *Adam et Ève* sont exposées devant le **Museo de Antioquia** et dans le **parque Berrío**. À Bogotá, vous pourrez également admirer quelques-unes de ses sculptures et surtout une centaine de ses toiles au Museo Botero ainsi qu'au Museo Nacional.

La peinture

L'ART RELIGIEUX PRIMITIF (1530-1650)

Au début de l'époque coloniale, on fait venir les œuvres d'art sacré de **Séville**, dont le style est alors en vogue. C'est ainsi que les habitants de Monguí (Boyacá) révèrent toujours la *Virgen milagrosa*, qui aurait été envoyée au Nouveau Monde par le roi d'Espagne Philippe II.
Les œuvres d'art sacré réalisées en Colombie, et que vous pourrez admirer dans les églises, dans les musées d'art religieux que certaines d'entre elles ont constitués (à Villa de Leyva par exemple) ou dans de belles demeures anciennes, imitent les œuvres espagnoles. De facture artisanale, elles sont parfois rehaussées de quelques symboles médiévaux ou indiens qui font tout leur charme.
Premier exemple des œuvres produites en Nouvelle-Grenade, la *Nuestra Señora de Chiquinquirá* d'**Alonso de Narváez** (mort en 1583) est d'autant plus vénérée qu'elle a la réputation de s'être restaurée sans intervention humaine. Vous pourrez la voir à la Basílica de Nuestra Señora del Rosario de Chiquinquirá (Boyacá).

LE BAROQUE (1650-1750)

Le Créole **Baltasar de Vargas Figueroa** (1629-1667) est considéré comme l'inventeur du baroque colombien. Il a laissé des œuvres majeures dont une *Coronación de la Virgen* (1663) aux traits délicats (église San Agustín de Bogotá).
Son contemporain **Gregorio Vásquez de Arce y Ceballos** (1638-1711), qui fut l'une des figures les plus éminentes du mouvement baroque d'Amérique latine, a eu une production beaucoup plus abondante, que l'on peut admirer dans nombre d'églises à travers le pays. Sa représentation très controversée de la *Sainte Trinité* à trois visages est une interprétation créole sophistiquée des œuvres des maîtres européens, influencée par la tradition des écoles de peinture de **Quito** et de **Cuzco**.
Attribuée à **Miguel de Santiago**, artiste originaire d'Équateur, la série des douze archanges (*Arcángeles de Sopó*) qui ornent la Iglesia Divino Salvador de Sopó (Cundinamarca) est l'un des exemples les plus représentatifs du baroque colombien. Cette peinture à l'huile de facture exceptionnelle visait à émouvoir le spectateur humaniste de la Contre-Réforme.
L'avènement des **Lumières** au 18e s. amena en Espagne des changements politiques qui se répercutèrent sur la production artistique, donnant naissance à un style plus chaud et coloré. **Joaquín Gutiérrez**, peintre de la noblesse, réalisa une série de 26 peintures intitulée *La Vida de San Juan de Dios* (1750). Le Museo de Arte Colonial de Bogotá *(voir p. 120)* possède une riche collection de ses œuvres.

L'ÉPOQUE RÉPUBLICAINE

La lutte pour l'indépendance conféra à l'art colombien un caractère **romantique** que l'on retrouve dans les œuvres qui soulignent le caractère héroïque des dirigeants indépendantistes et des batailles.
José María Espinosa Prieto (1796-1883), auteur de portraits de Simón Bolívar, est le peintre le plus représentatif de ce courant. Son œuvre la plus célèbre reste ses « Mémoires peints », *Memorias de un Abanderado* (1876).
Ramón Torres Méndez (1809-1885) est un artiste autodidacte connu pour sa *Señora desconocida* (Femme inconnue) et son *Cristo se aparece a la Magdalena (Le Christ apparaît*

à Madeleine), et pour avoir sauvé de la destruction des œuvres d'art religieux.
Fidèle témoin d'une ère troublée, **Ricardo Acevedo Bernal** (1867-1930) puisa son inspiration dans le patriotisme, tout en peignant des paysages et des sujets religieux. Bon portraitiste, on lui reprocha cependant d'être trop paternaliste et classique.
Au-delà d'une recherche identitaire, l'époque républicaine fut aussi une période de grandes **expéditions scientifiques** comme celle menée par le géographe italien **Agustín Codazzi**, qui dressa la première carte du territoire colombien.
Les expéditions s'adjoignaient souvent les services de dessinateurs et de peintres ; **Manuel María Paz** (1820-1902), l'un des compagnons de voyage de Codazzi, réalisa des paysages et des portraits d'habitants de toutes les classes sociales de la Nouvelle-Grenade.

LA PEINTURE MODERNE

Avec ses portraits et paysages empreints de romantisme français, **Fídolo González Camargo** (1883-1941) est à cheval sur les styles républicain et moderne. Ses dessins, dont des fusains de *Tipo callejero (Type des rues)* et de la *Sirvienta bogotana (Servante bogotanaise)*, sont exposés au Museo Nacional de Bogotá *(voir p. 134)*.

Le muralisme (1920-1940)

Pedro Nel Gómez (1899-1984), que l'on associe au peintre mexicain **Diego Rivera**, fut l'un des grands muralistes de Colombie *(voir l'encadré p. 232)*. Le Museo de Antioquia *(voir « Medellín », p. 227)* possède une riche collection des œuvres de Gómez, parmi lesquelles l'impressionnant *Triptico del Trabajo*.

L'art contemporain

Au 20e s., l'art colombien s'affranchit progressivement de l'académisme et du réalisme européen pour traiter des thématiques **nationales** et **sociales**. À la recherche de leur identité, les peintres colombiens adoptent les formes géométriques et abstraites du **cubisme** pour créer un style original. Une nouvelle génération d'artistes talentueux voit le jour.
Alejandro Obregón (1920-1992), père de la peinture moderne colombienne, est l'un des cinq plus grands artistes de Colombie aux côtés de **Enrique Grau**, **Eduardo Ramírez Villamizar**, **Edgar Negret** *(voir « Sculpture », p. 83)* et **Fernando Botero** *(voir p. 84)*. Obregón, manifestement inspiré par Picasso, aborde dans ses

SANTIAGO MARTÍNEZ DELGADO (1906-1954)

Né dans une famille aisée, Martínez étudie à l'Art Institute of Chicago avant de travailler dans le studio Taliesin de Frank Lloyd Wright, dans le Wisconsin. Fortement influencé par l'Art déco, il réalise plus d'une centaine de peintures **murales**, illustrations de livres, sculptures, vitraux et lithographies. En 1947, il est chargé de réaliser une fresque pour la salle en forme d'ellipse du Congrès national de Colombie. Épargnée par les incendies qui ravagèrent Bogotá au cours des émeutes du Bogotázo, en 1948, l'œuvre montre Bolívar et Santander au Congrès de Cúcuta. Martínez n'était pas seulement un peintre émérite mais également un écrivain et un historien de l'art. Sa découverte en 1938 d'une Madone à l'Enfant de Raphaël, la *Madonna de Bogotá*, fit sensation. Qui sait ce qu'il aurait accompli s'il n'était pas mort aussi jeune ? C'est ce qui vient à l'esprit quand on tombe en admiration devant ses peintures de la cathédrale de Cúcuta ou son *Interludio* exposé au Museo Nacional de Bogotá.

Plaza de la Luz, Medellín.
J. G. Lopera/VWPics/age fotostock

œuvres un large éventail de thèmes propres à la Colombie, comme la période socialement troublée à la fin des années 1940 évoquée dans ses terribles tableaux intitulés *Masacre del 10 de abril* (*Massacre du 10 avril*, 1948) et *El Estudiante muerto* (*L'Étudiant mort*, 1957).

Artiste surréaliste et tropical, **Enrique Grau** (1920-2004) a surtout réalisé des études de *mulatas* (métisses), de fleurs et de sa bien-aimée Cartagena. Sa symbolique toile de fond de la scène du Teatro Heredia de Cartagena est toute colombienne.

Marco Ospina (1912-1983), premier peintre abstrait de Colombie, s'intéresse également aux troubles des années 1940. Ses aquarelles dépeignent une réalité provinciale et pittoresque.

La modernité métissée d'influences indiennes, européennes et africaines a ouvert la voie à une diversification de l'art colombien. Juan Cárdenas, Raúl Restrepo, David Manzur, Carlos Rojas, Alvaro Barrios, Beatriz González, Sara Modiano sont quelques-uns des nombreux artistes qui ont créé une identité artistique colombienne, explorant et s'appropriant différents styles, du néoréalisme au néo-expressionnisme, en passant par l'hyperréalisme, le minimalisme et la performance.

Carlos Jacanamijoy, né en 1964 dans la région amazonienne du Putumayo, fils de chaman de la tribu Inga, est une étoile de la scène artistique sud-américaine. Son œuvre originale, où la nature constitue l'élément central, s'inspire de l'héritage de ses ancêtres et se nourrit de ses connaissances, de son expérience et de ses convictions. Ses **paysages abstraits** entraînent le spectateur dans un univers onirique et poétique.

L'architecture

Les villes de Colombie sont un creuset de styles tantôt discrets, tantôt opulents, qui reflètent les idéologies politiques et les aspirations intellectuelles de leur époque. On a plaisir à y déambuler pour découvrir ici un édifice républicain à la façade

néoclassique, là une blanche chapelle coloniale au toit de tuiles, comme perdus entre deux immeubles fonctionnels des années 1970, là encore une demeure caribéenne en bois (Riohacha) ou un bâtiment de style paisa (Zona Cafetera).
La plupart des villes donnent l'impression qu'on y a empilé au hasard tous les styles, du néoclassique au néogothique. L'urbanisation rapide du pays, accélérée par le déplacement des populations rurales, a grandement contribué à cette anarchie architecturale.

LES MATÉRIAUX

De l'architecture précolombienne, il ne reste guère de traces, hormis les terrasses aménagées de la **Ciudad Perdida** *(voir p. 319)*, un complexe atypique situé dans la Sierra Nevada de Santa Marta. Les habitations indiennes du temps jadis étaient surtout des **malocas** (huttes) ovales ou rectangulaires, aux structures de bois et aux toits de palme, matériaux périssables qui se sont enfuis avec le temps. Certaines ont été reconstituées dans le parc Tayrona.
Principale survivance des techniques employées par les Indiens sur leurs terres ancestrales, le **bahareque** *(voir ci-dessous et p. 221)* et un bambou géant nommé **guadua** *(voir l'encadré p. 264)* sont encore utilisés dans les constructions rurales, en particulier dans la région paisa, tout autour de Medellín, et au sud de Cali (Huila, Valle del Cauca).

LE STYLE COLONIAL

L'époque coloniale (16e-18e s.) a légué à la Colombie un patrimoine architectural remarquable dont les plus beaux exemples se trouvent à Mompox, Popayán, Barichara, Villa de Leyva, Tunja et Cartagena, mais aussi dans de nombreux petits bourgs du Triangle du café, du Santander et du Boyacá. Civils ou religieux, les édifices de cette période se distinguent par des murs épais, des toits de tuiles en terre cuite et des patios intérieurs qu'entourent des bâtiments bas; en façade court parfois un balcon de bois. À **Mompox**,

L'ARCHITECTURE PAISA

Elle s'est développée à l'époque coloniale dans les régions autour de Medellín et de la Zona Cafetera. Reprenant la technique **bahareque**, où les constructions étaient élaborées à base de **roseaux** et de **boue**, cette architecture s'est inspirée des pratiques autochtones, les Indiens précolombiens utilisant déjà cette méthode. Ces matériaux d'origine locale se sont combinés avec les usages espagnols. Spacieuses, les maisons traditionnelles étaient conçues pour des familles nombreuses et abritaient plusieurs générations sous un même toit. Vous en verrez de beaux exemples dans les petites villes de **Santa Fé de Antioquia** et **Jericó**. Elles s'ouvrent par un vestibule ou **zaguán** menant au patio à colonnes et ont des **hautes fenêtres**, d'élégantes **charpentes peintes** et des toits de **tuiles en terre cuite**; toutes les pièces donnent sur la cour intérieure.
Le **pueblo paisa** est un village à l'espagnol, avec l'église située au centre, sur la place principale, où elle voisine avec la mairie. Toutes les rues partent de cette place, lieu de marché, de rencontre, où se trouvait la fontaine, souvent le seul point d'eau de la localité. Ces villages sont légion dans les campagnes de l'Antioquia. Le **Pueblito Paisa** de Medellín *(voir p. 237)* donne un aperçu de cette architecture.

la Calle Real del Medio aligne des maisons coloniales restées dans leur état d'origine, avec des fenêtres ornées de ferronnerie et de magnifiques charpentes. L'église de Santo Domingo (1578), à **Cartagena**, avec sa façade austère et son plafond haut, est un très bel exemple d'édifice religieux de l'époque. La plaza de Bolívar (1539) à **Tunja**, avec sa cathédrale, ses bâtiments officiels et la Casa del Fundador, forme un ensemble harmonieux. Le style **baroque** s'impose progressivement à partir du 17e s., avec ses courbes, ses volutes et ses outrances décoratives.

LE STYLE NÉOCLASSIQUE

Le quartier de la Candelaria conserve plusieurs édifices néoclassiques, comme le Palacio de Nariño (endommagé lors des émeutes du Bogotázo en 1948, et restauré dans les années 1970), la résidence présidentielle, près de la plaza de Bolívar. Colonnes, frontons triangulaires, souci des proportions, symétrie et rigueur de façades à la fois grandioses et austères sont les marques de fabrique du néoclassicisme en architecture. Les églises de la fin du 19e s. adoptèrent volontiers ce style, de même que certaines grandes banques ou sièges commerciaux. Leurs façades apparaissent aujourd'hui comme des anachronismes au milieu d'un tissu urbain anarchique.

LE STYLE RÉPUBLICAIN

Il s'est généralisé en Colombie après la révolution, à une époque où le pays voulait s'affranchir des références coloniales. Éclectique, il emprunte aux modes alors en vigueur en France, en Italie, en Allemage et en Angleterre, se surimposant parfois aux bâtiments existants, comme ce fut le cas à Cartagena. Les bâtiments républicains, souvent massifs, sont souvent construits sur trois niveaux. À **Bogotá**, le Teatro Colón, qui date de la fin du 19e s., est orné d'une façade dorique, de corniches et de pierres sculptées. On doit à l'architecte Lelarge le Palacio Liévano qui héberge la mairie sur la plaza de Bolívar, dans la capitale. **Manizales**, berceau des riches producteurs de café, qui souhaitait se débarrasser de son image de cité provinciale, compte plusieurs de ces édifices, dont le Palacio de la Gobernación de Caldas et l'Edificio Manuel Sanz.

NÉOGOTHIQUE ET NÉO-MUDÉJAR

Nombre d'églises ont été construites dans le style néogothique, notamment à Bogotá (Santuario Nuestra Señora del Carmen, dans la Candelaria), Medellín (Iglesia del Señor de las Misericordias, 1921) et Cali (Iglesia de la Ermita). La plus spectaculaire reste la très vénérée **Basílica Santuario de Las Lajas** (achevée en 1949), située dans le sud du pays à proximité d'Ipiales. Ce sanctuaire doté d'énormes arcs-boutants et de fenêtres richement ornées est posé au bord d'un précipice.
Le style **néo-mudéjar** s'inspire du style architectural hispano-mauresque en vigueur dans l'Espagne du 16e s. L'exemple le plus remarquable de cette architecture est l'arène de taureaux Santa Maria à **Bogotá** (1931).
Plus ancienne (1722), la Torre Mudéjar de **Cali** jouxte l'église San Francisco. L'arc outrepassé du portail qui s'ouvre dans la façade latérale est typique de l'architecture d'influence mudéjare.

L'ART DÉCO

C'est dans la grosse agglomération portuaire de **Barranquilla**, sur le littoral caribéen, qu'il est le mieux représenté, avec l'imposant stade Romelio Martínez (1934), l'Edificio García (1938) et le Teatro Colón (1940). La Biblioteca Nacional (1933-1938) de Bogotá et certains édifices de la Ciudad Universitaria, toujours dans la capitale, en donnent également une belle illustration, tout comme la place du marché de Girardot (1948).

L'ARCHITECTURE MODERNE

Construite en 1978, la **Torre Colpatria** à Bogotá, qui compte 50 étages, est avec 180 m le plus haut gratte-ciel du pays. L'**Edificio BD Bacatá**, également dans la capitale, dont l'achèvement est prévu pour 2016, devrait prochainement le dépasser.
La prédilection de la Colombie pour la **brique** est visible dans les innombrables bâtiments construits avec ce matériau à Medellín (immeubles d'habitation), Cali (cathédrale) ou Bogotá. Les **Torres del Parque** ont été construites en 1970, dans le quartier de la Macarena (Bogotá), par **Rogelio Salmona** (1927-2007). Ce complexe résidentiel réunit plusieurs tours élancées aux murs ondulés, dominant les arènes de style néo-mudéjar, elles aussi en brique rouge.
Dans une esthétique radicalement différente, le futuriste **Centro Interactivo de Ciencia y Tecnología Maloka** *(voir p. 136)*, construit en 1998, apparaît comme une version colombienne du fameux Epcot Center de Disneyworld, en Floride.

Le théâtre

La diversité des paysages et des cultures colombiennes, l'instabilité politique et sociale du pays ont nourri un théâtre haut en couleur, réfléchissant beaucoup sur l'histoire de la nation.
Avant l'arrivée des Espagnols, les communautés indiennes utilisaient la poésie, les parodies, les spectacles de mime et les comédies pour entrer en relation avec les esprits.
La **zarzuela**, forme théâtrale importée d'Espagne, qui s'appuie sur des numéros musicaux tragicomiques, domina l'époque coloniale et exerça une forte influence sur le théâtre colombien.
L'**époque républicaine** investit beaucoup dans la construction d'imposants édifices dont plusieurs théâtres – à Bogotá, Teatro Cristóbal Colón (1885), Teatro La Candelaria (1890) –, un mode d'expression alors en pleine effervescence.

L'ÉPOQUE MODERNE

Si le théâtre colombien s'émancipe au début du 20e s., c'est en grande partie grâce aux efforts des dramaturges **Antonio Álvarez Lleras** et **Luis Enríque Osorio**, auteurs de pièces politiques.
Les œuvres intellectuelles et stimulantes du **théâtre de l'absurde** et **d'avant-garde**, dans les années 1950, abordent des problématiques de moins en moins consensuelles et cherchent à susciter une réaction chez un public avide de s'exprimer dans un contexte d'escalade des conflits internes.
La fin des années 1970 et le début des années 1980 marquent la réapparition de drames d'une facture plus **classique**. L'aggravation de la violence liée aux groupes paramilitaires et aux cartels de la drogue, qui terrorisent la nation, incite le public à se détourner du théâtre militant pour privilégier l'évasion.
Le théâtre **alternatif** a aujourd'hui beaucoup d'amateurs en Colombie, grâce aux efforts des pionniers **Henry Díaz** et **Victor Viviescas** et au travail de dramaturges tels

FESTIVAL IBEROAMERICANO DE TEATRO DE BOGOTÁ

Fondé en 1988, c'est la plus grande manifestation vouée au théâtre en Amérique du Sud et l'un des principaux rendez-vous culturels du pays. Il se déroule tous les deux ans dans de multiples lieux de la capitale : théâtres, places publiques, centres commerciaux et arènes accueillent durant deux semaines 600 spectacles, premières, séminaires, ateliers et concerts animés par 3 000 artistes. Le festival, qui a pour devise « *Un acto de fe por Colombia* » (un acte de foi pour la Colombie), attire des troupes du monde entier, dont la Britain's Royal Shakespeare Company.

que **Santiago García** ou **José Manuel Freydell**, auteur prolifique originaire de Medellín, assassiné en 1990 après une brillante carrière.
Ces dernières années, le **théâtre de rue** a refait son apparition, joué par des troupes de musiciens, mimes et acteurs qui se produisent dans les centres commerciaux et les lieux publics.
Plusieurs centaines de **troupes** et d'**écoles de théâtre** bien structurées se sont installées un peu partout dans le pays et veillent à promouvoir leur art : École de théâtre de Cali (TEC), Théâtre universitaire de Medellín, Théâtre populaire de Bogotá, Théâtre universitaire de Manizales.

Le cinéma

Le cinéma fait son apparition en Colombie en 1897, sans arriver à réellement percer. Le **Salon Olympia** des frères di Domenico à Bogotá est alors un lieu incontournable, où l'on projette des documentaires tels que *El Drama del 15 de Octubre*. Dans les années 1920, les documentaires et les films paysagers dominent. La production tourne cependant au ralenti, subissant la concurrence des films étrangers (mexicains en particulier). Elle redémarre dans les années 1950 sous l'impulsion de **Gabriel García Márquez** et **Enrique Grau**.
Dans les années 1970, la mode est aux films misérabilistes qui dépeignent sans fard la réalité quotidienne, comme *Gamín* (1978), racontant la vie des enfants des rues à Bogotá, ou son pendant satirique, *Agarrando Pueblo* (1978) : ce faux documentaire dénonce cette *pornomiseria* peu scrupuleuse qui cherche à tirer profit de la pauvreté et des problèmes (drogue, corruption, marginalité) en Amérique latine.

LA RECONNAISSANCE INTERNATIONALE

La production colombienne a aujourd'hui droit de cité dans les festivals internationaux et plusieurs de ses films ont été applaudis par la critique : *La Estrategia del caracol* (*La Stratégie de l'escargot*, 1993), long métrage de Sergio Cabrera racontant le combat pour la dignité d'un groupe d'habitants qui lutte pour ne pas être expulsé de leur immeuble à Bogotá**,** a été primé dans plusieurs festivals internationaux.
Sorti en 2000 sur les écrans, le film **La Virgen de los Sicarios** *(La Vierge des tueurs)*, réalisé par le Suisse Barbet Schroeder, a remporté un succès mondial. Il est tiré du roman semi-autobiographique du Colombien **Fernando Vallejo** : le personnage principal retourne dans sa ville natale de Medellín après 30 ans d'absence et y découvre une culture d'assassinats et de violence alimentée par le trafic des stupéfiants.
Ce film a reçu de nombreuses récompenses internationales parmi

lesquelles le prix du « Meilleur film latino-américain » à la Mostra de Venise et le prix « Nuevo Cine » au Festival international de La Havane en 2000.
La production commune États-Unis-Colombie **María, llena eres de Gracia** (*Marie pleine de grâce*, 2004), une œuvre de Joshua Marston, a été applaudie pour la façon dont sont traitées les questions de société et de trafic de stupéfiants en Colombie. **Catalina Sandino** a reçu en 2004 l'Ours d'or de la meilleure actrice à Berlin pour son rôle dans le film.
En 2005, *Sumas y restas (Additions et soustractions)*, de Víctor Gaviria, traite des tenants et aboutissants du narcotrafic à Medellín dans les années 1980 ; le film a été primé dans les festivals de cinéma de Carthagène et de Miami.
1989 et **Los Viajes del Viento** *(Les Voyages du vent)* ont tous deux été sélectionnés pour le Festival de Cannes en 2009 ; aucun film colombien n'avait été en lice depuis *Rodrigo D: no futuro* (1990) et *La Petite Marchande de roses* (1998) de **Víctor Gaviria**.
En 2010, le réalisateur **Óscar Ruiz de Navia** a reçu le Prix international de la critique au Festival international du film de Berlin pour son premier film, intitulé **El Vuelco del Cangrejo** *(Le Piège à crabe)* ; il l'a dédié à toute la population de La Barra, le village du littoral pacifique de la Colombie où le film a été tourné.
Los Colores de la montaña *(Les Couleurs de la montagne)*, réalisé en 2010 par Carlos César Arbeláez, relate la vie d'une institutrice dans un village isolé, en proie aux incursions des paramilitaires. Les images de la violence ravageant les campagnes hantent la production : en 2012, **La Sirga**, de William Vega, raconte à son tour la souffrance, la fuite et la peur d'êtres dont la famille a été décimée dans ces conflits sans fin. *La Sirga* a été présentée au Festival de Cannes 2012.

La photographie

L'intérêt récent porté par la Colombie aux photographies historiques a été éveillé par une exposition organisée à Medellín en 1981 et intitulée « Un siècle de photographie ». De réels efforts ont été faits depuis pour sauver, cataloguer et conserver le patrimoine photographique du pays.
Cette mission est menée à bien par la **Biblioteca Pública Piloto de Medellín para América Latina**. Fondée en 1952 par l'Unesco, elle abrite les plus importantes archives photographiques d'Amérique latine, dont une collection de 1 500 000 plaques remontant jusqu'en 1849.
Alberto Urdaneta (1845-1887) fut le premier Colombien à promouvoir véritablement la photographie. Il créa avec son collègue **Demetrio Paredes** (1830-1898) le journal

LES FESTIVALS DE CINÉMA EN COLOMBIE

Les principaux festivals organisés en Colombie attirent aujourd'hui de grands noms de l'industrie cinématographique. Le **Festival de Cine de Bogotá**, inauguré en 1984, se déroule en octobre sous l'égide de la Corporación Internacional de Cine. Le **Festival Internacional de Cine de Cartagena**, le plus ancien festival de cinéma d'Amérique latine, a été inauguré en 1960 par Victor Nieto, qui en est resté le directeur pendant 48 ans avant de transmettre le flambeau en 2008, deux ans avant sa disparition, à Lina Paola Rodriguez.

Boutique de livres à Cartagena.
SuperStock/age fotostock

Papel periódico ilustrado en 1881. **Julio Racines Bernal** (1848-1913) travailla avec Urdaneta et Paredes pour recueillir des clichés et des portraits de personnages illustres. Le *Papel periódico ilustrado* disparut à la mort d'Urdaneta, et avec lui un âge d'or de la photographie colombienne.
Le 20e s. voit l'émergence d'une nouvelle approche. **Melitón Rodríguez** (1875-1942), grand photographe, est réputé pour ses portraits artistiques qui témoignent de l'émergence d'une nouvelle société urbaine dans sa ville natale de Medellín. **Luis Benito Ramos** (1899-1955), qui étudia en France, fut largement influencé par l'œuvre d'Henri Cartier-Bresson. De retour en Colombie, il organisa l'exposition « 50 Aspectos fotográficos de Colombia » à l'occasion du 400e anniversaire de Bogotá, en 1938. Ses photos suscitèrent l'intérêt car elles en appelaient au sentiment national. Ramos, qui fixa également sur pellicule la vie dans les campagnes, fut porté aux nues par la critique pour avoir su saisir l'essence de cette période avec compassion et dignité.
Les photos qui ont le plus marqué la Colombie ont été réalisées par **Juan Manuel Echavarría Olano**, né à Medellín en 1947. Les clichés couleur pris en studio et les compositions lancinantes en noir et blanc de cet ancien écrivain évoquent la mort et la destruction dans un pays mutilé par des années de violence et de conflits internes. Exposées dans le monde entier, ses photos à la forte charge émotionnelle suscitent toujours un sentiment d'empathie.

La littérature

Puisant dans un terreau hétérogène d'influences espagnoles, indiennes et africaines, la littérature témoigne de la lutte permanente des Colombiens pour se forger une identité à partir du patrimoine et des caractéristiques de leur pays. Son histoire mouvementée a donné naissance à une nation d'écrivains et de poètes qui cherchent à échapper aux réalités

HISTOIRES DE LIVRES

Sergio Fajardo, ancien maire de Medellín, a réussi à alphabétiser les populations les plus fragiles de sa ville en ouvrant des bibliothèques publiques dans les *barrios* négligés. Autre heureuse initiative, la **Biblioburro**, lancée par un professeur, Luis Humberto Soriano Bohórquez, qui parcourt les régions reculées autour de Santa Marta avec ses ânes Alfa et Beto pour donner le goût de la lecture aux enfants déscolarisés.

de la Colombie contemporaine ou dénoncent de façon virulente la situation politique. **Gabriel García Márquez** a fortement influencé les écrivains actuels, qui tentent aujourd'hui de s'affranchir de sa tutelle.

PREMIERS ÉCRITS

Les premières chroniques écrites datent du temps de la conquête. **Gonzalo Jiménez de Quesada** (1495-1579), fondateur de Bogotá, découvreur et conquérant de la majeure partie du territoire de la Nouvelle-Grenade, tint le récit de ses périples. Il n'existe plus d'exemplaire de sa *Relación de la conquista del nuevo reino de Granada (Relation de la conquête du nouveau royaume de Grenade)* ni de son *Compendio historial de las conquistas del nuevo reino (Compilation historique des conquêtes du nouveau royaume)*, mais il reste son *Antijovio* (*Contre Jovio*, 1567), dans lequel il analyse les écrits anti-hispaniques de Paolo Jovio, archevêque italien de Nochera, et les réfute.

L'ÉMANCIPATION NATIONALE AU 19e S.

Né à Bogotá, **Antonio Nariño** (1765-1823) se consacra à l'amélioration des conditions de vie de ses compatriotes et traduisit en espagnol la Déclaration universelle des droits de l'Homme et du citoyen de 1789. Ses œuvres témoignent de son aspiration à la liberté, à la justice et à l'égalité. Écrivain, homme politique et soldat, **Jorge Isaacs** (1837-1895) dirigea à partir de 1867 l'équipe de rédacteurs du journal conservateur *La República*, récemment fondé. Son chef-d'œuvre, *Maria* (1867), incarne le mouvement littéraire romantique colombien et fut l'une des pierres angulaires du romantisme latino-américain. Le poète **Candelario Obeso** (1849-1884) se distingue des deux auteurs précédents par ses origines métisses ; on le considère comme le père de la poésie noire latino-américaine. Né dans la région de Mompox, connue pour son climat chaud, son architecture coloniale et ses racines métisses, Obeso se fait le chantre de la lutte des *mestizos* locaux dans *Cantos populares de mi tierra*, son poème le plus abouti. Cette œuvre le fit passer à la postérité, après son suicide à l'âge de 35 ans.
La nouvelle vague s'est organisée autour de deux genres littéraires, le **costumbrismo**, description nostalgique des us et coutumes d'une société qui disparaît, et le **romantisme**, qui émerge au moment des guerres civiles et des mouvements d'indépendance. **Tomás Carrasquilla** (1858-1940), dont les principaux ouvrages sont *En la diestra de Dios padre* (*À la droite du Père*, 1897) et *La Marquesa de Yolombó* (1928), fut particulièrement touché par les événements de son époque. Ses romans historiques estompent souvent les frontières entre *costumbrismo* et romantisme. **José Eustasio Rivera** (1888-1928) écrivit *La Vorágine* (1924), l'une des œuvres majeures de la littérature colombienne, après avoir voyagé

et été le témoin des conditions de vie épouvantables des ouvriers des plantations d'hévéa dans le Casanare (près de la frontière du Venezuela) et des traitements atroces qui leur étaient infligés.

LA LITTÉRATURE ET LA POÉSIE CONTEMPORAINE

Gabriel García Márquez (1927-2014) s'est vu attribuer le prix Nobel de littérature en 1982 pour ses nouvelles et ses histoires brèves mêlant intimement fantastique et réalité. Son roman *Cent Ans de solitude* (1967) le rendit célèbre. Ce maître du « **réalisme magique** », autrement dit le surgissement de l'irrationnel dans un environnement réaliste, est le plus reconnu des écrivains colombiens. Il a abordé dans son œuvre presque toutes les époques depuis l'indépendance, en passant du roman *Le Général dans son labyrinthe* (1989) à des thèmes d'actualité plus sombres dans *Journal d'un enlèvement* (1996). Márquez a rejoint dans les années 1950 le **Grupo de Barranquilla**, cercle d'écrivains, de philosophes et de journalistes qui s'inspiraient mutuellement dans leur refuge bohème de La Cueva. Ils rédigèrent et publièrent ensemble le magazine *La Crónica*, et se rendirent célèbres par une diffusion extravagante de la culture dans la région. Barranquilla et le littoral colombien ont eu une influence déterminante sur l'œuvre de Gabriel García Márquez. *Mémoire de mes putains tristes* (2004) dépeint la Barranquilla des années 1930 et dans son autobiographie *Vivre pour la raconter* (2002) abondent les souvenirs de sa ville natale d'Aracataca et de ses voyages dans la région caraïbe.

Laura Restrepo (née en 1950), qui a critiqué l'emploi fait par Gabriel García Márquez du réalisme magique, mêle aussi réalité et fiction. Elle incite les lecteurs à lire entre les lignes de ses romans ; cela vaut en particulier pour *Le Léopard au soleil* (1993), roman mettant en scène deux familles liées au narcotrafic qui s'entretuent, sans jamais utiliser le mot « drogue ». Restrepo a été membre du Parti des travailleurs (socialiste) en Espagne et a fait partie d'un mouvement de résistance clandestin contre la dictature argentine ; elle a également été médiatrice dans les négociations de paix en Colombie. Elle aborde souvent les luttes et les questions politiques dans son œuvre, ce qui ne surprendra pas dans la mesure où la Colombie est pour elle une toile de fond idéale.

Fernando Vallejo (né en 1942) montre une Colombie beaucoup plus sanglante et bien moins prestigieuse. Il démonte avec habileté les mythes ancrés dans la psyché colombienne, et notamment celui de la narco-culture. La lecture de son roman *La Vierge des tueurs* (1994), adapté sur grand écran en 2000, ne laisse aucun doute sur les ravages faits en Colombie par le trafic de stupéfiants.

Nature et paysages

Dans la partie nord du continent sud-américain, partageant ses frontières avec le Panama, l'Équateur, le Venezuela, le Pérou et le Brésil, bordée par le Pacifique et la mer des Caraïbes, la Colombie couvre une superficie de 1 138 914 km². Ses trois hautes cordillères andines traversent le pays dans toute sa longueur. De vastes savanes, des vallées d'altitude, des anomalies topographiques, des rivières et des fleuves, dont le puissant Amazone, et de somptueuses forêts : sillonner la Colombie, c'est parcourir des paysages d'une diversité inouïe, reflets de la multitude de microclimats présents sous ses cieux.

Géologie et hydrographie

LE BASSIN DE L'ORÉNOQUE

La partie la plus occidentale du **bouclier guyanais**, qui est une plaque continentale ancienne et stable d'Amérique du Sud, se situe en Colombie. C'est ici que la plus grande **forêt tropicale humide** du monde cède la place à un paysage de rochers brisés, de cours d'eau et de terrasses à flanc de montagne. Cette région, l'une des plus riches du pays en termes de biodiversité, a été façonnée par les vastes plaines fluviales du **bassin de l'Orénoque** surplombées par les *mesas* (plateaux tabulaires), dont fait partie la **Serranía de la Macarena**, une chaîne de montagnes étroite de 30 km de large sur 120 km de long où convergent la faune et les paysages des Andes, de l'Amazonie et de l'Orénoque. De juin à novembre, les algues et les mousses prêtent au **Caño Cristales** qui coule dans le Parque Nacional Natural Sierra de la Macarena des teintes fabuleuses de jaune, bleu, vert, noir et rouge qui lui ont valu la réputation d'être l'une des plus belles rivières au monde.

LE BASSIN AMAZONIEN

Bordée à l'ouest par le versant est de la **Cordillera Oriental** (Cordillère orientale), cette région est sillonnée par une demi-douzaine de grands cours d'eau qui font plus de 1 000 km de long. La plupart appartiennent à la catégorie des **rivières noires**, ainsi nommées en référence à la couleur des sédiments organiques charriés par ces *ríos* des plaines. Le **Guaviare** marque la frontière géographique entre les savanes humides du bassin de l'Orénoque et la **jungle amazonienne**. En s'éloignant du Guaviare, on peut suivre sur les cartes une ligne bleue qui serpente vers le **Vaupés** et le **Guainía**, connu en dehors de la Colombie sous le nom de **río Negro**. À la frontière du Venezuela et de la Colombie, il coule vers l'est, où il rejoint le **Solimões** au Brésil pour se jeter dans le plus grand fleuve au monde, l'**Amazone**. Le Guaviare, le Vaupés et le Caquetá sont des cours d'eau intérieurs, tandis que le **Putumayo** coule aussi en Équateur et au Pérou. Mais la Colombie a également accès aux rives de l'Amazone, qui suit pendant 116 km la frontière entre la Colombie et le Pérou. Le niveau de ces cours d'eau varie en fonction des précipitations qui s'abattent dans la région où ils prennent leur source ; ces pluies à caractère très saisonnier dépendent des mouvements de la zone de convergence intertropicale. Les vents irréguliers, qui ne restent jamais longtemps au repos, sont à l'origine de fréquentes inondations.

LES ANDES

La partie nord des **Andes** – la plus longue chaîne de montagnes au monde – traverse la Colombie du nord au sud en **trois cordillères** : occidentale, centrale et orientale. Ces montagnes, qui dépassent souvent les 5 000 m d'altitude,

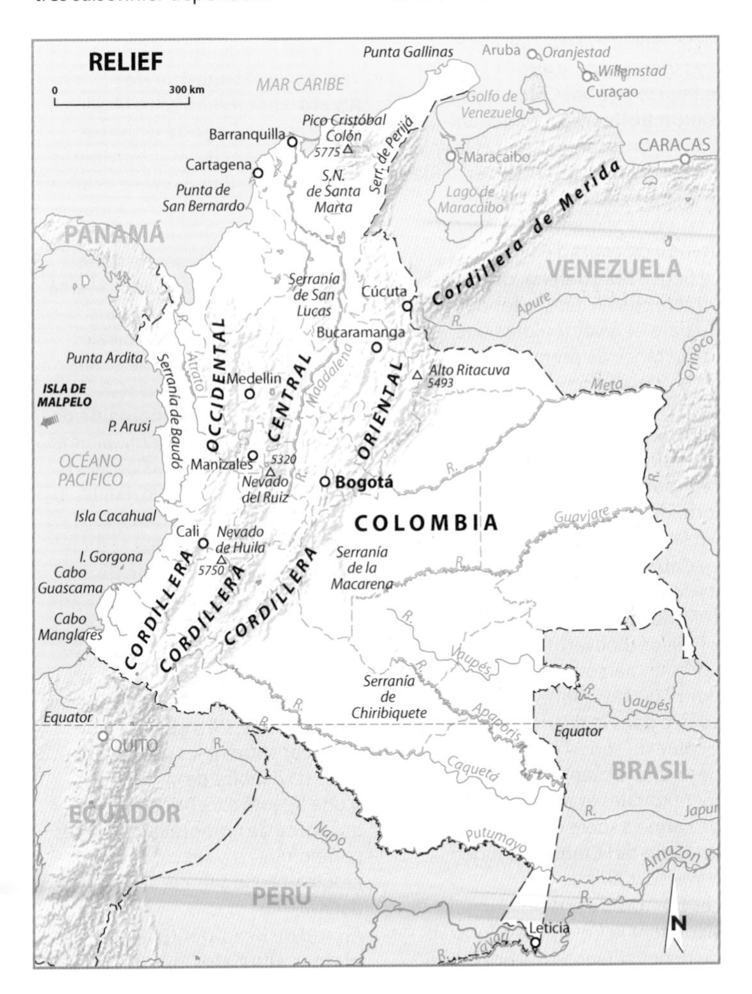

furent créées par la subduction de la plaque de Nazca sous la plaque continentale sud-américaine.
Les **volcans** sont nombreux dans les Andes colombiennes, qu'ils ont ravagées régulièrement (certains sont toujours actifs).
La difficulté des transports et des communications est-ouest entre vallées isolées fait depuis longtemps obstacle au développement de l'économie colombienne.
Considérée à tort comme une partie de la Cordillère orientale, la **Sierra Nevada de Santa Marta**, située sur la côte caraïbe, à proximité de la ville du même nom, est un massif montagneux isolé abritant le **Pico Cristóbal Colón** et le **Pico Simón Bolívar**, qui culminent à 5 775 m et sont les points les plus élevés du pays. La fonte des neiges de la plus haute chaîne côtière au monde alimente un réseau étendu de cours d'eau.
Le fleuve **Magdalena**, qui a joué un rôle crucial dans la fondation du pays et revêt toujours une importance de premier plan pour le développement de la Colombie moderne, traverse 18 départements entre les Cordillères orientale et centrale depuis sa source dans la région du Huila. Il finit son formidable voyage à Barranquilla, sur la côte caraïbe.
Le **Cauca**, autre grande voie navigable capitale dans l'histoire colombienne, rejoint le Magdalena à Pinillos (Bolívar), près de Mompox, après un parcours de 1 350 km dont 600 navigables. Prenant sa source dans le district de Puracé, il coule du sud à l'ouest en partant des régions montagneuses méridionales et irrigue les champs de canne à sucre du département du **Valle del Cauca** avant de traverser Cali.
Les nombreux cours d'eau qui sillonnent la Colombie déposent de riches alluvions qui ont rendu les terres extrêmement fertiles dans plusieurs départements, notamment le **Cundinamarca** et le **Boyacá**.

LE LITTORAL

Les Colombiens répètent avec fierté que leur pays est le seul d'Amérique du Sud à avoir une côte pacifique et une côte caraïbe ; le littoral totalise 3 208 km, avec 1 760 km pour la côte caraïbe et 1 448 km pour la côte pacifique. Ces deux côtes sont très différentes l'une de l'autre.
Les plaines caribéennes s'étendent des marais du Panama jusqu'au semi-désert aride de la péninsule de La Guajira, limitrophe du Venezuela. À l'ouest, le **río Atrato** vient mourir dans le delta marécageux du **golfe d'Urabá**, l'une des zones les plus pluvieuses du continent. Plus à l'est se trouvent les plaines alluviales du Magdalena et du Cauca, suivies au nord par de nombreuses plages de sable.
La **Sierra Nevada de Santa Marta**, qui plonge abruptement dans la mer, apporte pluies tropicales et neige fondue jusqu'à la côte. Vers l'est, la côte devient plus plate ; elle mène à la **péninsule de La Guajira**, terre de broussailles et de déserts adossée à la Cordillère orientale, marquant l'extrémité septentrionale du continent.
La **Serranía del Baudó**, prolongement de l'isthme de Panama, encadre le **littoral pacifique**. Cette étroite chaîne montagneuse est séparée de la Cordillère occidentale par un **piémont tropical** recouvert de forêts denses. L'**Atrato** et le **San Juan** constituent les principales voies navigables de cette zone d'une beauté exceptionnelle, qui abrite de nombreuses espèces endémiques d'oiseaux, et où la jungle épaisse semble se fondre dans la mer.
Au sud de Buenaventura, les **plaines alluviales** aux nombreuses

Laguna Grande de los Verdes, Sierra Nevada del Cocuy.
Ch. Kober/Robert Harding Picture Library/age fotostock

mangroves s'étendent en direction de la côte.

LES ÎLES

Les **îles caraïbes et pacifiques** complètent la géographie particulièrement variée de la Colombie.
Les **Islas del Rosario**, à 46 km au sud-ouest de la ville côtière de Cartagena, correspondent en fait à une barrière de **43 îlots coralliens** constituant un parc maritime naturel protégé.
Providencia et **Santa Catalina**, anciens repaires de pirates situés dans l'archipel de **San Andrés**, se situent à environ 775 km au nord-ouest du continent. Elles se trouvent à proximité de la dorsale sous-marine de **Jamaïque** et seraient les vestiges d'une **activité volcanique** ancienne. À preuve, le fort taux de silice des falaises et des montagnes situées au sud de l'île de Providencia, qui culmine à 363 m. La petite île de San Andrés pourrait être le sommet d'une ancienne **montagne sous-marine** aujourd'hui entourée de plages de sable corallien.
L'**Isla Gorgona**, qui servit autrefois de prison, émerge à 35 km au large de la côte pacifique ; elle correspond probablement à un ancien volcan éteint *(voir p. 361)*. Cette île de 9 km sur 2,5 km, convertie en parc national, est entourée par des récifs coralliens et des mangroves clairsemées et voit passer chaque année, au moment de leur migration, des baleines à bosse.
Très au large de la terre ferme se trouve l'île de **Malpelo** *(voir p. 362)* dont les falaises escarpées plongent à plus de 4 000 m sous le niveau de la mer, révélant son passé volcanique. L'île se trouve sur l'une des principales dorsales volcaniques du Pacifique est.

Le climat

L'année se divise en saisons sèches et saisons humides *(voir aussi p. 16)*. La principale **saison des pluies** s'étend par intermittence, dans la plus grande partie du pays, d'avril à novembre, les mois les plus pluvieux étant mai et juin. La **saison sèche** dure de décembre à mars – des données qui restent très théoriques, les variations régionales liées à l'altitude, à la proximité des cordillères ou des côtes rendant impossible un schéma météorologique unique pour l'ensemble du pays.

Les précipitations varient localement, et dépendent notamment des **vents saisonniers** du nord et du sud-est. L'influence de ces derniers écarte largement les pluies des **Llanos** (plaines orientales) tandis que les précipitations régulières dans le **bassin amazonien** peuvent dépasser 300 cm par an.

Les plaines centrales du **littoral pacifique** ne connaissent pas de véritable saison sèche, et les précipitations peuvent y atteindre jusqu'à 1 000 cm par an. Les perturbations sur la côte pacifique dues au phénomène **El Niño** apportent parfois des pluies très à l'intérieur des terres.

Enfin, les excentricités géologiques peuvent entraîner l'apparition de **poches désertiques** dans un environnement luxuriant ou tempéré, notamment dans les Andes (désert de la Tatacoa) et sur la côte caraïbe (péninsule de La Guajira).

LES STRATES D'ALTITUDE

On dénombre six strates climatiques d'altitude en Colombie. La plus basse, qui couvre plus de 80 % du pays, est appelée **tierra caliente** (régions des terres chaudes) et se trouve à une altitude inférieure à 1 000 m. Il y règne une température annuelle moyenne de 24°. C'est la région la plus touchée par les précipitations.

La **tierra templada** (terres tempérées) se situe à une altitude comprise entre 1 000 et 2 000 m et couvre 10 % du pays. Sa température varie entre 17 et 24°.

La **tierra fría** (zone des terres froides) se situe entre 2 000 et 3 000 m d'altitude. La *tierra fría*, où se trouve Bogotá, représente 8 % du pays, et affiche des températures comprises entre 12 et 17°.

Il n'y a presque plus de terres cultivées au-dessus de la *tierra fría*, qui marque le début de la **zona forestada** (zone boisée). Cette forêt d'altitude qui pousse à plus de 3 000 m affiche des températures inférieures à 15°.

On trouve ensuite les plateaux de **páramo**, qui vont de 3 000 m à la limite des neiges éternelles, vers 3 800 m d'altitude. La température, dans ces régions mornes et froides, est comprise entre 10 et -2°.

Au-dessus de 4 000 m d'altitude commencent les zones de *superpáramo* et la strate des **neiges éternelles**.

Les régions et leurs écosystèmes

LA CÔTE CARAÏBE

Connue pour ses eaux turquoise cristallines et ses plages de sable blanc, la côte caraïbe de la Colombie présente des paysages et des écosystèmes aussi divers qu'imbriqués.

En partant des **marais** du golfe d'Urabá, près de la frontière panaméenne, et en remontant la côte vers le nord-est, on atteint les **terres humides** de la vallée du río Sinú, qui forment une zone de pâturages autour de Montería et Sincelejo. Non loin, vers Tolú et Covenas, puis à proximité de Cartagena, des **mangroves** épaisses et protégées abritent de nombreux oiseaux et protègent les terres contre la mer.

Au nord-est de Cartagena, vers Barranquilla, on passe

l'embouchure du Magdalena pour découvrir les vestiges des vastes **savanes** littorales. Près de la ville de Ciénaga, un bras ancien du delta du Magdalena s'est transformé en un gigantesque **marais** littoral entouré de mangroves, du nom de **Ciénaga de Santa Marta**. Malgré les mesures de protection, la plus grande *ciénaga* du pays voit son écosystème menacé par la pollution liée à la forte industrialisation de la ville voisine.
Enracinée dans le littoral, la **Sierra Nevada de Santa Marta** aux neiges éternelles abrite des **espaces boisés subandins** fragiles, une **forêt humide** luxuriante dont les arbres atteignent en moyenne 25 m, ainsi que le **páramo** le plus septentrional d'Amérique du Sud. Le nord-est de Santa Marta est en revanche aride et désertique. La **péninsule de La Guajira**, proche de la frontière avec le Venezuela, comprend une zone semi-désertique d'une superficie de 150 000 km^2 où les rares précipitations, les plus faibles de tout le pays, atteignent à peine 30 cm par an. Le paysage est parsemé de **cactus** et de **dividivi** tordus qui ne projettent qu'une maigre ombre. Les tribus wayúus y conduisent leurs troupeaux de chèvres, tentant tant bien que mal de survivre dans ce rude environnement.

LA CÔTE PACIFIQUE

La côte pacifique offre un visage assez homogène de la frontière nord avec le Panama jusqu'à la frontière sud avec l'Équateur. Elle présente des similitudes avec la partie occidentale de la côte caraïbe, plus au nord. Les deux littoraux traversent le « **bouchon du Darién** », jungle luxuriante et quasiment impénétrable qui jouit d'une triste réputation de zone de non-droit. Le **marais d'Atrato**, un immense amas de boue de 65 km, fait obstacle à la réalisation d'un réseau de transports efficace entre la région du Chocó et le Panama.
La chaîne côtière de la **Serranía del Baudó** se distingue par ses falaises escarpées au nord, entrecoupées de petites plages de galets. Elle délimite, avec la bordure ouest de la **Cordillère andine occidentale**, la partie la plus humide de la région. La **forêt tropicale humide** qui traverse les départements du **Chocó**, du **Valle del Cauca**, du **Cauca** et du **Nariño** est l'une des régions du monde les plus humides et offre une biodiversité particulièrement riche. Voilées par les brumes et détrempées par des pluies torrentielles, ces forêts développent une flore parasite magnifique comptant une époustouflante variété de **broméliacées** et d'**orchidées**. Les **mangroves** qui s'étirent autour des villes de **Guapi**, **Tumaco** et **Buenaventura** abritent des **pianguas**, mollusques consommés couramment par les populations locales. Les plaines inondables de plusieurs rivières (**Atrato**, **San Juan** et **Baudó**) abritent des **forêts alluviales** fertiles.

LA RÉGION ANDINE

Les Andes colombiennes comptent **22 écosystèmes** différents, dont deux endémiques.
On rencontre dans les plaines nord-ouest de la **Cordillère occidentale** des forêts de **chênes** où domine le chêne de Humboldt. Les épiphytes comme les broméliacées sont assez courants. La **Zona Cafetera** se trouve plus en altitude, autour de 800 à 1 000 m. La culture du café a eu un fort impact sur les massifs forestiers d'altitude, les « secteurs verts » étant désormais isolés les uns des autres

par des zones déboisées au profit des cultures. L'exploitation du café dans des zones ombragées par de grands arbres pourrait améliorer la préservation de la faune locale en jouant le rôle de « passerelle » entre les différentes zones forestières. Les **forêts montagneuses humides** se trouvent à des altitudes encore plus élevées. La végétation y est tributaire des vents saisonniers chauds qui viennent de l'océan et soufflent vers l'intérieur. En arrivant dans les Andes, ils montent, se refroidissent et libèrent leur humidité, donnant naissance à des précipitations tenaces et à des nuages sur les versants. Les précipitations sont moins importantes que la moyenne dans les vallées suspendues entourées de chaînes montagneuses secondaires et les versants orientaux. Les variations de température, d'altitude et de précipitations contribuent à créer des paysages très divers partageant quelques rares caractéristiques. Les mousses et les lichens prospèrent, ainsi que les **épiphytes**, dont font partie les **orchidées** aux couleurs et aux formes incroyablement variées. Au-dessus de la limite forestière, une étroite bande d'arbres nains tordus et d'arbustes annonce les plaines humides de haute altitude connues sous le nom de **páramos**, aux environs de 3 000 m d'altitude. Les herbes hautes, les ruisseaux et les tourbières y composent un paysage morne et froid. Caractéristiques de ce milieu, les **espeletia** ou **frailejones**, plantes au tronc épais et aux feuilles poilues disposées en spirale, s'y développent facilement : on en trouve de toutes tailles, dont des géants mesurant plus de 2 m. Le *páramo* de Sumapaz, non loin de Bogotá, est le plus grand *páramo* au monde avec une superficie de 178 000 ha. Au-delà de la ligne des neiges, une flore discrète aux racines profondément ancrées dans le sol arrive à survivre au cycle de gel et dégel quotidien de ce **désert d'altitude** qu'est le **superpáramo**. Le paysage andin comprend également des curiosités comme le **Desierto de la Tatacoa**, étendue semi-aride qui se trouve dans le département du Huila, entourée par des vallées fertiles. Ce désert de 370 km^2 au relief érodé et aux sols tantôt rouges, tantôt gris, abrite de nombreuses espèces de cactus.

LES PLAINES ALLUVIALES DE L'EST

Les **Llanos** ou plaines orientales sont des **pâturages ouverts**, entrecoupés de **galeries forestières**, regroupés autour des nombreuses voies navigables. Cette région quasiment inhabitée, qui couvre presque un tiers du territoire national, affiche de grands contrastes saisonniers : des crues torrentielles déferlent sur la région pendant la saison humide, tandis que l'hiver est synonyme de sécheresses et de grands incendies dans les plaines. Tous les cours d'eau un tant soit peu importants de la région se jettent dans le **bassin de l'Orénoque**. La **savane de transition** entre le Guaviare et le Vaupés, deux rivières arrosant les départements du même nom, relie les pâturages ouverts et la jungle amazonienne proche. La **Serranía de Macarena** est l'un des principaux éléments des Llanos méridionaux. Cette chaîne montagneuse ressemble beaucoup aux **tepuy**, plateaux aux contours abrupts du bouclier guyanais, juste au-dessus de la frontière vénézuélienne toute proche. Parcourue de torrents et de ruisseaux aux eaux cristallines, elle abrite des **forêts sèches** d'une diversité inégalée en termes d'espèces d'oiseaux.

LA FORÊT AMAZONIENNE

La région amazonienne couvre 42 % du territoire colombien (480 000 km²) mais reste une zone foncièrement inhospitalière : sa densité de population – 2 hab./km² – est la plus faible du pays. Elle est constituée aux deux tiers de **forêts tropicales humides**, enchevêtrement dense de feuillages et de végétation variée.

À l'est, des **protubérances rocheuses** comme la Serranía de Chiribiquete abritent une végétation caractéristique des basses altitudes et des herbacées ressemblant aux fougères.

Les **savanes** comme le Yarí, les **forêts montagneuses humides** du piémont occidental andin et les forêts de basse altitude couvrent le reste de la région amazonienne.

Biodiversité et endémisme

Consciente de la valeur de ses abondantes richesses naturelles et de la fragilité de ses écosystèmes, la Colombie s'est dotée d'un large réseau de **59 parcs nationaux, sanctuaires de faune et de flore** et **réserves naturelles** protégeant des espèces qu'on ne trouve nulle part ailleurs, dans des paysages souvent de toute beauté. La plupart sont ouverts au public et s'efforcent de rappeler à leurs visiteurs, tant étrangers que colombiens, combien il importe de préserver l'environnement pour les générations futures.

La Colombie abrite environ 10 % des espèces de faune et de flore recensées dans le monde, en faisant l'un des pays à la plus grande **biodiversité** de l'Amérique latine et des Caraïbes, juste après le Brésil. Près de 90 % de ses forêts sont de type **primaire**, celui qui abrite la plus grande biodiversité. Quelque 20 % des espèces que l'on y rencontre sont **endémiques** : on ne les trouve qu'en Colombie, avec une concentration plus élevée dans le bassin amazonien, la vallée du Cocora, sur le littoral pacifique (Baudó) et l'Isla Gorgona.

La Colombie abrite environ 1 800 espèces d'oiseaux (soit 20 % de la population mondiale), 600 types d'**amphibiens** (10 %), 400 espèces de **mammifères** (7 %), 500 espèces de **reptiles** (6 %) et quelque 3 200 espèces de **poissons**.

Les oiseaux, les **colibris** et les **tanganas** (des passereaux) entre autres, illustrent la richesse de l'endémisme animal en Colombie. Pour les vertébrés, c'est la **grenouille** qui l'emporte ; on en a découvert neuf nouvelles espèces en 2009, lors d'un programme d'évaluation rapide d'une chaîne côtière à la frontière du Panama. Ce sont des cousines éloignées du **dendrobate doré** (grenouille à flèche empoisonnée) et de la **grenouille venimeuse à pattes noires**, parmi les vertébrés les plus toxiques sur terre.

Plus de 50 000 espèces **végétales** ont été recensées, dont

LA « MÉGADIVERSITÉ »

La variété de ses microclimats et l'impressionnante diversité de ses espèces ont valu à la Colombie d'être classée parmi les pays « mégadivers » par le Centre mondial de surveillance pour la conservation de la nature, dépendant des Nations unies. Ce titre a été accordé à 17 pays qui représentent moins de 10 % de la surface totale du globe mais abritent entre 60 et 70 % de la biodiversité sur terre. Le Brésil, l'Équateur, le Mexique, le Pérou et le Venezuela sont les autres pays d'Amérique latine à figurer sur cette liste.

16 000 endémiques. Les **orchidées** comptent plus de 3 000 variétés, soit 15 % du total mondial.
Mais cette richesse naturelle exceptionnelle se trouve aujourd'hui en danger : 1 000 espèces végétales (pour la plupart des orchidées), 89 espèces de mammifères, 133 espèces d'oiseaux, 20 espèces de reptiles et 8 espèces de poissons sont menacées d'extinction. En cause, l'activité minière à grande échelle et l'exploitation pétrolière, pratiquées sans aucun souci environnemental, mais aussi l'extension des terrains agricoles et des pâtures pour le bétail dans les zones d'élevage.

LA FAUNE

Le long de la côte caraïbe, la mangrove joue un rôle de premier plan dans la protection du **lamantin des Caraïbes** *(Trichechus manatus)*, curieux animal du littoral, à la fois gauche et communicatif. Côté terre, on trouve le délicat **flamant des Caraïbes** *(Phoenicopterus ruber)* et le **raton crabier** *(Procyon cancrivorus)*, qui dévore crabes, homards, crustacés, petits amphibiens, œufs de tortue et fruits. Les **aigrettes**, **pélicans** et **iguanes** sont légion.
Les forêts montagneuses humides des Andes abritent le timide **quetzal brillant** *(Pharomachrus fulgidus)* et le **coq de roche péruvien** *(Rupicola peruvianus)* aux vives couleurs, tous deux aussi beaux que difficiles à observer. Les plus chanceux pourront voir à des altitudes plus élevées le très sauvage **ours à lunettes** *(Tremarctos ornatus)*, autre nom de l'ours andin, et le **tapir des montagnes** *(Tapirus pinchaque)*, espèce menacée. Les *páramos* abritent également de nombreuses espèces de colibris, l'**érismature rousse** (une espèce de canard) et le **condor des Andes** *(Vultur gryphus)*.
Lors de leur migration annuelle, les **baleines à bosse** *(Megaptera novaeangliae)* attirent de nombreux visiteurs sur la côte pacifique *(voir p. 353)*. Dans les forêts de cette zone habitent de nombreuses espèces de **grenouilles venimeuses**, aux couleurs délicates, comme la **kokoï** *(Phyllobates terribilis)* vert pâle ou jaune vif, ou la **grenouille pangan**, d'un bleu électrique.
À la frontière avec l'Équateur, la **tortue marine olivâtre** *(Lepidochelys olivacea)* et la **tortue luth** *(Dermochelys coriacea)* viennent pondre leurs œufs dans le Parque Nacional Natural Sanquianga. La tortue d'eau douce **matamata** *(Chelus fimbriatus)* vit dans les Llanos et le bassin de l'Orénoque ; carnivore, elle a une tête hérissée d'écailles épineuses.

La migration des baleines à bosse au large de la côte pacifique.
Ch. Sonderegger/Prisma/age fotostock

Le **jabiru d'Amérique** *(Jabiru mycteria)* est un échassier de la famille des cigognes qui peut atteindre 1,50 m d'envergure et qui parcourt rivières et mares à la recherche de mollusques, de poissons et de petits reptiles. Le **crocodile de l'Orénoque** *(Crocodylus intermedius)*, qui a pour prédateur l'**anaconda géant** *(Eunectes murinus)*, diffère des autres membres de l'espèce par ses flancs jaunâtres et ses bandes brunes. Cette espèce menacée ne se trouve plus que dans le bassin du Meta. Le **bassin amazonien**, sans rival d'un point de vue biologique, abrite le **kinkajou** *(Potos flavus)*, souvent associé à l'**olingo commun** *(Bassaricyon gabbii)* dont il est un proche parent et qui ressemble à un raton laveur ; sa queue préhensile fait de ce dernier un formidable grimpeur. Le **dauphin rose de l'Amazone** *(Inia geoffrensis)* est l'une des autres créatures curieuses de la région ; sujet d'un grand nombre de légendes indiennes, il a la vue basse et une nageoire dorsale aplatie qui ressemble à une bosse. Le **pirarucú** *(Arapaima gigas)*, auprès duquel tous les poissons d'eau douce d'Amérique du Sud font figure de nains, peut peser jusqu'à 100 kg. Le mâle de cette espèce, qui vient parfois respirer à la surface, élève ses petits dans sa bouche jusqu'à ce qu'ils soient autonomes. Les **loutres géantes** *(Pteronura brasiliensis)*, qui défendent vigoureusement leur territoire dans les rivières, se faufilant entre les racines des parties inondées, peuvent atteindre 1,8 m de long. La **canopée amazonienne** résonne du cri des perroquets et des **toucans**. Le littoral pacifique n'est pas le seul habitat idéal des baleines. Des **cachalots macrocéphales** *(Physeter macrocephalus)* qu'on croirait tout droit sortis de *Moby Dick* ont été aperçus le long de cette côte, de même que des **baleines à bec du Pérou** *(Mesoplodon peruvianus)*. Des multitudes d'oiseaux nichent dans les rochers et vivent en colonies sur les îles. Les **fous de Bassan** *(Morus bassanus)*, **grands cormorans** *(Phalacrocorax carbo)* et **frégates superbes** *(Fregata magnificens)*, aux sacs gulaires rouges, nichent par milliers et remplissent le ciel de leurs cris.

LA FLORE

La diversité des paysages va de pair avec celle des espèces végétales, des mousses microscopiques aux arbres géants, en passant par les broméliacées des forêts montagneuses humides et les cactus de haute altitude. Le **dividivi** *(Caesalpinia coriaria)* parvient à survivre dans les

TROIS SYMBOLES NATIONAUX

Symbole de force et de pouvoir, le **condor des Andes** représenté sur les armoiries de la Colombie est le plus grand oiseau volant au monde. On apercevra dans les cordillères cette immense créature, maître des cieux de la mythologie andine, qui peut parcourir des distances impressionnantes en une seule journée.

La diversité de climats et d'environnements est favorable aux **orchidées**, abondantes et exubérantes. La fleur qui figure sur les armoiries de Colombie, la *Cattleya trianae*, est un gracieux épiphyte poussant dans les forêts montagneuses humides, et connue localement sous le nom de *flor de mayo*.

Originaire de la vallée du Cocora, au nord du Quindío, le **palmier à cire du Quindío** *(Ceroxylon quindiuense)* peut atteindre 60 m de hauteur. Ce palmier endémique, qui pousse en haute montagne, est devenu rare. Autrefois abattu en énormes quantités à l'occasion du dimanche des Rameaux – on l'utilisait en effet pour fabriquer les chandelles –, il est aujourd'hui menacé d'extinction. C'est l'arbre national de la Colombie depuis 1985.

steppes arides de la péninsule de La Guajira en stoppant sa croissance et en adoptant une forme tordue. Les **mangroves**, dans les hauts-fonds des estuaires le long des côtes caraïbe et pacifique, mêlent le **palétuvier rouge** *(Rhizophora mangle)*, le palétuvier **noir** *(Avicennia germinans)* et le palétuvier **blanc** *(Laguncularia racemosa)*.

Du côté du Quindío, les Andes abritent le **palmier à cire**, l'arbre national *(voir l'encadré ci-dessus)*.

On trouve dans les *páramos* des représentants du genre des **espeletia,** apparentés à la famille des Asteraceae, qui se caractérisent par des fleurs minuscules. Ce genre, connu ici sous le nom de **frailejón**, inclut la *Espeletia grandiflora*, qui peut atteindre 2 m de haut, et dont le tronc épais couvert de feuilles mortes est l'emblème des *páramos*.

Les 3 000 espèces d'**orchidées**, dont beaucoup sont endémiques, présentent toutes sortes de tailles et de formes, de la minuscule *Restrepia antennifera* (5 cm) à la géante *Odontoglossum grande* (33 cm).

Le sanctuaire amazonien d'**Orito Ingi Ande** protège depuis 2008 les **arbres** et **plantes médicinales** locales : **quinquina** *(Rubiaceae)*, source naturelle de quinine, utilisée pour soigner le paludisme, **plante de coca** *(Erythroxylum coca)*, anesthésiant naturel local, et **liane yoco** *(Paullinia yoco)*, connue depuis des temps immémoriaux par les chamans pour ses propriétés curatives.

Questions d'environnement

LES RISQUES NATURELS

La menace des mouvements sismiques est permanente.

En 1999, un **tremblement de terre** catastrophique dans la Zona Cafetera, d'une intensité de 6,4 sur l'échelle de Richter, a été suivi de glissements de terrain ravageant la ville d'Armenia et faisant plus de 1 000 morts et 200 000 sans-abri. Plusieurs villes ont subi des dommages irréversibles affectant leur patrimoine architectural colonial : Cúcuta en 1875, Tumaco en 1979, Popayán en 1983.

Les **éruptions volcaniques** dans les hautes terres abritant de fortes

concentrations de population ont souvent eu des conséquences désastreuses. En 1985, le Nevado del Ruiz, volcan en sommeil depuis plus d'un siècle, a libéré des **coulées de boue** qui ont rayé de la carte la ville d'Armero et fait 23 000 morts. En 2005, l'éruption du **Galeras**, considéré aujourd'hui comme le volcan colombien le plus dangereux, a entraîné l'évacuation de 9 000 personnes vivant sur ses versants.
Les **bouleversements climatiques** se révèlent aussi dramatiques. En 2010, un épisode particulièrement intense d'**El Niño** a mis la Colombie en état d'alerte en raison des risques de pénurie d'eau et d'incendies. Les régions andines et caribéennes ont souffert de la sécheresse, qui a entraîné une nette diminution de la production agricole.
Lorsque l'influence d'El Niño se fait sentir, la côte caraïbe est généralement frappée par la **sécheresse**, tandis que le littoral pacifique est la proie d'**inondations** catastrophiques. Ces phénomènes spectaculaires s'accompagnent par ailleurs d'une recrudescence des moustiques vecteurs de la **malaria** et de la **dengue**.

LE FACTEUR HUMAIN

On estime que 600 000 à 900 000 ha sont déboisés chaque année dans le pays, surtout en **Amazonie** et dans le **Chocó**. À ce rythme, la **déforestation** pourrait épuiser les réserves de la nation en 40 ans et bouleverser les modes de vie de nombreuses populations indiennes tout en détruisant une flore et une faune uniques. Cette situation est aggravée par l'exploitation forestière légale ou illégale, l'extension inconsidérée des terres agricoles ou destinées au bétail et l'exploitation des mines sans souci de l'impact environnemental.
Les défaillances des systèmes de drainage, provoquant une dégradation de la qualité de l'eau, ont eu des conséquences désastreuses pour les populations vivant près de Cartagena et de Ciénaga. Les émissions de gaz d'échappement des véhicules utilisant des carburants fossiles de médiocre qualité à Bogotá rendent l'atmosphère étouffante dans cette ville d'altitude. Malgré une **campagne de recyclage** lancée à la fin des années 2000 par la municipalité, les habitants ont peu changé leurs habitudes, et la gestion des déchets reste un problème majeur pour la capitale.

DÉCOUVRIR LA COLOMBIE

Bois de *guaduas* dans le Valle del Cauca.
Marc®/Iconotec RM/age fotostock

BOGOTÁ ET SES ENVIRONS

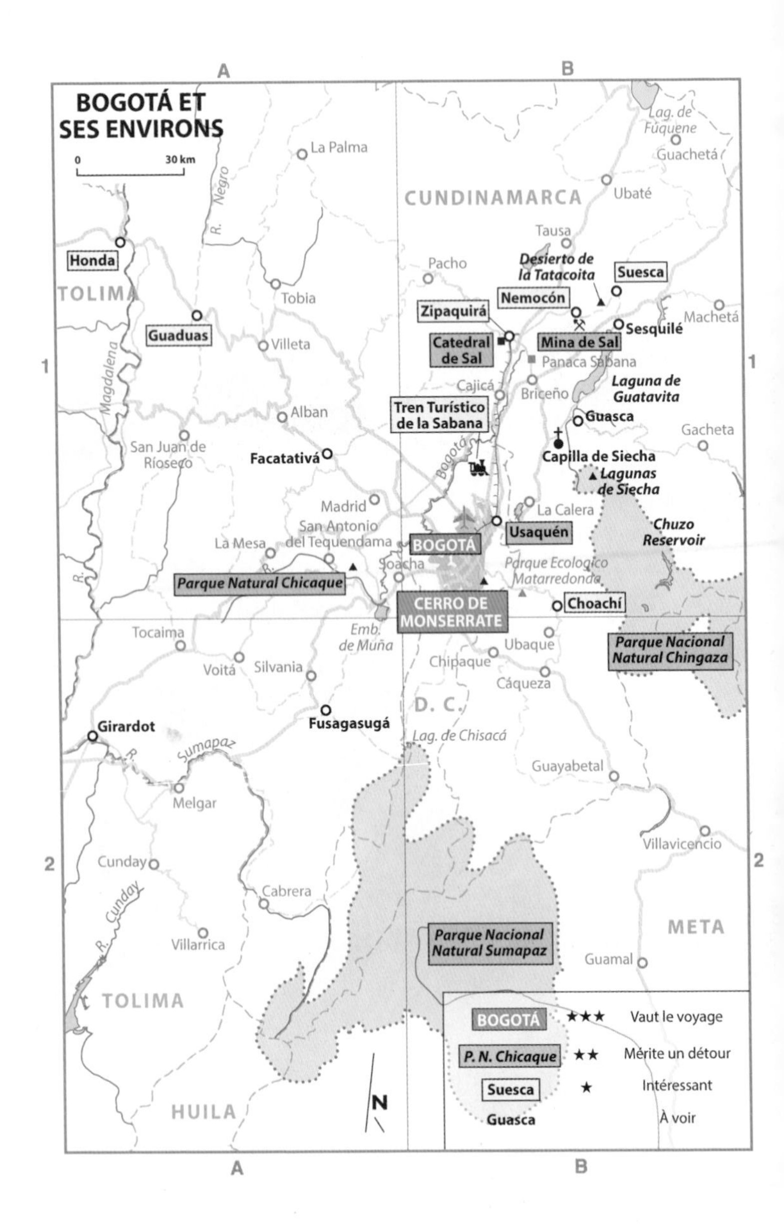

Bogotá et ses environs 1

Capitale des hauteurs

Bogotá, vaste métropole de près de 8 millions d'habitants (9 millions avec la banlieue) concentrant un quart des activités économiques du pays, est à la fois la **capitale** de la Colombie et sa **plus grande ville**. Couvrant l'extrémité orientale du plateau andin de l'**Altiplano Cundiboyacense**, elle se distingue également par sa haute altitude (2 640 m), qui ne dissuada cependant ni les premiers habitants de l'Altiplano, les **Muiscas**, ni les **conquistadors espagnols** de s'y établir. « Bacatá » était alors une région prospère, principalement en raison de son emplacement stratégique, un facteur qui amena **Gonzalo Jiménez de Quesada** à y fonder en 1538 **Santa Fé de Bogotá**. Après la modification constitutionnelle entérinant la séparation de l'Église et de l'État, en 1991, la ville fut renommée simplement Bogotá.

LE BRASSAGE DES CULTURES

La capitale colombienne, Bogotá Distrito Capital (Bogotá DC), n'affiche ni le raffinement de Buenos Aires en Argentine, ni le caractère ordonné de Santiago du Chili. Sa circulation chaotique et son manque d'unité architecturale sont à l'image de sa croissance : rapide, non concertée et soumise à de multiples aléas. Fortes de leurs racines indiennes, peuplées de colons espagnols, de Créoles, puis de migrants venus de tous les horizons, **Bogotá** et les régions du **Cundinamarca** et du **Boyacá** rassemblent une **population métissée**. On y rencontre des *mestizos*, aux ancêtres européens et indiens, des Blancs, descendants d'Allemands, d'Italiens ou d'Espagnols ayant fui les persécutions et les guerres, une importante population originaire du Moyen-Orient, et enfin, dans une moindre proportion, des descendants d'Africains, venus de la région de Cartagena. Tous apportèrent leur marque, leurs sons et leurs rythmes, leurs traditions et leurs façons de voir au grand brassage culturel bogotanais. Certains se sont mieux acclimatés que d'autres à la fraîcheur du climat subtropical de haute altitude qui caractérise la région, et dont les températures oscillent autour de 14°.

LA NATURE AUX PORTES DE LA VILLE

Au nombre des sites les plus célèbres de la région, **Zipaquirá** et sa cathédrale de sel, important lieu de pèlerinage, se situent dans la **Sabana de Bogotá**. S'y rendre, en train touristique ou en TransMilenio, permet de traverser successivement le centre colonial de Bogotá, les quartiers d'affaires aux luxueux gratte-ciel, la banlieue résidentielle des quartiers nord de la capitale, et enfin de vastes plaines d'altitude, ponctuées de nombreuses serres. À mesure que l'on approche de Zipaquirá, de Nemocón et de leurs mines de sel, jadis contrôlées par les Muiscas, on a le sentiment de pénétrer dans une région mystérieuse, habitée par le souvenir des légendes précolombiennes. C'est d'ailleurs non loin, au **lac de Guatavita**, qu'est née la légende de l'homme doré, l'Eldorado. Les alentours de Bogotá comptent bon nombre de zones protégées et de parcs nationaux. Nul besoin de parcourir de longues distances pour partir à la découverte des fragiles écosystèmes de haute altitude du **Parque Nacional Natural Sumapaz** ou du **Parque Nacional Natural Chingaza** où des sentiers de randonnée permettent d'observer la flore et la faune endémiques de la région. Les montagnes rocheuses, connues pour leurs splendides panoramas, abritent notamment des populations de cerfs et les citadins adorent venir y faire des balades, du camping ou de l'escalade en fin de semaine.

BOGOTÁ

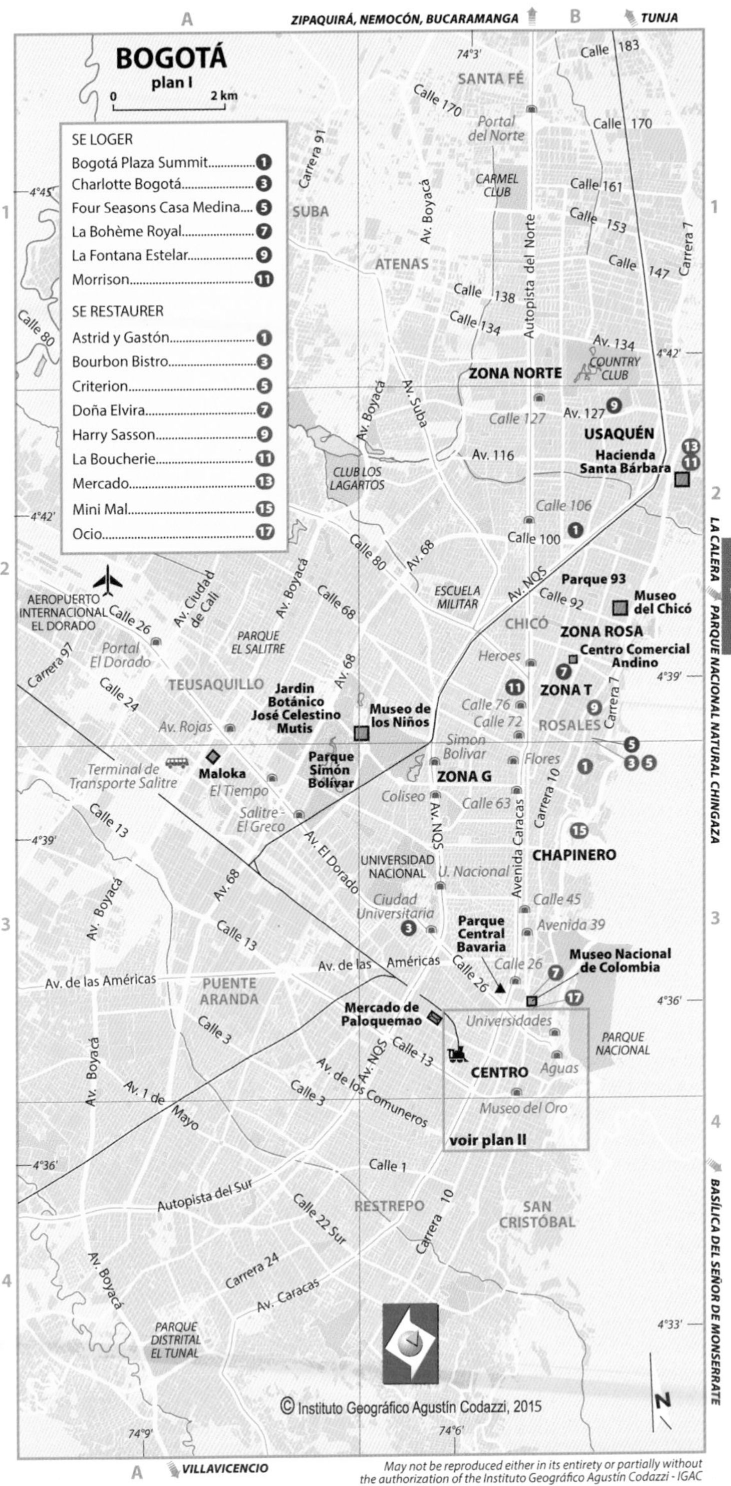
ZIPAQUIRÁ, NEMOCÓN, BUCARAMANGA
TUNJA
A
B
BOGOTÁ
plan I
0
2 km
SE LOGER
Bogotá Plaza Summit 1
Charlotte Bogotá 3
Four Seasons Casa Medina 5
La Bohème Royal 7
La Fontana Estelar 9
Morrison 11
SE RESTAURER
Astrid y Gastón 1
Bourbon Bistro 3
Criterion 5
Doña Elvira 7
Harry Sasson 9
La Boucherie 11
Mercado 13
Mini Mal 15
Ocio 17
74°3'
SANTA FÉ
Calle 183
Calle 170
Portal del Norte
Calle 170
Carrera 91
CARMEL CLUB
Calle 161
Calle 153
Calle 147
Carrera 7
SUBA
Av. Boyacá
Autopista del Norte
ATENAS
Calle 138
Calle 134
Av. 134
COUNTRY CLUB
Calle 80
ZONA NORTE
Av. Boyacá
Av. Suba
Av. 127
Calle 127
USAQUÉN
Av. 116
Hacienda Santa Bárbara
CLUB LOS LAGARTOS
Calle 106
Calle 100
Calle 80
Av. 68
Av. NQS
Parque 93
Museo del Chicó
ESCUELA MILITAR
Calle 92
AEROPUERTO INTERNACIONAL EL DORADO
Calle 26
Av. Ciudad de Cali
Av. Boyacá
Calle 68
CHICÓ
ZONA ROSA
Centro Comercial Andino
PARQUE EL SALITRE
Portal El Dorado
Heroes
Carrera 97
Av. 68
TEUSAQUILLO
Jardin Botánico José Celestino Mutis
ZONA T
Calle 24
Museo de los Niños
Calle 76
Calle 72
ROSALES
Carrera 7
Av. Rojas
Simon Bolivar
Flores
Maloka
Parque Simón Bolívar
Terminal de Transporte Salitre
ZONA G
El Tiempo
Coliseo
Calle 63
Carrera 10
Salitre - El Greco
Av. NQS
Calle 13
Av. El Dorado
Avenida Caracas
UNIVERSIDAD NACIONAL
U. Nacional
CHAPINERO
Av. 68
Av. Boyacá
Ciudad Universitaria
Calle 45
Calle 13
Parque Central Bavaria
Avenida 39
Av. de las Américas
Calle 26
Museo Nacional de Colombia
Av. de las Américas
Calle 26
PUENTE ARANDA
Mercado de Paloquemao
Universidades
Calle 3
Calle 13
PARQUE NACIONAL
Av. NQS
Av. Boyacá
Av. de los Comuneros
CENTRO
Aguas
Calle 3
Av. 1 de Mayo
Museo del Oro
voir plan II
Calle 1
Autopista del Sur
Calle 22 Sur
RESTREPO
Carrera 10
SAN CRISTÓBAL
Carrera 24
Av. Boyacá
Av. Caracas
PARQUE DISTRITAL EL TUNAL
© Instituto Geográfico Agustín Codazzi, 2015
N
74°9'
74°6'
4°45'
4°42'
4°39'
4°36'
4°33'
1
2
3
4
LA CALERA
PARQUE NACIONAL NATURAL CHINGAZA
BASÍLICA DEL SEÑOR DE MONSERRATE
VILLAVICENCIO
May not be reproduced either in its entirety or partially without the authorization of the Instituto Geográfico Agustín Codazzi - IGAC

Bogotá

Bogotá Distrito Capital

7 879 000 hab. – Capitale du département du Cundinamarca – Alt. 2 640 m

Bogotá n'est pas une destination de tout repos : vous y marcherez beaucoup, et l'altitude mettra vos poumons à rude épreuve. Perchée sur un haut plateau andin à 2 640 m d'altitude, la plus grande ville de Colombie est la troisième plus haute capitale du monde, après La Paz (Bolivie) et Quito (Équateur). Centre économique et culturel important, ville universitaire de premier plan, elle attire des personnes de tous horizons, dans un cadre éclectique où des bâtiments ultramodernes côtoient les vestiges de la période coloniale. Sa circulation chaotique (bus polluants, embouteillages aux heures de pointe…) contraste avec la tranquillité de ses quartiers résidentiels et la luxuriance de ses parcs et des versants de sa cordillère. Bogotá doit aujourd'hui répondre aux nouveaux défis posés par l'arrivée massive de populations déplacées originaires des campagnes, ayant fui la guérilla et l'expropriation.

NOS ADRESSES PAGE 138
Hébergement, restauration, achats, activités, etc.

S'INFORMER

PIT Centro Historico – Plan II B4 - *Casa de los Comuneros - angle carrera 8 et calle 9 - Candelaria -* *(1) 283 7115 - www.bogotaturismo.gov.co - lun.-sam. 7h-18h, dim. et j. fériés 10h-17h.* Visite guidée de la ville : *voir p. 149.*

SE REPÉRER

Carte de région B1 (p. 110) – plan de l'agglomération p. 113 – plan du centre p. 118-119. La **Zona Centro** comprend le quartier de la **Candelaria**, cœur historique de la ville qui se déploie autour de la plaza de Bolívar et où se concentrent la plupart des sites touristiques, ainsi que le **Centro Internacional**, quartier d'affaires situé un peu plus au nord. La **Zona Norte,** le quartier résidentiel huppé de la capitale, rassemble boutiques de luxe, centres commerciaux et restaurants chics dans différentes zones (Zona T, Zona G et Zona Rosa). Les rues *(calles* ou *Cl)* sont perpendiculaires aux *cerros orientales*, les montagnes qui limitent la ville à l'est.
Les avenues *(carreras* ou *Kr)* sont parallèles à la chaîne montagneuse, avec une numérotation croissante depuis cette dernière.
Voir aussi la rubrique « Arriver/partir » dans « Nos adresses ».

À NE PAS MANQUER

Une promenade dans les rues de la Candelaria ; la collection précolombienne du musée de l'Or ; le musée Botero ; la basilique de Monserrate.

ORGANISER SON TEMPS

Comptez 3 ou 4 j. Profitez des matinées fraîches et ensoleillées pour vous promener dans les rues de la Candelaria et d'Usaquén.
Les après-midi gris et pluvieux seront plutôt l'occasion d'explorer les musées. Attendez le week-end pour monter à la basilique de Monserrate.

AVEC LES ENFANTS

Museo de los Niños ; Maloka - Centro Interactivo de Ciencia y Tecnología.

Plaza de Bolívar, Bogotá.
P. Tisserand/Michelin

★★★ Zona Centro Plan II (Centre) p. 118-119

Le **centre-ville**, délimité grosso modo par les carreras 1 et 14 et par les calles 5 et 34, est le secteur le plus animé et le plus intéressant de Bogotá. C'est le cœur historique de la ville : il abrite notamment le quartier colonial de la **Candelaria**, les principales administrations de l'État, et quantité de musées et d'églises anciennes. Démarrant au bout du quartier de la Candelaria, l'**Eje ambiental**, un axe semi-piétonnier reliant le vieux centre à la Cordillère orientale, au pied du Cerro de Monserrate, est particulièrement agréable à parcourir en fin de semaine, quand s'y installent les marchands ambulants. Le monde des affaires a quant à lui investi les tours de brique rouge du **Centro Internacional** : peu attrayant au premier abord, ce quartier est l'un des hauts lieux gastronomiques de la ville, où politiciens, financiers et hommes d'affaires se retrouvent pour déjeuner ; c'est là aussi que se trouvent le Musée national et le musée d'Art moderne.

★★★ LA CANDELARIA Plan II BC3-4

Au départ de la plaza de Bolívar, circuit 1 tracé en vert sur le plan du centre (p. 118-119) – Comptez une journée et demie avec la visite des principaux musées et prévoyez d'y déjeuner (voir p. 142).

En dépit de sa superficie réduite, ce quartier dont les murs furent témoins d'événements historiques majeurs, pour la ville comme pour le pays, offre beaucoup à voir. Prenez le temps d'explorer son lacis de rues en damier, qui entoure la **plaza de Bolívar** et s'étend à l'est vers la **carrera 3**, au pied de la cordillère, au nord vers l'**avenida Jiménez de Quesada**, toujours très animée, la **calle 7** au sud et la **carrera 9** à l'ouest. C'est à l'intérieur de ce périmètre que l'on rencontre les sites les plus intéressants de la ville : églises baroques et coloniales, palais, musées, centres culturels, entre lesquels vous trouverez nombre de petits restaurants populaires.

★★★ **Plaza de Bolívar** Plan II B4

Délimitée par les calles 10 et 11 et par les carreras 7 et 8.

L'ancienne plaza de la Constitución, qui accueillait jadis un marché et était parcourue en tous sens par les tramways et les voitures à cheval, est aujourd'hui devenue une place piétonnière. Sobrement aménagée, elle est ponctuée en son centre par une **statue en bronze de Bolívar**, qui fait office de point de ralliement pour tous les protestataires du pays. Les manifestations y sont en effet quasi quotidiennes : professionnels de santé du secteur public, enseignants, familles de victimes des « troubles », étudiants… Quelle que soit la cause qu'ils défendent, ces manifestants seront toujours disposés à vous exposer calmement la nature de leurs inquiétudes, ce qui vous permettra de mieux comprendre la société colombienne. En fin de semaine, l'ambiance est détendue, et l'on y vient en famille nourrir les pigeons et faire faire aux enfants un tour à dos de lama.

La place est bordée, sur ses quatre côtés, d'imposants édifices aux styles très différents. En partant du côté sud, vous découvrirez successivement, dans le sens des aiguilles d'une montre :

★ **Capitolio Nacional** – *Au sud de la place - calle 10, n° 7-50 - ✆ (1) 212 6315 - ouvert lors des débats publics.* Le bâtiment du Congrès, édifié entre 1876 et 1926, abrite une **fresque** de Santiago Martínez Delgado.

Casa de los Comuneros – *Carrera 8, n° 9-83, à l'angle de la calle 10 - ✆ (1) 327 4850 - lun.-vend. 8h-13h, 14h-17h (office de tourisme).* À l'angle de la plaza de Bolívar se dresse ce rare exemple d'architecture civile de la période coloniale, construit vers 1650 et qui a appartenu à l'écrivain et historien **Juan Flórez de Ocáriz** (v. 1600-v. 1670). Il accueille aujourd'hui le principal **office de tourisme** de la ville.

Palacio Liévano – *Alcaldía Mayor - carrera 8, n° 10-65.* Conçu par **Gaston Lelarge**, ce bâtiment de style néo-Renaissance (1907) fait penser à ceux construits à Paris à la même époque. Sa façade occupe toute la partie ouest de la place. Agrémenté de grandes portes en bois et d'une cour intérieure, il abrite l'**Alcaldía Mayor de Bogotá** (mairie).

★ **Palacio de Justicia** – *Calle 11, entre les carreras 7 et 8 - ne se visite pas.* Au nord de la place s'élève le Palais de justice (1989), sur la façade duquel on peut lire une citation du **général Santander** (1792-1840) : « *Colombianos, las armas os han dado independencia, las leyes os darán libertad* » (« Colombiens, les armes vous ont donné l'indépendance, les lois vous donneront la liberté »). La date de construction tardive du Palais de justice s'explique par l'histoire mouvementée de l'édifice. Détruit lors du **Bogotázo** de 1948 *(voir p. 76)*, puis reconstruit dans les années 1960, le palais fut occupé en 1985 par les guérilleros du **M19**, une action qui se solda par une violente attaque de l'armée, au cours de laquelle le bâtiment fut à nouveau détruit et 55 personnes trouvèrent la mort. Selon la rumeur, Pablo Escobar aurait lui-même apporté son appui au M19 dans l'espoir d'obtenir la destruction des documents autorisant son extradition vers les États-Unis. En 1998, l'architecte Roberto Londoño accomplit un travail important sur la structure de l'édifice. Ce bâtiment emblématique, placé sous haute protection, abrite aujourd'hui la **Cour suprême** et le **Conseil d'État**.

★ **Casa del Florero - Museo de la Independencia** – *Calle 11, n° 6-94 - ✆ (1) 336 0349 - mar.-vend. 9h-17h, w.-end et j. fériés 10h-16h - 3 000 COP, gratuit le dim. - visite guidée mar.-vend. à 11h et 15h, sam. 11h et 14h, en anglais merc. à 15h.* La visite de cette maison du 16e s. vous plongera, au travers d'objets d'époque et de tableaux, dans le contexte historique et social qui mena aux

guerres d'indépendance. C'est ici qu'eut lieu le fameux **incident du vase** à l'origine des premières revendications indépendantistes du 20 juillet 1810 : deux frères créoles, Antonio et Francisco Morales, en cassant le vase d'un riche Espagnol, José González Llorente, brisèrent symboliquement le joug de la colonisation instituée par l'empire d'Espagne.

La cathédrale de Bogotá et le Sagrario ferment le dernier côté de la place.

★★ Catedral Primada de Colombia Plan II B4

Carrera 7, nº 10-80 - www.catedraldebogota.org - mar.-dim. 9h-17h.

Située à l'angle nord-est de la plaza de Bolívar, la **cathédrale de l'Immaculée-Conception** abrite, dans la dernière chapelle de droite, le tombeau de **Gregorio Vásquez de Arce y Ceballos** (1638-1711), l'un des plus grands peintres colombiens de la période coloniale. Bâtie entre 1807 et 1823, cette vaste cathédrale néoclassique de 5 300 m² affiche un intérieur sobre, rythmé par 14 piliers massifs à chapiteaux dorés et autant de chapelles latérales. Ses deux clochers, qui ne sont pas d'origine, ont été reconstruits après le séisme de 1827. La façade fut quant à elle restaurée en 1943 par l'architecte espagnol **Alfredo Rodríguez Orgaz** (1907-1994).

Dirigez-vous vers l'entrée de la chapelle qui jouxte la cathédrale.

★ Capilla del Sagrario (chapelle du Tabernacle) Plan II B4

Carrera 7, nº 10-40 - lun.-vend. 7h-12h, 13h-17h30, dim. 15h-17h30.

Dans le prolongement de la façade de la cathédrale, cette chapelle montre une façade baroque ornementée typique de l'architecture de la période néo-grenadine (1660-1700). C'est ici que **Bolívar** fut accueilli triomphalement en 1819, après sa victoire à la bataille de Boyacá *(voir p. 161)*. Il reste hélas peu de chose de l'autel d'origine, en ivoire et en ébène, victime des séismes de 1827 et de 1917. La chapelle a en revanche conservé un beau **baldaquin d'autel** rouge et or, incrusté de pierres, et, entre le portail et la nef, un **cancel★★** abondamment sculpté et surmonté de quatre anges. À l'intérieur, des œuvres de Gregorio Vásquez de Arce y Ceballos dépeignent des scènes de l'Ancien et du Nouveau Testament.

Palacio Arzobispal (palais de l'Archevêché) E Plan II B4

Carrera 7, nº 10-20 - ne se visite pas.

Ce palais fut le théâtre d'événements parmi les plus dramatiques de l'histoire du pays. L'édifice actuel fut bâti entre 1952 et 1959 pour remplacer l'ancien palais de l'archevêque, en grande partie détruit lors du **Bogotázo** de 1948 *(voir p. 76)*. Il fit office de bureau des **Douanes royales** et c'est ici que le vice-roi **Antonio José Amar y Borbón Arguedas** (1742-1826) fut emprisonné durant les premiers soubresauts indépendantistes qui agitèrent la capitale.

Continuez jusqu'à l'angle de la calle 10, la plus belle rue de la Candelaria.

Colegio de San Bartolomé de Bogotá B Plan II B4

Carrera 7, nº 9-96 - www.sanbartolome.edu.co - ne se visite pas.

Fondé en 1604 par les jésuites, ce lycée (encore en activité) est le plus ancien établissement d'enseignement de Colombie. Pas moins de 26 présidents l'ont fréquenté, ainsi que de nombreux notables, dont San Pedro Claver. Il dissimule entre ses murs une petite place fermée, la plazuela de Camilo Torres, ainsi nommée en l'honneur du martyr de l'indépendance **Camilo Torres Tenorio** (1766-1816). C'est ici que les Espagnols exécutaient les révolutionnaires lors de la **Reconquista** de 1816.

Prenez la calle 10, qui monte en pente douce vers la cordillère, et remontez-la sur une demi-cuadra.

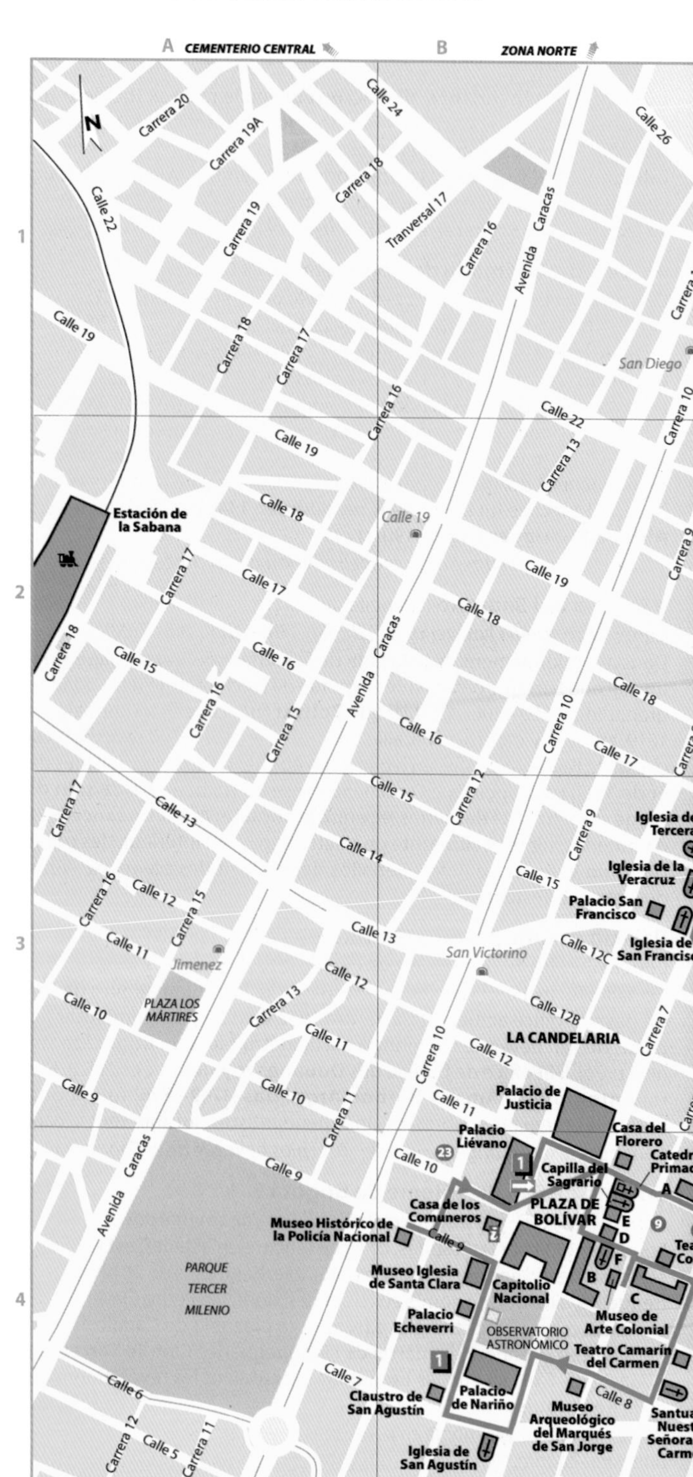
CEMENTERIO CENTRAL
ZONA NORTE
Estación de la Sabana
San Diego
Calle 19
Jimenez
San Victorino
PLAZA LOS MÁRTIRES
LA CANDELARIA
Palacio de Justicia
Palacio Liévano
Casa del Florero
Capilla del Sagrario
PLAZA DE BOLÍVAR
Casa de los Comuneros
Museo Histórico de la Policía Nacional
Museo Iglesia de Santa Clara
Capitolio Nacional
Palacio Echeverri
OBSERVATORIO ASTRONÓMICO
Museo de Arte Colonial
Teatro Camarín del Carmen
Claustro de San Agustín
Palacio de Nariño
Museo Arqueológico del Marqués de San Jorge
Iglesia de San Agustín
Palacio San Francisco
Iglesia de la Veracruz
PARQUE TERCER MILENIO
Avenida Caracas

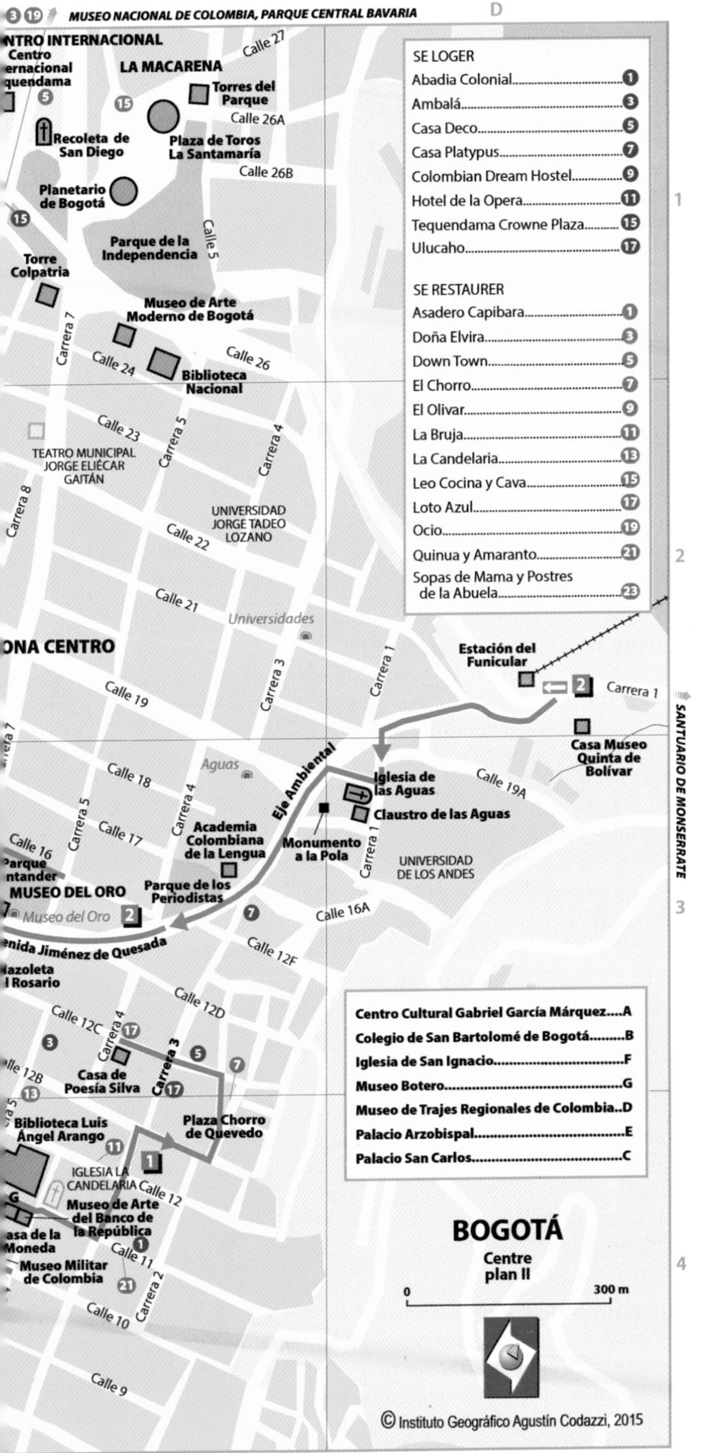

MUSEO NACIONAL DE COLOMBIA, PARQUE CENTRAL BAVARIA
D
NTRO INTERNACIONAL
Centro
ernacional
quendama
LA MACARENA
Calle 27
Torres del Parque
Calle 26A
Recoleta de San Diego
Plaza de Toros La Santamaría
Calle 26B
Planetario de Bogotá
Parque de la Independencia
Calle 5
Torre Colpatria
Museo de Arte Moderno de Bogotá
Carrera 7
Calle 24
Calle 26
Biblioteca Nacional
Calle 23
Carrera 5
Carrera 4
TEATRO MUNICIPAL JORGE ELIÉCAR GAITÁN
Carrera 8
UNIVERSIDAD JORGE TADEO LOZANO
Calle 22
Calle 21
Universidades
ONA CENTRO
Calle 19
Carrera 3
Carrera 1
Estación del Funicular
Carrera 1
SANTUARIO DE MONSERRATE
Casa Museo Quinta de Bolívar
Aguas
Calle 18
Eje Ambiental
Iglesia de las Aguas
Calle 19A
Claustro de las Aguas
Calle 17
Academia Colombiana de la Lengua
Monumento a la Pola
UNIVERSIDAD DE LOS ANDES
Calle 16
Parque Santander
MUSEO DEL ORO
Parque de los Periodistas
Museo del Oro
Calle 16A
Avenida Jiménez de Quesada
Calle 12F
Plazoleta del Rosario
Calle 12D
Calle 12C
Carrera 4
Carrera 3
Calle 12B
Casa de Poesía Silva
Biblioteca Luis Ángel Arango
Plaza Chorro de Quevedo
IGLESIA LA CANDELARIA
Calle 12
Museo de Arte del Banco de la República
Casa de la Moneda
Calle 11
Museo Militar de Colombia
Carrera 2
Calle 10
Calle 9
C
1
2
3
4
SE LOGER
Abadia Colonial 1
Ambalá 3
Casa Deco 5
Casa Platypus 7
Colombian Dream Hostel 9
Hotel de la Opera 11
Tequendama Crowne Plaza 15
Ulucaho 17
SE RESTAURER
Asadero Capibara 1
Doña Elvira 3
Down Town 5
El Chorro 7
El Olivar 9
La Bruja 11
La Candelaria 13
Leo Cocina y Cava 15
Loto Azul 17
Ocio 19
Quinua y Amaranto 21
Sopas de Mama y Postres de la Abuela 23
Centro Cultural Gabriel García Márquez A
Colegio de San Bartolomé de Bogotá B
Iglesia de San Ignacio F
Museo Botero G
Museo de Trajes Regionales de Colombia D
Palacio Arzobispal E
Palacio San Carlos C
BOGOTÁ
Centre plan II
0
300 m

Iglesia de San Ignacio F Plan II B4
Calle 10, n° 6-27 - fermée jusqu'en 2017 pour d'importants travaux de rénovation.
Datant du 17e s., elle est consacrée au fondateur de l'ordre des jésuites, saint Ignace de Loyola. Son architecture n'est pas sans rappeler celle de l'église du Gesù à Rome. Terriblement endommagée par le séisme de 1763, elle fut reconstruite et agrémentée de notes Renaissance, maniéristes, baroques et néoclassiques. L'intérieur abrite de somptueuses œuvres des 17e et 18e s., dont des toiles de Gregorio Vásquez de Arce y Ceballos et 12 retables baroques.

★★ **Museo de Trajes Regionales de Colombia** D Plan II B4
Casa de Manuelita Sáenz - Calle 10, n° 6-18 - ✆ (1) 341 0403 - www.museode trajesregionales.com - lun.-vend. 9h-16h30, sam. 9h-14h - 3 000 COP.
En 1828, **Manuela Sáenz** (1795-1856), la compagne de Bolívar, s'installa dans cette maison coloniale (1599) à un étage située à proximité du Palacio San Carlos. Transformé depuis en **musée des Costumes régionaux**, le lieu abrite désormais une collection de plus d'un millier de tenues typiques venues de tout le pays, y compris des vêtements indiens et précolombiens. Ils sont présentés par région et par fonction : atours de fête et habits du quotidien, tenues identifiant telle ou telle profession. Vous y verrez aussi sacs, sandales et chapeaux réalisés en fibres végétales, ainsi que les métiers à tisser traditionnels en usage jusqu'au début du 20e s. Une visite colorée et didactique.
À l'angle, remontez la rue en direction de la cordillère et tournez à droite.

★★ **Museo de Arte Colonial** Plan II B4
Carrera 6, n° 9-77 - ✆ (1) 341 6017 - mar.-vend. 9h-17h, w.-end 10h-16h - fermé pour travaux jusqu'en 2016.
Attenante à l'église San Ignacio, cette ancienne école jésuite fut fondée au 17e s. sous le nom de Colegio Máximo de la Compañía de Jesús en la Nueva Granada (grand collège de la Compagnie de Jésus en Nouvelle-Grenade), une institution également connue comme **Casa de las Aulas** (maison des salles de classe). Elle abrite désormais un musée que les amateurs d'art colonial se doivent de visiter. Il possède une impressionnante collection d'argenterie, d'objets en verre, de mobilier et de peintures d'époque. Ces murs de brique austères abritent aussi des tableaux de **Gregorio Vásquez de Arce y Ceballos**.
Regagnez la calle 10 et poursuivez en direction de la cordillère.

★ **Teatro de Cristóbal Colón** (théâtre Christophe Colomb) Plan II B4
Calle 10, n° 5-32 - ✆ (1) 381 6380 - www.teatrocolon.gov.co.
Le théâtre national de Colombie (1885-1892) arbore une façade néoclassique ornée de colonnes d'ordre dorique toscan. Assistez à une représentation d'opéra ou de ballet pour admirer le somptueux intérieur de style florentin *(voir p. 148)*. Cette scène accueille de nombreux spectacles à l'occasion du **Festival Iberoamericano de Teatro** qui se tient tous les deux ans *(voir l'encadré p. 91)*.
Palacio San Carlos – *Calle 10, n° 5-51 - ne se visite pas.* En face du théâtre, vous remarquerez la façade d'un palais édifié en 1580 et abritant aujourd'hui le ministère des Affaires étrangères. Il fut la résidence de **Simón Bolívar** et le lieu où il faillit être assassiné.
Remontez la rue.

Museo Militar de Colombia Plan II C4
Calle 10, n° 4-92 - ✆ (1) 281 2548 - mar.-vend. 9h-16h, w.-end 10h-16h - entrée libre sur présentation d'une pièce d'identité.
Installé dans une ancienne demeure ayant appartenu à la famille du capitaine **Antonio Ricaurte**, l'un des héros du mouvement indépendantiste, le **Musée**

militaire expose sur deux étages une vaste collection d'uniformes colombiens, des maquettes de navires et d'avions de guerre, des armes et du matériel de transmission. L'une des salles contient une reconstitution, enrichie d'effets sonores et visuels, de la **bataille du marais de Vargas** (1819). Sur le parvis sont exposés divers modèles de canons et de lance-roquettes.
Prenez la carrera 5 vers le sud, et traversez la calle 9.

★ Teatro Camarín del Carmen Plan II B4

Calle 9, n° 4-93 - ✆ (1) 342 4321 - lun.-sam. 10h-16h - entrée libre par le restaurant du même nom.
Cet ancien **couvent de carmélites** (1655) fut reconverti en caserne et en hôpital militaire à la fin du 19e s. avant d'être transformé en salle de **théâtre** au 20e s. Magnifiquement restauré, avec ses balcons saillants et richement ornés, le théâtre peut accueillir jusqu'à 500 personnes.
Continuez sur la carrera 5.

★★ Santuario de Nuestra Señora del Carmen Plan II B4

Carrera 5, n° 8-36 - ouvert pour les offices seulement (horaires affichés).
Conçue par **Giovanni Buscaglione** (1874-1941) et édifiée entre 1926 et 1938 dans un style néogothique florentin mêlé d'éléments d'inspiration byzantine et mauresque, c'est l'église la plus étonnante de Bogotá : les bandes blanches et rouges qui strient la façade hérissée de clochetons et de pinacles, les colonnettes d'angles et de fenêtres contrastent à la fois avec les maisons aux toits de tuiles des environs immédiats et avec les façades tantôt coloniales, tantôt baroques de la plupart des églises de la capitale. Tentez de venir au moment de l'office pour découvrir l'intérieur de l'édifice, tout aussi exubérant avec ses hautes arches en ogive reprenant la bichromie de la façade.
Prenez la calle 8 sur votre droite et descendez-la jusqu'à l'intersection suivante.

★★ Museo Arqueológico Casa del Marqués de San Jorge Plan II B4

Carrera 6, n° 7-43 - ✆ (1) 243 1690 - www.musarq.org.co - lun.-vend. 8h30-17h, sam. 9h-16h - 3 000 COP.
Cette résidence coloniale de la fin du 17e s., dont les murs conservent des restes de fresques, abrite la plus belle – et la plus importante – collection de **céramiques précolombiennes** du pays. Urnes, vases, statuettes, instruments de musique illustrent le savoir-faire des différentes tribus tayronas, muiscas, guanes, quimbayas, calimas, nariños, sinús, tumacos et caucas. Organisées en sections thématiques, les vitrines abordent tour à tour les thèmes de l'habitat et des usages domestiques, du chamanisme, des pratiques rituelles et funéraires. Tout comme le Museo del Oro *(voir p. 130)*, ce musée archéologique permet de se familiariser avec les civilisations préhispaniques de Colombie.
Descendez la rue jusqu'à l'intersection suivante.

★★ Palacio de Nariño Plan II B4

Carrera 8, n° 7-26 - http://wsp.presidencia.gov.co/dapre/atencion/Paginas/visita-casa-narino.aspx - visite sur demande écrite 5 j. à l'avance - lun.-vend. à 9h, 10h30, 14h30 ; w.-end et j. fériés 14h30 et 16h.
Ce palais néoclassique (1908) d'allure majestueuse a été bâti sur le site même où naquit le héros de l'indépendance **Antonio Nariño** (1765-1823). C'est aujourd'hui la **résidence officielle du président** de la Colombie. C'est en vous tenant sur le côté est que vous aurez la meilleure vue sur la **relève de la garde★** *(merc., vend. et dim. 16h)* qui a lieu sur la **plaza de Armas**. Cette démonstration protocolaire est un événement très sérieux à Bogotá ; il serait malvenu d'essayer de faire rire les soldats comme au palais de Buckingham, à Londres.

Descendez la carrera 7 en direction du sud jusqu'à l'intersection avec la calle 7.

Iglesia de San Agustín Plan II B4

Calle 7, nº 7-13 - 6h-18h.

Traversez la calle 7, qui occupe l'ancien lit de la rivière Manzanares, et vous vous retrouverez face à l'une des églises les plus anciennes de la ville (1637-1668). San Agustín est réputée pour son plafond voûté orné de motifs géométriques, son beau **retable doré** et pour les œuvres qui y sont exposées, au nombre desquelles plusieurs peintures de Gregorio Vásquez de Arce y Ceballos.

Suivez la calle 7 jusqu'à l'intersection avec la carrera 8 et remontez celle-ci vers le nord.

★ Claustro de San Agustín Plan II B4

Carrera 8, nº 7-21 - ✆ (1) 342 2340 - www.bogotaturismo.gov.co/claustro-de-san-agustin-0 - lun.-sam. 8h-18h, dim. et j. fériés 8h-17h - entrée libre.

Cet ancien monastère (1733-1744), bel exemple d'architecture religieuse coloniale, a été transformé en centre culturel par l'Universidad Nacional de Colombia. Autour du cloître *(claustro)* sont présentées en permanence quatre ou cinq **expositions temporaires** de qualité sur des thèmes très variés, artistiques, scientifiques, ethnologiques, historiques ou autres. Le complexe propose également un grand nombre d'ateliers et d'activités (yoga, tango, salsa…) ainsi que des projections cinématographiques *(le jeu. à 17h).*

Remontez la rue vers le nord sur quelques dizaines de mètres.

Palacio Echeverri Plan II B4

Carrera 8, nº 8-43 - ne se visite pas.

Le palais Echeverri abrite aujourd'hui le ministère de la Culture. Il fut construit entre 1900 et 1906 sur les plans de l'architecte français **Gaston Lelarge** (1861-1934), sur un terrain appartenant à l'ancien couvent de Santa Clara, pour le compte de Gabriel Echeverri, un riche mondain de Medellín.

★★ Museo Iglesia de Santa Clara Plan II B4

Carrera 8, nº 8-91 - ✆ (1) 337 6762 - mar.-vend. 9h-17h, w.-end 10h-16h - 3 000 COP - gratuit le dim.

De cet ancien **couvent de clarisses** (1647) en grande partie détruit au 20e s. ne subsiste que la nef de l'église. Celle-ci, superbement restaurée, offre un bon aperçu de l'architecture et des arts des 17e et 18e s. : la nef conserve sa splendide **voûte en berceau★★** ornée de motifs floraux dorés et, de part et d'autre du grand retable baroque de l'abside, les murs sont couverts de tableaux et de sculptures religieuses ; notez les jalousies d'inspiration mudéjare qui s'ouvrent en hauteur, au niveau de l'autel.

Rejoignez l'angle de la rue et descendez la calle 9.

Museo Histórico de la Policía Nacional Plan II B4

Calle 9, nº 9-27 - ✆ (1) 281 3284 - mar.-dim. 8h-17h - entrée libre - visite guidée sur demande.

Occupant un remarquable édifice de la période républicaine, il relate l'histoire des forces de police colombiennes. Au sous-sol, consacré à la lutte contre le narcotrafic, une salle entière est consacrée au baron de la drogue **Pablo Escobar**, à ses crimes et à sa poursuite, qui s'est soldée par son décès en 1993. Le musée rassemble également une collection d'uniformes, d'armes et évoque les différents secteurs d'action de la police colombienne. La **terrasse** du dernier étage offre une vue imprenable sur la cathédrale et les *cerros* en arrière-plan, ainsi que sur les toits de tuiles de la Candelaria.

Prenez la carrera 9 en direction de la calle 10 et remontez celle-ci vers l'est.

Ruelle de la Candelaria, Bogotá.
P. Tisserand/Michelin

Centro Cultural Gabriel García Márquez A Plan II B4

Calle 11, nº 5-60 - ✆ (1) 283 2200 - www.fce.com.co - lun.-sam. 9h-19h, dim. et j. fériés 10h30-17h.

Tout en courbes et en briques, ce bâtiment moderne situé en plein cœur du quartier colonial est l'œuvre de l'architecte **Rogelio Salmona** (1929-2007), auteur notamment de l'Eje Ambiental et des Torres del Parque. Ce **centre culturel** inauguré en 2008 est aussi un agréable lieu de détente, avec restaurant et café ainsi qu'une excellente librairie et un ciné-club programmant parfois des films en français. Le sous-sol de l'édifice a été aménagé en espace d'exposition de photographies *(entrée libre)*.

Continuez dans la calle 11 jusqu'à la carrera 5.

★ Biblioteca Luis Ángel Arango Plan II C4

Calle 11, nº 4-14 - ✆ (1) 343 1212 - www.lablaa.org - lun.-sam. 8h-20h, dim. 8h-16h.

Édifiée en 1958, avec l'austérité architecturale typique de cette époque, la plus grande bibliothèque de Colombie est aussi l'une des plus fréquentées. Plus de 5 000 personnes s'y rendent chaque jour, sans doute en raison du grand nombre d'universités que compte le quartier. Elle possède quelque 2 millions d'ouvrages et programme des **concerts** et des **expositions** de qualité *(agenda au point d'information sur place)*. Plantée sur le parvis de la bibliothèque, une sculpture de fer signée **Bernardo Salcedo** et intitulée *Bosque cultural* (1997) représente quatre pins stylisés.

Traversez la calle 11.

★ Casa de la Moneda (hôtel de la Monnaie) Plan II C4

Calle 11, nº 4-93 - ✆ (1) 343 1212 - www.banrepcultural.org/museos-y-colecciones/casa-de-moneda - lun., merc.-sam. 9h-19h, dim. et j. fériés 10h-17h - visites guidées gratuites (env. 1h15) : se rens. à l'accueil pour les horaires.

Cette belle maison coloniale agrémentée d'une cour intérieure fleurie abritait jadis l'**hôtel de la Monnaie**, fondé en 1621 sur ordre du roi Philippe II. C'est ici que furent frappées les premières pièces d'or d'Amérique du Sud. L'institution

Bogotá, histoire d'une croissance chaotique

LES MUISCAS

Son emplacement stratégique, entre les cordillères, fit de la région de Bogotá un foyer de peuplement précoce : d'après les archéologues, les Muiscas s'y seraient installés aux alentours du 7e s. av. J.-C. Dans leurs premières chroniques, les Espagnols décrivent leur civilisation comme l'une des plus avancées qu'ils aient rencontrées.

Les Muiscas, rattachés à la famille linguistique **chibcha**, formaient un peuple d'agriculteurs vivant dans une société organisée en villages centralisés. Excellents orfèvres, ils organisaient des rituels au cours desquels les **émeraudes** et les **métaux précieux** jouaient un rôle central : c'est d'ailleurs l'origine de la quête de l'**Eldorado** entreprise par les Espagnols.

Découverts fortuitement à l'occasion d'un chantier de construction, une centaine de dépouilles et des vestiges des communautés muiscas ont été mis au jour en 2008 dans le quartier d'**Usme**, au sud de Bogotá, où les fouilles archéologiques se poursuivent.

L'ÉPOQUE COLONIALE

L'arrivée le 6 août 1538 du conquistador **Gonzalo Jiménez de Quesada**, qui « fonda » la ville sur le site du **Chorro de Quevedo**, dans l'actuel quartier colonial de la Candelaria, ne mit aucunement fin à la présence des Muiscas. En dépit des nombreux conflits qui les opposèrent aux Espagnols au fil des siècles, on croise toujours aujourd'hui leurs descendants dans les rues de Bogotá. Et malgré le désaccord qui opposa Gonzalo Jiménez de Quesada, **Sebastián de Belalcázar** et **Nikolaus Federmann** sur l'appartenance du territoire de Nouvelle-Grenade (Nueva Granada – *voir « Histoire », p. 71*), l'intérêt de la ville de Bogotá finit par prévaloir. Des bâtiments y furent construits et des places y furent aménagées (la plaza de Bolívar date par exemple de 1553), et la ville accueillit le siège du gouvernement de la **vice-royauté de Nouvelle-Grenade**.

UNE CAPITALE EN DEVENIR

En 1810, au moment des premiers soubresauts anti-espagnols, la ville comptait déjà 30 000 habitants. En 1814, le Libérateur du nord de l'Amérique du Sud, **Simón Bolívar**, s'empara de Bogotá au nom des Provinces unies de Nouvelle-Grenade. La reconquête espagnole mit temporairement fin aux idéaux d'indépendance jusqu'en 1819, lorsque la victoire remportée par Bolívar à la **bataille de Boyacá** *(voir p. 161)* scella définitivement le destin du pays. Bogotá devint alors la capitale de la **Grande Colombie**. Le nouvel État englobait les territoires de l'actuelle Colombie, de l'Équateur, du Venezuela et du Panama *(voir « Histoire », p. 74)*.

Après la dislocation de la Grande Colombie, et avant que ne fût véritablement constituée la République de Colombie, Bogotá resta à la tête d'un pays en ruine, en proie à des guerres civiles incessantes. Au début du 20e s., sa population comptait plus de 100 000 habitants. La ville entra ensuite dans une période de prospérité et de croissance urbaine sans précédent. La vie intellectuelle et les arts étaient florissants, et c'est à cette période que la ville se dota de certains de ses plus beaux monuments et musées. Son rayonnement était tel qu'elle attira de nombreux artistes.

BOGOTÁ, HISTOIRE D'UNE CROISSANCE CHAOTIQUE

LES ÉMEUTES DU BOGOTÁZO

Les conflits qui agitaient le pays finirent par gagner Bogotá. Les tensions entre conservateurs et libéraux aboutirent aux émeutes dites du Bogotázo, qui suivirent l'assassinat du candidat libéral à l'élection présidentielle, **Jorge Eliécer Gaitán**, le 9 avril 1948 *(voir p. 76)*. Le centre historique fut en grande partie détruit lors des pillages et des destructions qui s'ensuivirent et qui firent quelque 3 000 morts. 136 bâtiments furent incendiés, au nombre desquels le **Palacio San Carlos** et le **Palacio de Justicia**.

L'ENVIRONNEMENT URBAIN

Le Bogotázo modifia profondément la physionomie de certains quartiers de la ville. Les familles riches, propriétaires des imposantes demeures du centre de Bogotá et de ses alentours, choisirent alors de s'installer dans les quartiers nord de la ville, à **Suba** et **Usaquén**, notamment. Ce transfert devint inéluctable lorsque le parti politique au pouvoir commença à élaborer un projet de route desservant le nord du pays.

Négligé, le quartier de la **Candelaria**, centre colonial, finit par devenir une zone de non-droit, jusqu'à ce que la municipalité décide, dans les années 1990, de mettre en valeur son potentiel universitaire et touristique.

Les transports en commun furent développés, les sites historiques restaurés et la sécurité renforcée, non seulement dans le centre-ville, mais aussi dans bon nombre de quartiers.

TRANSMILENIO

Plébiscité par les urbanistes, le système des bus articulés du **TransMilenio** faisait figure, au moment de sa création en 2000, de solution miracle en matière de transports. Quinze ans plus tard, il compte 144 stations distribuées sur 15 lignes principales. Mais les critiques à son égard demeurent virulentes, notamment sur le plan environnemental et sur celui de la sécurité (pickpockets, agressions).

BOGOTÁ AUJOURD'HUI

En raison de l'arrivée massive de populations originaires des campagnes, déplacées à la suite des conflits armés, Bogotá connaît une pression démographique importante. Les **invasiones**, ces quartiers d'habitation construits sans autorisation, sont de plus en plus nombreux dans les zones périphériques, notamment à **Ciudad Bolívar**, au sud-ouest de la capitale. Pour faire face aux problèmes d'insalubrité et d'insécurité qu'ils génèrent, la municipalité a mis en place des programmes de logements sociaux et d'amélioration du réseau des transports en commun, afin de prévenir l'exclusion de ces nouvelles populations. La présence de personnes en situation d'extrême précarité reste néanmoins sensible, et ce dans tous les quartiers de la ville.

La circulation s'est améliorée ces dernières années, notamment sous l'administration de l'ancien maire **Antanas Mockus**. Celui-ci réussit par exemple à faire respecter les feux rouges grâce à une idée ingénieuse consistant à poster des mimes aux principales intersections. Il fut par ailleurs l'instigateur d'un important réseau de **pistes cyclables** *(voir l'encadré p. 133)*.

Souvent dépeinte dans les médias comme une ville polluée, en proie aux embouteillages et à une criminalité galopante, Bogotá est aussi un grand centre financier, une capitale politique et une grande ville universitaire et culturelle, dotée de nombreux musées et de sites remarquables.

fut agrandie au 17e s. pour faire face à la forte progression de la demande. Les collections numismatiques retracent l'histoire de la monnaie dans la Grande Colombie et celle des techniques de fabrication des pièces et des billets.

★★★ **Museo Botero** G Plan II C4

Calle 11, n° 4-41 - ✆ (1) 343 1212 - http://banrepcultural.org/museo-botero - lun., merc.-sam. 9h-19h, dim. et j. fériés 10h-17h - dernière entrée 30mn avant fermeture - entrée libre - visites guidées lun., merc.-vend. 16h ; w.-end 11h et 16h (env. 1h15) - audioguide en français (10 000 COP).

Ce musée rassemblant les œuvres données à la ville par **Fernando Botero** *(voir p. 84)* fait face à la Biblioteca Luis Ángel Arango. De Botero lui-même sont exposés plus d'une centaine de **peintures** – dont bon nombre de grands formats –, dessins (portraits de Paul Cézanne et de Gustave Courbet), aquarelles et sculptures. C'est ici que vous retrouverez le tableau revisitant la *Mona Lisa* de Léonard de Vinci. L'exposition comprend essentiellement des portraits de personnages types (le prêtre, l'homme du commun, la courtisane, le militaire, etc.), mais aussi quelques natures mortes et des vues de villages colombiens. Vous y verrez, à l'étage, les modèles réduits en bronze des statues qui se dressent sur la plaza de Botero à Medellín.

Peintures au rez-de-chaussée, sculptures à l'étage, la **collection privée** de Botero, essentiellement composée d'œuvres contemporaines, ne compte pas moins de 85 chefs-d'œuvre d'artistes de renommée internationale : citons Renoir, Dalí, Chagall, Picasso, Miró, Braque, Chirico, Rouault pour la peinture, Max Ernst, Henri Laurens, Henry Moore, Alexander Calder pour la sculpture.

★★ **Museo de Arte del Banco de la República** Plan II C4

Calle 11, n° 4-21 - ✆ (1) 343 2909 - http://banrepcultural.org/coleccion-de-arte-banco-de-la-republica - lun., merc.-sam. 9h-19h, dim. et j. fériés 10h-17h - entrée libre - visites guidées gratuites (env. 1h15) : se rens. à l'accueil pour les horaires.

La **Banque de la République** possède de remarquables collections d'art exposées dans toute la Colombie (notamment des pièces d'orfèvrerie précolombiennes). À Bogotá, elle a ouvert au public un très bel espace contemporain relié par des passerelles et des escaliers à la Casa de la Moneda et au Museo Botero, entre lesquels on circule librement. Cet espace comporte un grand bâtiment dédié à des **expositions temporaires** majeures ainsi qu'un ensemble de salles aux lignes claires, desservies par un bel escalier en spirale, où l'exposition permanente, riche de plus de 5 000 œuvres, est structurée en quatre temps. Elle bénéficie d'une présentation thématico-chronologique fort bien faite, avec de bonnes explications *(espagnol et anglais)* dans chaque salle. Dans la section consacrée aux **débuts de l'âge moderne** (16e-18e s.), notez deux petits tableaux de Pieter Brueghel le Jeune dont *Adam et Ève au jardin d'Éden*, ainsi qu'une toile de Baltasar de Vargas Figueroa (1629-1667). L'art

LES PETITES GENS DE LA CANDELARIA

Une vingtaine de statues en résine et en fibre de verre occupent les toits de divers édifices de la Candelaria. Elles ont été installées là entre les années 1990 et 2010 par le sculpteur **Jorge Olave** (1953-2013) et représentent des habitants du quartier figurés grandeur nature. Vous verrez ainsi un philosophe assis sur le toit de la Casa de los Comuneros, un funambule sur la plaza Chorro de Quevedo, un pêcheur, un cordonnier, un pendu… Cherchez-les au long de la carrera 3, où vivait l'artiste, notamment entre les calles 10 à 12C.

colombien du 19e s. est présenté dans la section **Ruptures et continuités**, avec notamment *La Muerte de Sucre* (1836), de Pedro José Figueroa, et des gravures réalisées par des voyageurs européens découvrant la Colombie à cette époque. Les **Avant-gardes** abordent la période 1910-1950, tandis que la section **Expérimentations contemporaines** expose installations et œuvres de technique mixte des années 1950 à 1980. Parmi les chefs-d'œuvre du musée se trouvent la *Lechuga* et la *Clarissa*, deux **ostensoirs★★** du 18e s. incrustés de centaines d'émeraudes, diamants, perles et améthystes.

Remontez la calle 11 vers les montagnes, tournez à gauche dans la carrera 3, où vous verrez quelques-unes des sculptures installées par Jorge Olave (voir l'encadré p. 126), puis à droite dans la calle 12B.

★ Plaza Chorro de Quevedo Plan II C4

Calle 12B, carrera 2. Évitez de vous y attarder la nuit, le quartier n'étant pas toujours bien famé.

Sur la place, une petite fontaine signale l'endroit où, en 1538, **Gonzalo Jiménez de Quesada** se serait arrêté pour abreuver ses chevaux et aurait décidé de fonder la ville de Bogotá. Ce lieu à l'atmosphère bohème rassemble quelques **bars** éclectiques où l'on peut goûter à la version locale de la *chicha* ou au thé de coca *(voir p. 147)*. En début de soirée, des **conteurs** *(cuenteros)* s'installent encore parfois devant la petite chapelle pour régaler la foule d'histoires drôles. Le **callejón del Embudo**, une ruelle pavée partant à l'angle de la place, rassemble une kyrielle de bars à l'atmosphère jeune et animée.

Descendez la calle 12C.

1

Casa de Poesía Silva Plan II C3

Calle 12C, n° 3-41 - ✆ (1) 286 5710 - www.casadepoesiasilva.com - lun.-vend. 9h-13h, 14h-18h - entrée libre.

Sans doute construite vers 1715, cette demeure abrite aujourd'hui le **musée national de la Poésie**, ainsi qu'une vaste bibliothèque. Des lectures de poèmes y sont souvent organisées. Le musée porte le nom du poète **José Asunción Silva** (1865-1896), qui vécut dans cette maison avant de mettre fin à ses jours.

EJE AMBIENTAL DE LA AVENIDA JIMÉNEZ Plan II BCD2-3

Au départ de la Quinta de Bolívar, circuit 2 tracé en vert sur le plan du centre (p. 118-119) – Comptez 1/2 journée avec les visites.

Cette avenue au tracé sinueux dont le large terre-plein central, arboré et agrémenté de bassins, est réservé aux piétons relie la Candelaria à la Quinta de Bolívar. Venez-y plutôt le dimanche, lorsque le parking situé en face du parque de los Periodistas accueille un petit marché aux puces et que l'Eje Ambiental se remplit de marchands de gaufres, de fruits et de souvenirs. Vous vous mêlerez à la foule des promeneurs qui se rendent au Cerro de Monserrate (le funiculaire et le téléphérique grimpant à la basilique se trouvent au bout de l'avenue ; *voir p. 137*).

★ Casa Museo Quinta de Bolívar Plan II D2

Calle 20, n° 2-91 Este - ✆ (1) 336 6410 - www.quintadebolívar.gov.co - mar.-vend. 9h-17h, w.-end 10h-16h - 3 000 COP, gratuit le dim. - audioguide anglais et espagnol 1 500 COP - visites guidées en espagnol mar.-vend. à 11h et 14h, en anglais le merc. à 14h.

Cette villa du 19e s. fut offerte par le nouveau gouvernement à **Simón Bolívar**, juste après l'indépendance. Bolívar y résida une première fois en 1821, puis en 1826, avant d'en faire sa résidence principale, où il vécut avec sa compagne

Manuela Sáenz à partir de 1827. Par la suite, la villa fit office d'école, de brasserie puis de centre politique. Elle abrite désormais un **musée** dédié au Libertador : vous y verrez divers objets personnels ayant appartenu à Bolívar, notamment son lit et d'autres meubles et objets d'époque. Il manque en revanche son **épée**, dérobée en 1975 par les guérilleros du M19, un groupe bien connu pour ses actions médiatiques.

Longez l'université Los Andes en direction du centre-ville et suivez l'Eje Ambiental.

★ Iglesia de las Aguas Plan II D3

Carrera 2A, nº 18A-62 - ouverte pour les offices uniquement.

En léger retrait par rapport à l'avenue, la façade coloniale chaulée de cette église date de 1644. À noter, un grand retable baroque doré et sculpté ainsi que des œuvres des peintres Gregorio Vásquez, Antonio Acero de la Cruz et Baltasar de Figueroa. La **Capilla de San Antonio**, aménagée dans le bras gauche du transept, est un ajout de 1901 de style néogothique.

Claustro de las Aguas – *Carrera 2A, nº 18A-58 - www.artesaniasdecolombia.com.co.* Juste à côté de l'église, cet ancien couvent, qui fut aussi un hôpital et un orphelinat, abrite désormais le siège de la chaîne **Artesanías de Colombia**, réputée pour la qualité de ses produits d'artisanat et de ses vêtements, fabriqués dans tout le pays.

Revenez sur l'Eje Ambiental et poursuivez en direction du centre-ville.

★ Monumento a la Pola Plan II C3

Carrera 2A, calle 18.

Si les statues de martyrs masculins du mouvement indépendantiste sont particulièrement nombreuses en Colombie, celles représentant des femmes sont beaucoup plus rares. À cet égard, celle qui fut érigée en 1968 à la mémoire de **Policarpa Salavarrieta** (1795-1817) mérite d'être citée. Pendant la **Reconquista** (Reconquête espagnole), Policarpa, qui se livra à des activités d'espionnage pour le compte des révolutionnaires, fut exécutée par la vice-royauté de Nouvelle-Grenade pour haute trahison. On doit au sculpteur péruvien **Gerardo Benítez** cette émouvante statue de bronze qui représente la jeune héroïne, les mains attachées dans le dos, face à son destin.

Traversez l'Eje Ambiental.

QUAND L'ART DESCEND DANS LA RUE

Compte tenu des nombreux défilés et manifestations en tous genres qui se succèdent en permanence sur la plaza de Bolívar, on s'étonnera peu de découvrir des graffitis à l'humour ravageur sur les murs du quartier, d'autant que l'on ne dénombre pas moins de huit universités à proximité. Lors des défilés du 1er Mai, la carrera 7, du Centro Internacional au cœur de la Candelaria, se couvre d'inscriptions colorées. Ouvrez l'œil dans les rues de la Candelaria, où les graffitis sont les plus intéressants et les plus créatifs, au point de devenir l'une des attractions préférées des voyageurs amateurs de *street art* *(voir p. 149)*. Des motifs anodins dissimulent un sens profond, tels ce pissenlit qui arbore des mitraillettes à la place des feuilles, cette libellule qui fait de même avec ses ailes ou encore cette grenade qui, de loin, ressemble à un ananas. Ces messages de protestation discrets sont une autre facette des troubles qui affectent la Colombie. Un grand nombre de ces œuvres contestataires se trouvent le long du **parque de los Periodistas**, ainsi qu'au début des **carreras 3** et **4**, en remontant vers la Candelaria.

Passage du TransMilenio près de l'Eje Ambiental, Bogotá.
P. Tisserand/Michelin

Parque de los Periodistas (square des Journalistes) Plan II C3

Av. Jiménez, carrera 3.

Ce vaste square dallé de briques invite à s'asseoir et à se reposer un moment, sous le regard vigilant de Simón Bolívar. Il accueille en son centre le **Templete del Libertador**, kiosque réalisé en 1883 par le sculpteur italien Pietro Cantini (1847-1929) pour commémorer le centenaire de la naissance du Libérateur. Le **dimanche** s'installe en face du square un petit **marché aux puces** *(attention aux pickpockets)*.

Academia Colombiana de la Lengua – *Carrera 3, n° 17-34 - ne se visite pas.* Au nord-est de la place, cet édifice néoclassique fut bâti vers la fin des années 1950, selon les plans de l'architecte espagnol **Alfredo Rodríguez Ordaz**. Réplique du siège de l'Académie royale espagnole, il abrite l'**Académie colombienne de la langue espagnole**, fondée en 1871.

Continuez à descendre l'avenida Jiménez sur deux longs pâtés de maisons.

★ Plazoleta del Rosario (placette du Rosaire) Plan II C3

Calle 12C, carrera 6.

Cette agréable place au centre de laquelle se dresse la statue de **Gonzalo Jiménez de Quesada**, le fondateur de Bogotá, est bordée de quelques cafés fondés dans les années 1930 à 1950. C'est d'ailleurs au **Café Pasaje** que fut créé en 1941 le **Santa Fé**, l'un des plus grands clubs de football de la ville. Le bâtiment qui délimite le sud de la place appartient quant à lui à l'**Universidad del Rosario**, fondée en 1653. Des artisans et des libraires tiennent souvent des stands sur cette place.

Longez l'avenue vers l'ouest jusqu'à la carrera 7, que vous traverserez.

★ Iglesia de San Francisco Plan II B3

Calle 16, n° 7-35 - www.templodesanfrancisco.com.

L'église (1557-1595), endommagée par plusieurs séismes et maintes fois remaniée, possède une riche décoration du 17e s. dans les tons rouge et or que l'on retrouve sur les antiques confessionnaux posés au pied de chacun des piliers de la nef et sur les chaires, de part et d'autre de l'autel. Le **retable★★** principal (17e s.) tapisse littéralement l'abside. Levez les yeux vers la superbe charpente d'influence mudéjare.

Palacio San Francisco – *Av. Jiménez, nº 7-50.* Le monastère franciscain qui jouxtait l'église San Francisco fut détruit au 20e s. pour permettre l'édification de ce palais (1933) à la façade néoclassique, où siégeait le **gouverneur du Cundinamarca**. Il appartient désormais à l'Universidad del Rosario. Incendié lors du **Bogotázo**, en 1948, le palais fut reconstruit à l'identique.

Prenez la carrera 7 en direction du nord.

Iglesia de la Veracruz Plan II B3

Calle 16, nº 7-19.

Accolée au chevet de l'église San Francisco, elle fut construite en 1546. Elle se distingue par la simplicité de sa façade et, hormis un plafond ouvragé aux motifs rouge et or et un grand retable doré du 17e s. dans le bras droit du transept, par la sobriété de son intérieur. Importante sur le plan historique, elle abrite le crucifix du *Cristo de los Agonizantes*, au pied duquel les prisonniers priaient la veille de leur exécution, et le *Cristo de los Martires*, tableau qui les accompagnait jusqu'au lieu de leur exécution. Bon nombre de héros et de martyrs de l'indépendance tués pendant la période de terreur orchestrée par les Espagnols aux alentours de 1815 sont enterrés dans cette église, qui est aussi le **Panthéon national**. Notez le raffinement de la décoration de l'autel plaqué d'argent repoussé.

★ Iglesia de la Tercera Plan II B3

Carrera 7, nº 16-07.

La Tercera (1761-1774), voisine des deux précédentes, arbore une belle **façade coloniale**. Elle contient onze splendides **retables★★** de bois noir du 18e s. dans un style rococo qui contraste fortement avec l'intérieur généralement baroque des autres églises de la ville.

Traversez la rue, en direction de l'est.

Parque de Santander Plan II C3

Entre la carrera 7 et la carrera 5, bordant la calle 16.

Cette place qu'ombragent quelques arbres, avec ses vendeurs de livres, ses cireurs de chaussures et sa statue de **Francisco de Santander** au milieu, permet de prendre la mesure de l'effervescence qui règne dans le centre-ville. L'endroit inviterait à une pause plaisante s'il était mieux entretenu. Hormis quelques galeries et boutiques de souvenirs destinées aux groupes dans les alentours immédiats, son principal point d'intérêt est assurément l'extraordinaire musée de l'Or situé en face – vous pouvez en revanche bouder le musée de l'Émeraude, un attrape-touristes décevant.

★★★ Museo del Oro (musée de l'Or) Plan II C3

Angle parque de Santander et calle 16 - ✆ (1) 343 2222 - www.banrepcultural.org/museo-del-oro - mar.-sam. 9h-19h, dim. et j. fériés 10h-17h - dernière entrée 1h avant fermeture - visites guidées en anglais mar.-sam. 11h et 16h, en espagnol 11h, 15h et 16h - 3 000 COP, gratuit le dim. - audioguide en français (6 000 COP). Comptez au moins 2h de visite ; venez dès l'ouverture et de préférence en semaine pour échapper à la foule.

Le plus beau musée de ce type au monde, tout simplement. Rendant hommage au talent des **artistes précolombiens** et au mystère qui enveloppe encore aujourd'hui leurs civilisations, il compte près de 50 000 pièces d'orfèvrerie

provenant des cultures nariño, tumaco, san agustín, calima, quimbaya, muisca, tayrona, tolima, zenú, cauca, etc.
La visite s'organise autour de quatre expositions permanentes. La première, consacrée au **travail des métaux**, présente les différentes techniques utilisées à l'époque préhispanique, comme le martelage et le moulage à la cire perdue, pour façonner l'or, mais aussi le cuivre et les alliages. La seconde met en contexte, **région par région**, l'usage de l'or au sein de chaque groupe ethnique dans ses aspects quotidiens comme dans sa dimension rituelle. Bijoux, statuettes et figurines zoomorphes, masques funéraires en or côtoient des céramiques de toute beauté, des coquillages gravés ou sculptés, des instruments de musique et divers objets à usage domestique. Notez les représentations stylisées de grenouilles, chauves-souris, serpents et jaguars, et, dans la culture de Tierradentro, la reconstitution d'un hypogée.
À l'étage supérieur, la section **cosmologie et symbolisme** assure quant à elle une présentation thématique : le monde des dieux, celui des humains et l'inframonde, royaume des morts ; le rôle de l'or chez les caciques et les prêtres ; les ustensiles (cuillères, inhalateurs, vaisselle) liés à la consommation des plantes sacrées telles que le tabac, la coca et le *yopo* hallucinogène ; le symbolisme animal, etc. Parmi les pièces majeures exposées au centre de la salle, ne manquez pas le **poporo**★★★ (récipient à chaux) quimbaya dont l'acquisition par la banque, en 1939, donna le coup d'envoi au projet du musée. En face, la **salle des offrandes** évoque l'univers du chamanisme ; elle s'organise autour de la *balsa de la ofrenda*, une pièce d'orfèvrerie muisca figurant un prêtre ou un cacique monté sur un radeau pour offrir à la terre le métal précieux, en le jetant au fond de la Laguna de Guatavita *(p. 153)* – une représentation qui contribua à la naissance du mythe de l'Eldorado.
Clou du musée, l'éblouissante **chambre de l'offrande**★★★ est un espace circulaire dont les parois sont couvertes de 3 266 pièces d'orfèvrerie : les portes de la salle se referment sur vous et, sur fond de chants sacrés koguis, des jeux de lumière font apparaître progressivement les objets d'or agencés pour former des motifs symboliques tels que soleil et vols d'oiseaux, et ceux, surmontés d'une fabuleuse émeraude, qui sont disposés au fond du puits central.

CENTRO INTERNACIONAL Plan II C1

TransMilenio : le sud du quartier est desservi par la station San Diego, le nord par la station Museo Nacional – Comptez 1/2 journée pour découvrir le Centro Internacional, visite des musées comprise.
Le quartier d'affaires de la ville, délimité par les **calles 24** et **32** et par les **carreras 5** et **14**, se situe à quelques rues au nord de la Candelaria *(25mn à pied)*. Vous y trouverez des musées, un grand parc et des curiosités architecturales, ainsi que d'excellents restaurants, ouverts le midi et destinés aux employés des nombreux sièges d'entreprises installés ici.

★★ La Macarena Plan II C1

Quartier délimité par les carreras 3 et 5, et les calles 26 et 30.
Au pied des *cerros*, entourant les Torres del Parque et le Museo Nacional, la Macarena, réputée pour la diversité de sa **gastronomie** (colombienne, libanaise, péruvienne…), est appréciée par les gourmets *(voir p. 144)*. Quartier aisé dans les années 1930, elle s'est transformée au fil du temps et de l'évolution du tissu socio-économique de la ville. L'atmosphère y est aujourd'hui chic et bohème, attirant les galeries où s'exposent des étoiles montantes de la scène artistique colombienne.

Torres del Parque Plan II C1

Carrera 5 et calle 27, près de la Plaza de Toros.

Ces trois imposantes **tours de brique**, construites entre 1965 et 1970, sont une création de **Rogelio Salmona** (1929-2007). Cet ensemble architectural, que vous reconnaîtrez aisément (sa silhouette veut évoquer celle de la Cordillère orientale toute proche), est sans doute le plus étonnant de Bogotá. Ce complexe résidentiel de 300 logements épouse la courbe de la Plaza de Toros. L'architecte a mis un point d'honneur à ce que chaque unité d'habitation possède son propre espace extérieur couvert. Emblématique et reconnaissable entre tous, le style de Salmona a inspiré beaucoup d'architectes colombiens.

Plaza de Toros La Santamaría (arènes de la Santamaria) Plan II C1

Carrera 6, nº 26-50.

La tauromachie *(voir p. 58)* compte de nombreux adeptes à Bogotá. En saison *(janv.-fév.)*, cette arène datant de 1931 et d'une capacité de 14 500 places est souvent bondée. Le riche éleveur **Ignacio Sanz de Santamaría** consacra une bonne partie de sa fortune à la réalisation de ce projet, conçu par les architectes Adonaí Martínez et Eduardo Lazcano. La façade mauresque, un ajout des années 1940, est l'œuvre de l'architecte espagnol **Santiago Mora**.

Museo Taurino – *Plaza de Toros La Santamaría, Puerta 6 - ✆ (1) 282 2792 - fermé pour une durée indéterminée.* Il raconte l'histoire de la tauromachie colombienne et présente une collection de costumes de matadors et d'objets liés à cet art.

★ Parque de la Independencia Plan II C1

Calle 26 et carreras 5 à 7.

Créé en 1910, pour le centenaire de l'indépendance de la Colombie, cet espace est, avec ses pins et ses acacias, une oasis de verdure bienvenue au milieu de la jungle de béton et de verre que constitue le Centro Internacional. Ses petits kiosques sont l'œuvre de l'architecte italien **Pietro Cantini**.

Planetario de Bogotá – *Carrera 6, nº 26-07 - ✆ (1) 281 4150 - www.planetariodebogota.gov.co - mar.-dim. et j. fériés 10h-16h - projections : 7 000 COP - Museo del Espacio 9 000 COP.* Ce planétarium inauguré en 1969 est doté d'une vaste coupole de 25 m de diamètre. La visite du **musée de l'Espace** s'accompagne de projections de 35 à 45mn sur des thématiques historiques et scientifiques liées à l'astronomie et permettant de découvrir les planètes du système solaire.

LES ÂMES DE L'HISTOIRE

À l'ouest du Centro Internacional, de l'autre côté de la carrera 26 qui relie le Centro Internacional Tequendama à l'aéroport, s'étend le cimetière historique le plus important de Bogotá, à défaut d'être le plus ancien : les Muiscas enterraient leurs morts en de nombreux sites dispersés sur le territoire qu'occupe aujourd'hui la capitale. Visiter le **Cementerio Central** (Plan II A1 en dir. - *carrera 20, nº 24-80 - 8h-16h30)*, c'est aller saluer la mémoire de quelques-uns des grands hommes qui contribuèrent à forger l'identité de la Colombie contemporaine. Un air de mystère flotte dans ses allées chargées d'histoire ; bordées de vastes mausolées appartenant aux familles les plus riches du pays, celles-ci n'ont rien à envier à celles du célèbre cimetière de la Recoleta, à Buenos Aires. On y observe de nombreuses références à la franc-maçonnerie et à des personnages historiques.

Conseil – Il est vivement recommandé de prendre un taxi pour se rendre au Cementerio Central et pour en repartir, le cimetière étant adossé au quartier de Santa Fé, l'un des moins sûrs de la ville.

LA NAISSANCE D'UNE CULTURE DU VÉLO

En incitant les 7,8 millions de Bogotanais à s'approprier plus de **376 km de pistes** exclusivement réservées aux cyclistes, la municipalité éco-progressiste de Bogotá a beaucoup contribué à l'objectif de réduction des émissions polluantes. Depuis la construction de ces **ciclorutas** (pistes cyclables), les déplacements à vélo dans la ville ont été multipliés par cinq, et leur nombre se situerait entre 400 000 et 450 000 trajets quotidiens. Des parcs à vélos gratuits sont aménagés à proximité de certains arrêts du TransMilenio et la ville projette de raccorder entièrement le réseau. Cet aménagement sans précédent constitue un véritable modèle pour l'Amérique latine. *Voir aussi « Activités », p. 149.*

Biblioteca Nacional Plan II C1

Calle 24, n° 5-60, entre les carreras 5 et 6 - ☏ (1) 341 3061 - www.biblioteca nacional.gov.co (programme des expositions temporaires) - lun.-vend. 8h-18h, sam. 9h-16h.

Fondée en 1777, la Bibliothèque nationale de Colombie occupe, depuis 1938, un immeuble de style Art déco dessiné par **Alberto Wills Ferro** (1906-1968) et remanié en 1977. Véritable mémoire de la richesse bibliographique du pays, elle rassemble un nombre impressionnant d'ouvrages, notamment 30 000 livres publiés avant 1800. Vous la découvrirez à l'occasion des expositions temporaires (thématiques éclectiques) qui y sont régulièrement organisées.

1

★★ **Museo de Arte Moderno de Bogotá (MamBo)** Plan II C1

Calle 24, n° 6-00 - ☏ (1) 286 0466 - www.mambogota.com - mar.-sam. 10h-18h, dim. 12h-16h30 - 4 000 COP.

Inauguré en 1979, le bâtiment qui accueille le musée d'Art moderne de Bogotá est l'œuvre de l'architecte **Rogelio Salmona** (1929-2007), l'auteur des Torres del Parque. Sa vaste collection rassemble des peintures, des dessins et des sculptures d'artistes colombiens et étrangers du 20e s. dont les travaux sont présentés par roulement, au gré d'expositions temporaires. Parmi les 2 000 pièces exposées figurent régulièrement des œuvres de grands artistes colombiens tels que **Botero**, **Negret**, **Grau** et **Obregón** *(voir « Arts et culture », p. 83 à 87)*, ou encore Manzur, Villamizar, Álvaro Barrios, Ana Mercedes Hoyos et María de la Paz Jaramillo.

★ **Mirador Torre Colpatria** Plan II C1

47e étage, Torre Colpatria - carrera 7, n° 24-89, à l'angle de la calle 26 - ☏ (1) 283 6665 - w.-end et j. fériés 11h-17h - 4 500 COP.

La **Torre Colpatria** (1978), qui abrite un important centre financier, est avec 180 m la plus haute tour de Colombie et l'un des immeubles emblématiques de la capitale. La nuit, la tour se pare d'illuminations multicolores. En fin de semaine, le public peut accéder au **belvédère** *(mirador)* de l'édifice, magnifique point d'observation situé au 47e étage. La **vue** englobe les Cerros de Monserrate et de Guadalupe, à l'est, Ciudad Bolívar au sud, et la Sabana Cundiboyacense à l'ouest.

Recoleta de San Diego Plan II C1

Calle 26, n° 7-30 - lun.-vend. 7h-19h30, sam. 14h-20h, dim. 8h30-13h, 17h-19h.

Il reste peu de chose de la structure d'origine de la Recoleta de San Diego, un ensemble conventuel bâti par les **franciscains** en 1606, le développement du quartier ayant entraîné la construction de grands axes de circulation et de gratte-ciel éradiquant sans pitié ce qui se trouvait sur leur passage. On y trouve néanmoins une **église** très simple, dotée d'une chapelle dédiée à Nuestra Señora del Campo (Notre-Dame des Champs), que les paysans des environs et les Indiens continuent de venir honorer.

Centro Internacional Tequendama Plan II C1

Carrera 10, nº 27-51.

L'édification du Centro Internacional Tequendama marqua un tournant dans l'histoire de l'architecture et de l'urbanisme en Colombie. Dans les années 1950, alors que la plupart des entreprises quittaient le centre-ville pour s'établir plus au nord, suite au Bogotázo de 1948, des urbanistes décidèrent de construire ici un complexe d'hôtels et de bureaux pour redynamiser le quartier. La réalisation de ce projet coïncida avec celle de l'**aéroport El Dorado** ainsi qu'avec la rénovation de l'axe routier qui reliait directement le terminal au centre-ville, et qui allait faire de ce lieu stratégiquement situé un grand centre d'affaires. **Gabriel Serrano Camargo** (1909-1982), l'un des pionniers de l'architecture colombienne moderne, fut l'initiateur de ce projet précurseur, notamment en matière d'utilisation du béton.

★★ Museo Nacional de Colombia Plan II C1 en dir.

Carrera 7, nº 28-66 - ✆ (1) 334 8366 - www.museonacional.gov.co - mar.-sam. 10h-18h, dim. et j. fériés 10h-17h - dernière entrée 30mn avant fermeture - entrée libre - visites guidées gratuites en espagnol mar., jeu. et vend. à 16h, en anglais merc. à 16h.

Fondé en 1823, le plus vieux musée de Colombie occupe un ancien **pénitencier** qui demeura en activité jusqu'en 1946. Ses austères murs de brique, aux allures de forteresse, témoignent de ce passé. Le rez-de-chaussée présente la Colombie préhispanique à travers une belle série de céramiques ordonnées selon de grandes thématiques : pratiques religieuses et funéraires, agriculture et échanges commerciaux, organisation sociale et politique des différents groupes ethniques. Le 1er étage est consacré à la conquête espagnole, à la période républicaine et à l'histoire du pays jusqu'en 1886. Enfin, le 2e étage, qui s'ouvre sur une salle en rotonde tapissée de toiles de **Botero**, expose un panorama des arts colombiens du 20e s. (peintures, sculptures et installations).

Parque Central Bavaria Plan II C1 en dir.

Carrera 13A, nº 28-18.

Cette zone résidentielle, avec ses places et ses espaces verts, s'est vu décerner le **grand prix national d'Architecture** en 1998. L'usage important qui est fait de la brique témoigne de l'amour que porte la ville à ce matériau – à moins qu'il ne s'agisse d'un hommage à l'œuvre de Rogelio Salmona.

★ Zona Norte Plan I (Agglomération) p. 113

Desservie par le TransMilenio tout au long de l'avenida Caracas (carrera 14).

Au nord du Centro Internacional, vous découvrirez dans le quartier résidentiel de **Chapinero** un tout autre décor, fait de hautes tours d'habitation, de résidences étudiantes et de petits chalets de brique rouge. Le Chapinero est connu pour être la zone *gay friendly* de la ville. Plus au nord, la **Zona Rosa** apparaît comme un quartier chic, aux rues bordées d'arbres et aux innombrables boutiques et hôtels de luxe ; elle regorge aussi de bars et de boîtes de nuit branchés ainsi que d'immenses centres commerciaux. Vous arriverez ensuite dans la **Zona Norte**, quartier des ambassades, des librairies et des restaurants internationaux.

Torres del Parque et Plaza de Toros La Santamaría, Bogotá.
J. Sweeney/Agency Jon Arnold Images/age fotostock

1

★ **PARQUE SIMÓN BOLÍVAR** Plan I A3

Calles 63 et 53, entre les carreras 48 et 68 - ✆ (1) 660 0288 - 6h-18h.
Avec 16 km de chemins, un grand lac et une piste de course, cet immense parc de 113 ha – cinq fois la taille des Buttes-Chaumont, à Paris – est le poumon vert de Bogotá. Ici sont organisés les événements qui déplacent les foules, comme les concerts de Metallica ou de Coldplay, ou le festival annuel gratuit **Rock al Parque** *(voir p. 149)*; dans un genre différent, le parc accueillit en 1968 et en 1986 les messes en plein air célébrées par les papes Paul VI et Jean-Paul II.

Museo de los Niños (musée des Enfants) Plan I B2
Carrera 60, n° 63-27 - ✆ (1) 742 8991 - www.museodelosninos.org.co - mar.-vend. 10h-15h, w.-end et j. fériés 10h-16h - 9 900 COP.
Ce musée a été conçu pour les enfants, qui y trouvent toutes sortes d'informations dans les domaines scientifique, technologique, culturel et artistique. Il se divise en sept zones identifiables grâce à un code couleur. Les thèmes abordés sont très diversifiés, pouvant aller de l'extraction du charbon à l'hygiène dentaire.

★★ **Jardín Botánico José Celestino Mutis** Plan I A2
Carrera 63, n° 68-95 - ✆ (1) 437 7060 - www.jbb.gov.co - lun.-vend. 8h-17h, w.-end et j. fériés 9h-17h - 2 700 COP - cafétéria.
Recréant les écosystèmes les plus significatifs du pays, il constituera une bonne introduction avant la découverte des différents parcs et réserves naturels de Colombie. À l'entrée du jardin, un petit bois de **fougères** arborescentes *(helechos)* entoure une cascade artificielle. Les hautes silhouettes des **palmiers à cire** du Quindío, l'arbre national, vous désigneront la zone du *palmeto*. Le chemin conduit plus loin à une reconstitution de *páramo* *(voir p. 100)* et au *bosque de niebla* (forêt de nuages) qui, constamment baigné par les nuages, regorge d'épiphytes, de mousses, de bromélies et d'orchidées. Cinq **serres** présentent ensuite les plantes ornementales et celles qui se consomment

(café, cacao, tabac), reproduisent les milieux du Chocó, de l'Amazonie et des régions arides (cactus et succulentes). Une **roseraie**, des parterres de plantes médicinales, des forêts de lauriers et de pins complètent la visite.

★ Maloka - Centro Interactivo de Ciencia y Tecnología Plan I A3

Carrera 68D, n° 24-51 - ✆ (1) 427 2707 - www.maloka.org - lun.-vend. 8h-17h, w.-end et j. fériés 10h-19h - 9 000 COP - cinéma Imax 10 500 COP.

Ce vaste musée interactif aménagé en sous-sol aborde de nombreux thèmes **scientifiques et technologiques** : l'univers, le corps humain, les télécommunications, la biodiversité… Les enfants apprécieront l'**approche interactive** mise en place, qui rend plus abordables des matières comme la physique, la biologie, la géologie ou la mécanique. Films en 3D projetés sur l'écran géant du dôme futuriste.

★★ ZONA T ET ZONA ROSA Plan I B2

Au niveau de l'intersection de la calle 82 et de la carrera 13.

Moins huppée que la Zona G *(voir p. 145)*, la **Zona T**, une **zone piétonnière** en forme de T, siège de la **vie nocturne** des quartiers nord, attire une clientèle plus jeune. À la période de Noël, les illuminations sont spectaculaires. Le reste de l'année, le quartier accueille souvent des expositions photo en plein air. La **Zona Rosa**, qui englobe la Zona T, concentre bars, clubs et boutiques. Le **Parque 96** est une place arborée, bordée de restaurants et de bars chics.

Museo del Chicó Plan I B2

Carrera 7, n° 93-01 - ✆ (1) 623 1066 - www.museodelchico.com - jardins : lun.-vend. 8h-13h, 14h-17h, w.-end 8h-12h - entrée libre - musée : à partir de 10h30 - 7 000 COP.

Le musée del Chicó occupe une des *estancias* coloniales initialement construites en pleine Sabana de Bogotá, et aujourd'hui au cœur de la ville. Il abrite une collection hétéroclite d'antiquités, de tableaux de maîtres de l'art religieux et de mobilier du 19e s., en passant par des céramiques précolombiennes et des pièces de monnaie de l'époque de la Nouvelle-Grenade. La collection est intéressante, mais ce sont surtout la maison et les **jardins** qui retiennent l'attention.

★★ USAQUÉN Plan I B2

Carreras 5 et 7, entre les calles 114 et 120A - bus depuis le Centro Internacional sur la carrera 7 ou depuis la Candelaria près de la station de TransMilenio Las Aguas (calle 19).

Rattaché à Bogotá en 1954, Usaquén, qui était jusque-là un village, est devenu un quartier résidentiel et commercial très populaire auprès des étrangers et des expatriés. Sur sa place principale se dresse la **Iglesia de Santa Bárbara** (1665), aujourd'hui entourée de restaurants chics. L'atmosphère du quartier diffère du reste de Bogotá. On trouve dans ses ruelles paisibles des boulangeries et de petites boutiques de mode indépendantes. Un **marché aux puces** s'y tient le dimanche *(voir « Achats », p. 148)*. Usaquén est l'endroit idéal où prendre un verre dans un pub anglais, déguster des sushis, ou goûter une bière locale *(voir « Boire un verre », p. 147)*.

★ Hacienda Santa Bárbara Plan I B2

Carrera 7, n° 115-60 - ✆ (1) 612 0388 - www.haciendasantabarbara.com.co - lun.-vend. 10h-22h, w.-end 10h-0h, j. fériés 9h30-22h.

Il s'agit d'une grande propriété coloniale (1847) restaurée et transformée en **centre commercial**. La structure d'origine a été conservée. Environ 300 boutiques s'y partagent bâtiments et patios sur deux niveaux.

★★★ Cerro de Monserrate Plan I (Agglomération) p. 113

Basílica del Señor de Monserrate Plan I B4 en dir.
Accès à pied, en funiculaire ou en téléphérique.
Estación del Funicular – Plan II D2 - *Carrera 2 Este, nº 21-48, Paseo Bolívar (au bout de l'Eje Ambiental, à droite) - ✆ (1) 284 5700 - www.cerromonserrate.com - funiculaire : lun.-sam. 7h45-11h45, dim. et j. fériés 6h-18h30 ; téléphérique : lun.-sam. 12h-0h, dim. 9h-17h - 8 500 COP AS, 17 000 COP AR (18 000 COP après 17h30) ; dim. 5 000 COP AS - le billet étant commun, vous pouvez faire un trajet en funiculaire et l'autre en téléphérique.*
Accès à pied – *Départ du sentier à gauche de la station de funiculaire - lun.-vend. 12h-16h, w.-end et j. fériés 6h-16h (en dehors de ces horaires, pas de présence policière pour assurer la sécurité) - comptez env. 1h15 de montée, 45mn pour la descente.* Le sentier, mi-chemin pavé, mi-escaliers, couvre un dénivelé de 460 m et traverse la réserve forestière du Bosque Oriental. Il suit un tracé dessiné en 1650 pour accéder à l'ermitage qui se trouvait déjà au sommet de la montagne. Très fréquenté le samedi et le dimanche (c'est le meilleur jour pour l'emprunter sans risque), autant par les pèlerins que par les jeunes en mal d'exercice, il est ponctué de stands où l'on sert *chicha*, *guarapo* et toutes sortes de gourmandises : *obleas* (fines galettes tartinées de *dulce de leche*), *melcocha* (pâte étirée et sucrée de *panela* ou de miel), *quesadillos* (fromage et pâte de goyave). Tout au long du chemin se dévoilent d'amples **panoramas★★★** sur l'agglomération de Bogotá qui s'étend sans discontinuer à travers l'Altiplano.

1

Le sanctuaire est perché à 3 152 m d'altitude, sur le point le plus haut du massif montagneux qui longe l'est de Bogotá. D'une blancheur éclatante par beau temps, illuminé la nuit, il est visible d'un peu partout en ville.
En sortant de la station du funiculaire, vous suivrez un chemin de croix fleuri et arboré, jalonné de statues de bronze marquant les stations, pour arriver à la **basilique** proprement dite, lieu de pèlerinage particulièrement fréquenté lors des fêtes religieuses. L'édifice, reconstruit en 1925, ne présente pas d'intérêt architectural particulier, mais la première chapelle du bas-côté gauche abrite un petit autel baroque rouge et or où trône une **Vierge noire** portant sur les genoux le Christ enfant et tenant dans la main droite une boule d'or ; l'ensemble a été réalisé à la fin du 18e s. par des artistes locaux. La **Capilla Penitencial** (chapelle de la Pénitence), derrière l'abside, comporte des vitraux d'une belle harmonie de bleus, verts et brun orangé réalisés en 1989 par Mario Mosquera, un maître verrier de Cali.
Derrière la basilique s'ouvre un petit **marché** d'articles religieux et de souvenirs, suivi d'une zone de gargotes populaires. Traversez-le jusqu'au bout pour rejoindre un **belvédère** donnant sur l'autre versant de la montagne, très boisé.

NOS ADRESSES À BOGOTÁ

Plan I p. 118-119 - Plan II p. 113

INFORMATIONS UTILES

Change

Cambios – Plan II C3 - *Carrera 6, nº 12C-40 - ✆ (1) 286 5651 - 8h-18h30.* Nombreux autres bureaux de change sur la plazoleta del Rosario.

Poste

4-72 – Plan II B3 - *Carrera 8, nº 12-03 - lun.-vend. - 8h30-17h, sam. 9h-13h.* Autres bureaux de poste dans le Centro Internacional et le quartier d'Usaquén.

Internet

Tous les hôtels et la plupart des cafés offrent une connexion wifi à leurs clients. Vous trouverez des cybercafés un peu partout dans le centre historique, près des universités.

Laveries

Elles sont nombreuses dans le quartier des hôtels petit budget de la Candelaria, notamment sur la carrera 3 entre la plaza Chorro de Quevedo et la Biblioteca Luis Ángel Arango.

Santé

UBA Candelaria – Plan II C4 - *Calle 12, nº 3-04 - ✆ (1) 342 9283.* Consultations externes *(lun.-vend. 7h-16h30).*

Fundación Santa Fé de Bogotá – Plan I B2 - *Carrera 7, nº 117-15 - ✆ (1) 603 0303 - www.fsfb.org.co.* Service d'urgences.

Hospital Simón Bolívar – Plan I B1 - *Calle 165, nº 7-6 - ✆ (1) 676 7940.* Service d'urgences.

Sécurité

La circulation à Bogotá est problématique et la délinquance très répandue, qu'elle prenne la forme d'actes de petite délinquance ou de crimes violents. Visant aussi bien les étrangers que les Colombiens, les vols à l'arraché sont monnaie courante, notamment dans les quartiers peu patrouillés par la police touristique. Faites preuve de bon sens : évitez d'attirer l'attention avec des objets de valeur, notamment votre appareil photo, et restez dans les rues principales, où les passants sont nombreux; portez votre sac en bandoulière et gardez-le devant vous pour ne pas tenter les pickpockets. La nuit tombée, ne vous aventurez pas dans les rues sombres et désertes, ni dans la Candelaria, ni dans les autres quartiers. Renseignez-vous à la réception de votre hôtel sur les rues ou les quartiers à éviter.

ARRIVER/PARTIR

En avion

Aeropuerto Internacional El Dorado (BOG) – Plan I A2 - *À 15 km au nord-ouest de la Candelaria - http://eldorado.aero.* Le principal terminal passager pour les vols internationaux et intérieurs, **El Dorado** *(✆ (1) 266 2000)*, est à 1 km à l'ouest de l'autre terminal, **Puente Aéreo** *(✆ (1) 425 1000 - vols domestiques uniquement).* Service de navette gratuite entre les deux terminaux.

Rejoindre le centre – Les bus du **TransMilenio** M86/K86 desservent la station **Museo Nacional**, dans le Centro Internacional *(voir p. 131)* depuis le Portal El Dorado, à 2 km de l'aéroport; ils passent ttes les 10 à 20mn (comptez 30mn de trajet) : peu pratique si vous ne connaissez pas déjà la ville, d'autant que vous devez au

préalable être en possession d'une carte rechargeable. En **taxi**, comptez 25 000 COP avec une surcharge *(sobrecargo)* de 3 500 COP. Rendez-vous à la **borne** proche de la zone de livraison des bagages du terminal El Dorado où vous trouverez une compagnie offrant des **tarifs fixes**; prépayez votre course et donnez la contremarque au chauffeur.
Rejoindre l'aéroport – De la station de **TransMilenio** Las Aguas/Universidades, le K6 vous conduira au Portal El Dorado, d'où la correspondance est assurée avec le K86 qui vous déposera au pied du terminal (arrêt Muelle Internacional); les départs *(salidas)* des vols se font à l'étage.
Taxe d'aéroport – Si vous séjournez dans le pays plus de 60 j., vous devrez acquitter auprès de votre compagnie aérienne une taxe de sortie du territoire de 74 000 COP.

En bus

Terminal de Transporte Salitre – Plan I A3 - *À 5 km à l'ouest de la Candelaria, sur la diagonal 23 - ✆ (1) 266 2000 - www.terminaldetransporte.gov.co.* Cette gare routière moderne et bien conçue est divisée en 5 zones identifiées par un code couleur. Toutes les arrivées se font au terminal 5 (violet), à l'extrémité est de la gare. Les *colectivos* à destination des villes voisines partent du terminal 4 (vert). Les bus qui vont vers le nord et l'est partent du terminal 3 (rouge); vers le sud, du terminal 1 (jaune); vers l'ouest ou les pays frontaliers, du terminal 2 (bleu).
Principales liaisons interurbaines – Bus pour Medellín (9h - 60 000 COP), Cali (10h - 61 000 COP), Cartagena (22h - 100 000 COP), Santa Marta (17h - 90 000 COP), Bucaramanga (9h - 60 000 COP), Tunja (4h - 22 000 COP), Neiva (6h - 40 000 COP), San Gil (6h - 30 000 COP), Popayán (7h - 65 000 COP), San Agustín (9h - 55 000 COP), Villavicencio (2h - 21 000 COP), Pasto (25h - 135 000 COP).

Vers les environs de Bogotá

Estación de la Sabana – Plan II A2 - *calle 13, nº 18-24 - ✆ (1) 375 0557.* Bâtie sur les plans de l'architecte anglais William Lidstone, cette gare de style néoclassique (1917) pourrait faire l'objet de visites touristiques si elle était située dans un quartier moins mal famé. En l'état actuel des choses, vous ne vous y rendrez que pour prendre le **Tren Turístico de la Sabana** *(www.turistren.com.co - départs w.-end et j. fériés à 8h30 - 48 000 COP AR pour Zipaquirá)*. Ce train ancien, avec sa locomotive à vapeur *(hiver seult)*, traverse le quartier chic d'**Usaquén**, la ville de **Cajicá**, et dessert **Zipaquirá** *(voir p. 150)*. À bord, un groupe de musique *(papayera)* assure l'animation.
Portal del Norte – Plan I B1. Depuis cette station du TransMilenio, située tout au nord de la ville, il est facile de prendre des correspondances sur des compagnies de bus locales pour se rendre par exemple à Zipaquirá, Tunja, Guatavita et Villa de Leyva.

TRANSPORTS URBAINS

À pied

Vous vous déplacerez à pied dans le quartier de la Candelaria et dans le Centro Internacional, où les sites à visiter sont proches les uns des autres. En revanche, pour passer de l'un à l'autre ou circuler dans la Zona Norte, prenez un taxi ou le TransMilenio qui circule sur les carreras 7 et 14 (av. Caracas). Attention, rares sont les conducteurs qui respectent les feux de signalisation et les passages cloutés : soyez très prudent en traversant.

Taxi

Bien plus pratique que le bus. Les taxis sont tous de couleur jaune. Demandez à votre hôtel d'appeler une compagnie officielle au lieu d'en prendre un dans la rue. Pour des raisons de sécurité, **ne partagez jamais une course**. Au départ, le compteur doit afficher « 25 », soit 2 500 COP (vérifiez lorsque vous montez dans la voiture) ; une surcharge de 1 500 COP s'ajoute les dim., j. fériés et la nuit.
Principales compagnies : **Taxi Express** *(✆ (1) 411 1111)* et **Radio Taxi** *(✆ (1) 288 8888)*. L'application Tappsi pour smartphones permet de commander un taxi sûr très rapidement.

TransMilenio

www.transmilenio.gov.co. Réseau de bus articulés qui disposent de couloirs de circulation spécifiques. Avant de l'emprunter, vous devrez acheter, dans n'importe quelle station, une carte magnétique que vous rechargerez ensuite du nombre de trajets souhaité. Comptez 1 600-1 800 COP pour un trajet. Les stations Las Aguas (sur l'Eje Ambiental, près de la Candelaria), Museo Nacional (au nord du Centro Internacional), Portal del Norte (correspondance avec les bus pour Zipaquirá, Nemocón et Tunja) vous seront les plus utiles. Comme dans les bus urbains, attention aux pickpockets.

Bus urbains

C'est le moyen de transport le plus **économique**. La destination de chaque bus est clairement indiquée sur le pare-brise. Les billets (1 500 COP) s'achètent à bord. Méfiez-vous des pickpockets et des embardées intempestives des chauffeurs qui doivent slalomer pour atteindre les arrêts et éviter les nids-de-poule…

HÉBERGEMENT

Candelaria

Le quartier regorge d'*hostales* peu onéreux, souvent installés dans d'anciennes petites maisons basses à toits de tuiles. En conséquence, leurs chambres sont généralement exiguës et assez sombres, et ne disposent pas de sdb privative.

PREMIER PRIX

Ulucaho – Plan II C3 - *Carrera 3, nº 12B-88 - ✆ (1) 491 0294 - ulucaho@hotmail.com - 9 ch. 80 000 COP.* Son petit bout de pelouse est assurément un « plus » pour cette pension familiale sans prétention, à l'accueil aimable et où vous ne rencontrerez aucun problème de sécurité. Chambres avec ou sans sdb privée et deux tipis pouvant accueillir de 2 à 4 pers. Cuisine à disposition et café offert. Très calme. Wifi.

Colombian Dream Hostel – Plan II C4 - *Carrera 5, nº 12-53 - ✆ (1) 300 5171 - http://colombiandreamhostel.com - 8 ch. 95 000 COP.* Situé à deux pas de la Biblioteca Arango, il propose 2 dortoirs mixtes et 8 petites chambres spartiates mais propres, avec ou sans sdb. Les espaces communs habillés de grandes fresques aux couleurs pétantes, façon BD, plaisent à une clientèle jeune et internationale, qui aime à se retrouver dans la salle de télévision ou le petit salon. Petit-déjeuner en self-service. Le personnel, serviable et attentif, vous fournira toutes les informations pratiques sur la ville. Organise des excursions. Service de laverie, wifi.

BUDGET MOYEN

Ambalá – Plan II C3 - *Carrera 5, nº 12B-46 - ✆ (1) 342 6384 - www.hotelambala.net - ✕ - 23 ch. 140 000 COP ☕.* Les chambres sont relativement petites mais possèdent toutes une salle de bains privative. Les plus lumineuses donnent sur la rue ou le patio. Propreté impeccable. Le personnel est particulièrement aimable et efficace. Terrasse, wifi.

Casa Platypus – Plan II C3 - *Carrera 3, nº 12F-28 - ✆ (1) 281 1801 - www.casaplatypusbogota.com - 17 ch. 168 000 COP ☕.* Pleines de cachet avec leur parquet sombre et leur sobre mobilier, les chambres se distribuent au rdc, autour d'un charmant patio où se balance un hamac, et à l'étage d'une demeure du 19ᵉ s. L'une d'elles est conçue pour 4 personnes. Terrasse avec vue sur Monserrate, salle TV, bibliothèque, cuisine commune à disposition et organisation d'excursions. Mieux vaut réserver, cette adresse de charme affiche vite complet.

POUR SE FAIRE PLAISIR

Abadia Colonial – Plan II C4 - *Calle 11, nº 2-26 - ✆ (1) 341 1884 - www.abadiacolonial.com - ✕ - 12 ch. 220 000 COP ☕.* De tailles variables, plutôt spacieuses dans l'ensemble, les chambres sont toutes dotées d'un plancher et meublées de bois massif ou de rotin sombre. Disposant d'un chauffage d'appoint, d'un coffre-fort et d'une sdb bien équipée (deux d'entre elles ont une baignoire), elles assurent autant de confort que de calme. Trois patios agrémentent cette demeure du milieu du 18ᵉ s.

Casa Deco – Plan II C3 - *Calle 12C, nº 2-36 - ✆ (1) 283 7032 - www.hotelcasadeco.com - 21 ch. 229 000 COP ☕.* Décorées de reproductions de Klimt ou de Botero, jouant chacune sur une harmonie de couleurs, les chambres sont bien meublées (coffre-fort, minibar, chauffage), avec parquet, certaines très spacieuses et toutes dotées de grandes fenêtres à double vitrage. Les deux plus belles sont des suites donnant sur la terrasse du 3ᵉ étage (pas d'ascenseur), d'où la vue embrasse la Candelaria. Accueil avenant.

UNE FOLIE

Hotel de la Opera – Plan II B4 - *Calle 10, nº 5-72 - ✆ (1) 336 2066 - www.hotelopera.com.co - ✕ - 42 ch. 450 000 COP ☕.* Installé dans deux bâtiments historiques, ce prestigieux établissement a vu défiler au fil des siècles des hôtes de marque. Chambres de style colonial, républicain ou déco (les plus récentes) possédant bien entendu tout le confort désirable. Petit-déj. buffet, piscine et jacuzzi à disposition des hôtes. L'établissement compte deux restaurants prestigieux, la Scala et, au dernier étage, le Mirador.

Centro Internacional

POUR SE FAIRE PLAISIR

Charlotte Bogotá – Plan I B3 - *Calle 26, nº 38-05 - ✆ (1) 268 1000 - http://hotelcharlottebogota.com - ✕ - 54 ch. 200 000 COP ☕.* Situé sur le grand axe reliant l'aéroport au Centro Internacional et à la Candelaria, c'est une halte pratique pour une brève escale à Bogotá entre deux avions, même si les chambres sont un peu petites et vieillottes. Le restaurant du 7ᵉ étage, le Mirador, offre un beau panorama mais peut s'avérer bruyant : préférez une chambre dans les étages inférieurs.

Zona Norte

POUR SE FAIRE PLAISIR

Bogotá Plaza Summit – Plan I B2 - *Calle 100, nº 18A-30 - ✆ (1) 632 2200 - www.bogotaplazahotel.com - ✕ - 192 ch. 285 000 COP* ☕. Tout le confort d'un hôtel de standing international dans cet établissement de 8 étages. Pour la détente, vous disposez d'une salle de fitness et d'un spa, et les restaurants réputés de la Zona Gourmet se trouvent non loin.

Tequendama Crowne Plaza – Plan II C1 - *Carrera 10, nº 26-21 - ✆ (1) 382 0300 - www.igh.com - ✕ - 578 ch. 300 000 COP* ☕. Élégance, confort, technologie moderne et service impeccable en plein centre de la capitale. Demandez une chambre donnant sur l'arrière pour être plus au calme. Dans le lobby : plusieurs boutiques, une agence de voyages et un pub.

UNE FOLIE

Morrison – Plan I B2 - *Calle 84 bis, nº 13-54 - ✆ (1) 622 3111 - www.morrisonhotel.com - ✕ - 62 ch. 350 000 COP* ☕. Voisin du parc Léon de Greiff, il est au cœur du quartier commerçant de la capitale. Les chambres, décorées dans des tons neutres, sont bien équipées et jouissent de vues sur la montagne. L'établissement possède une salle de fitness et se trouve non loin du golf La Cima.

La Fontana Estelar – Plan I B2 - *Av. 127, nº 15A-10 - ✆ (1) 615 4400 - www.estelarlafontana.com - ✕ - 218 ch. 400 000 COP.* En bordure nord du quartier d'Usaquén, non loin des grandes galeries marchandes, cet hôtel de luxe, qui appartient à une chaîne, offre une vaste gamme de chambres confortables, un service efficace et un personnel polyglotte. Vous trouverez sur place un jacuzzi, un sauna et un institut de beauté.

La Bohème Royal – Plan I B2 - *Calle 82, nº 12-35 - ✆ (1) 618 0168 - www.bohemeroyal.com - ✕ - 66 ch. 450 000 COP* ☕. Au cœur de la Zona Rosa et proche des hauts lieux de la vie nocturne bogotanaise. Les chambres sont dotées de tout le confort et celles de la catégorie « business » disposent d'un lecteur de CD, d'une cafetière… L'hôtel abrite un *business center* qui en fait une bonne option pour les voyageurs d'affaires.

Four Seasons Casa Medina – Plan I B2 - *Carrera 7, nº 69A-22 - ✆ (1) 325 7900 - www.fourseasons.com - ✕ - 62 ch. 500 000 COP.* Installé dans un bâtiment colonial classé monument historique, à proximité du quartier commerçant, du quartier des affaires et des meilleurs restaurants de la ville. Panneaux muraux en bois sculpté, plafonds aux poutres apparentes, rampes en fer forgé, murs en pierre dans les chambres et cheminées dans les suites : l'ensemble possède beaucoup de charme.

RESTAURATION

Candelaria

PREMIER PRIX

La Candelaria – Plan II C3 - *Carrera 5, nº 12-16 - ✆ (1) 342 3624 - ⊠ - 8h-20h30 - 10 000 COP.* Passez le coin « épicerie » pour gagner la salle dont les étudiants de la faculté voisine ont fait leur cantine. Propre, populaire et familial, le restaurant est particulièrement apprécié au déjeuner pour ses deux menus *(almuerzos caseros)* à 6 000 COP, dont l'un végétarien, comprenant soupe, plat du jour et un jus de fruits de saison.

Loto Azul – Plan II C3 - *Carrera 5 bis, nº 12C-02 - ✆ (1) 282 8686 - ⊠ - lun.-vend.*

7h-18h, sam. 8h-16h, dim. 11h-16h - 10 000 COP. Une cuisine strictement végétarienne que vous commanderez à la caisse : pas de menu, vous choisirez d'après les plats qui sont exposés sur le comptoir (pizza, hamburgers de tofu, gratin de légume, etc.) avant de prendre place sous les chromos du dieu Krishna à la peau bleue ornant les murs d'une petite salle proprette.

El Chorro – Plan II C4 - *Carrera 2, nº 12B-83 - ✆ (1) 243 3898 - 💳̸ - lun.-sam. 10h-22h, dim. 10h-17h - 10 000 COP.* Avec sa cuisine populaire et familiale, El Chorro est une bonne surprise dans cette ruelle bobo un rien branchée. Au déjeuner, boudez la carte, assez quelconque, et choisissez sans hésiter l'une des 3 formules du jour (soupe, plat de viande ou de poisson et jus de fruits de saison). Si la salle à l'entrée vous semble trop bruyante, vous pourrez vous installer dans la courette en contrebas, beaucoup plus agréable.

Quinua y Amaranto – Plan II C4 - *Calle 11, nº 2-95 - ✆ (mob.) 310 850 0710 - www.quinuayamaranto.com - mar.-vend. 8h-18h, lun. et sam. 8h-16h - 15 000 COP.* Des plats essentiellement végétariens à l'exception de l'*ajiaco* au poulet, la spécialité de la ville, servie le samedi, jour où l'établissement accueille par ailleurs les petits producteurs locaux venus vendre ici fromage et fruits et légumes bio. Pas de carte mais un menu chaque jour différent, qui propose des plats tels que tartelette aux épinards, salade de tofu, crème de quinoa et d'amarante, purée de goyave, etc.

BUDGET MOYEN

Asadero Capibara – Plan II B4 - *Carrera 5, nº 10-87 - ✆ (1) 342 3624 - 💳̸ - 11h-18h - 30 000 COP.* Une adresse à l'ancienne aux tomettes patinées, spécialisée dans les viandes cuites au feu de bois : vous les verrez dorer sur la grande *parrilla* (grill) à l'entrée et pourrez goûter avant de faire votre choix. Plusieurs petites salles contiguës ménagent une relative intimité. Ni entrées, ni desserts : le restaurant s'adresse aux carnivores, assurément.

Sopas de Mama y Postres de la Abuela – Plan II B4 - *Carrera 9, nº 10-50 - ✆ (1) 658 4894 - www.sopasypostres.com.co - lun.-vend. 12h-15h30 - 30 000 COP.* Excellent rapport qualité-prix et promesses tenues chez « Les Soupes de Maman et les desserts de Mamie » où l'on vous servira de belles portions d'une cuisine colombienne traditionnelle : *bandeja paisa*, langue de bœuf en sauce, riz aux crevettes sauce coco, cochon de lait, *ajiaco*, *sancocho*, etc. Plusieurs succursales à travers la ville.

El Olivar – Plan II B4 - *Carrera 6, nº 10-40 - ✆ (1) 283 2847 - lun.-jeu. et sam. 12h-16h, vend. 12h-22h - 45 000 COP.* Murs blancs et mobilier noir composent un cadre sobre pour ce restaurant d'allure classique, dont la carte l'est en revanche beaucoup moins : filet de bœuf aux 3 poivres ou à la moutarde, saumon sauce mandarine ou truite fourrée à la mozzarella, aux crabes et aux épinards… les recettes réservent plus d'une surprise. La carte mêle saveurs thaïes, colombiennes et méditerranéennes pour un résultat plutôt réussi.

POUR SE FAIRE PLAISIR

La Bruja – Plan II C4 - *Calle 12, nº 3-45 - ✆ (1) 336 9261 - http://restaurantelabruja.com - lun.-sam. 12h-22h, dim. 12h-19h - 65 000 COP.* Ses deux salles chaulées (dont l'une sans TV) aux fenêtres en ogive occupent

1

le rez-de-chaussée d'un ancien séminaire. À la carte, des saveurs originales telles que ce bœuf *mojito* au rhum et à la menthe, un suprême de poulet au curry et à la pomme ou encore des mignonnettes de truite sauce café et amandes. Des groupes de musiciens viennent parfois animer les soirées. Pour une occasion spéciale, vous opterez pour l'un des 4 *planes romanticos (180/460 000 COP pour 2 pers.)* : une antique limousine viendra vous chercher à votre hôtel et l'on vous concoctera un dîner personnalisé, avec apéritif et vin.

Centro Internacional

BUDGET MOYEN

Down Town – Plan II C1 - *Carrera 7, nº 27-46 - ✆ (1) 245 4510 - 10h-15h - 35 000 COP.* Intéressante pour le quartier, sa formule déjeuner (soupe, plat principal et boisson) à 10 000 COP fait des adeptes. À la carte, beaucoup plus chère, vous retrouverez ceviches, filet mignon, pâtes et les classiques d'une cuisine internationale variée, servie dans un cadre années 1990 assez original : piano à queue dans l'escalier, instruments de musique aux murs, et composition d'écrans de télévision et de racks de bouteilles au-dessus du bar. Une salle sans TV au niveau intermédiaire, et une autre tapissée d'écrans plats au fond.

Doña Elvira – Plan II C1 en dir. - *Carrera 6, nº 29-08 - ✆ (1) 287 1942 - http://donaelviracentro.com - lun.-vend. 12h-16h - 40 000 COP.* Une salle et une terrasse chauffée en hiver juste à la sortie du Musée national. Chaque jour, une spécialité *criolla* est mise à l'honneur : concombres farcis de viande, côtelettes d'agneau au four, *mondongo* (tripes)... La carte décline quant à elle les grands classiques du Boyacá : langue et queue de bœuf en sauce, *ajiaco* ou l'incontournable *bandeja criolla* qui propose un assortiment de légumes cuisinés avec la viande de votre choix.

Ocio – Plan II C1 en dir. - *Transversal 6, nº 27-50 (entrée sur la calle 28, sur le côté du Musée national) - ✆ (1) 704 0317 - www.ociorestaurante.com - lun.-sam. 12h-21h - 45 000 COP.* Son credo : la *cocina autóctona* (cuisine du cru) revisitant les saveurs traditionnelles avec un goût prononcé pour le lait de coco. Une carte originale et un bel effort de présentation pour une cuisine d'auteur utilisant les produits typiques des régions amazonienne et pacifique, utilisés ici dans des préparations mêlant recettes colombiennes et inspiration asiatique, dans un décor épuré à souhait. Service prévenant. L'établissement, ouvert en 2014, rencontre déjà un franc succès.

UNE FOLIE

Leo Cocina y Cava – Plan II C1 - *Calle 27B, nº 6-75 - La Macarena - ✆ (1) 286 7091 - www.leococinaycava.com - lun.-sam. 12h-15h30, 19h-23h - 150 000 COP.* Dans la jolie salle blanche, ornée de touches de rouge et de rose, sur fond de musique jazz, on se régale de spécialités régionales préparées avec sophistication parmi lesquelles la fourmi *culona* (Barichara), la *carne oreada* (San Gil), le lapin fumé ou encore des préparations de la côte caraïbe d'où la chef, Leonor Espinosa, est originaire.

Zona Norte

Située dans l'agréable quartier de **Rosales**, la Zona G – ou **Zona Gourmet** – est délimitée, grosso modo, par les carreras 7 et 4, et par les calles 67 et 79.

À l'intérieur de ce petit périmètre, on trouve d'excellents restaurants, dont les cartes affichent des spécialités des quatre coins du globe. Les quartiers de **Chapinero** et d'**Usaquén** comptent eux aussi des restaurants de haute volée. Certains de ces établissements très chics appartiennent à des chefs réputés.

BUDGET MOYEN

Mercado – Plan I B2 - *Carrera 6, nº 119-18 - Usaquén - ✆ (1) 213 4192 - www.mercadosaborlocal.com - lun.-jeu. 12h-22h, vend. 12h-0h, sam. 8h-0h, dim. 8h-18h - 45 000 COP.* Cassolettes de viandes ou de légumes, tapas, poulet fermier aux fruits de l'Amazonie : la carte, recherchée, affiche une belle offre et insiste sur la qualité des produits utilisés pour confectionner les plats, tous strictement *orgánicos* (bio). Ses appétissants ceviches, qui se démarquent par l'adjonction de fruits frais (mandarine, *lulo*, coco, physalis ou *tomate de árbol*), ont contribué à faire le succès de ce jeune restaurant, ouvert en 2014. Nombreux cocktails aux fruits frais et une sélection de plats végétariens signalés sur la carte par un picto spécifique.

POUR SE FAIRE PLAISIR

Mini Mal – Plan I B3 - *Transversal 4 bis, nº 57-52 - ✆ (1) 347 5464 - www.mini-mal.org - lun.-merc. 12h-22h, jeu.-sam. 12h-0h - 65 000 COP.* Une salle intime et une carte de cuisine fusion soignée, élaborée avec des produits de qualité rigoureusement sélectionnés, et où vous trouverez aussi bien des bananes plantains farcies au crabe que des fruits de mer au lait de coco ou une fricassée de champignons au pistou d'orties. En desserts, le choix est vaste ; essayez par exemple les meringues au gingembre ou les biscuits à la cannelle et à l'hibiscus.

La Boucherie – Plan I B2 - *Carrera 6, nº 117-12 - Usaquén - ✆ (1) 703 0550 - lun.-merc. 12h-22h, jeu.-dim. 12h-23h - 70 000 COP.* Salle carrelée rouge vif et blanche, serveurs en tabliers de boucher, têtes de vaches ornant les murs, pas d'hésitation : c'est bien un restaurant pour carnivores. Si les viandes sont colombiennes, les coupes, elles, sont françaises : araignée, entrecôte, onglet s'apprécieront avec un cru du Vieux Continent. En fin de semaine, une spécialité française – cassoulet, magret de canard, etc. – est mise à l'honneur. Formule apéro le jeu. de 17h à 19h.

Bourbon Bistro – Plan I B2 - *Calle 69A, nº 5-48 - Zona G - ✆ (1) 317 4515 - http://bourbon-bistro.com - lun.-jeu. 12h-15h, 19h-23h, vend.-sam. 12h-23h, dim. 12h-17h - 70 000 COP.* Tous les classiques de la cuisine cajun de La Nouvelle-Orléans dans ce restaurant de la Zona Gourmet dont les salles, étagées sur trois niveaux, affichent une décoration sur le thème du jazz et du vin. Vous opterez pour le menu dégustation (4 temps) pour goûter au *jambalaya* (riz créole aux gambas), au *crawfish* (écrevisse de Louisiane), aux *crab cakes* (croquettes de crabe), à accompagner d'un vin chilien ou argentin. Concerts de jazz du merc. au sam. à partir de 20h.

Harry Sasson – Plan I B2 - *Carrera 9, nº 75-70 - Chapinero - ✆ (1) 347 7155 - www.harrysasson.com - lun.-sam. 12h-0h, dim. 12h-17h - 85 000 COP.* Sa grande salle entièrement vitrée, où vous vous attablerez devant une cuisine ouverte, se trouve en retrait de la rue, derrière un grand pavillon de brique sombre évoquant l'Angleterre. Salades, viandes et poissons, la carte est interminable et propose pour ces derniers deux types de cuisson : au four à bois ou en chaleur indirecte, sur pierres volcaniques. L'endroit attire une clientèle aisée qui aime à venir s'y montrer ; le choix musical n'est hélas pas à la hauteur de la réputation de l'endroit…

UNE FOLIE

Astrid y Gastón – Plan I B3 - *Carrera 7, nº 67-64 (entrée calle 68) - Chapinero - ✆ (1) 211 1400 - www.astridygaston.com - lun.-sam. 12h-23h - 110 000 COP.* Situé dans le Chapinero, ce restaurant gastronomique péruvien qui a essaimé sur plusieurs continents affiche une décoration moderne, sobre et élégante. La carte, variée, met en avant les ceviches de poisson et de fruits de mer, les coquilles Saint-Jacques, le crabe. Goûtez par exemple au trio de *tiradito* (thon, saumon et pagre à la sauce piquante citronnée) et gardez une place pour la farandole de desserts ou les raviolis de mangue. Vins français et espagnols.

Criterion – Plan I B2 - *Calle 69A, nº 5-75 - Zona G - ✆ (1) 310 1377 - www.criterion.com.co - lun.-sam. 12h-16h, 19h-23h, dim. 9h-16h - 150 000 COP.* Jorge Rausch au piano et son frère Mark à la pâtisserie concoctent une cuisine d'auteur créative, misant sur l'exceptionnelle diversité des fruits et légumes locaux. Vous aurez le choix entre deux menus gourmands : l'un reprend les anciennes créations du chef, l'autre, tourné vers l'inventivité, change chaque trimestre. À la carte, pour ne citer que quelques plats, magret de canard à la citrouille et au corozo, confit de saumon au manioc braisé, *pez léon* (sorte de rascasse) au corossol et au *lulo* ou, plus classiquement, foie gras, caviar, coquilles Saint-Jacques, tartare… Le tout vous sera servi dans un décor résolument contemporain. Très belle carte des vins comptant près de 400 étiquettes.

PETITE PAUSE

Candelaria

La Puerta Falsa – Plan II B4 - *Calle 11, nº 6-50 - ✆ (1) 286 5091 - 8-20h.* Cette demeure de 1816 au balcon vert est une institution à Bogotá, certes touristique mais incontournable. Elle affiche une alléchante vitrine de sucreries, à emporter ou à croquer sur place dans la mezzanine, accompagnées d'un chocolat artisanal ou d'une *agua de panela*. Ses *almojabanas* (boule de farine de maïs fourrée au fromage) sont fameuses, tout comme ses *tamales* (pâte de maïs farcie à la viande et cuite dans une feuille de bananier).

Mi Rincón Frances – Plan II C3 - *Calle 12C, nº 3-64 - ✆ (mob.) 313 223 4346 - 8h30-18h.* Une pâtisserie à la française, dans une minuscule salle abondamment décorée de tours Eiffel où l'on vient savourer un éclair au café, une part de forêt-noire, une crème brûlée ou prendre un petit-déjeuner (plusieurs formules).

El Pasaje – Plan II B3 - *Plazoleta del Rosario - lun.-vend. 7h-23h, sam. 9h-21h.* Le café des années 1930 a renouvelé sa décoration – pour le moins hétéroclite – dans les années 1980. Ambiance brasserie populaire avec chaises en moleskine rouge et murs couverts d'affiches vantant une Colombie pittoresque, d'enseignes au néon et de publicités pour grandes marques de bière, servies ici à la pression. Idéal pour une pause en sortant du musée de l'Or.

Hibiscus Café – Plan II C3 - *Calle 12D bis, nº 2-19 - ✆ (1) 337 4327 - 8h30-18h.* Sa musique douce en fond sonore, son petit artisanat en vitrine, sa décoration fraîche et ses nappes à carreaux jaunes et rouges : l'endroit est parfait pour un réveil en douceur. Une dizaine de formules de petit-déjeuner avec omelette, *arepas* et assiette de fruits et, pour un snack plus tard dans la journée, des sandwiches, des hamburgers, des salades et toutes sortes de thés et de tisanes. Wifi, magazines à disposition.

L'Artisan – Plan II C3 - *Carrera 3, nº 18-45 - Eje Ambiental - lun.-vend. 7h-19h, sam. 9h-16h.* À deux pas du parque de los Periodistas, le toit-terrasse de l'Alliance française, au 5ᵉ étage, accueille une cafétéria. Pour un déjeuner sur le pouce (quiche, hamburger, salade, menu du jour) avec, tout de même, vue sur le Cerro de Monserrate.

El Corral Gourmet – Plan II BC4 - *Calle 11, nº 5-60 - www.elcorral gourmet.com - 11h30-20h.* Sur le parvis du Centro Cultural Gabriel García Márquez, face à la grande librairie, sa terrasse protégée par une haie de bambou surplombe l'animation de la calle 11.

BOIRE UN VERRE

The Bogotá Beer Company – *www.bogotabeercompany.com.* Connue sous le nom de BBC, cette micro-brasserie locale compte une dizaine de succursales en ville. Essayez celle d'**Usaquén** *(carrera 6, nº 119-24)* ou celle de la **Candelaria** *(calle 12D, nº 4-2).*

El Gato Grís – Plan II C4 - *Carrera 1A, nº 12B-12 - Candelaria - ✆ 342 1716 - www.gatogris.com - 9h30-1h.* Ce n'est pas pour son restaurant – assez quelconque – que vous viendrez au Chat Gris mais plutôt pour son bar à vins, que des groupes de musique cubaine, de salsa ou de jazz viennent animer à partir de 20h.

Callejón del Embudo – Plan II C3-4. Cette ruelle pavée couverte de fresques psychédéliques et bordée de bars, appréciée des étudiants du quartier, reste un bon endroit pour goûter au thé de coca ou à la *chicha*, une boisson andine légèrement alcoolisée à base de maïs fermenté et aromatisée aux fruits.

Rock & Roll Circus – Plan I B2 - *Carrera 6, angle calle 119 - Usaquén - ✆ (1) 619 2712 - www.rrc.com.co - à partir de 18h.* En face du BBC, l'endroit où l'on adore venir se remplir les oreilles de rock des années 1960-70 en savourant les traditionnelles *fritangas* : *picadita* d'*empanadas*, *quesadillas* ou ailes de poulet.

ACHATS

Marchés

Plaza de Mercado de Paloquemao – Plan I B3 - *Av. 19, nº 25-04 - www. plazadepaloquemao.com - lun.-sam. 4h30-16h30, dim. et j. fériés 5h30-14h30.* Un festival de couleurs et de saveurs avec ses stands de fleurs, ses étals de fruits et de légumes venus des quatre coins de la Colombie. Vous pourrez vous restaurer sur place.

Surtifruver – Plan I B3 - *Carrera 7, nº 58-18 - ✆ (1) 348 3225 - www.surtifruver.com.* Une des succursales de cette chaîne spécialisée dans les fruits et légumes, afin de se faire une idée de la diversité colombienne en la matière.

Marché d'Usaquén – Plan I B2 - *Carrera 5, angle avec la calle 120 - www.pulgasusaquen.com - dim.*

1

9h-17h. Bijouterie fantaisie, artisanat, objets en bois sculpté, vêtements et maroquinerie y trouvent leur place à côté des classiques étals de « puces ».

Centres commerciaux

Hacienda Santa Bárbara – Plan I B2 - *Carrera 7, nº 115-60 - ✆ (1) 612 0388 - www.haciendasantabarbara.com.co.* Dans le quartier d'Usaquén, 300 boutiques et restaurants dans le cadre original d'une ancienne propriété foncière du 19ᵉ s.

Centro Comercial Andino – Plan I B2 - *Carrera 11, nº 82-71 - ✆ (1) 621 3111 - www.centroandino.com.co - 10h-21h.*

Artisanat

Artesanías de Colombia – Plan II D3 - *Claustro de las Aguas - Carrera 2, nº 18A-58 - ✆ (1) 286 1766 - www.artesaniasdecolombia.com.co.* De l'artisanat de qualité venu de toutes les régions du pays et présenté au bord de l'Eje Ambiental : vêtements et textiles brodés, céramiques, chapeaux et sacs, bijouterie fantaisie, petite décoration, etc. *Autre adresse dans le quartier Chapinero : calle 74, nº 11-9.*

Bijoux

Joyerías – Plan II B3 - *Carrera 6 entre les calles 12 et 13.* Or et émeraudes dans les vitrines des bijoutiers-joaillers qui occupent tout le pâté de maisons. Pour les émeraudes, exigez un certificat d'authenticité.

Mode et accessoires

La **Zona T** et la **Zona Rosa** regorgent de boutiques de créateurs comme de magasins de chaînes.

Sombrerería Bogotá – Plan II B4 - *Calle 11, nº 8-14 - ✆ (1) 341 6532 - lun.-sam. 9h-18h.* Anciens ou modernes, pour hommes et femmes, des couvre-chefs en poil de lapin, en fibre de palme, en paille, et le fameux *sombrero vueltiao* (*voir p. 59*).

Librairie

Librería Wilborada 1047 – Plan I B2 - *Calle 71, nº 10-47 - ✆ (1) 745 0327 - lun.-sam. 10h47-19h47, dim. 12h-16h.* La plus importante librairie internationale (espagnol et anglais) de la capitale, sur 3 niveaux, avec une cafétéria (dégustation de cafés bio).

EN SOIRÉE

Concerts, ballets, théâtre

Teatro Mayor Julio Mario Santo Domingo – Plan I B1 - *Calle 170, nº 67-51 - ✆ (1) 377 9840 - www.teatromayor.org.* Concerts classiques donnés par des formations ou des solistes de réputation internationale.

Teatro Cristóbal Colón – Plan II B4 - *Calle 10, nº 5-32 - ✆ (1) 381 6380 - http://teatrocolon.gov.co.* Ballets, concerts symphoniques, musique traditionnelle indienne, musique de chambre, opéra dans une salle superbement restaurée en 2014.

Biblioteca Luis Ángel Arango – Plan II C4 - *Calle 11, nº 4-14 - ✆ (1) 593 6300 - www.banrepcultural.org/musica.* Musique ancienne, musique de chambre et musiques du monde.

Discothèques

Andrés DC – Plan I B2 - *Calle 82, nº 12-15 - Zona Rosa - ✆ (1) 863 7880 - www.andrescarnederes.com.* Un club-discothèque sur 4 niveaux, avec des plats de viande dans les assiettes et de la rumba sur les platines.

Cachao Bar – Plan I B2 - *Carrera 13, nº 82-52 - Zona T - ✆ (mob.) 312 536 8586.* Un club cubain où siroter des *mojitos* et danser la salsa.

ACTIVITÉS

Visite de la ville

Office de tourisme – Plan II B4 - *Casa de los Comuneros - plaza de Bolívar.* Organise des visites guidées *(2h)* gratuites du centre historique à 10h et 14h (en anglais le mar. et le jeu.). RV sur place.

Graffiti Tour – *www.bogotagraffiti.com - ✆ (mob.) 321 297 4075.* Départ tlj du parque de los Periodistas à 10h pour une visite guidée d'env. 2h30 en anglais à la découverte du *street art* bogotanais. Participation libre (env. 20 000 COP).

Tranvía de Bogotá – *http://tranviabogota.com - ✆ (1) 755 2042 - vend. 14h30, 16h30; sam. 12h, 14h30 et 16h30; dim. 10h, 12h, 14h30 et 16h30 - 15 000 COP.* Circuit commenté des principaux monuments religieux et culturels de la ville dans un antique wagon de tramway.

Vélo

Le dim. et les j. fériés, de 7h à 14h, 120 km de routes sont fermées à la circulation automobile et, transformées en **ciclovias**, sont réservées aux cyclistes et aux promeneurs. Prêt de bicyclettes : *www.idrd.gov.co - cartes : www.movilidadbogota.gov.co. Voir aussi l'encadré p. 133.*

Bogotá Bike Tours – Plan II C4 - *Carrera 3, nº 12-72 - Candelaria - ✆ (1) 281 9924 - www.bogotabiketours.com.* Des sorties guidées de 4h (35 000 COP) pour découvrir le centre historique, les parcs et les principaux sites de la ville en suivant les pistes cyclables. Départs à 10h30 et 13h30, rendez-vous sur place 10mn avant. Location de vélos (20 000 COP la 1/2 j.), échange de livres d'occasion en anglais et en français.

Excursions

Andes Ecotours – Plan II C4 - *Carrera 3, nº 12B-89 - Candelaria - ✆ (mob.) 310 559 9729 - www.andesecotours.com.* Excursions à Sumapaz sur réserv. la veille (105 000 COP, départ à 8h), observation ornithologique, randonnées à pied ou à cheval, découverte de la Laguna de Guatavita *(voir p. 153)* et des parcs nationaux de Chingaza *(voir p. 153)* et de Chicaque *(voir p. 154)*.

AGENDA

Festival Iberoamericano de Teatro – *www.festivaldeteatro.com.co - avril, années paires.* Le Festival de théâtre ibéro-américain de Bogotá est l'un des plus grands au monde pour les arts de la scène.

Festival Rock al Parque – *www.rockalparque.gov.co - 2 j. - dates variables, parfois en août, parfois en nov.* Le plus important festival de rock en plein air d'Amérique latine.

Feria Internacional del Libro – *www.feriadellibro.com - août.* La Foire internationale du livre de Bogotá se concentre sur la littérature et les auteurs hispano-américains.

Festival Jazz al Parque – *www.jazzalparque.gov.co - septembre.* Du jazz en plein air avec les plus grandes stars d'Amérique latine et d'ailleurs.

Festival de Cine – *www.bogocine.com - octobre.* Il donne la parole aux jeunes réalisateurs de tous pays dans le domaine du documentaire *(voir l'encadré p. 92)*.

Les environs de Bogotá

Départements du Cundinamarca et du Tolima

Oubliez le climat rude et l'air raréfié de Bogotá : les régions alentour, pour la plupart situées à des altitudes inférieures et traversées par des rivières gonflées par les précipitations andines, jouissent d'un climat et d'un relief plus doux. Des parcs nationaux, oasis de verdure aux portes de la capitale, et des petits villages pleins de charme et de nostalgie ponctuent ce paysage évocateur des mythes précolombiens – la légende de l'Eldorado est née ici –, loin du tumulte de la capitale.

NOS ADRESSES PAGE 157
Hébergement, restauration, activités, etc.

SE REPÉRER
Carte de région p. 110.
Voir aussi la rubrique « Arriver/partir » dans « Nos adresses ».

À NE PAS MANQUER
La cathédrale de sel de Zipaquirá ou les mines de Nemocón ;
une randonnée dans les *páramos* du parc national de Sumapaz ;
une balade à pied ou à cheval dans le Parque Natural Chicaque ; la jolie petite ville de Choachí.

ORGANISER SON TEMPS
Quelle que soit l'excursion choisie, comptez une journée entière.
En fin de semaine, attendez-vous à trouver des embouteillages aux abords de Bogotá, dans le sens des départs comme dans celui des retours.

AVEC LES ENFANTS
Le Parque Jaime Duque et son zoo ; le parc agrotouristique Panaca Sabana.

Excursions Carte de région p. 110

AU NORD ET À L'EST DE BOGOTÁ Carte de région

★ Zipaquirá B1

À 55 km au nord de Bogotá. Bus fréquents au départ du Portal del Norte (45mn). En train : voir p. 139.

Zipaquirá, la « terre du Zipa » en muisca, est une agréable ville rurale d'environ 122 000 habitants en périphérie de l'agglomération de Bogotá. C'est ici, dans la **vallée de l'Abra**, que les archéologues mirent au jour les plus **anciens restes humains** de Colombie, vieux de 14 000 ans. Des fouilles et des études ultérieures ont révélé que ce site se situait au cœur de l'empire muisca. Les **mines de sel**, qui firent la prospérité de la ville, furent d'abord exploitées par les **Muiscas**, avant d'être récupérées par les colons espagnols, qui s'installèrent sur les lieux et bâtirent les élégants bâtiments coloniaux qui bordent la place principale.

Parque de la Sal – *À 600 m au nord-ouest de la place principale de Zipaquirá - calle 3, n° 7-64 - ✆ (1) 852 9890 - www.catedraldesal.gov.co - 9h-17h30 - 23 000 COP (visite guidée, 1h).* Véritable prouesse technique, la **Catedral de Sal★★** (cathédrale de sel) souterraine a été taillée à même les parois de l'ancienne mine de

Dans la mine de sel de Nemocón.
P. Tisserand/Michelin

sel. L'édifice que l'on visite actuellement est une réplique (1995) de la cathédrale originelle, creusée en 1954 et dont les tunnels menaçaient de s'effondrer. Elle s'étire sur une superficie de 8 500 m². Une succession de 14 petites chapelles marquent les stations du chemin de croix. Une œuvre impressionnante, rehaussée d'immenses piliers et d'une gigantesque croix illuminée. À la sortie de la mine, le petit **Museo de la Salmuera** (musée de la Saumure - *mêmes horaires - 3 000 COP)* retrace l'histoire des mines de sel de la région, en raconte l'exploitation et s'interroge sur les problèmes environnementaux qui y sont liés.

★ Nemocón B1

À 70 km au nord-est de Bogotá par la carretera 45 ; à 15 km au nord-est de Zipaquirá. En bus : au sortir de la gare ferroviaire de Zipaquirá, excursion organisée en bus (8 000 COP).

La présence espagnole dans la région remonte à 1537. Séduits par les lieux, par la présence de mines de sel et par l'abondance des récoltes de maïs des Muiscas, les colons décidèrent d'y fonder une ville. La jolie petite localité coloniale (env. 13 000 hab.) est surtout connue pour sa mine de sel.

★★ **Mina de Sal** – *À 400 m au sud-est de la place de l'église - ✆ (1) 854 4120 - www.minadesalnemocon.com - 9h-17h - 20 000 COP - départ des visites guidées (1h30) ttes les 15mn.* Moins touristique que celle de Zipaquirá, la visite de la mine de Nemocón est aussi plus orientée vers les aspects techniques, historiques et scientifiques de l'exploitation du sel, qui, entamée en 1819, a pris fin dans les années 1980 : la quantité de sel extraite de la mine de Nemocón s'élève à 9 millions de tonnes. Les galeries descendent à 80 m de profondeur jusqu'à une petite chapelle consacrée à la Vierge des mineurs et à la **Cámara del Pálpito de los Enamorados** (chambre du Pressentiment amoureux) où scintille un gros cœur de sel de 1 600 kg. Un circuit d'env. 1 km permet d'admirer des stalagmites, des cascades de sel et des miroirs d'eau aux beaux effets optiques. C'est ici qu'a été tourné, avec Antonio Banderas dans le rôle clé, le film *Les 33* (2014), relatant l'accident des mineurs chiliens de Copiapó.

Les terres mythiques du peuple muisca

DES RÉGIONS ÂPREMENT DISPUTÉES

Avant l'arrivée des Espagnols au 16e s., les environs de Bogotá furent longtemps occupés par les **Muiscas** et par d'autres peuples de langue chibcha, aux traditions encore relativement vivantes aujourd'hui. Lors de la conquête, qui fut particulièrement violente, le conquistador espagnol **Gonzalo Jiménez de Quesada** fit alliance avec les Muiscas pour vaincre les **Panches**, une tribu rivale, lors de la **bataille de Tocarema** (1538). C'est ainsi que l'Espagne instaura sa domination sur ces territoires. Les populations indiennes furent progressivement assimilées à la société espagnole et aux communautés de *mestizos*.
Au fil du temps, les inégalités de répartition des terres entre la classe paysanne et les propriétaires des haciendas donnèrent lieu à de violentes tensions à l'origine, dans toute la région, de l'opposition entre libéraux et conservateurs. Une autre période de conflit marqua les années 1980 et 1990, qui virent se multiplier les confrontations entre militaires et guérilleros dans certaines zones rurales des environs, avant que la paix ne revienne progressivement.

MYTHES ET LÉGENDES

La culture indienne est restée très présente dans les hautes plaines et les vallées du **Cundinamarca**, dont les habitants sont en grande majorité d'origine indienne. D'innombrables mythes et légendes circulent toujours, évoquant d'immenses quantités d'or, des chamans et des rituels, ou encore des sorcières qui se transforment en oiseaux de nuit. Ces récits offrent un riche aperçu des **croyances** ancestrales *(voir « Traditions et art de vivre », p. 62)*. Empreintes d'une certaine mélancolie, les musiques traditionnelles du Cundinamarca sont, elles, plutôt liées à l'histoire de la conquête espagnole, tandis que les danses locales ressemblent beaucoup aux danses espagnoles.

EL DORADO, L'HOMME DORÉ

Le mythe de l'Eldorado, dont l'origine remonte au début du 16e s., est l'un de ceux qui attirèrent le plus d'explorateurs espagnols vers les côtes du Nouveau Monde. Dans les années 1530, après avoir découvert la **civilisation muisca** dans les hautes terres du Boyacá, Gonzalo Jiménez de Quesada mentionna l'histoire d'un homme à la peau couverte d'or et rapporta la présence de richesses inouïes. Il décrivit le déroulement des cérémonies qui se tenaient au bord du **lac de Guatavita**, au cours desquelles les sujets jetaient dans le lac des bijoux et de l'or, en offrande aux dieux. Enjolivée, l'histoire se répandit, et l'on parla bientôt d'un homme doré qui offrait de l'or aux dieux, un mythe qui a pour origine un rituel muisca au cours duquel le chef se couvrait le corps de fines particules d'or. Le légendaire « El Dorado » fut imaginé comme un empire gouverné par un roi en or. De nombreux explorateurs cherchèrent alors, sans succès, à localiser ce royaume aux fabuleuses richesses : **Francisco de Orellana** puis **Philipp von Hutten** en 1541, **Sir Walter Raleigh** en 1595, entre autres, entreprirent tour à tour l'expédition. Plusieurs ouvrages et films ont contribué à immortaliser cette histoire, notamment le *Paradis perdu* de John Milton, *Candide* de Voltaire, ainsi que deux bandes dessinées mettant en scène des personnages de Walt Disney, *Les Timbrés du timbre* et *Un dernier seigneur pour Eldorado*.

Un agréable sentier permet l'ascension du **Cerro de la Virgen del Carmen** *(15mn - plan d'accès à l'entrée de la mine).*

★ Suesca B1

À 21 km au nord-est de Nemocón. Bus fréquents depuis le Portal del Norte à Bogotá.

La partie haute du bassin de la rivière Bogotá est en passe de devenir l'un des principaux centres d'excursions spécialisés dans les **sports extrêmes** de la région. Suesca (17 000 hab.), destination idéale pour une excursion à la journée depuis Bogotá, séduira les amateurs de sports nature. Le lieu-dit **Rocas de Suesca**, un site d'**escalade** à la sortie de la ville *(à 1 km de Suesca par la route Nemocón-Suesca)*, comprend des parcours de grimpe de tous niveaux sur une **falaise** longue de 4 km. On vient aussi y pratiquer le VTT, la randonnée, la descente en rappel et la spéléologie.

Laguna de Guatavita B1

À 26 km au sud-est de Nemocón. Bus pour Sesquilé depuis le Portal del Norte à Bogotá (1h30) puis taxi (7 km) - mar.-dim. 9h-16h - 14 000 COP.

Non loin de **Sesquilé**, le lac de Guatavita, situé à 2 990 m d'altitude, revêt des allures de cratère de météorite. Ce lac sacré des **Muiscas** a nourri la légende de l'**Eldorado** *(voir ci-contre)*. L'endroit pourra vous paraître un peu aseptisé, mais les environs ne manquent pas de charme. Les étudiants de Bogotá viennent souvent camper ici le week-end et manger de la truite dans l'un des nombreux restaurants bordant le lac.

Guasca B1

À 51 km au nord-est de Bogotá par La Calera. Bus fréquents depuis le Portal del Norte à Bogotá.

Guasca (14 000 hab.), comme beaucoup d'autres villes des environs de Bogotá, est réputée pour son riche passé précolombien. Avant l'arrivée des Espagnols, c'était une importante agglomération muisca. Le lieu est apprécié des **pêcheurs**, qui installent leurs lignes sur les rives de la **Siecha** et de la **Chipatá**.

Capilla de Siecha – *Sur la vía a Guasca, prenez sur votre droite au km 29 ; la chapelle se trouve avant le río Siecha - http://capilladesiecha.blogspot.com - 8h-17h - 2 000 COP.* Les ruines d'un ancien couvent dominicain jouxtent cette église coloniale à trois nefs.

★★ Parque Nacional Natural Chingaza B1-2

À 88 km à l'est de Bogotá - ☎ (1) 243 1634 - www.parquesnacionales.gov.co - w.-end seult 9h-16h - 35 000 COP - réserv. obligatoire 24h à l'avance - accès possibles par Guasca, La Calera et Fómeque - visites guidées organisées par Clorofila (☎ (1) 616 8711 - www.viajesclorofila.com) - vêtements chauds et coupe-vent indispensables.

Le **páramo** de Chingaza, sur le versant est des Andes, assure la transition entre les hautes terres du Cundinamarca et les basses terres du **Meta**, au climat chaud et humide. Avec ses lacs naturels et artificiels, c'est en quelque sorte le château d'eau de Bogotá. En filtrant les précipitations des montagnes, la végétation des marécages fournit à la capitale 90 % de son eau potable, d'une excellente qualité. Les eaux s'écoulent vers le **barrage de Chingaza** avant de se déverser dans le **réservoir de Chuzo**, la réserve de Bogotá.

Des *frailejones* ponctuent le paysage, lui conférant une atmosphère quelque peu irréelle. D'une superficie de 76 600 ha, ce parc est l'habitat de l'**ours à lunettes**, du **tapir des montagnes**, du **coq de roche** et du **condor des Andes**. Trois lacs glaciaires sont accessibles : ceux de **Buitrago**, de **Teusaca**

et de **Siecha**. Près de ce dernier, des vestiges **muiscas** ont été retrouvés, ainsi que des offrandes en or.

Lagunas de Siecha – *http://lagunasdesiecha.com.co - 3h30 AR par l'entrée Guasca*. À 3 500 m d'altitude, dans le sud-est du *páramo*, se trouvent ces trois lacs sacrés sur les rives desquels les jeunes Bogotanais aiment à venir camper.

★ Choachí B1

À 38 km au sud-est de Bogotá, de l'autre côté des Cerros de Monserrate et de Guadalupe. Bus interurbains depuis Bogotá au départ de la calle 6, à l'angle de l'av. Caracas.

Pour rejoindre la jolie petite ville de Choachí (10 000 hab.), vous suivrez une route de montagne aux virages en épingle à cheveux, sillonnée par des chauffeurs de bus à la conduite téméraire. Bien que la ville, à 1 927 m d'altitude, se situe à une altitude inférieure à celle de Bogotá, la route offre, au détour d'un virage, un beau **point de vue★★** dominant le Cerro de Monserrate. Parmi les curiosités à ne pas manquer figurent des **peintures rupestres** et des **pétroglyphes** *(à une dizaine de km de la ville - faites-vous accompagner)*, la **chute d'eau de La Chorrera**, haute de 590 m, ou encore les agréables **sources chaudes de Santa Mónica** *(à 3 km au nord de Choachí, non loin de la route qui mène à Bogotá - (1) 492 9552 - www.termalessantamonica.com - bains publics : 8h-18h - 23 000 COP (30 000 COP le w.-end))*.

AU SUD ET À L'OUEST DE BOGOTÁ Carte de région

★★ Parque Natural Chicaque A1

À 43 km à l'ouest de Bogotá - (1) 368 3114 - www.chicaque.com - 8h-16h - 14 500 COP - navette directe depuis la station de TransMilenio Terreros le w.-end (en sem., les colectivos vous laisseront à 35mn de marche de l'entrée du parc).

Cette **réserve naturelle privée**, dédiée à l'écotourisme et à la sensibilisation du public aux questions environnementales, a ouvert ses portes en 1990. Bien aménagée, elle propose des activités pour tous, de la **promenade** sur des sentiers faciles et bien entretenus à l'**équitation**, en passant par les circuits guidés d'**observation des oiseaux**. Malgré sa proximité avec Bogotá, cette oasis de verdure abrite 300 espèces d'oiseaux et une vingtaine d'espèces de mammifères, faciles à observer au cours des excursions.

Fusagasugá A2

À 70 km au sud-ouest de Bogotá. Bus fréquents (2h) depuis le terminal Salitre.
La capitale de la province de Sumapaz (134 000 hab.), souvent appelée « la Ville des fleurs », est réputée pour ses tapis de laine et sa maroquinerie. Elle se blottit entre les hautes terres du sud-ouest et l'**Altiplano Cundiboyacense**, un territoire au relief relativement plat qui était, à l'époque précolombienne, un point de passage très fréquenté par les Muiscas, les Panches et les Pijaos. À voir : la **plantation caféière de Coloma** *((1) 318 802 0841 - www.hacienda-coloma.com.co)*, la **Casona Tulipana** *(Transversal 9, n° 16-92 - (1) 886 8304 - lun.-vend. 15h-20h, sam. 8h-12h)*, qui accueille des événements culturels, et la **Quinta Coburgo**, déclarée monument national en 1996 *(ne se visite pas)*. La **Casona la Palma** *(ne se visite pas)* a reçu d'illustres résidents, comme Simón Bolívar et Manuela Sáenz, José Celestino Mutis et Alexandre von Humboldt.

★★ Parque Nacional Natural Sumapaz AB2

À env. 80 km au sud de Bogotá - www.parquesnacionales.gov.co - visite guidée obligatoire : voir « Activités » dans « Nos adresses à Bogotá », p. 149.

Par le passé, ce parc fut l'un des lieux de transit des guérilleros des FARC. L'ouverture d'une base militaire dans les environs, qui a en grande partie sécurisé la zone, permet désormais aux agences de Bogotá de mettre le parc au programme de leurs excursions. Situé en limite de Bogotá et des départements du **Huila**, du **Meta** et du **Cundinamarca**, Sumapaz abrite le plus important et le plus fragile des écosystèmes de la région. D'une superficie de 154 000 ha, il recèle le plus vaste **páramo** au monde, 14 variétés de **frailejones**, des paysages montagneux ponctués de splendides lacs d'altitude, d'innombrables sources, ainsi que des **sites archéologiques** précolombiens. Ce parc, situé au centre du pays, abrite les sources des principaux fleuves et rivières colombiens, notamment celles du **Magdalena**, du **Guaviare** et du **Meta**.

Les randonnées pédestres organisées dans le parc passent par plusieurs **lacs** : Laguna de Chisacá, Laguna Negra, Laguna Bocagrande et Pantano de Andabobos.

Girardot A2

À 134 km au sud-ouest de Bogotá. Bus depuis le terminal Salitre (3h - 18 000 COP).

Girardot (105 000 hab.), « la Ville des acacias », était un port important sur le río Magdalena à l'époque où les voyageurs empruntaient le fleuve pour traverser le pays. C'était le point de passage des marchandises – en particulier du café – vers Bogotá, comme en atteste l'ancien **pont de chemin de fer**. La ville, qui figure parmi les destinations de week-end favorites des habitants de la capitale, possède un vaste choix d'hôtels, de bars et de boîtes de nuit. On peut aussi pratiquer le **parapente** dans ses environs.

AU NORD-OUEST DE BOGOTÁ Carte de région

Facatativá A1

À 46 km au nord-ouest de Bogotá par la route de Villeta. Bus depuis le terminal Salitre (1h15 - 10 000 COP).

L'économie de la ville repose en grande partie sur la culture des **fleurs**, grâce à un climat et à une altitude (2 640 m) favorables. Comme le laissent supposer les sonorités de son nom, Facatativá (132 000 hab.) est une ville d'origine muisca. Gonzalo Jiménez de Quesada y fit étape lorsqu'il poursuivait le chef muisca Cacique Tisquesusa en 1537. La **Catedral de Facatativá** *(plaza de Simón Bolívar)* est le plus bel exemple local d'architecture espagnole (1787). C'est toutefois le passé précolombien de la ville qui constitue son principal attrait.

Parque Arqueológico de Facatativá – *À 1 km au nord-est de la place centrale - ☎ (1) 842 1808 - www.piedrasdeltunjofacatativa.com - mar.-dim. et j. fériés 9h-17h - 3 500 COP - visite guidée gratuite le w.-end.* Ce parc abrite des peintures rupestres vieilles d'environ 10 000 ans. Ces œuvres ornent des formations rocheuses qui faisaient autrefois partie de la zone inondable d'un lac de la **Sabana de Bogotá**. Elles ont souffert du manque de protection contre les éléments naturels et le vandalisme, mais des projets visant à restaurer cet important élément du patrimoine archéologique sont en cours.

BASSE VALLÉE DU RÍO MAGDALENA Carte de région

Dans cette partie du pays, beaucoup de villes ont conservé leur charme et leur atmosphère typiques de l'époque coloniale.

★ Guaduas A1

À 136 km au nord-ouest de Bogotá, par la sortie ouest de Villeta. Bus fréquents depuis le terminal Salitre (3h - 20 000 COP).

Bénéficiant d'un environnement naturel aux écosystèmes variés, la ville de Guaduas (38 000 hab.) fut choisie par **José Celestino Mutis** (1732-1808) comme but de l'une de ses expéditions botaniques. Parcourez la **calle Real**, remarquablement préservée, et jetez un coup d'œil à l'**Alcaldía**, où Bolívar aurait séjourné. Guaduas honore la mémoire de **Policarpa Salavarrieta** (1795-1817), héroïne et martyre de l'Indépendance *(voir p. 128)* dont la maison natale, détruite par un incendie en 2012, se trouvait sur la calle 2. La jeune héroïne fut fusillée par les Espagnols qui l'accusèrent d'espionnage pour le compte des forces révolutionnaires.

Salto de Versalles – *À 20mn de marche de Guaduas, le long de la carretera qui mène à Guadero.* Une belle chute d'eau de 20 m.

★ Honda A1

À 33 km au nord-ouest de Guaduas. Bus fréquents depuis le terminal Salitre (4h - 25 000 COP).

Honda (24 000 hab.) connut son âge d'or entre 1850 et 1910, lorsqu'elle marquait l'extrémité de la partie navigable du **río Magdalena**, que les embarcations remontaient depuis la côte caraïbe. La qualité de vie des habitants de Honda s'est dégradée ces dernières années en raison du passage d'un grand axe routier en plein cœur de la ville.

À l'époque coloniale, on comptait trois grands ports sur le fleuve : Barranquilla, Mompox et Honda. Les bateaux déchargeaient à Honda, et leurs cargaisons étaient ensuite acheminées à dos de mule puis, plus tard, par chemin de fer jusqu'à Girardot. Parfois appelée « la Carthagène de l'intérieur » pour son architecture mi-coloniale, mi-républicaine et pour ses ruelles typiques de cette époque, Honda est aussi surnommée « la Ville des ponts » car elle en possède 29 au total.

La vieille ville est à voir pour son architecture, d'autant que des travaux de restauration lui ont donné une nouvelle jeunesse. Aux alentours, au lieu-dit **Abrigo de Perico**, ont été découverts des **pétroglyphes** représentant de petits personnages aux visages rectangulaires, couvrant une paroi rocheuse sur une longueur de 14 m.

LA SUBIENDA

En février, à **Honda**, ne manquez pas le **Festival de la Subienda** et sa folle atmosphère : une foule de pêcheurs se lance alors à l'assaut du río Magdalena pour tenter d'attraper un maximum de poissons, et de préférence les plus gros, qui remontent le fleuve depuis les *ciénagas* de la côte caraïbe entre janvier et mars. En ville se déroulent concerts, rodéos, et l'incontournable concours de beauté.

Museo del Río Magdalena – *Calle 10, n° 9-01, angle Cuartel de la Ceiba - (1) 251 0507 - mar.-sam. 8h-12h, 14h-18h, dim. et j. fériés 9h-13h - 2 000 COP.* Il retrace l'histoire de la navigation sur le Magdalena, des explorations menées le long du fleuve et du commerce fluvial – quinine, tabac, café – au cours des siècles passés.

Museo Alfonso López Pumarejo – *Calle 13, n° 11-75, angle plaza de América - (1) 251 3484 - mar.-sam. 8h-12h, 14h-18h, dim. et j. fériés 9h-13h - 2 000 COP.* Installé dans la demeure de l'ancien président **Alfonso López Pumarejo** (1886-1959), qui fit deux mandats à la tête du pays, il offre un aperçu de la vie de cet homme politique et de sa carrière.

NOS ADRESSES DANS LES ENVIRONS DE BOGOTÁ

ARRIVER/PARTIR

En bus – Pour le nord et l'est, bus interurbains au Portal del Norte *(voir p. 139)*. Pour le sud et l'ouest (sf Soacha et environs, accessibles par le TransMilenio), bus depuis le terminal Salitre *(voir p. 139)*.

En train – Un train touristique dessert Zipaquirá le w.-end *(voir p. 139 et p. 150)*. Une nouvelle ligne devrait prochainement entrer en service pour desservir Facatativá.

HÉBERGEMENT

Suesca

PREMIER PRIX

El Vivac Hostal – *Vereda de Casicazgo - ✆ (mob.) 311 284 5313 - http://elvivachostal.com - 4 ch. 70 000 COP.* Cette petite ferme près du pont est tenue par un passionné d'escalade qui organise des sorties pour ses clients. L'hôtel est à 15mn de marche des premières falaises du Valle de los Halcones. Location de vélos et cuisine à disposition.

RESTAURATION

Zipaquirá

BUDGET MOYEN

Casa del Chorro – *Calle 5, n° 5-32 (sur la plaza de la Independencia) - ✆ (1) 851 5947 - 9h-23h sf lun. - 30 000 COP.* Dans le centre historique, un bar-restaurant aux belles boiseries servant truite, ceviche et chorizo en portions généreuses. Bières artisanales. Petite sélection végétarienne.

Nemocón

BUDGET MOYEN

Manizagüa - Venado de Oro – *Calle 3, n° 3-07 - ✆ (mob.) 312 521 4738 - 11h-19h - 30 000 COP.* Sur la jolie *plaza mayor*, face à l'église San Francisco de Assis, l'auberge sert un menu du jour (en semaine) dans deux salles meublées à l'ancienne, à l'étage.

ACTIVITÉS

Randonnées

Parque Ecológico Matarredonda – *À 20 km au sud-est de Bogotá dir. Choachí - ✆ (1) 209 6384 - 20 000 COP.* Randonnées à 3 100 m d'alt. sur le *páramo* et dans un *bosque de niebla* (forêt de nuages) où s'infiltrent les eaux qui alimentent le fleuve Meta.

Cicloaventureros – *Carrera 15, n° 79-70 - Bogotá - ✆ (1) 467 3837 - www.cicloaventureros.com -* Organise des sorties dans le petit **Desierto de la Tatacoita** *(entre Nemocón et Suesca)*.

Parcs d'attractions

Parque Jaime Duque – *À Briceño - 44 km au nord-est de Bogotá - ✆ (1) 620 0681 - www.parquejaimeduque.com - Forfait 32 000 COP pour ttes les attractions (w.-end et j. fériés).* Répliques kitsch du Taj Mahal et des Sept Merveilles du monde antique, immense **carte en relief** de la Colombie et petit **zoo**.

Panaca Sabana – *À 45 km au nord-est de Bogotá - ✆ (1) 307 7002 - www.panacasabana.com - vend.-dim. et j. fériés 9h-18h - 39 000 COP.* Plus de 2 400 animaux dans ce **parc agrotouristique** conçu pour apprendre aux enfants à mieux connaître la campagne. Ils y sont conviés à nourrir les chèvres et les canards, à rassembler les vaches et à monter à cheval.

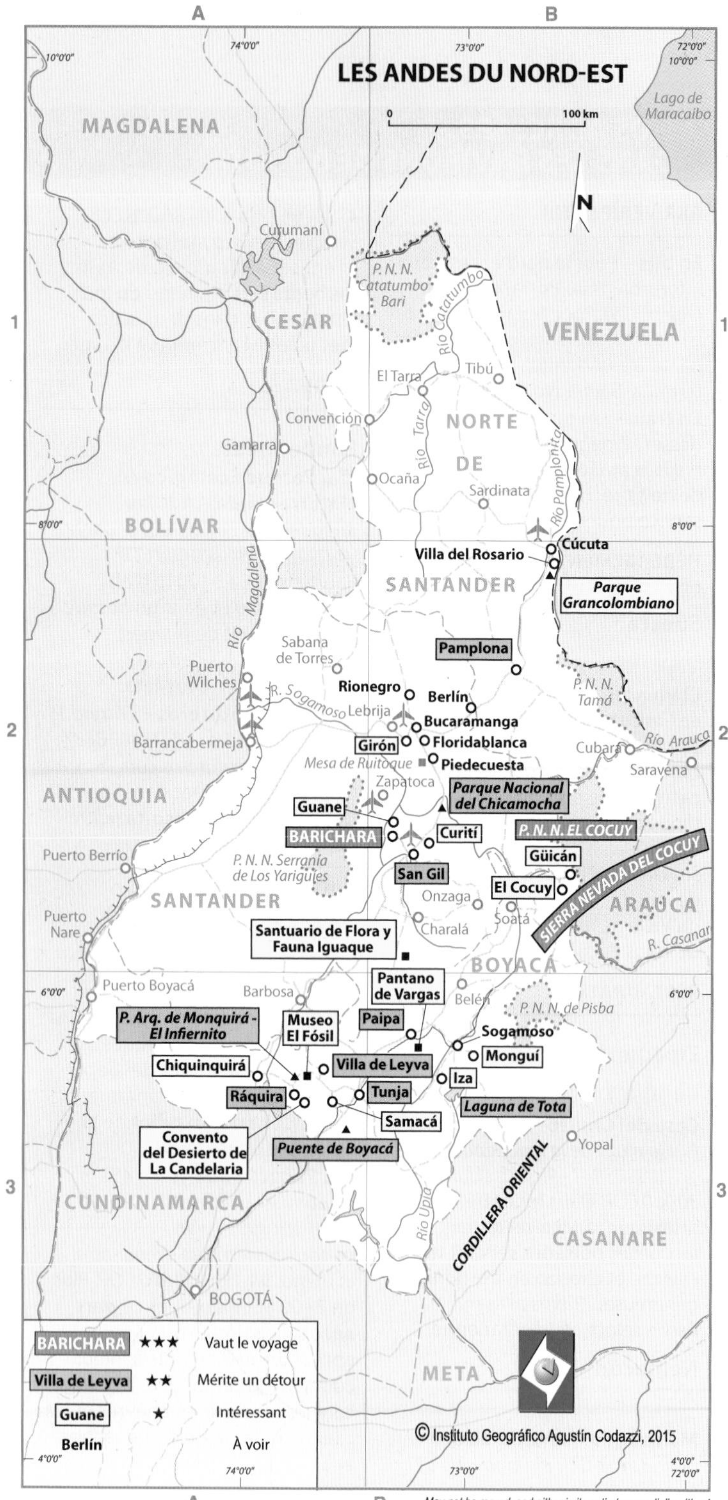
LES ANDES DU NORD-EST
0
100 km
N
MAGDALENA
CESAR
VENEZUELA
Lago de Maracaibo
P. N. N. Catatumbo Barí
Río Catatumbo
Curumaní
El Tarra
Tibú
Convención
Gamarra
Ocaña
NORTE DE SANTANDER
Río Tarra
Río Pamplonita
Sardinata
BOLÍVAR
Cúcuta
Villa del Rosario
Parque Grancolombiano
SANTANDER
Río Magdalena
Sabana de Torres
Pamplona
Puerto Wilches
R. Sogamoso
Rionegro
Berlín
P. N. N. Tamá
Lebrija
Bucaramanga
Barrancabermeja
Girón
Floridablanca
Cubará
Río Arauca
Mesa de Ruitoque
Piedecuesta
Saravena
Zapatoca
Parque Nacional del Chicamocha
ANTIOQUIA
Guane
BARICHARA
Curití
P. N. N. EL COCUY
Puerto Berrío
P. N. N. Serranía de Los Yariguíes
Güicán
San Gil
SIERRA NEVADA DEL COCUY
El Cocuy
SANTANDER
Onzaga
ARAUCA
Puerto Nare
Charalá
Soatá
Santuario de Flora y Fauna Iguaque
R. Casanare
BOYACÁ
Pantano de Vargas
Puerto Boyacá
Barbosa
Belén
P. N. N. de Pisba
P. Arq. de Monquirá - El Infiernito
Museo El Fósil
Paipa
Sogamoso
Monguí
Chiquinquirá
Villa de Leyva
Iza
Tunja
Ráquira
Samacá
Laguna de Tota
Convento del Desierto de La Candelaria
Puente de Boyacá
Yopal
CORDILLERA ORIENTAL
CUNDINAMARCA
Río Upía
CASANARE
BOGOTÁ
BARICHARA ★★★ Vaut le voyage
Villa de Leyva ★★ Mérite un détour
Guane ★ Intéressant
Berlín À voir
META
© Instituto Geográfico Agustín Codazzi, 2015
May not be reproduced either in its entirety or partially without the authorization of the Instituto Geográfico Agustín Codazzi - IGAC

Les Andes du Nord-Est 2

Une région montagneuse pétrie d'histoire

Depuis Bogotá, en prenant la direction du nord, vers la frontière vénézuélienne ou la côte caraïbe, vous traverserez une succession de jolies vallées, de splendides canyons et de paysages de montagne spectaculaires. Le **Boyacá**, appelé encore aujourd'hui « la Terre de la liberté », s'enorgueillit d'un passé particulièrement riche en événements historiques : l'armée de **Simón Bolívar** y remporta une victoire décisive sur les Espagnols.

RICHESSES D'HIER ET D'AUJOURD'HUI

Les départements du **Boyacá**, du **Santander** et du **Norte de Santander** séduiront le voyageur par leur extraordinaire diversité topographique et géographique.

Établie sur un haut plateau, **Tunja** *(voir p. 162)*, l'ancienne capitale **muisca**, se distingue par son splendide patrimoine colonial. Vallées verdoyantes et villages de toute beauté, comme **Villa de Leyva** *(voir p. 172)*, l'une des destinations de week-end favorites des Bogotanais, composent le décor du cœur de l'ancien empire muisca, dont la réputation déclencha chez les Espagnols une véritable ruée vers l'or. De nos jours, on vient surtout dans la région pour profiter de ses **sources thermales** et de l'air pur des montagnes environnantes. Dans le nord-est de la région s'étire la **Sierra Nevada del Cocuy** *(voir p. 183)*, une chaîne de montagnes aux pics enneigés et aux lacs d'une beauté à couper le souffle, tandis qu'au pied des plus vastes glaciers de Colombie s'étendent des plaines de basse altitude au climat étouffant, dans les environs de la ville frontalière de **Cúcuta** *(voir p. 210)*.

DES CLIMATS TRÈS DIVERS

Dans cette région au relief accidenté, le climat varie énormément. Située à une altitude de 2 960 m, **Güicán** *(voir p. 185)* enregistre des températures moyennes de 12° : c'est l'une des plus hautes localités de cette partie du pays, ainsi que l'une des plus froides. La température moyenne de **Tunja**, qui connaît deux saisons humides (au printemps et à l'automne), oscille autour de 13°. **Bucaramanga** *(voir p. 202)*, qui se situe à une altitude plus basse (autour de 1 000 m d'alt.), enregistre des températures plus élevées, tandis que la charmante bourgade coloniale de **Barichara** *(voir p. 196)* affiche toute l'année une agréable moyenne de 22°. **Cúcuta**, près de la frontière vénézuélienne, à 320 m d'altitude seulement, connaît en revanche un climat humide et étouffant, avec des températures moyennes de 29°.

C'est dans le département du **Norte de Santander** que la Cordillère orientale rencontre les basses plaines, au climat plus chaud, qui s'étirent jusqu'au Venezuela. Le versant est de la montagne offre des températures plus fraîches.

ACTIVITÉS NATURE

Les Andes du Nord-Est sont depuis peu devenues l'une des destinations préférées des amateurs d'**écotourisme** et de **sports d'extérieur**. Dans la région de **San Gil** *(voir p. 192)*, les plus aventureux pourront pratiquer le rafting, le parapente, la spéléologie, la descente en rappel, ou plus simplement la randonnée et le VTT. Les paysages glacés d'**El Cocuy** *(voir p. 183)* offrent aussi de nombreuses possibilités de treks, dont certains sont réservés aux andinistes chevronnés. Cette partie du pays est également réputée pour ses nombreuses sources chaudes, ainsi que pour ses **lacs**, dont le plus grand est celui de **Tota**, dans le département du Boyacá.

TOURISME CULTUREL

Le patrimoine ne manque pas : vestiges archéologiques colombiens, villages coloniaux remarquablement préservés, fossiles et squelettes de dinosaures ainsi que bon nombre de sites et monuments historiques témoins des luttes d'indépendance sont à découvrir.
Vous apprécierez le charme rustique des petites villes coloniales de **Barichara** *(voir p. 196)* et **Girón** *(voir p. 206)*, et pourrez apprécier l'intense vie nocturne de **Bucaramanga**. Dans le département du Norte de Santander, sur l'autre versant de la cordillère, d'autres villes coloniales comme **Pamplona** *(voir p. 213)* se prêtent à des haltes agréables. Moins touristique, la ville commerçante de **Cúcuta** a surtout la réputation d'être un foyer de contrebande, proximité de la frontière oblige. Il s'agit pourtant d'une ville historique qui fut le témoin d'événements déterminants dans la lutte pour l'indépendance.

LA BATAILLE DE BOYACÁ

C'est l'un des événements historiques majeurs de la région. Le 7 août 1819, les forces républicaines indépendantistes remportèrent sur la Couronne d'Espagne une victoire déterminante : elle fut à l'origine de la création de la **Grande Colombie** *(voir p. 74)*. Patriotes sud-américains, combattants créoles et légionnaires britanniques, réunis sous le commandement de **Simón Bolívar** et des généraux de brigade **Francisco de Paula Santander** et **José Antonio Anzoátegui**, affrontèrent les Espagnols à **Casa de Teja**, sur les rives de la rivière Teatinos. Ce lieu, situé à 150 km de Bogotá, est proche de la ville de Tunja, d'où il est facile d'entreprendre une excursion au Parque Monumento Nacional Puente de Boyacá.
Pour les Espagnols, l'enjeu de la bataille était de protéger la ville de Bogotá, dont les forces républicaines cherchaient à s'emparer en raison de son importance stratégique. Les révolutionnaires ayant divisé leur armée en deux groupes après la sanglante bataille du **Pantano de Vargas** (25 juillet 1819) pour s'accorder un peu de repos, les Espagnols prirent l'effectif réduit qui allait les affronter pour une simple expédition de reconnaissance. L'armée de Simón Bolívar encercla l'arrière-garde espagnole et l'obligea à se rendre. D'autres forces républicaines traversèrent la rivière près de **Casa de Piedra**, divisant ainsi les troupes espagnoles et semant la panique pour les obliger à fuir. Les républicains firent quelque 1 600 prisonniers et furent à l'origine d'une succession d'événements militaires qui, semble-t-il, déstabilisa durablement la présence espagnole en Amérique du Sud. Après la bataille de Boyacá, les forces républicaines purent marcher sur Bogotá. Cette victoire, en affaiblissant les Espagnols, fut le déclencheur d'un vaste **mouvement indépendantiste** qui gagna l'Équateur, le Pérou et la Bolivie, et qui atteignit son paroxysme avec la bataille d'Ayacucho (Pérou, 1824).

Tunja et ses environs

★★

188 000 habitants – Capitale du département du Boyacá – Alt. 2 820 m

Sise à 2 820 m d'altitude, dans la haute vallée de la rivière Boyacá (ou Teatinos), la ville la plus haut perchée de Colombie jouit d'un climat frais de type alpin, avec des températures oscillant autour de 13°. Important carrefour des voies de communication de la région, c'est une ville commerçante mais aussi étudiante. Malgré la présence de quelques constructions modernes, le centre de Tunja est réputé pour son architecture coloniale, tant civile que religieuse, dont le clou est la Capilla del Rosario aux ornementations baroques foisonnantes. Elle attire essentiellement un tourisme culturel et religieux, notamment durant les deux festivals qui ponctuent l'année.

NOS ADRESSES PAGE 170
Hébergement, restauration, activités, etc.

S'INFORMER

Punto de Información Turística – *Casa del Fundador - carrera 9, n° 19-56 - (8) 742 3272 - pittunja@gmail.com - 8h-18h (16h le dim.).*

SE REPÉRER

Carte de région A3 (p. 158) – plan de la ville p. 166.

À 140 km au nord-est de Bogotá, sur la Pan-American Highway qui relie la capitale à Cúcuta.

Voir aussi la rubrique « Arriver/partir » dans « Nos adresses ».

À NE PAS MANQUER

La Capilla de la Virgen del Rosario, chef-d'œuvre d'architecture baroque ; les fresques de la Casadel Escribano Don Juan de Vargas ; les monolithes muiscas des Cojines del Zaque.

ORGANISER SON TEMPS

Comptez une petite journée pour la ville elle-même, et une autre pour une excursion dans les environs. Gardez toujours un lainage sur vous, les températures chutent dès que le soleil se cache.

Se promener Plan de ville p. 166

★★ AUTOUR DE LA PLAZA DE BOLÍVAR

Au départ de la plaza de Bolívar, circuit 1 tracé en vert sur le plan de ville (p. 166) – Comptez 1/2 journée.

Marquant le centre du cœur historique de Tunja, la **plaza de Bolívar**, dont les vastes dimensions révèlent l'importance du statut de la ville à l'époque coloniale, s'entoure d'un réseau de rues en damier ponctuées d'églises et de demeures anciennes. Cette petite zone coloniale se découvre à pied – mais l'altitude et la pente des rues vous feront sans doute ralentir le pas.

★ Casa del Fundador Capitán Gonzalo Suárez Rendón B3

Carrera 9, n° 19-56 - (8) 742 3272 - 8h-18h (16h le dim.) - 2 000 COP.

Cette élégante demeure coloniale (1540), qui fut celle du conquistador Gonzalo Suárez Rendón, fondateur de la ville, abrite aujourd'hui l'Académie d'histoire. Elle fut un important point de ralliement durant la période

Capilla de la Virgen del Rosario, Iglesia de Santo Domingo, Tunja.
P. Tisserand/Michelin

qui précéda l'indépendance. Vous verrez au plafond, à l'étage, deux grandes fresques du 17e s. Le bureau de l'office de tourisme occupe le rez-de-chaussée de la demeure.

2

★ Catedral Santiago B3

Plaza de Bolívar et carrera 9.

Édifiée entre 1565 et 1598 et restaurée à la fin du 19e s., la **Basílica Metropolitana de Santiago el Mayor de España**, de son nom complet, affiche une façade composite de pierre ocre. Une fois franchi le **portail** d'entrée inspiré du style Renaissance, achevé en 1600, on découvre un intérieur sobre rehaussant la richesse du **retable principal★★** d'Agustín Chinchilla Cañizares (1637). La cathédrale conserve également des œuvres de Gregorio Vásquez de Arce y Ceballos et des autels baroques dans les chapelles latérales. Le fondateur de Tunja, Gonzalo Suárez Rendón, repose dans un **tombeau de marbre sculpté★**, œuvre d'Olinto Marcucci, dans la chapelle Domínguez Camargo *(bas-côté gauche).*

★ Capilla Museo Santa Clara la Real B3

Carrera 7, nº 19-58 - ✆ (8) 742 3032 - sonnez à la porte - 3 000 COP.

La construction du premier couvent de Nouvelle-Grenade bénéficia du soutien de Francisco Salguero et de son épouse, Juana Macías de Figueroa. L'édification de la **chapelle** fut entreprise en 1571.

L'intérieur abrite une **collection★★** d'œuvres religieuses de Gregorio Vásquez de Arce y Ceballos. Outre les pavages de la chapelle, remarquez les décorations des murs et des voûtes, d'influence mudéjare. On y reconnaît notamment l'aigle à deux têtes du blason de Tunja, ainsi qu'un **soleil★** resplendissant, qui revêtait autant d'importance dans la symbolique chrétienne que pour les croyants indiens des villages environnants. Madre Francisca Josefa de la Concepción del Castillo y Guevara (1671-1742), auteur polémique d'un ouvrage intitulé *Afectos espirituales* (1896), sur les thèmes de l'aliénation et de la spiritualité, avait sa cellule dans cette chapelle.

Tunja, de la civilisation muisca à l'indépendance

Tunja, appelée **Hunza**, du nom d'un cacique muisca, avant l'arrivée des conquérants espagnols, est l'une des rares villes coloniales à avoir été fondées sur le site d'une ville précolombienne, en l'occurrence un bourg **muisca**.

VESTIGES PRÉCOLOMBIENS AUX PORTES DE LA VILLE

Il reste peu de vestiges du patrimoine culturel des Muiscas, qui peuplaient autrefois la région, en dehors des **Cojines del Zaque★★** *(voir p. 167)* et du **Pozo de Hunzahúa** (ou Pozo de Donato - *sur le campus de l'Universidad Pedagógica y Tecnológica de Colombia, sur l'Avenida Central del Norte*) ; ce petit lac situé au nord de Tunja, alimenté en eaux souterraines, revêtait une forte signification religieuse pour les Muiscas. C'est dans ce lac sacré que le **zaque** (cacique) **Quemuenchatocha**, poursuivi par les Espagnols, jeta son trésor. Plus tard, au 17e s., l'Espagnol **Jerónimo Donato de Rojas** tenta de drainer le plan d'eau à ses propres frais afin de récupérer les hypothétiques richesses ; l'expérience, comme tant d'autres de ce type, échoua et le trésor muisca serait toujours au fond du lac.

UNE ANCIENNE CAPITALE COLONIALE

La ville, fondée en 1539 par le conquistador **Gonzalo Suárez Rendón** (début 16e s.-1589), possède encore quelques édifices bâtis au 16e s. L'empereur Charles Quint, roi d'Espagne, octroya à Tunja le statut de cité deux ans seulement après sa fondation, et elle devint la capitale du **royaume de Nouvelle-Grenade**. Le blason de l'empereur orne toujours bon nombre d'édifices à travers la ville.

Au début du 17e s. Tunja comptait déjà 300 maisons à un ou deux étages, organisés autour d'un patio menant à un *corral*, espace destiné aux animaux, conformément au style architectural de l'époque. Ces demeures, ainsi qu'un nombre important de bâtiments civils et religieux, encadraient la place centrale de la ville, supposée occuper le site de l'ancien village muisca.

L'extrême religiosité des premiers colons explique la présence des grands couvents qui y furent fondés au fil des siècles. En outre, l'enseignement a toujours été un élément clé de l'identité de la ville : c'est ici, en 1822, que fut fondée la première école publique de Colombie. Aujourd'hui encore, Tunja est souvent appelée « la ville universitaire de Colombie » en raison du nombre presque disproportionné d'universités qu'elle abrite par rapport à sa population.

TUNJA INDÉPENDANTE

Tunja déclara son indépendance en 1811. Ce n'est que quelques années plus tard que Simón Bolívar en fit l'objectif de sa campagne de libération de la Colombie, laquelle culmina avec la **bataille de Boyacá** *(voir p. 161)*. Durant la **guerre des Mille Jours** *(voir l'encadré p. 76)*, la ville fut partiellement détruite. À cette période de troubles succéda une période de reconstruction (1910-1919) destinée à célébrer le centenaire de la libération du pays ; le développement de Tunja s'en trouva accéléré.

★★ **Casa del Escribano** (maison du Greffier) **Don Juan de Vargas** B3
Calle 20, n° 8-52 - ✆ (8) 742 6611 - mar.-vend. 9h-12h, 14h-17h, w.-end et j. fériés 9h30-16h - 3 000 COP.
Don Juan de Vargas occupa la fonction de greffier, ou secrétaire du roi d'Espagne, de 1585 à sa mort, en 1620. Tout comme le chroniqueur **Don Juan de Castellanos** *(voir p. 177)*, il eut une grande influence sur le développement de la ville, et notamment de sa culture, à la fin du 16e s. et au début du 17e s. La maison où il vécut est considérée comme l'une des plus belles demeures coloniales de Tunja. Des jardins fleuris occupent une cour aux allures de cloître. À l'étage, vous verrez un ensemble de céramiques muiscas retrouvées dans des tombes de la région, des artefacts religieux ainsi que du mobilier du 16e au 19e s. ; levez les yeux vers le **plafond peint**★★ où des représentations d'éléphants et de sibylles se mêlent à des symboles chrétiens ; notez tout particulièrement le **rhinocéros** inspiré de la gravure d'Albrecht Dürer. Ces fresques du début du 17e s. auraient été réalisées par des peintres européens de l'école de Fontainebleau.

★★ **Iglesia de Santo Domingo** A3
Carrera 11 entre les calles 19 et 20 - ouverte pour les offices.
Cette église édifiée en 1568, dont la façade est accolée à celles des demeures voisines, se niche dans une petite rue étroite et animée, à deux pas de la place principale. À l'intérieur, chef-d'œuvre de l'architecture coloniale, une **arche**★ rouge et or ornée d'anges portant sur la tête des corbeilles de fruits encadre un **autel doré**★ délicatement sculpté. Dans le bas-côté droit sont alignés d'antiques confessionnaux rappelant des chaises à porteurs, et de petits autels dorés.
★★★ **Capilla de la Virgen del Rosario** – *Bas-côté gauche.* C'est le plus bel exemple d'architecture baroque de Nouvelle-Grenade. L'éblouissante chapelle de la Vierge du Rosaire possède un retable exceptionnel dont l'ornementation comprend 15 panneaux de bois sculptés en bas-relief et représentant les mystères du rosaire selon trois thèmes : la joie, la souffrance et la gloire. L'effigie du 16e s., en bois sculpté, de Nuestra Señora del Rosario fut réalisée en Espagne par Roque Amador ; elle est exposée dans une alcôve ménagée au centre du retable et richement ornée d'incrustations de céramique et de coquilles nacrées.

★ **Casa de Ruíz Mancipe** A3
Calle 19, n° 11-13 - ne se visite pas.
Le capitaine Antonio Ruíz Mancipe fut maire de Tunja à trois reprises, entre 1591 et 1606. On lit, au-dessus de la porte principale de son ancienne demeure, l'indication de son année de construction, 1597. Les balcons de bois qui font l'angle, partiellement vitrés, sont postérieurs et datent de la première moitié du 20e s.

★★ **Iglesia de Santa Bárbara** A3
Carrera 11, entre les calles 16 et 17 - ouverte pour les offices.
Bâtie en 1623, Santa Bárbara est sans doute la plus originale des églises de Tunja. Sur votre droite, au niveau du narthex, remarquez une salle remplie de niches funéraires. Dans le chœur, qui clôt la nef, se dresse un **autel doré**★ abondamment sculpté, mis en valeur par l'arc aux motifs végétaux qui le précède. Par leur discrétion, les murs gris-bleu tranchent avec les complexes décorations dorées qui les ornent. Aménagés en chapelles, les deux bras du transept se terminent par des retables superbement ouvragés et présentant

de nombreux détails rehaussés de dorures. Dans celui de gauche sont exposées des soutanes rouges en soie, brodées de fils d'or et d'argent par la mère de Charles Quint, la reine Jeanne de Castille. Le plafond est quant à lui couvert de guirlandes de roses peintes à la main. Notez aussi la petite statue de **La Pilarica**, une copie, en modèle réduit, de la statue de Nuestra Señora del Pilar – patronne de la ville durant la période coloniale –, qui se trouve à Saragosse, en Espagne.

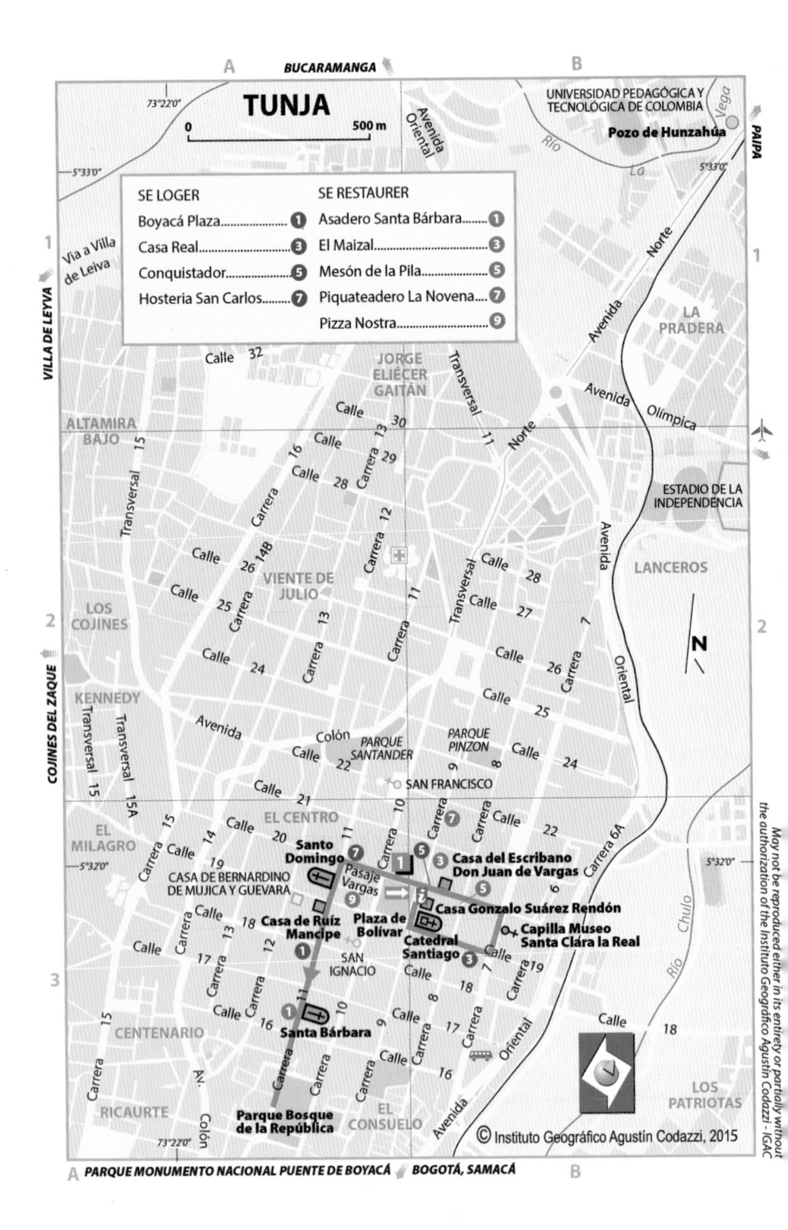

Parque Bosque de la República A3

Carrera 11, calle 15.

Dans ce parc de 147 ha se dresse un mur criblé de balles : le **Paredón de los Mártires** (mur des Martyrs), qui témoigne de l'exécution, en 1816, de combattants indépendantistes. Ces événements tragiques eurent lieu lors de la Reconquête espagnole et pendant le régime de terreur qui fut institué, ensuite, par le général **Pablo Morillo** *(voir « Histoire », p. 73)*.

★★ Cojines del Zaque (Coussins du Cacique) A2 en dir.

À l'ouest de la ville, à 15mn à pied de la plaza de Bolívar.

Baptisés « Cojines del Diablo » (coussins du Diable) par les Espagnols, ces deux grands **disques de pierre** témoignent de l'importance du culte rendu au dieu soleil à l'époque précolombienne. À l'époque précolombienne s'y déroulaient les danses et, occasionnellement, les sacrifices humains des **Muiscas**. Un rituel particulièrement sanglant consistait à arracher le cœur de garçons de 12 ans *(los moxas)* et à répandre leur sang sur les Cojines del Zaque pour obtenir des terres fertiles et des récoltes abondantes.

À proximité Carte de région p. 158

Alto de San Lázaro

À la sortie de Tunja, par la route de Villa de Leyva. Allez-y en taxi et demandez-lui de vous attendre : quartier peu sûr.

Cette colline est aussi connue sous le nom de Loma de los Ahorcados, la « colline des pendus » : c'est ici que les Indiens muiscas pendaient les membres de leur communauté qui avaient enfreint les lois. La **chapelle San Lázaro** (1587) y fut bâtie pour commémorer une terrible épidémie qui avait décimé la ville. Du haut de cette colline, qui culmine à 2 940 m, la **vue★** sur Tunja est spectaculaire. C'est d'ailleurs de ce sommet que **Simón Bolívar** observa les manœuvres des troupes espagnoles dirigées par le colonel José María Barreiro, avant la bataille de Boyacá.

★★ Parque Monumento Nacional Puente de Boyacá A3

À 11 km au sud-ouest de Tunja en dir. de Bogotá. Prenez un bus dir. « Puente » à la gare routière de Tunja.

Répartis sur un site vallonné, plusieurs monuments commémorent la lutte engagée contre l'**Empire espagnol** pour l'**indépendance des colonies**. C'est ici que se déroula le 7 août 1819 la **bataille de Boyacá** *(voir p. 161)*, l'un des événements militaires les plus importants pour l'avenir des colonies espagnoles. L'ampleur de la défaite des troupes espagnoles et royalistes face aux soldats républicains menés par **Simón Bolívar** rendit possible la prise de Bogotá et envoya un signal fort aux dirigeants indépendantistes de toute l'Amérique du Sud.

Dans le parc, on peut voir le célèbre **Puente** (pont) **de Boyacá**, épicentre des combats : son franchissement par Santander et par Bolívar fut un moment décisif. Le pont de pierre du 18e s., qui permettait de traverser la **rivière Teatinos**, fut reconstruit en 1939. Rappelant l'événement, un monument de 18 m de haut à la gloire de Simón Bolívar, œuvre de Ferdinand von Miller (1940), est orné de figures allégoriques représentant la Colombie, le Venezuela, l'Équateur, la Bolivie et le Pérou. Un **arc de triomphe** de Luis Alberto Acuña (1954) rend hommage aux soldats qui ont combattu ici et dont les origines diverses (notamment indiennes, africaines et hispaniques) représentent l'essence même du peuple colombien.

Excursions Carte de région p. 158

★ Samacá B3

À 27 km au sud-ouest de Tunja.

Cette petite ville pittoresque (20 000 hab.) est entourée de quelques sites archéologiques intéressants, comme **El Santuario**, une grotte sacrée précolombienne, ou le cimetière d'**El Venado**, un ancien site muisca.

★★ Paipa B3

À 43 km au nord-est de Tunja.

Cette ville coloniale du 16e s. (30 000 hab.) fut édifiée sur le site d'un ancien fief muisca. Avec ses rues bordées de maisons blanchies à la chaux et ornées d'un liseré vert, elle a conservé son charme d'antan. Elle est réputée pour ses sources thermales *(voir « Activités », p. 171).*

Hacienda del Salitre – *À 3 km de Paipa sur la route de Toca - (mob.) 317 362 5972 - www.haciendadelsalitre.com.* Cette belle demeure coloniale édifiée en 1736, où Simón Bolívar séjourna jadis une nuit ou deux, abrite aujourd'hui un hôtel.

★ **Pantano de Vargas** (marais de Vargas) – *À 9 km au sud de Paipa.* La bataille du Pantano de Vargas, le 25 juillet 1819, rendit possible la victoire décisive de la bataille de Boyacá *(voir p. 161)*, 13 jours plus tard. À l'occasion des célébrations des 150 ans de l'Indépendance, Rodrigo Arenas Betancourt (1919-1995) créa la plus grande sculpture jamais réalisée en Colombie : les **Lanceros del Pantano de Vargas★★**. Cette œuvre en bronze, qui domine le champ de bataille, représente 14 *lanceros* (lanciers) à cheval menant la charge. Elle est encadrée par une structure de béton qui culmine à 33 m. Cette sculpture rend hommage aux hommes qui combattirent pour la cause républicaine sous le commandement de **Juan José Rondón**, qui mena la charge des cavaliers; cette initiative audacieuse changea le cours de la bataille et offrit la victoire aux rebelles.

LE TEJO, UN JEU MILLÉNAIRE

Déclaré sport national en 2000, le **tejo** est la version moderne d'un jeu muisca apparu à l'époque précolombienne à Turmequé, petite ville située à 45 km au sud-ouest de Tunja. Très répandu à travers le pays, le *tejo* est surtout pratiqué dans les hautes terres du **Boyacá** et du **Cundinamarca**. Le jeu consiste à lancer un palet métallique pesant environ 680 grammes sur une distance de près de 20 m vers une zone de 2,50 m de large. La cible est un bac incliné, rempli d'argile, au centre duquel se trouve un anneau métallique auquel sont fixés plusieurs petits triangles *(mechas)* contenant de la poudre à canon. Si le *tejo* heurte la *mecha* et le cercle métallique, il déclenche une détonation, accompagnée de fumée. Au fil du temps, certains éléments du jeu ont changé, notamment le disque métallique : appelé *zepguagoscua* à l'époque préhispanique, il était alors en or.

D'ordinaire, le *tejo* se joue en équipes de trois personnes, qui lancent le palet à tour de rôle. Le nombre de points marqués est fonction de l'endroit de la cible que frappe le *tejo*, de sa proximité des *mechas*. Ce sport est pris très au sérieux : il existe des ligues, ainsi que de grands tournois qui passionnent les foules dans toute la région. Mais on y joue aussi beaucoup pour le plaisir de la convivialité et des tournées de bière accompagnant les paris à chaque partie.

Sogamoso B3

À 76 km au nord-est de Tunja par Duitama.
« Ville du soleil et de l'acier », Sogamoso (114 000 hab.) était un site religieux d'une grande importance pour les Muiscas. Cette ville industrielle vit désormais essentiellement de l'exploitation des mines de charbon et de la sidérurgie.
★ **Parque y Museo Arqueológico** – *Calle 9, n° 6-45 - ✆ (8) 770 3122 - lun.-sam. 9h-12h, 14h-17h, dim. et j. fériés 9h-15h - 6 000 COP.* Consacrées à l'art et à la culture **muiscas**, les collections du musée comprennent des pièces de poterie, de vannerie, de joaillerie, des armes, des ustensiles, des conques utilisées lors de cérémonies curatives, des instruments de musique ainsi que des objets sacrés associés aux cultes phalliques. Vous découvrirez également les procédés de momification utilisés par les Muiscas, qui conservaient les corps des défunts et les enveloppaient dans des couvertures serties d'émeraudes et de pierreries. Dans le parc, qui occupe le site d'une ancienne **nécropole** muisca, se dresse une réplique du **temple du Soleil**, incendié par les Espagnols au moment de la Conquête.

★ Monguí B3

À 13 km au sud-est de Sogamoso.
Fondée en 1555 par Gonzalo Dominguez Medellín et Fray José Camero de los Reyes, Monguí (5 000 hab.) était initialement peuplée de Tutasás, de Tirems, de Teguas et de Sanoas. Ce charmant village des hautes terres aux rues pavées a conservé un ravissant pont de pierre, le **Puente del Calicanto** (1692-1715). La **Basilica de Nuestra Señora de Monguí★** (1694-1760) et son couvent, d'obédience franciscaine, abritent des œuvres de Gregorio Vásquez de Arce y Ceballos (1638-1711). La ville est réputée pour ses **ballons** cousus main qu'elle exporte.
Proche de Monguí, le **Páramo de Ocetá**, ponctué de sources et de chutes d'eau, renferme un ensemble de monolithes monumentaux surnommés la **Ciudad de Piedra** (ville de pierre).

★ Iza B3

À 16,5 km au sud-ouest de Sogamoso.
En milieu de semaine, vous aurez probablement ce joli village (2 300 hab.) pour vous tout seul. Fondé en 1595, il arbore une belle architecture coloniale avec des murs blanchis à la chaux, colorés çà et là par les bougainvillées. Comme beaucoup d'autres localités de la région, Iza possède des **sources thermales** ; la plus fréquentée par les habitants est la **Piscina Erika** *(Vereda Aguacaliente, à 500 m de la Plaza Principal - ✆ (mob.) 310 769 2378 - mar.-dim. 8h-19h30 - 5 000 COP).*

★★ Laguna de Tota B3

À 32 km au sud de Sogamoso.
Selon la légende, cet ancien **lac sacré** des Muiscas abriterait un terrifiant poisson noir à tête de bœuf et un caïman géant aux dents en or. Le plus grand lac d'eau douce de Colombie (12 km de large sur 47 km de long), aux eaux turquoise, est bordé d'adorables petits villages, comme Tota, Cuítiva et **Aquitania** (le plus grand, sur la rive orientale).
Pour ceux que la fraîcheur de ses eaux (maximum 12°) n'effraie pas, ce lac est propice à la pratique des **sports nautiques**. Si elle se trouvait à une altitude plus clémente (notamment pour les poumons), la bien nommée **Playa Blanca**, plage de sable blanc, pourrait presque donner l'impression de se trouver dans les Caraïbes.

NOS ADRESSES À TUNJA

Plan de ville p. 166

INFORMATION UTILE

Change

El Dolar – A3 - *Carrera 11, n° 17-23 - dans le centre commercial Lumol - ✆ (mob.) 311 740 5361- lun.-vend. 8h30-12h30, 14h-18h30, sam. 10h30-13h30.* Change euros et dollars en espèces.

ARRIVER/PARTIR

En bus – **Gare routière** – B3 - *Sur l'Av. Oriental, à l'est de la calle 17, à quatre cuadras de la plaza de Bolívar (attention, ça grimpe).* Bus de/vers Bogotá (3h - 20 000 COP), Bucaramanga (7h - 40 000 COP), San Gil (4h - 25 000 COP) et Villa de Leyva (1h - 6 500 COP).

HÉBERGEMENT

PREMIER PRIX

Conquistador – B3 - *Calle 20, n° 8-92 - ✆ (8) 742 3534 - 20 ch. 50 000 COP.* Cet édifice colonial à l'angle de la plaza de Bolívar dispose de chambres spacieuses mais spartiates, toutes dotées d'une sdb (eau chaude). Les chambres avec fenêtre se trouvent au 1er étage ; les plus calmes donnent sur une rue piétonne. Wifi.

Hosteria San Carlos – A3 - *Carrera 11, n° 20-12 - ✆ (8) 742 3716 - 11 ch. 60 000 COP.* Une pension familiale établie dans une ancienne demeure coloniale. L'ensemble est toutefois un peu vieillot et gagnerait à un entretien plus soigné. Aucune chambre n'a la même taille, demandez à visiter avant de faire votre choix. L'une d'elles peut accueillir 5 pers., idéal pour une famille ou un groupe. Wifi.

Casa Real – B3 - *Calle 19, n° 7-65 - ✆ (8) 743 1764 - www.hotelcasarealtunja.com - 10 ch. 79 000 COP.* Au cœur du quartier historique, entre la gare routière et la place principale, il dispose de chambres spacieuses, correctement meublées, entourant un patio rempli de plantes vertes et protégé par une verrière. Wifi.

BUDGET MOYEN

Boyacá Plaza – A3 - *Calle 18, n° 11-22 - www.hotelboyacaplaza.co - ✆ (8) 740 1116 - ✕ - 40 ch. 150 000 COP.* Un hôtel au service attentionné et efficace, qui s'adresse en priorité à une clientèle d'hommes d'affaires. Réparties sur quatre niveaux, les chambres, confortables et bien meublées (bureau, mini-réfrigérateur), très lumineuses, sont desservies par un ascenseur. Wifi.

RESTAURATION

PREMIER PRIX

Piquateadero La Novena – B3 - *Carrera 9, n° 21-86 - ✆ (8) 743 1851 - ▭ - 10h-22h - 20 000 COP.* Une gargote de charcuteries typiques de la région. On s'attable devant les vitrines remplies de chapelets de saucisses et la serveuse vous apprendra à distinguer *morcilla*, *longaniza* et *salsichas*. Les plats sont servis avec les traditionnelles *papas criollas* du Boyacá.

Asadero Santa Bárbara – A3 - *Carrera 9, n° 16-49 - ▭ - 8h-17h - 20 000 COP.* Pas de carte : les viandes qui rôtissent dans le grand foyer à l'entrée du restaurant, face à l'église Santa Bárbara, en tiennent lieu. Vous commanderez au choix le menu du jour ou un assortiment de viandes grillées accompagnées de plantains, d'*arepas* et de pommes de terre au gros sel. Un plat suffit amplement pour deux personnes.

El Maizal – B3 - *Carrera 9, nº 20-30 - ✆ (8) 742 5876 - ⊭ - lun.-sam. 7h-20h30, dim. 9h-16h - 25 000 COP.* L'un des restaurants classiques de la ville, réputé malgré une salle basse de plafond et éclairée de néons plutôt sinistres. Parmi les plats régionaux, essayez l'une des spécialités à base de poulet et de riz ou, pour les poissons, la truite. Le menu change tous les jours. Ne manquez pas de goûter au vin de pomme, sucré et faiblement alcoolisé.

Pizza Nostra – A3 - *Calle 19, nº 10-36 - ✆ (8) 740 2040 - 12h-21h (22h le w.-end) - 25 000 COP.* Dans le quartier piéton, ce restaurant cultive des allures de fast-food amélioré avec ses enseignes au néon en guise de déco et ses murs roses et verts. Plus sophistiqué qu'une simple pizzeria, il propose une large carte de pâtes en tous genres (lasagnes, raviolis, etc.) ainsi qu'une carte standard de viandes et de poissons.

BUDGET MOYEN

Mesón de la Pila – B3 - *Calle 20, nº 8-13 - ✆ (8) 743 9508 - 11h30-16h - 40 000 COP.* Le restaurant chic de la ville entretient un cadre soigné décoré de fleurs fraîches. Il propose deux salles avec sols de tomettes et une mezzanine où l'on vient apprécier le mérou et le bar *(róbalo)* dont la maison s'est fait une spécialité et qu'elle cuisine en filet grillé ou en *cazuela* (cassolette). Également un menu du jour à 16 500 COP avec un buffet de salades à volonté. Petite carte des vins.

PETITE PAUSE

El Balcón – A3 - *Calle 19A, nº 10-32 - lun.-sam. 7h-21h.* Passez par la ruelle située derrière le bâtiment et grimpez au 1er étage pour gagner ce long balcon qui surplombe la plaza de Bolívar. Café, boissons fraîches et petite restauration vous permettront de passer un bon moment à suivre l'animation de la place. Venez l'après-midi pour profiter d'une jolie lumière sur la façade de la cathédrale.

BOIRE UN VERRE

Pasaje Vargas – A3 - *Calle 19A, entre les carreras 10 et 11.* Ce passage qui s'ouvre sous les balcons de la plaza de Bolívar regorge de petits bars de quartier entourant quelques snacks et une discothèque. C'est l'endroit de prédilection des noctambules de la ville.

ACTIVITÉS

Centro de Hidroterapia – *Vereda La Esmeralda, à 4 km au sud de Paipa, sur la route qui mène au Pantano de Vargas - ✆ (8) 785 0585 - www.termalespaipa.co - lun.-vend. 7h-22h* - Bains de boue, massages, jacuzzi dans les sources thermales réputées de Paipa.

AGENDA

Conmemoración de la Batalla de Boyacá – *août.* La commémoration de cet événement historique majeur s'accompagne de fanfares et d'expositions artistiques. L'anniversaire de Tunja, fondée le 6 août 1539, est célébré en même temps.

Festival Internacional de la Cultura – *1 sem. début nov.* Foire artisanale présentant les jeunes talents régionaux.

Villa de Leyva et ses environs

16 500 habitants – Département du Boyacá – Alt. 2 144 m

C'est l'une des plus belles villes coloniales de Colombie, et l'une des destinations préférées des Bogotanais, qui aiment venir y passer le week-end : la ville n'est qu'à quatre heures de la capitale. Classée monument national en 1954, Villa de Leyva s'attache à préserver son patrimoine architectural, ses rues anciennes et ses édifices des siècles passés, sa belle place principale pavée. Majestueuses, les montagnes se dressent aux portes de la ville comme une présence protectrice, veillant sur cette précieuse enclave où l'on croit respirer un lointain parfum d'Andalousie. Dans les environs, vous découvrirez des sites paléontologiques et des villages pittoresques.

NOS ADRESSES PAGE 180
Hébergement, restauration, activités, etc.

S'INFORMER
Oficina de Cultura y Turismo – *Casa de Juan de Castellanos - carrera 9, n° 13-11 - (8) 732 0232 - lun.-sam. 8h-12h30, 14h-18h, dim. 9h-17h.*

SE REPÉRER
Carte de région A3 (p. 158) – plan de la ville p. 174.
À 37 km au nord-ouest de Tunja (166 km au nord de Bogotá).
Voir aussi la rubrique « Arriver/partir » dans « Nos adresses ».

À NE PAS MANQUER
Les ruelles pavées de Villa de Leyva ; les squelettes de dinosaures et les fossiles des musées paléontologiques ; El Infiernito, observatoire astronomique muisca.

ORGANISER SON TEMPS
Sachez que la ville se remplit de touristes colombiens en fin de semaine, mais que beaucoup d'endroits ferment le lun. ou le merc. Le dim., vous irez chiner des poteries noires sur le marché de Ráquira.

Se promener Plan de ville p. 174

★★ LE CŒUR HISTORIQUE AB2

Au départ de la Plaza Mayor, circuit 1 tracé en vert sur le plan de ville (p. 174) – Comptez 1/2 journée avec les visites.

Avec son immense place flanquée de demeures coloniales d'une blancheur éclatante et d'édifices typiques de l'architecture espagnole du 16e s., le centre historique de Villa de Leyva rappelle les villes d'Andalousie.

★★ Plaza Mayor B2

Délimitée par les carreras 9 et 10 et par les calles 12 et 13.

D'une superficie de 14 000 m², c'est l'une des plus vastes places pavées du pays. L'irrégularité du pavage confère un certain charme à l'endroit. Au centre se dresse une petite **fontaine mudéjare** qui fut, des siècles durant, le seul point d'eau du village. Pendant la Reconquête espagnole, dans les années 1810, des potences furent érigées ici, et de nombreux rebelles y furent pendus. Plusieurs festivals s'y tiennent au cours de l'année *(voir p. 181).*

Vue sur l'église paroissiale depuis les *portales* de la Plaza Mayor, Villa de Leyva.
P. Tisserand/Michelin

Parroquia Nuestra Señora del Rosario – *Carrera 9, entre les calles 12 et 13 - lun.-vend. 14h-19h, sam. 9h-20h, dim. 7h-20h.* Cette ravissante église paroissiale fut construite entre 1608 et 1665 par les dominicains. À l'intérieur, la nef conduit à un **retable**★ à trois niveaux (17e s.), entièrement doré et portant des statues de saints et d'archanges. Lui font écho d'autres retables plus petits mais du même style de part et d'autre du transept, contrastant avec la simplicité des murs nus.

★ **Casa de Juan de Castellanos** – *Carrera 9, n° 13-11 - 10h-17h.* La maison où l'écrivain rédigea certaines de ses chroniques *(voir p. 177)* est la plus ancienne de la ville (1585-1607) et l'une des plus belles. Commençant aux *portales* (arcades) de la place centrale, elle occupe la moitié d'un pâté de maisons. Une partie abrite un ensemble de boutiques d'artisanat ainsi qu'un restaurant.

★ **Casa del Primer Congreso de la Provincias Unidas** – *À l'angle de la carrera 9 et de la calle 13 - temporairement fermée au public.* Située en face de la Casa de Juan de Castellanos, cette maison d'angle accueillit de 1812 à 1816 le premier Congrès des **Provinces unies de Nouvelle-Grenade**. Des élections historiques y eurent lieu.

Real Fábrica de Licores (Manufacture royale des liqueurs) B2

Calle 13, n° 8-28 - ne se visite pas.

Fondée en 1736, l'ancienne Manufacture royale des liqueurs fut la première distillerie officielle de Nouvelle-Grenade. Remarquez le **blason**★ espagnol du 16e s. qui orne la porte baroque.

★★ **Casa Museo de Antonio Ricaurte** B2

Parque Ricaurte - calle 15, n° 8-17 - ✆ (8) 732 0876 - merc.-dim. 9h-12h, 14h-17h - entrée libre.

Antonio Ricaurte (1786-1814), l'un des héros du mouvement indépendantiste, naquit dans cette maison. Vous y verrez des armes qu'il aurait utilisées, et visiterez l'ancienne demeure à la belle architecture : sa cour intérieure, ses salons et une cuisine conservant des ustensiles de l'époque.

★ **Plazoleta del Carmen** B2
Calle 14, nº 10-04.
Ce vaste complexe religieux organisé autour d'une paisible placette fut fondé en 1645 sur ordre de Philippe IV. Il comprend le couvent des Carmélites fondé en 1648 et toujours actif *(ne se visite pas)* et la **Iglesia del Carmen** *(ouverte pour les offices)* qui abrite deux chapelles : la plus ancienne (1645) est dédiée à la Vierge du Carmel ; la seconde (1848) à la Vierge de Chiquinquirá.
★★ **Museo del Carmen** – *℘ (8) 732 0214 - w.-end et j. fériés 9h-12h, 14h-16h30 - 4 000 COP.* Peintures, sculptures, retables et objets du culte : la centaine

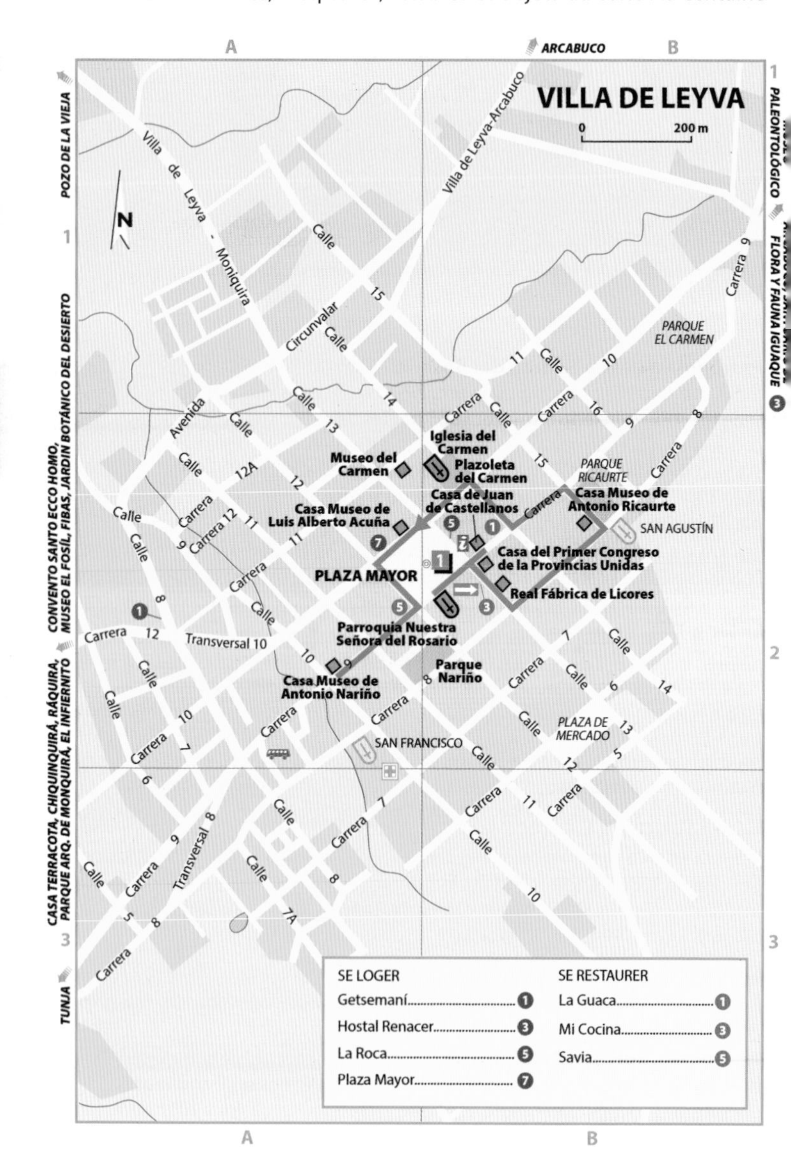

d'œuvres exposées dans ce musée, réalisées entre le 17e et le 20e s. par des artistes connus ou anonymes, comprend notamment des toiles de Gregorio Vásquez de Arce y Ceballos.

★★ Casa Museo de Luis Alberto Acuña A2

Carrera 10, n° 12-83 - ✆ (8) 732 0422 - 9h-12h30, 14h-18h, sf merc. - 6 000 COP.

Le peintre et sculpteur **Luis Alberto Acuña** (1904-1994), l'un des premiers muralistes de Colombie, fut nettement influencé par les travaux de Picasso et par l'art précolombien. Installé dans une belle demeure, qui mérite une visite à elle seule, le musée qui lui est consacré présente près de 250 de ses œuvres, ainsi que des fossiles et des céramiques précolombiennes mises au jour par Acuña et ses amis. Dans le patio, vous verrez des sculptures de l'artiste et surtout trois grandes fresques, celle de droite racontant la mythologie muisca, la suivante évoquant les dinosaures du Crétacé, tandis que celle de gauche, volontairement laissée sans couleur, pour ainsi dire inachevée comme l'est cette période, dresse un portrait de la colonisation.

★ Casa Museo de Antonio Nariño A2

Carrera 9, n° 10-25 - ✆ (8) 732 0342 - 9h-12h, 14h-18h, sf merc. - entrée libre.

Ce musée témoigne de la vénération portée dans la région à **Antonio Nariño** (1765-1824), « précurseur de l'Indépendance » qui traduisit en espagnol la Déclaration universelle des droits de l'Homme et du citoyen de 1789. Il participa activement aux combats qui menèrent à l'Indépendance. Les collections, qui rassemblent vaisselle, armes, livres du 17e au 18e s. occupent une demeure à un étage du début du 17e s. Une élégante colonnade entoure la cour intérieure, surplombée par une balustrade courant au long du premier étage. Non loin de la maison-musée, à l'angle de la calle 11 et de la carrera 8, le **parque Nariño** s'organise autour d'un buste du grand homme sur lequel on peut lire ces mots : « J'ai aimé mon pays. Ce que fut cet amour, l'histoire le dira un jour. »

★ Museo Paleontológico

À 20mn à pied de la Plaza Mayor par la carrera 9 - au nord-est de Villa de Leyva - ✆ (8) 732 0466 - www.paleontologico.unal.edu.co - mar.-sam. 9h-12h, 14h-17h, dim. et j. fériés 9h-15h - 3 000 COP.

Ce musée installé dans un ancien **moulin** à orge et à blé du 17e s. constitue une excellente introduction aux richesses paléontologiques de la région *(voir p. 177)*. La grande majorité des fossiles qui y sont exposés – ammonites, gastéropodes, échinodermes, bivalves, trilobites, reptiles marins et végétaux – datent du Crétacé (130 millions d'années). D'autres pièces remontent à des périodes plus anciennes du Paléozoïque (480 millions d'années). Derrière l'édifice s'étend un **arboretum** recensant les plantes natives de la région ou introduites.

À proximité Carte de région p. 158

★★ Casa Terracota

À 2,5 km à l'ouest de Villa de Leyva - sortir par la carrera 12 et, après env. 2 km, tourner à droite dans le chemin de terre - www.casaterracota.com - 9h-13h, 14h-17h - 7 000 COP.

Cette étrange demeure qui semble tout droit sortie d'un conte des frères Grimm a été conçue par l'architecte colombien **Octavio Mendoza** et réalisée en 16 ans : sa construction s'est achevée en 2014. Appelée localement « Casa de Barro » ou « Casa de los Picapiedras » (la maison des Pierrafeu), elle fut construite avec de l'argile prélevée directement sur le site et cuite à haute température. Le résultat est une maison écologique, bon marché, dotée de propriétés antisismiques, imperméable à l'eau et d'une température agréable même par temps chaud. Emplie de meubles en céramique, cette maison d'une superficie de 500 m² est la plus grande structure de terre cuite jamais réalisée.

Fibas, Jardín del Desierto

À 4 km au nord-est de Villa de Leyva sur la route de Santa Sofía - (mob.) 311 308 3739 - merc.-dim. 8h30-17h30 - 10 000 COP.

Ce territoire autrefois complètement érodé par l'action du vent a été restauré et transformé à la fois en pépinière et en **jardin xérophyte**, peuplé de cactus, de succulentes et de plantes du désert ; c'est un lieu paisible, propice à la méditation. Au centre, un petit **labyrinthe** symbolise la place de l'humanité dans l'univers.

★ Museo El Fósil

À 5 km à l'ouest de Villa de Leyva sur la route de Santa Sofía - Vereda de Monquirá - mar.-dim. 8h-17h - 6 000 COP.

Seuls trois musées dans le monde possèdent des spécimens de **kronosaures** (littéralement les lézards du temps) : celui-ci, un autre aux États-Unis et un dernier en Australie. La découverte de celui-ci en 1977 revient à des paysans de la région. Il était initialement prévu que le squelette soit transféré dans un musée spécialisé, mais face à la vive opposition des habitants, qui ne voulaient pas voir partir « leur fossile », on décida de créer ce lieu pour permettre au public d'admirer le **kronosaure★★**, ainsi qu'une centaine d'ammonites et de fossiles trouvés dans la région.

★ Centro de Investigaciones Paleontológicas – *En contrebas du museo El Fósil - (mob.) 314 219 2904 - mar.-jeu. 8h-12h, 14h-16h, vend.-dim. 8h-17h - 9 000 COP.* Sa collection de reptiles marins, comprenant des exemplaires rares de tortues fossilisées, rend compte des découvertes paléontologiques faites dans la région. On peut y suivre, par une baie vitrée donnant sur l'atelier des chercheurs, le processus de nettoyage des fossiles.

★★ Parque Arqueológico de Monquirá - El Infiernito

À 9 km à l'ouest de Villa de Leyva, sur la route de Santa Sofía - (mob.) 310 235 6079 - mar.-dim. 9h-12h, 14h-17h - 6 000 COP.

Baptisé par les Espagnols « El Infiernito » (le Petit Enfer), ce site sacré des Muiscas était dédié au culte du soleil et aux rituels de fertilité qui y étaient associés. Ses deux alignements de 55 et 56 **colonnes de pierre** (1,80 m de haut sur 40 cm de large), dont la plupart sont d'aspect phallique, constituaient sans doute un **observatoire solaire** rudimentaire. Les monolithes sont disposés d'une manière qui aurait permis aux astronomes muiscas de déterminer le moment où le soleil atteignait son zénith ainsi que les dates des équinoxes, des solstices, des éclipses et d'autres événements déterminants pour les semailles et les récoltes. La plupart des monolithes du parc ont fait l'objet d'une datation au carbone 14 qui les situe aux alentours de 900 av. J.-C. Des fouilles archéologiques récentes ont mis au jour une tombe muisca vieille de 4 000 ans.

★ Pozo de la Vieja (puits de la Vieille)

À 6 km à l'ouest de Villa de Leyva sur la route de Gachantivá.

Alimenté par le **río Cane** et bordé d'imposants boulders, ce bassin sacré des Muiscas, associé à la légende de **Bachué**, la mère de l'humanité *(voir l'encadré p. 178)*, présente des eaux cristallines, d'un bleu teinté de jaune. Certains s'y baignent, d'autres se contentent de faire des randonnées dans les magnifiques paysages des environs.

Les hôtes illustres de Leyva

La ville tient son nom de l'ancien président de la Nouvelle-Grenade, **Don Andrés Díaz Venero de Leyva**. Fondée en 1572 par le capitaine **Hernán Suárez de Villalobos**, elle se situait à proximité de l'ancien hameau muisca de **Zaquencipá**, où se trouvait un observatoire sacré, connu depuis l'époque coloniale sous le nom d'El Infiernito *(voir ci-contre)*. Suite aux vives protestations des caciques locaux, la ville fut déplacée 12 ans plus tard vers son site actuel.

À l'époque coloniale, Villa de Leyva était la villégiature favorite des classes gouvernantes et de l'aristocratie. Au fil du temps, la petite colonie prit de l'importance, notamment en raison du succès que lui valaient son **huile d'olive** (une production aujourd'hui abandonnée) et son **blé** ; plusieurs anciens moulins du 17e s. rappellent ces activités agricoles.

LA TERRE DES DINOSAURES...

Recouverts par la mer il y a 250 millions d'années, les environs de Villa de Leyva regorgent de **fossiles** d'animaux marins. En 1945, on y découvrit un fossile bien conservé de **plésiosaure**, un reptile marin carnivore qui régna sur la région du début du Jurassique à la fin du Crétacé. Ce spécimen aux dimensions peu communes mesurait 13 m de long. En 1977 fut mis au jour le plus complet des squelettes de **kronosaures** jamais découverts. Vieux de 120 millions d'années, ce pliosaure à cou court du Crétacé inférieur mesure 7 m de long. À lui seul, son crâne mesure plus de 2 m. On trouva également un **ichtyosaure** de 8 m de long, queue non comprise. Ce reptile marin aux allures de dauphin aurait vécu il y a 110 ou 115 millions d'années.

Pour en savoir plus sur les fossiles découverts dans les environs, visitez le Museo Paleontológico de Villa de Leyva et le Museo El Fósil *(p. 175 et ci-contre)*.

... ET DES HOMMES CÉLÈBRES

Le conquistador **Juan de Castellanos** (1522-1607), qui participa aux premières missions d'exploration et de conquête de la Colombie, connut personnellement plusieurs des personnalités les plus influentes de l'époque, notamment Gonzalo Jiménez de Quesada, fondateur de Santa Fé de Bogotá, et Gonzalo Fernández de Oviedo y Valdés, chroniqueur royal qui participa à la colonisation espagnole des Caraïbes. Ancien soldat devenu prêtre, Castellanos était aussi un poète et un excellent chroniqueur. Ses *Elegías de varones ilustres de Indias (Élégies des hommes illustres des Indes)* composent un fascinant récit entrecoupé d'observations personnelles sur les débuts de la colonisation de l'Amérique du Sud.

Villa de Leyva est aussi la ville natale de l'un des héros de l'Indépendance, le général **Antonio Ricaurte** *(voir p. 173)*, qui combattit aux côtés de Bolívar. Sans doute grâce à ses exploits, la ville devint un siège politique important durant la période d'instabilité qui suivit la déclaration d'indépendance. C'est ici qu'eut lieu, en 1812, la première rencontre des **Provinces unies de Nouvelle-Grenade**, au cours de laquelle **Camilo Torres** fut élu président de la République fédérale. Le politicien, journaliste et général **Antonio Nariño** *(voir p. 72, 94 et 175)* finit ses jours à Villa de Leyva, ce qui ajouta encore au prestige de la ville en tant que centre de l'activité intellectuelle et politique du pays. Dans le registre artistique, Luis Alberto Acuña vécut ici ses dernières années *(voir p. 175)*.

★ Convento del Santo Ecce Homo

À 13 km à l'ouest de Villa de Leyva, dir. Santa Sofía - Vereda Valle del Santo Ecce Homo - Municipio de Sutamarchán - (8) 732 0217 - lun.-vend. 9h-17h - 2 000 COP.
Les bâtiments de ce monastère dominicain fondé en 1620 arborent de nombreux fossiles enchâssés dans la pierre. La chapelle d'origine possède un **retable★** doré et, sur l'arche précédant l'abside, des motifs évoquant le soleil et la lune. Les colonnes du cloître, au nombre de 33, symbolisent l'âge du Christ. Collection de peintures, sculptures, habits sacerdotaux, objets liturgiques et livres datant du 16ᵉ au 19ᵉ s. Une salle présente des outils et des vêtements traditionnels muiscas.

★ Santa Sofía

À 16 km au nord-ouest de Villa de Leyva.
Ce charmant village agricole (2 700 hab.) s'organise autour d'une place principale dotée d'une belle **église** (1771).
Parmi les sites naturels à voir dans les environs de Santa Sofía, citons la **Cascada del Hayal**, une chute d'eau de 25 m, ainsi qu'un gouffre de 50 m de profondeur, le **Hoyo de la Romera**, dans lequel les tribus indiennes jetaient les femmes adultères. Réservé aux amateurs de sensations fortes, le **Paso del Ángel** est un sentier vertigineux dont la largeur ne dépasse pas 20 cm à certains endroits : il surplombe, d'un côté, une paroi de 160 m inclinée à 70°, et de l'autre, un précipice de 30 m bordé par une paroi inclinée à 90°.

★ Santuario de Flora y Fauna Iguaque

À 13 km au nord-est de Villa de Leyva, en dir. d'Arcabuco. Accès entre 8h et 10h par la zone du Carrizal sur réserv. 24h à l'avance - www.parquesnacionales.gov.co - 39 500 COP.
Depuis le centre d'accueil de Furachioga, un sentier *(8,2 km - 6 à 7h de marche)* serpente en direction de la **Laguna de Iguaque★**, principal attrait touristique du parc. Ce site sacré de la mythologie muisca qui vit naître la mère de l'humanité *(voir l'encadré ci-dessous)* se situe sur un plateau brumeux des hautes terres, à 3 600 m d'altitude. Tout autour, la végétation est dominée par les *frailejones*, des broméliacées, des lichens et des orchidées. Appréciée des ornithologues, cette forêt andine de haute altitude, qui s'étage entre 2 400 et 3 800 m, permet d'observer des oiseaux-mouches, des toucans verts et des sicales des savanes. Vous apercevrez peut-être aussi des opossums à oreilles blanches, des renards, des daims et des ocelots.

LA LÉGENDE DE BACHUÉ

Selon la mythologie muisca, **Bachué**, la Terre Mère, sortit des eaux de la **Laguna de Iguaque**, un bébé dans les bras. Une fois devenu adulte, celui-ci l'épousa et ils peuplèrent la terre. Après avoir donné naissance à l'humanité, **Bachué** et le **dieu perroquet**, son mari, désormais adulte se transformèrent en serpents et retournèrent dans l'étang sacré du **Pozo de la Vieja**, près de Villa de Leyva. Le chroniqueur espagnol **Fray Pedro Simón** (1574-v. 1628) écrivit que les peuples indiens appelaient aussi Bachué **Fuzachogua**, et qu'ils croyaient qu'elle revenait des enfers pour guider son peuple lorsqu'il avait besoin d'elle.

LES VINS COLOMBIENS

L'industrie viticole colombienne en est encore à ses débuts. Les principales vignes du pays se situent sur les coteaux qui surplombent la rivière Cauca, mais le cépage cultivé (isabella) sert surtout à produire des vins doux, des liqueurs ou du jus de raisin. Les autres se trouvent dans le Boyacá.

Viñedo Aim Karin – *À 10 km à l'ouest de Villa de Leyva, près de la route de Santa Sofía, entre Sutamarchán et le Convento del Santo Ecce Homo - ☏ (mob.) 317 518 2746 - www.marquesvl.com - visites guidées avec dégustation 10h-17h - 10 000 COP (20mn).* Depuis 1998, ce vignoble situé à une altitude de 2 100 m produit **cabernet sauvignon** et **chardonnay**.

★★ Ráquira

À 25 km au sud-ouest de Villa de Leyva par Tinjacá, dir. Chiquinquirá.

Fondée en 1580, Ráquira, « la Ville des pots » en langue muisca (13 000 hab.) compte pléthore de boutiques d'artisanat. Avec ses façades aux couleurs vives, elle ne ressemble à aucune autre ville de la région ; c'est un lieu où il fait bon flâner quelques heures. Ráquira est connue dans tout le pays *(voir aussi p. 60)* : les touristes colombiens y viennent nombreux pour chiner sur le **marché dominical**, réputé pour ses poteries colorées. L'argile locale a la particularité de se décliner en différentes couleurs, y compris en noir, du fait de la présence de charbon.

Aux portes de la ville s'étend le **Desierto de la Candelaria**, situé à 2 000 m d'altitude.

★ **Convento del Desierto de la Candelaria** – *À 7 km au sud-est de Ráquira - 9h-12h, 13h-17h - 4 000 COP.* Lorsque la première communauté de frères augustins s'installa sur ce site en 1604, aux confins du désert de la Candelaria, ses membres vécurent dans un premier temps dans des grottes. Ce n'est qu'en 1661 que le monastère fut construit. Les visiteurs ont accès à la chapelle, à la bibliothèque et au cloître, ainsi qu'à une collection d'œuvres du 17e s., dont plusieurs toiles sont attribuées à Gregorio Vásquez de Arce y Ceballos et aux frères Figueroa. Les **jardins** du monastère et les cours richement ornées sont splendides.

★ Chiquinquirá

À env. 44 km à l'ouest de Villa de Leyva.

Chiquinquirá (65 000 hab.) est un carrefour commercial important du Boyacá. Située à 2 556 m d'altitude, elle est souvent enveloppée d'un épais manteau de brume : c'est d'ailleurs l'origine de son nom indien, **Xequenquirá**, qui signifie « couvert de nuages ».

★ **Basílica Nuestra Señora del Rosario de Chiquinquirá** – *Carrera 13, nº 17-48 - ☏ (8) 726 2435 - 6h-12h, 14h-20h.* Construite entre 1796 et 1812, cette basilique attire des foules de pèlerins, qui viennent en fin de semaine et tout particulièrement le 9 juillet y honorer l'effigie de **Notre-Dame de Chiquinquirá**, patronne de la Colombie. Le portrait de la Vierge, peint par **Alonso de Narváez** en 1555 et plusieurs fois endommagé au fil des siècles, aurait, dit-on, la particularité de se restaurer lui-même, sans intervention humaine, suscitant ainsi la ferveur des croyants.

NOS ADRESSES À VILLA DE LEYVA

Plan de ville p. 174

ARRIVER/PARTIR

En bus

Terminal de Transportes – *Carrera 9, à 3 pâtés de maisons au sud-ouest de la Plaza Mayor.* Quelques liaisons directes avec Bogotá (4h - 22 000 COP) mais il est souvent plus rapide de changer à Tunja que d'attendre. Bus interurbains fréquents pour Chiquinquirá (1h - 7 500 COP), Santa Sofía (45mn - 4 000 COP), Tunja (1h - 6 500 COP) et Ráquira (1h - 7 500 COP).

HÉBERGEMENT

Les hôtels, nombreux, affichent des tarifs similaires, voire supérieurs à ceux de Bogotá. Le w.-end et pendant les congés scolaires, les prix augmentent (ils vont jusqu'à doubler) et les hôtels sont bondés : réservez à l'avance.

PREMIER PRIX

Hostal Renacer – B1 en dir. - *À 1,2 km au nord-est de Villa de Leyva par la vía La Colorada - ✆ (8) 732 1201 - www. colombianhighlands.com - 8 ch. 90 000 COP.* Tenue par le biologiste et guide Oscar Gilède, cette charmante maison d'hôtes se juche sur une hauteur au calme. Les 2 dortoirs et les 6 chambres sont impeccables. Si elle est disponible, demandez la suite, au même prix, dotée d'un balcon et d'une belle vue. Petit-déjeuner et dîner possibles. Organise des randonnées à pied ou à cheval, des sorties d'observation ornithologique et des descentes de rivière. Location de vélos, cuisine commune, wifi. Le taxi pour venir de la gare routière vous sera remboursé (5 000 COP).

BUDGET MOYEN

La Roca – B2 - *Calle 13, nº 9-54 - ✆ (8) 732 0331 - 21 ch. 130 000 COP* ☕. Quoique petites, les chambres sont mignonnes et accueillantes. Très bien tenues, elles se répartissent sur une coursive autour de deux patios joliment fleuris, dans un édifice aux sols de tomettes et aux tons verts et blancs que l'on retrouve dans toute la ville. Une situation centrale, sur la Plaza Mayor.

POUR SE FAIRE PLAISIR

Plaza Mayor – A2 - *Carrera 10, nº 12-31 - ✆ (8) 732 0425 - www. hotelplazamayor.com.co -* ✕ *- 32 ch. 200 000 COP* ☕. Sur la Plaza Mayor. Derrière une façade coloniale se cache un intérieur contemporain tout de briques et de tomettes aux agencements originaux. Les chambres au sol carrelé sont décorées de boiseries claires. Sur le toit, la terrasse du restaurant offre une superbe vue sur la place principale et son église. Chambres spacieuses et confortables dotées de jolies sdb modernes. Une adresse de charme et de qualité.

Getsemaní – A2 - *Calle 8, nº 10-35 - ✆ (8) 732 0326 - www. hotelgetsemani.com -* ✕ *- 26 ch. 260 000 COP* ☕. À 10mn à pied de la Plaza Mayor, il s'est installé dans une ancienne *finca* de production d'huile d'olive. De construction récente, il respecte un style traditionnel et privilégie les matériaux naturels. Ses chambres, toutes simples pour les standards, spacieuses dans les catégories supérieures, affichent une décoration sobre, de bon goût et reposante. Cuisine méditerranéenne au restaurant et beau complexe rassemblant piscine d'eau chaude, spa, jacuzzi et sauna.

RESTAURATION

BUDGET MOYEN

La Guaca – B2 - *Carrera 9, nº 13-57 - ✆ (mob.) 311 808 6494 - www.villadeleyva.com.co/antique - 12h-22h (1h le w.-end) - 40 000 COP.* Le joli patio de cette *casona comercial* regroupe quatre restaurants de spécialités italiennes, espagnoles, asiatiques et internationales : où que vous preniez place, vous pourrez commander indifféremment sur la carte de l'un ou de l'autre. Par la salle de **L'Antique**, vous accéderez à une belle terrasse donnant sur les montagnes. Carte des vins exceptionnellement étendue, avec des crus français et espagnols.

Mi Cocina – B2 - *Calle 13, nº 8-45 - ✆ (8) 732 1676 - www.restaurantemicocina.com - lun.-jeu. et dim. 12h-16h, vend.-sam. 12h-21h30 - 45 000 COP.* La salle et le patio aux jolis pavages jaune et rouge affichent une décoration fraîche et colorée. Le restaurant s'est spécialisé dans les cuisines régionales de toute la Colombie : riz aux fruits de mer de la Caraïbe, crevettes au coco du Pacifique, côtelettes de porc aux fruits de la passion du Huila, *bandejas* du pays paisa et du Boyacá… Carte des vins.

POUR SE FAIRE PLAISIR

Savia – A2 - *Angle carrera 9 et calle 12 - ✆ (mob.) 312 435 4602 - 12h-20h sf merc. - 65 000 COP.* Végétarienne (salades, gratins de légumes, soupes) ou carnivore (surtout de la volaille), toute sa carte est *orgánica* (bio), tout comme les pâtes, faites maison avec de la farine de blé bio. Votre commande est préparée à la minute, le service peut donc être assez lent. Toutes sortes de thés et de confitures : passez par la boutique du restaurant qui vend des produits bio.

PETITE PAUSE

La Panaderia – A2 - *Calle 11, nº 10-06 - 7h-19h sf merc.* On y compose ses sandwiches avec toutes les sortes de pain artisanal produit ici : pain complet, aux noix et aux prunes séchées, kéfir, aux olives et à la *ricotta*, à l'origan et l'huile d'olive, etc. Cette jolie petite salle en retrait du centre historique sert de bons petits-déjeuners, des omelettes et de la quiche lorraine.

ACTIVITÉS

Villa de Leyva Expediciones – A2 - *Carrera 9, nº 9-27 - ✆ (8) 732 0415 - www.villadeleyvaexpediciones.com.* Location de VTT (8 000 COP/h), randonnées à cheval (40 000 COP/h) et une foule d'activités sportives dans les alentours : canyoning, descente en rappel, spéléologie, escalade ou plus simplement des visites culturelles, notamment dans les coopératives vinicoles.

AGENDA

Festival del Viento y de las Cometas – *2 j. en août.* Concours de cerfs-volants sur la Plaza Mayor.

Festival de Luces – *3 j. en déc.* Concerts et spectacles pyrotechniques.

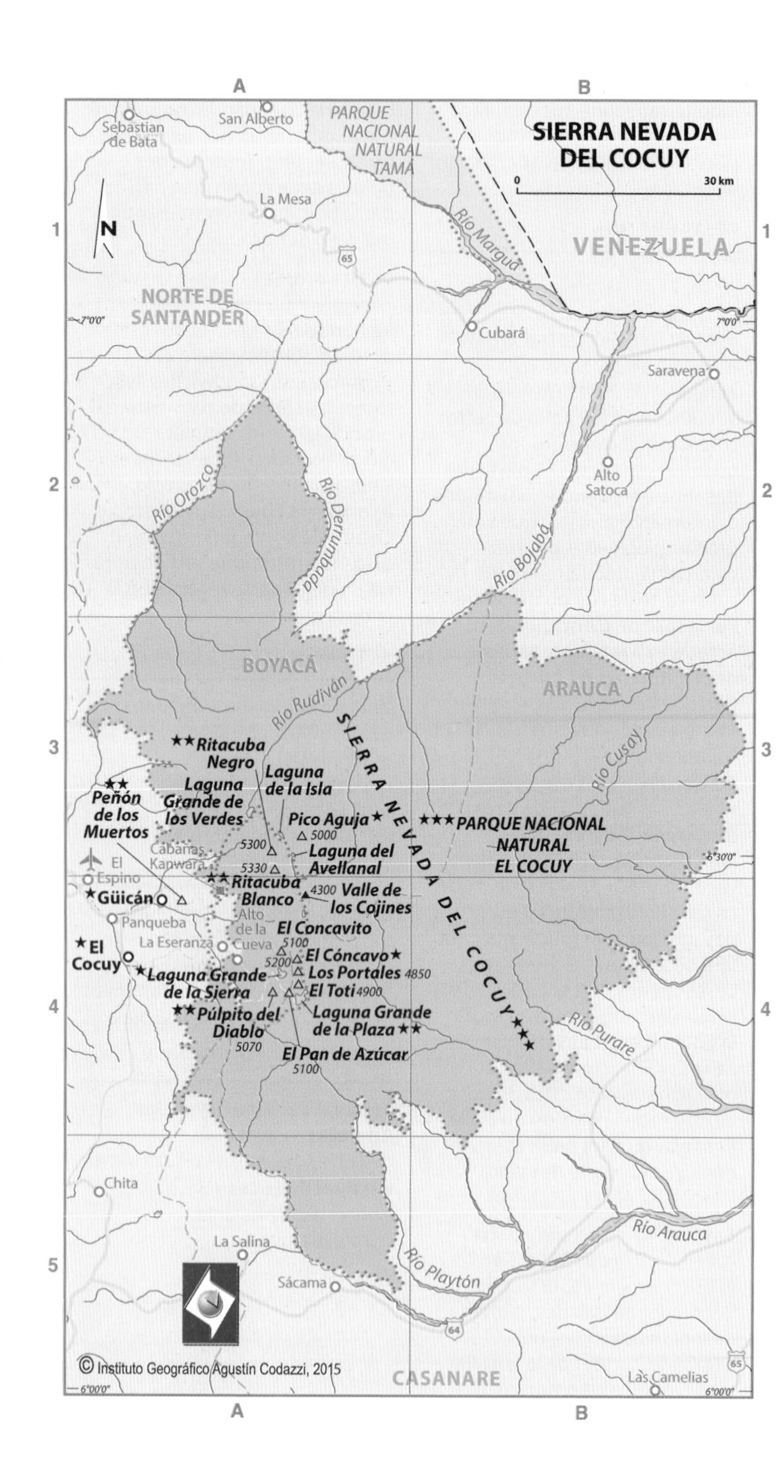
SIERRA NEVADA DEL COCUY
0
30 km
N
Sebastian de Bata
San Alberto
PARQUE NACIONAL NATURAL TAMÁ
La Mesa
VENEZUELA
Río Margua
NORTE DE SANTANDER
Cubará
Saravena
Alto Satoca
Río Orozco
Río Derrumbada
Río Bojabá
BOYACÁ
ARAUCA
Río Rudiván
SIERRA NEVADA DEL COCUY
Río Cusay
★★Ritacuba Negro
Laguna de la Isla
Laguna Grande de los Verdes
★★ Peñón de los Muertos
Pico Aguja★
★★★PARQUE NACIONAL NATURAL EL COCUY
5000
5300
Cabañas Kanwara
El Espino
5330
Laguna del Avellanal
★★Ritacuba Blanco
4300 Valle de los Cojines
★Güicán
Alto de la Cueva
Panqueba
El Concavito
La Eseranza
5100
★El Cocuy
El Cóncavo★
5200
Los Portales 4850
★Laguna Grande de la Sierra
El Toti 4900
★★Púlpito del Diablo
5070
Laguna Grande de la Plaza★★
El Pan de Azúcar
5100
Río Purare
Chita
La Salina
Río Arauca
Río Playtón
Sácama
64
65
© Instituto Geográfico Agustín Codazzi, 2015
CASANARE
Las Camelias
7°0'0"
6°30'0"
6°00'0"

Sierra Nevada del Cocuy

Département du Boyacá – Alt. 600 à 5 330 m

La Sierra Nevada del Cocuy forme l'une des chaînes de montagnes parmi les plus belles et les plus impressionnantes d'Amérique du Sud. Cette région aux paysages grandioses, avec ses chutes d'eau et ses lacs glaciaires aux eaux cristallines, attire un nombre toujours croissant de randonneurs colombiens : l'amélioration des conditions de sécurité et le développement d'infrastructures touristiques permettent désormais un accès plus facile à ce massif dont le plus haut sommet, le Ritacuba Blanco, culmine à 5 330 m d'altitude. Longue de 30 km seulement, la Sierra Nevada compte 21 sommets, un nombre étonnant pour une superficie aussi réduite. Le Parque Nacional Natural El Cocuy, qui abrite plus de 700 espèces de plantes, est réputé pour la diversité de sa végétation.

NOS ADRESSES PAGE 190
Hébergement, restauration, randonnées, etc.

S'INFORMER

Casa de la Cultura – *Calle 8, n° 4-15 - El Cocuy - (8) 789 0024.*

Asegüicoc (Asociación de prestadores de servicios ecoturísticos de Güicán y El Cocuy) – *Calle 8, n° 4-74 - aseguicoc@gmail.com - El Cocuy.* Informations sur le Parque Nacional Natural El Cocuy et service de guides.

Oficina de Parques Nacionales Naturales – *Calle 5, n° 4-22 - El Cocuy - (098) 789 0359 - www.parquesnacionales.gov.co - 7h-11h45, 13h-16h45.*

Oficina de Parques Nacionales Naturales – *Transversal 4, n° 6-60 - Güicán - (098) 789 7280 - 7h-11h45, 13h-16h45.* Vous devrez vous rendre dans l'un de ces deux bureaux du parc pour vous enregistrer et vous faire délivrer un **permis**. Assurez-vous que celui-ci couvre tous les endroits où vous comptez aller. Assurance obligatoire : 7 000 COP/j. À savoir : l'accès au parc est interdit aux enfants de moins de 10 ans. Il est également interdit d'y circuler à cheval : refusez absolument toute proposition en ce sens.

SE REPÉRER

Carte de région B2 (p. 158) – carte du parc national ci-contre.

Les villages d'El Cocuy (à 244 km au nord-est de Tunja) et de Güicán (à 8 km au nord d'El Cocuy) sont les points de départ des randonnées ; vous y obtiendrez les permis obligatoires auprès des autorités du parc.

Voir aussi la rubrique « Arriver/partir » dans « Nos adresses ».

À NE PAS MANQUER

Le panorama du Peñón de los Muertos, tout près de Güicán ; la Laguna Grande de la Plaza, dans le secteur sud du parc.

ORGANISER SON TEMPS

Les villages de Güicán ou El Cocuy seront votre camp de base. Prévoyez 5 j. si vous envisagez de faire le trek mythique qui longe le pied de la Sierra (excellente condition physique requise). Vêtements, eau, nourriture, protection solaire : préparez soigneusement votre sac avant de prendre la direction du parc. *Voir « Conseils aux randonneurs », p. 191.*

Majestueux Cocuy

UN IMMENSE CHÂTEAU D'EAU

La **cordillère des Andes** comprend trois chaînes de montagnes au relief très prononcé, qui traversent le pays de part en part. Celle qui se situe le plus à l'est, dont fait partie la **Sierra Nevada del Cocuy Güicán y Chita**, borde les départements du Boyacá, de l'Arauca et du Casanare et couvre une superficie de 306 000 ha. Avec ses sommets aux neiges éternelles, ses glaciers, ses lacs de montagne, ses innombrables ruisseaux et chutes d'eau, cette chaîne de montagnes est un maillon essentiel du **cycle de l'eau** en Colombie, voire l'un des plus importants de la partie nord de l'Amérique du Sud. Les eaux de fonte des glaciers ruissellent depuis les sommets enneigés au travers des hauts plateaux et des forêts andines avant d'irriguer les savanes des **Llanos**, les plaines orientales. Plus de 90 % de l'eau douce issue du massif s'écoule vers l'est pour alimenter les rivières **Casanare** et **Arauca**. Un faible pourcentage part vers l'ouest, alimentant la rivière **Chicamocha**.

MENACES SUR EL COCUY

La région s'étage entre 600 m et plus de 5 000 m d'altitude. Le P. N. N. El Cocuy, créé en 1977, est le 5e parc naturel de Colombie par sa superficie. Sur les 15 sommets du massif dont l'altitude dépasse 5 000 m, le plus haut est le **Ritacuba Blanco**, qui culmine à 5 330 m. El Cocuy est classé zone protégée prioritaire en raison de sa grande biodiversité et de son fort taux d'endémisme. Pourtant, la présence d'**haciendas** à l'intérieur du parc et à ses abords fait peser une lourde menace sur ses écosystèmes fragiles : les terrains situés en dessous de 3 500 m d'altitude sont fortement affectés par le **surpâturage** ovin et bovin, et pâtissent de la déforestation et de la culture sur brûlis.

DES ANCÊTRES INDIENS

Avant l'arrivée des Espagnols, la zone était essentiellement peuplée par les **U'was** *(voir l'encadré p. 186)*. Des **Tunebos**, des **Laches** et des **Muiscas** étaient également présents dans la région. Ces groupes indiens cultivaient, selon l'altitude, du maïs, de la coca, des pommes de terre et des haricots. Certains récits laissent à penser que l'Allemand **Georg von Speyer** (1500-1540) aurait traversé ces territoires en 1533, alors qu'il arrivait du Venezuela et se rendait dans les savanes de l'est. Il fut suivi par l'Espagnol **Hernán Pérez de Quesada** (décédé en 1544), le frère du fondateur de la ville de Bogotá, Gonzalo Jiménez de Quesada. Peu après arrivèrent les dominicains et les augustins, qui avaient pour mission d'évangéliser et de convertir les populations indiennes.

LES VILLAGES DU PARC NATUREL

Les villages d'**El Cocuy** et de **Güicán**, tels que nous les connaissons aujourd'hui, furent fondés entre 1754 et 1822. La région fut ensuite un important lieu de passage, à l'époque où le pays s'employait à structurer ses territoires et à les administrer en tant que départements.

Au début des années 1980, la Sierra Nevada del Cocuy, en grande partie contrôlée par les **FARC** et l'**ELN**, était une zone inaccessible et connut de nombreux affrontements ; ce territoire a aujourd'hui été ramené sous le contrôle de l'État. Les touristes y sont désormais de retour, attirés par cette destination relativement méconnue, particulièrement propice à l'escalade et à la randonnée.

Découvrir Carte de région B2 (p. 158)

★ EL COCUY

Alt. 2 750 m. À 244 km au nord-est de Tunja.
Principal **point d'accès** au Parque Nacional Natural El Cocuy, le village (5 200 hab.) compte une bonne dizaine d'**hôtels**, plusieurs **bars** et **restaurants**, ainsi qu'un certain nombre de **magasins spécialisés** où l'on pourra se procurer tout le matériel nécessaire pour faire de l'escalade ou de la randonnée dans le parc, mais aussi louer les services d'un guide.
Ce joli bourg vit essentiellement du tourisme. Élu « plus beau village du Boyacá » à plusieurs reprises, El Cocuy s'est efforcé de préserver son aspect originel, et ses habitants sont fiers de l'atmosphère typiquement andine qui y règne. Vous y verrez un certain nombre de bâtiments à l'**architecture coloniale** ou **républicaine**, aux façades blanches et vertes et aux toits de tuiles rouges, qui rappellent souvent l'Espagne. Parmi les principaux attraits du village – hormis les paysages environnants – vous pourrez visiter la **Iglesia de Nuestra Señora de la Paz** *(carrera 3, angle calle 7)*, qui donne sur le **Parque Principal** abondamment fleuri, d'où l'on aperçoit les montagnes.
À l'ouest du village se dresse la haute falaise de **Mahoma**, un site propice à la pratique du **parapente**.

★ GÜICÁN

Alt. 2 963 m. À 8 km au nord d'El Cocuy. Bus réguliers entre les deux villages.
Güicán (7 000 hab.), l'autre point d'accès au Parque Nacional Natural El Cocuy, entretient des liens très forts avec les **U'was**, dont les réserves empiètent sur le parc, leur territoire ancestral. Malgré les destructions occasionnées par la **guerre des Mille Jours** *(voir p. 76)*, qui le privèrent d'une bonne partie de son architecture coloniale, ce village bien préservé possède quelques sites intéressants à voir.

Parque Principal

Carrera 4, calle 3. Cette jolie place plantée d'essences locales ou exogènes croissant sous de grands arbres offre un contraste plaisant avec le ciel bleu limpide typique des Andes et les montagnes environnantes et avec la façade richement ornée du **Santuario de la Virgen Morenita★** ; cette église paroissiale conserve l'image miraculeuse de la sainte patronne de Güicán.

LA VIERGE DE GÜICÁN

Lorsqu'il arriva dans les environs de Güicán au 18e s., le **père missionnaire Miguel Blasco** se servit d'un petit portrait de la Vierge Marie pour prêcher le christianisme aux populations indigènes. À sa grande surprise, il apprit que les habitants en possédaient déjà un, bien plus beau. Ils emmenèrent le prêtre dans les montagnes proches, au lieu-dit El Cóncavo, et lui montrèrent une grotte appelée **La Cuchumba**, où se trouvait une peinture de la Vierge Marie, vêtue d'un costume de princesse indienne. On lui raconta que, longtemps avant l'arrivée des Espagnols, les Indiens prièrent le ciel pour qu'il les délivre d'une terrible famine. La princesse vint les voir et leur apporta la pluie. Lorsqu'elle les quitta, elle laissa derrière elle ce tableau. Le père Miguel parvint à convaincre le chef local, le **cacique Güicaní**, de le laisser ramener l'image au village, où elle fait depuis l'objet d'un culte.

★ **Monumento a la Dignidad de la Raza U'wa** – *Sur le rond-point, près du Parque Principal.* Œuvre du sculpteur Delfín Ibáñez, natif de Güicán, le Monument à la dignité de la race U'wa commémore la tragédie du **Peñón de los Muertos** *(voir ci-dessous).* Notez les éléments symboliques et le proverbe **u'wa** au pied du monument.

★ Camino Desecho

Départ derrière l'hôtel La Sierra, calle 5, nº 6-20. Ce joli sentier au pavage irrégulier, qui descend la colline, mène à un rocher couvert de **gravures**, ainsi qu'à des **sources chaudes** *(Vereda de San Luis - 5 km à l'ouest de Güicán par la route de Bogotá).*

★★ Peñón de los Muertos (rocher des Morts)

À 2 km à l'est de Güicán par la carrera 4, en dir. du Parque Nacional - Vereda El Tabor. *Comptez env. 2h pour rejoindre le haut de la falaise.* Cette imposante formation rocheuse donne l'impression que la croûte terrestre se serait soulevée quasiment à la verticale. C'est là que les **U'was**, à la suite du **cacique Güicaní**, mirent fin à leurs jours en se jetant dans le vide pour échapper aux conquistadors et à l'occupation espagnole, au milieu du 18e s. Du haut de cette falaise marquée par un funeste passé, un vaste **panorama★★** englobe la vallée et la région environnante.

★★★ PARQUE NACIONAL NATURAL EL COCUY

Accès par Güicán ou par El Cocuy - www.parquesnacionales.gov.co - 50 000 COP - se procurer au préalable un permis auprès du bureau du parc (voir « S'informer », p. 183) - excellente forme physique indispensable. Pour acheter du matériel de randonnée ou louer les services d'un guide, adressez-vous à l'Asegüicoc, voir p. 183.

Bon à savoir – La **meilleure période** pour faire un trek à El Cocuy va de décembre à février, en raison de l'absence relative de fortes pluies, de chutes de neige et de vents glacés. En toute saison cependant, il est essentiel de préparer soigneusement son **équipement** (vêtements, ravitaillement) et éventuellement de respecter certaines précautions médicales : *lire les « Conseils aux randonneurs », p. 191.*

Ce vaste parc créé en 1977 couvre une superficie d'environ 306 000 ha, dont 92 000 ha sont affectés à des **réserves u'was**. Toutes les **strates végétales** caractéristiques de la Colombie y sont représentées, de la forêt tropicale humide (*selva tropical humeda*, vers 700 m d'alt.) aux neiges éternelles et aux glaciers (à partir de 4 800 m d'alt.) en passant par les forêts de nuages (*bosques de niebla*, entre 1 500 et 3 000 m d'alt.) et les zones de *páramo* (de

LES TROIS MONDES DES U'WAS

Génétiquement et culturellement proches de la civilisation **muisca**, aujourd'hui disparue, les **U'was** restent très attachés à la nature et à la terre de leurs ancêtres. Ils nourrissent pour la Terre-Mère un profond respect qui se reflète dans leur vision tridimensionnelle du monde. Leur culture repose en grande partie sur la croyance selon laquelle le monde physique qui les entoure, le **Monde du milieu**, est le résultat du fragile équilibre instauré entre le **Monde supérieur** (masculin, pur, blanc, propice à la vie spirituelle) et le **Monde inférieur** (féminin, impur, rouge). La rupture de cet équilibre mènerait à la destruction de l'univers. Les U'was considèrent qu'il est de leur devoir de maintenir cet équilibre et de protéger la vie en vivant en harmonie avec la nature.

Laguna de la Plaza, Parque Nacional Natural El Cocuy.
Ch. Kober/Robert Harding Picture Library/age fotostock

4 200 à 4 800 m d'alt.). Ces dernières, dotées d'un remarquable taux d'endémisme, composent un écosystème de hauts plateaux unique constitutif d'une bonne partie du parc.

Compte tenu de cette variété, la **palette des climats** rencontrés est très vaste, comme en témoignent les moyennes annuelles de températures qui s'étendent de 20° à -10°. Cet ensemble néotropical de vallées, de plaines et de lacs de montagne englobe la plus importante masse de neiges éternelles au nord de l'équateur; mais avec la hausse des températures, les glaciers reculent rapidement *(voir l'encadré p. 188)*.

Flore – Les écosystèmes de la Sierra Nevada del Cocuy possèdent une flore très riche. Le versant est du massif abrite des écosystèmes de **forêt andine humide**, tandis que son versant ouest est couvert de **basses futaies** et de **terrains broussailleux**. Parmi les 700 espèces végétales représentées, les plus remarquables sont les **frailejones** et les **arbres sietecueros** *(Tibouchina lepidota)* aux fleurs violettes. De nombreuses variétés de **mousses** et de **lichens** ont également colonisé ce territoire, et les éblouissantes teintes orange, bleues et blanches de la vallée de los Cojines, tapissée de **plantes coussinets** de haute altitude, sont à voir. Plus de 200 espèces de **plantes vasculaires** ont été identifiées sur le plateau du Cocuy, dont la plupart ne poussent nulle part ailleurs. Le parc abrite également un certain nombre de **plantes médicinales** toujours utilisées localement, comme le *lítamo real* aux petites fleurs jaunes, employé dans les affections des reins et du système circulatoire voire comme élixir de longue vie, le *granizo*, utilisé comme fébrifuge, ou l'*árnica*, qui combat les douleurs musculaires et articulaires.

Faune – En dépit de la rudesse de l'environnement, le parc accueille une grande diversité d'espèces animales : **ours à lunettes**, **pumas**, tapirs des montagnes, ocelots, pécaris à lèvres blanches, singes laineux, ainsi que de nombreuses espèces d'oiseaux. Vous aurez peut-être la chance d'y observer des buses bleues du Chili, des merganettes des torrents, des tangaras à ventre rouge, ou encore le célèbre **condor des Andes**, emblème du pays.

LA DISPARITION DES GLACIERS

Cinq des plus grands glaciers du Parque Nacional Natural El Cocuy, dont la durée de vie était estimée à 300 ans en 1983, sont désormais gravement menacés. Depuis quelques années, la rapidité du recul des glaciers a atteint des niveaux sans précédent : celui-ci est actuellement estimé à quelque 20 à 25 m par an. En 2009, l'Institut des études environnementales de Colombie a fait état d'une probabilité de 90 % de voir les glaciers colombiens disparaître d'ici 30 à 40 ans.

Outre ses incidences directes sur la faune et la flore, en raison des changements radicaux que cette évolution entraîne sur les écosystèmes, la disparition des glaciers pourrait avoir des incidences importantes sur les capacités de production d'électricité dans le pays, étant donné que près des trois quarts de l'électricité colombienne sont d'origine hydroélectrique et qu'une part importante de cette énergie est issue des eaux de fonte glaciaires.

Secteur sud

Accès par le village d'El Cocuy - Alto de la Cueva (station météo). C'est l'accès au parc le plus direct et celui qui offre le plus grand nombre de possibilités d'excursions et de randonnées.

Vous découvrirez une impressionnante série de pics, notamment **El Concavito** (5 100 m), **El Cóncavo★** (5 200 m), **Los Portales** (4 850 m), **El Toti** (4 900 m), **El Pan de Azúcar** (5 100 m) et l'emblématique **Chaire du Diable★★**. Prenez du recul pour admirer la vue, car le massif forme un spectaculaire amphithéâtre naturel. Au milieu de la chaîne s'étend la **Laguna Grande de la Sierra★** (4 450 m), l'endroit où les andinistes établissent leur camp de base avant d'entamer l'ascension de ces pics.

★ **El Cóncavo** – Parce qu'il est proche de l'entrée et de la Laguna Grande de la Sierra, ce pic offre une ascension extrêmement populaire, notamment auprès des randonneurs qui visitent le parc pour la première fois. D'autres départs de treks se situent au niveau du lac, notamment celui du Pico Toti.

★★ **Laguna Grande de la Plaza** (Grand Lac de la Plaza) – Ce lac situé à une altitude de 4 300 m, au sud-est de la Laguna Grande de la Sierra, est peut-être le plus beau du parc. Il est entouré de nombreux pics, dont beaucoup se reflètent dans ses eaux glacées, semblables à un miroir. **El Diamante** (4 800 m), à l'ouest, est connu pour les nuances colorées changeantes dont il se pare au fil de la journée.

★★ **Púlpito del Diablo** (Chaire du Diable) – *Cette ascension, qui surplombe par endroits des à-pics de 1 000 m, est réservée à des alpinistes confirmés.* Cette formation rocheuse massive, à l'étrange forme carrée, reste pour les montagnards la principale attraction du parc. En raison de sa haute altitude (5 070 m), l'ascension est éprouvante pour les poumons, mais après une marche rapide à travers la neige et l'escalade de la paroi verticale du promontoire – la version andine de la Devil's Tower du Wyoming (États-Unis) – les grimpeurs chevronnés sont récompensés de leurs efforts par un somptueux **panorama★★** qui englobe la Laguna Grande de la Sierra.

À voir aussi dans la partie sud du parc – La vaste **vallée de Lagunillas** est ponctuée de toute une série de jolis petits lacs aux couleurs variées : La Pintada, La Cuadrada, La Atravesada, La Parada.

Secteur nord

De Güicán, les pistes de l'itinéraire nord débutent au lodge Cabañas Kanwara, accessible en 5h de marche, en véhicule particulier (env. 100 000 COP) ou tôt le matin (5h30-6h) avec le camion de livraison de lait (lechero), qui vous déposera le plus près possible de votre destination (5 000 COP).

Ce secteur offre aux **alpinistes expérimentés** la possibilité de tenter l'ascension des deux plus hauts sommets de la Sierra.

★★ **Ritacuba Blanco** – Culminant à 5 330 m, c'est le sommet le plus haut de la région. Son ascension, d'une durée d'environ 5h si vous prenez le versant le plus facile, est éprouvante car elle se fait en terrain glacé et rocheux. Tenez également compte du fait que vous devrez vous habituer à l'altitude au préalable. Le pic étant généralement envahi de nuages vers midi, vous devrez partir tôt pour des raisons de sécurité.

★★ **Ritacuba Negro** – Ce pic qui culmine à 5 300 m est moins fréquenté : son ascension nécessite la traversée d'un glacier, et les alpinistes sont particulièrement exposés aux intempéries à l'approche du sommet. À l'arrivée, **vue★★** spectaculaire sur le **Pico Aguja★** et les **Picos Sin Nombre** (env. 5 000 m), au nord-est.

Autres excursions – Plus au nord, vous pourrez accéder à la **Laguna Grande de los Verdes** (3 900 m) depuis la Parada de Romero en empruntant les sentiers qui longent le río Cardenillo. Une autre randonnée, d'une durée de 7 à 8h, rejoint la petite **Laguna del Avellanal** (4 300 m) depuis la Laguna Grande de los Verdes. Le sentier longe la **Laguna de la Isla** (4 400 m) et passe au pied de plusieurs sommets parmi les plus majestueux du parc d'El Cocuy. *Renseignez-vous au préalable sur le niveau d'expérience requis pour chacune de ces ascensions et ne sous-estimez jamais les difficultés liées à l'altitude, au froid et éventuellement à la pluie.*

2

Secteur est

Accompagné d'un guide, vous pourrez envisager un trek sur plusieurs jours avec bivouac en refuge. Voici l'un des parcours proposés *(adaptable)* au départ des **Cabañas Kanwara** (4 050 m), dans la partie nord du parc.

1er jour – Boquerón de Cardenillo - Alto de los Frailes - Laguna Grande de los Verdes - **Ritacuba Negro★★** (5 300 m).

2e jour – Laguna de la Isla - Alto de la Sierra - **Pico Aguja★** (5 000 m) - Laguna del Avellanal - Picos Sin Nombre - **Valle de los Cojines★★** (4 300 m).

3e jour – Picos San Pablín - **El Cóncavo★** (5 200 m) - Laguna del Rincón - El Castillo - Laguna del Pañuelo - **Laguna Grande de la Sierra★★** (4 300 m).

4e jour – Los Cerros de la Plaza - Alto de Patio Bolas - Laguna de la Tigresa.

5e jour – Boquerón de Cusirí - **Púlpito del Diablo★★** (5 070 m) - Pan de Azúcar - Valle de Lagunillas.

NOS ADRESSES DANS LA SIERRA NEVADA DEL COCUY

ARRIVER/PARTIR

En bus – Les bus de Bogotá (14h - 45 000 COP) ou de Tunja (9h - 35 000 COP) arrivent sur la place située sur la carrera 5 à **El Cocuy**. À **Güicán**, les bus en provenance de Bogotá (12h - 50 000 COP) s'arrêtent sur la place principale.

HÉBERGEMENT, RESTAURATION

PREMIER PRIX

El Cocuy

Fundación Casa Museo la Posada del Molino – *Carrera 3A, nº 7-51 - El Cocuy - ✆ (mob.) 310 494 5076 - http://elcocuycasamuseo.blogspot.com - 8 ch. 80 000 COP.* Cette demeure coloniale construite il y a plus de deux siècles a la réputation d'être hantée… Les chambres, bien équipées (toutes avec sdb), ouvrent sur une cour pavée de roches fossilisées (une tradition locale) et traversée par un petit ruisseau. Bonne cuisine régionale au restaurant *(petit budget)*. Wifi.

Güicán

Brisas del Nevado – *Carrera 5, nº 4-59 - Güicán - ✆ (8) 789 7028 - http://brisasdelnevado.com - 10 ch. 40 000 COP.* Tout proche de la place centrale de Güicán, cet hôtel propose les chambres les plus confortables (très lumineuses, mais salles de bains à partager pour la plupart) et le meilleur restaurant *(budget moyen)* de la région. Les 4 bungalows dans le jardin, derrière l'entrée du bâtiment principal, comptent les meilleures chambres mais sont généralement réservés aux groupes.

El Eden – *Transversal 2, nº 9-58, Güicán - ✆ (mob.) 311 808 8334 - luishernandonc@hotmail.com - 5 ch. 50 000 COP.* Une auberge à env. 10 mn de marche de la place principale, dans une rue non goudronnée. Elle possède un charme rustique avec ses chambres ornées de boiseries (sdb individuelle dans la plupart) et son jardin où s'ébattent dindons, canards et autres animaux de la ferme. Bonne cuisine régionale maison au restaurant *(budget moyen)*.

Cabañas Kanwara – *Vereda El Tabor - à 2 km à l'est de Güicán par la carrera 4 - ✆ (mob.) 311 231 6004 - kabanaskanwara@gmail.com - 15 ch. 80 000 COP.* Il faut un 4x4 pour atteindre ce lodge situé à 3 950 m d'alt., en bordure du parc : un bon endroit pour acclimater votre organisme avant de commencer une randonnée. Chacun des 3 confortables bungalows possède 5 chambres, une cuisine et une sdb à partager.

Dans le parc

Vous trouverez des hébergements très basiques, qui conviendront pour s'acclimater ou pour se reposer entre les marches, à Alto de la Cueva, La Esperanza et Ritaku'was. Comptez env. 40 000 COP/pers. et réservez impérativement. Possibilité de se restaurer sur place (env. 15 000 COP/repas). Attention, ni eau chaude, ni chauffage, ce qui peut être une gageure à plus de 3 000 m d'alt.

Cabañas del Púlpito – *Vereda La Cueva - ✆ (mob.) 313 309 9734 - http://cocuypulpito.wordpress.com - 9 ch.*

Posada Sierra Nevada – *Vereda El Tabor - ✆ (mob.) 311 237 8619 - www.posadaenguican.com -* ✉✕ *- 7 ch.*

RANDONNÉES

Sécurité

Les portions du Parque Nacional Natural El Cocuy décrites dans ce guide sont situées dans la **zone sécurisée du Boyacá** : des unités de l'armée y patrouillent régulièrement et peuvent être amenées à vous demander vos papiers. Très sauvage, la **région des Llanos**, sur les départements de l'Arauca et du Casanare, se trouve sur un territoire soumis à la guerre civile et doit être considérée comme **interdite**.

Les secteurs du nord-est du parc se trouvent en territoire u'wa et sont interdits d'accès depuis 2013.

Demandez toujours l'avis de la population locale pour ce qui est de la sécurité et du climat politique. Restez bien sur les **pistes officielles balisées**.

Réglementation

Enregistrement – Avant toute randonnée, vous devrez obligatoirement indiquer votre itinéraire aux **bureaux du parc** *(voir p. 183)* qui pourront ainsi lancer une mission de recherche et de secours si vous n'êtes pas revenu à la date prévue.

Balisage – Les sentiers les plus classiques sont bien balisés. Pour tout autre parcours, faites appel aux services d'un **guide** *(voir p. 183)*.

Restrictions d'âge – Les personnes de moins de 12 ans et de plus de 60 ans se verront très probablement interdire l'accès aux sentiers de randonnée.

Conseils aux randonneurs

Équipement – Emportez avec vous des **vêtements chauds**, notamment des sous-vêtements thermorégulateurs à superposer, et **imperméables**.

Ayez des **lunettes de soleil** avec un indice de filtration UV élevé et un écran solaire indice 30 mini.

Vos **sacs de couchage** doivent pouvoir résister au minimum à des températures de -10° (vérifiez l'étiquette).

Prenez votre **matériel de camping** avec vous : vous ne trouverez rien à acheter sur place.

N'emportez pas de sacs plastiques non biodégradables ni d'aérosols, **interdits** dans le parc.

Ravitaillement – Comptez 4 l d'eau par pers. et par jour ; remplissez vos bouteilles à la première occasion et renseignez-vous pour connaître les points d'eau potable sur votre parcours.

Ayez parmi vos provisions des barres énergétiques en quantité ainsi que des biscuits.

Mal de montagne – El Cocuy est un parc de haute altitude et vous arriverez sans doute de Bogotá sans avoir eu le temps de vous acclimater. C'est une étape à ne pas négliger avant une randonnée afin d'éviter le mal de l'altitude, voire un œdème pulmonaire ou cérébral, qui peut être mortel.

Ne vous lancez pas dès votre arrivée : commencez par visiter les villages d'El Cocuy ou de Güicán, puis habituez-vous à l'altitude en passant une nuit dans l'un des lodges situés à la limite du parc (Cabañas Kanwara, Hacienda Peña Blanca ou Posada Sierra Nevada, dans le parc). Essayez toujours de dormir à une altitude moins élevée que celle du trek et buvez beaucoup d'eau, souvent et dès le départ.

San Gil et ses environs

45 000 habitants – Département du Santander – Alt. 1 117 m

La capitale colombienne des sports d'aventure est aussi une petite ville coloniale – hélas bruyante – dont les ruelles partent en damier autour d'une place typique du 18e s. Blottie au fond de la vallée du río Fonce, San Gil est entouré de rivières et de gorges comptant parmi les plus propices à la pratique du rafting. Centre d'excursions réputé, il attire les randonneurs comme les amateurs de parapente, de spéléologie et de canyoning. La ville sera votre base pour aller à la découverte des villages coloniaux bien préservés de la région : Barichara, Guane et Curití. Située sur la route qui relie Bogotá à Bucaramanga, elle constitue aussi une bonne étape lorsque l'on voyage de l'intérieur du pays vers la côte caraïbe, ou inversement.

NOS ADRESSES PAGE 198
Hébergement, restauration, activités, etc.

S'INFORMER

Casa de la Cultura Luis Roncancio – *Calle 12, n° 10-31 - (7) 724 4617 - www.sangilturismo.com - lun.-vend. 8h-12h, 14h-18h.* Autre kiosque d'information touristique sur le Malecón, près du parque El Gallineral.

SE REPÉRER

Carte de région B2 (p. 158) – carte des environs de San Gil p. 194. À 186 km au nord-est de Tunja.
Voir aussi la rubrique « Arriver/partir » dans « Nos adresses ».

À NE PAS MANQUER

Descendre le río Fonce en rafting ; traverser le Cañón del Chicamocha sur 6 km en téléphérique ; arpenter les ruelles pavées de Barichara.

ORGANISER SON TEMPS

En excursion depuis San Gil, comptez une petite journée pour Barichara et Guane, et une journée entière pour le parc national du Chicamocha. Prévoyez également 2 ou 3 j. pour tirer profit des différentes activités nature.

Se promener Carte de région B2 (p. 158)

LE CENTRE-VILLE

Son damier de rues bordées d'**édifices coloniaux** en parfait état ramène toujours au *parque principal*, entouré de beaux bâtiments dotés de balcons. À deux pâtés de maisons au sud de la place, le **río Fonce** partage la ville en deux, dans un sens est-ouest. La promenade du **Malecón** s'étire sur la rive nord de la rivière, entre la calle 10, près du pont, et le parque El Gallineral, à l'est.

★ Parque de la Libertad

Parque principal - carreras 9 et 10, calles 12 et 13.

Ce square dessiné au 18e s. marque le cœur historique de la ville. En son centre trône une fontaine entourée d'imposants *ceibas* (kapokiers). Revenez-y le soir, lorsque la place est éclairée, pour apprécier la tranquillité de l'endroit.

Maisons traditionnelles et Catedral de la Santa Cruz, Barichara *(p. 196)*.
P. Tisserand/Michelin

Dominant la place, la **Catedral de la Santa Cruz** (1791), flanquée de deux tours octogonales, conserve un beau retable d'autel de Jacinto García (1965).

★ Casa de la Cultura Luis Roncancio

Calle 12, nº 10-31 - ✆ (7) 724 4617 - lun.-vend. 8h-17h - entrée libre.
Installée dans une maison coloniale du 18ᵉ s., elle accueille des expositions temporaires. Sa **Fundación Museo Guane** *(horaires aléatoires)*, petite salle dédiée à l'histoire et à la culture des Guanes du Santander, permet de se familiariser avec la culture de la région et de mieux connaître ses premiers habitants.

★★ Parque El Gallineral

Sur le Malecón, au niveau de la calle 7 - ✆ (7) 723 7342 - 8h-17h30 - 6 000 COP.
À 10mn à pied du *parque principal*, cet îlot de verdure enchanteur, d'une superficie de 4 ha, marque l'endroit où la **Quebrada Curití** se jette dans le **río Fonce** en formant un delta. « Gallineral » est l'autre nom du **chiminango** *(Phitecellobium dulce)*, un arbre abondamment représenté dans le parc. Sillonné par de nombreux ruisseaux, ce **jardin botanique** verdoyant regorge d'heliconias, de papillons et d'oiseaux. De gigantesques *ceibas* dominent la plage où les embarcations de rafting abordent au terme de leur descente du río Fonce. Certains arbres sont couverts de **mousse espagnole**, appelée ici *barbas de viejo* (barbes de vieillard) qui, accrochée aux branches, forme un rideau translucide filtrant la lumière du soleil. Le parc compte aussi un **restaurant** *(fermé le mar.)* et une **piscine** publique naturelle *(6 000 COP - fermé le mar.)* alimentée par les eaux de la Quebrada Curití.

Cerro de la Gruta

Au nord de la ville.
Lieu de pèlerinage surplombant le nord de la ville – cherchez la croix – la colline offre une belle vue sur le square. Les fidèles viennent y rendre hommage à la Vierge, et une messe y est célébrée tous les samedis. De l'autre côté de la ville, au sud du río Fonce, le **Cerro de la Cruz**, également signalé par une croix, constitue un autre but de promenade.

À proximité Carte des environs de San Gil ci-dessous

★ Curití

À 7 km au nord-est de San Gil.

Avec ses étroites ruelles et ses maisons blanchies à la chaux, cette petite ville (12 000 hab.) à l'architecture typique du Santander est réputée pour le talent de ses artisans spécialisés dans le tressage de sacs, de sandales et d'espadrilles en fibres naturelles issues d'une plante appelée **fique**. Ce matériau traditionnel, utilisé à l'époque précolombienne pour confectionner des cordes, des vêtements et divers objets utilitaires, sert aujourd'hui à réaliser des accessoires de mode écologiques.

Les grottes les plus connues de la région se trouvent dans les environs de Curití. Dans la **Cueva del Yeso**, une grande caverne de calcaire sèche aux belles formations rocheuses, les archéologues ont découvert de nombreux fossiles ainsi que des éléments attestant d'une occupation humaine très ancienne. La grotte est accessible par descente en rappel. La **Cueva de la Vaca**, très différente, est une grotte humide dont l'accès est conditionné par le niveau des eaux qui la baignent.

★★ Parque Nacional del Chicamocha

À 39 km au nord-est de San Gil (59 km au sud de Bucaramanga). Tous les bus effectuant le trajet San Gil-Bucaramanga pourront vous déposer à l'entrée du parc; www.parquenacionaldelchicamocha.com - merc.-jeu. 9h-18h, vend.-dim. et j. fériés 9h-19h - téléphérique merc.-vend. 10h30-11h, 12h30-13h, 14h30-15h, 16h30, w.-end 10h30-16h30 - 19 000 COP (44 000 COP avec le trajet en téléphérique). L'accès aux attractions n'est pas compris dans le billet d'entrée.

Plus profond que le Grand Canyon, dans l'Arizona (2 000 m contre 1 600 m), le **Cañón del Chicamocha**, véritable merveille naturelle, s'est formé il y a 4,6 milliards d'années. Le río Chicamocha court au fond du canyon avant de se jeter dans le río Fonce, dont les eaux alimentent ensuite le Suárez et le Sogamoso. Propices à la pratique du rafting et du kayak, ce sont les principaux cours d'eau de la région. Cet environnement rude, quasi désertique, est peuplé d'iguanes, de renards et de serpents. Les températures, qui oscillent autour de 11° la nuit, peuvent atteindre jusqu'à 32° dans la journée.

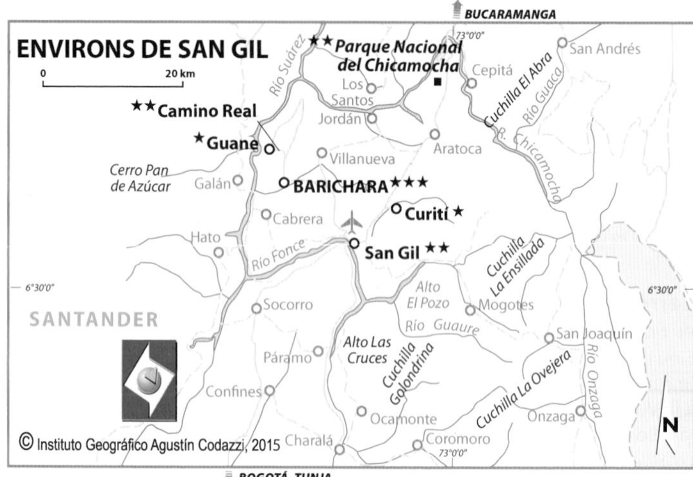

Au cœur du pays guane

UNE RÉGION VERTE

San Gil et sa région jouissent d'un **climat printanier** quasi-permanent, les températures s'échelonnant entre 16° et 30°. La luxuriance des environs témoigne de l'importante **pluviosité** à laquelle elle est soumise. La fertilité de cette partie du Santander favorise la culture des **fruits** et des **légumes**, avocats, corossols *(guanábanas)*, mangues, caramboles et café. La région fait partie de la cordillère andine orientale qui traverse le centre de la Colombie. Les eaux de ruissellement de ces montagnes alimentent **rivières, gorges** et **canyons** propices aux sports d'aventure. En raison des mouvements des plaques de Nazca, de Cocos et pacifique, la zone enregistre une importante **activité sismique**, et toutes les localités de la région sont classées à risque. **Bucaramanga**, la capitale du Santander *(98 km au nord de San Gil)*, est également exposée.

L'HÉRITAGE GUANE

L'histoire du département du Santander est intimement liée à celle des **Guanes**, un peuple apparenté aux Muiscas. Reconnaissables à leur teint clair, qui les différenciait des autres peuples natifs, les Guanes étaient pour la plupart des paysans et des artisans qui vivaient aussi de la pêche et de la chasse. L'arrivée des Espagnols et la conquête qui s'ensuivit faillirent provoquer leur disparition. En 1586, ils n'étaient plus que quelques centaines, et ils furent assimilés par la suite aux populations espagnoles. Beaucoup de noms de lieux de la région, comme **Guanentá** (« plantation » ou « verger ») ou **Monchuelo** (le nom d'origine du río Fonce, qui signifie en guane « l'endroit où se baignent les jeunes gens ») entretiennent leur mémoire. Des tessons de poterie et d'anciennes pistes pavées, le long de la rivière, rappellent aussi le temps où San Gil marquait le cœur du territoire guane.

RÉBELLIONS ET GUERRES CIVILES

À l'époque coloniale, **Don Gil Cabrera y Dávalos**, le président de l'Audience royale (organe doté d'un rôle législatif relatif à l'administration du territoire), autorisa quelques paysans, menés par **Don Leonardo Currea de Betancur**, à fonder en 1689 la ville de « Santa Cruz y San Gil de la Nueva Baeza ». Les habitants de San Gil, et plus généralement de l'ensemble de la région du Santander, jouèrent un rôle important au sein du **mouvement indépendantiste**, ce qui demeure un motif de grande fierté chez leurs descendants *sangileños*. En 1781, le *mestizo* **José Antonio Golán** prit la tête de la révolte des **comuneros** *(voir l'encadré p. 196)* à Charalá, et des soulèvements similaires se produisirent à Mogotes, Onzaga et Socorro. La région est désormais l'une des étapes de la **Ruta de los Comuneros**, un circuit historique qui englobe l'ensemble des lieux importants où fut exprimée pour la première fois l'idée d'auto-gouvernement.

Au début du 20e s., San Gil et les villages environnants furent le théâtre de conflits qui allaient dégénérer en guerres civiles, notamment la tragique **guerre des Mille Jours** *(voir p. 76)*. Des événements violents y eurent également lieu suite à l'assassinat du candidat libéral à la présidentielle, **Jorge Eliécer Gaitán**, à Bogotá, en 1948. Aujourd'hui chef-lieu de la **province de Guanentá** et dotée d'un immense potentiel touristique, San Gil apporte une contribution importante à l'économie régionale.

LA RÉVOLTE DES COMUNEROS

Au 18e s., engagée dans de coûteuses opérations militaires, l'Espagne décide d'augmenter les **impôts** en Nouvelle-Grenade pour financer son effort de guerre, une taxation dont souffrent particulièrement les petites gens (*comuneros*, gens du commun). Un mouvement de résistance civile mené par **Manuela Beltrán** (vers 1750 - ?) s'organise au début des années 1780 dans la ville de **Socorro** *(au sud-ouest de San Gil)*, dans le Santander, une révolte qui gagne vite l'ensemble du pays. Plus qu'un simple soulèvement populaire contre une imposition abusive, l'insurrection ne tarde pas à prendre une tournure pro-indépendantiste : le peuple commence à réclamer des changements dans le régime de protection des **terres indigènes**, ainsi que l'élection de *criollos* (descendants d'Espagnols nés en Nouvelle-Grenade) à des postes publics. Les insurgés, forts de 20000 hommes, prennent la route de Bogotá et, en mai 1781, contraignent le gouvernement à signer la « capitulation de Zipaquirá » qui restitue les mines aux Indiens, accorde des charges aux *criollos* et consent une diminution des impôts. Le vice-roi, qui dénonce l'accord, ordonne l'arrestation et l'exécution de **José Antonio Galán** (1749-1782), qui avait pris la tête de la révolte et dont le nom devient un symbole de la lutte des plus faibles contre les abus du pouvoir.

Pour protéger le versant nord du canyon, un parc de 264 ha, le Parque Nacional del Chicamocha (Panachi), a été créé non loin de la municipalité d'Aratoca. Entièrement tourné vers les sports nature, il est en passe de devenir l'une des attractions touristiques les plus prisées du Santander. Des activités y sont proposées pour tous les publics : descentes en **tyrolienne★**, en kayak, en rafting, vols en parapente… Les **randonneurs** apprécieront les sentiers balisés et bien entretenus qui sillonnent le parc. Les contemplatifs préféreront le parcours en **téléphérique★★**, l'un des plus longs au monde : couvrant une distance de 6,4 km qui inclut la traversée du canyon, il offre une **vue★★★** spectaculaire sur le río Chicamocha, qui serpente entre Soatá et Lebrija.
Un village traditionnel du Santander rend hommage à l'identité du département. Le **Monumento a la Santandereanidad** y commémore la révolte des *comuneros* *(voir l'encadré ci-dessus)* et un petit musée raconte la culture guane.

★★★ Barichara

Alt. 1 314 m. À 24 km au nord-ouest de San Gil.
Perchée sur une falaise dominant la vallée du **río Suárez**, Barichara (7 200 hab.) est considérée comme l'une des plus belles villes du Santander. Fondée en 1705 par **Francisco Pradilla y Ayerbe**, elle fut classée monument national en 1975 pour sa remarquable architecture coloniale. Au retour d'une excursion sportive dans les environs de San Gil, vous apprécierez le calme de cette charmante bourgade, où furent tournés plusieurs feuilletons colombiens. Agrémentée des traditionnels bancs publics, d'une fontaine, de beaux arbres et de plantes tropicales, la **Plaza Principal** *(délimitée par les calles 5 et 6 et les carreras 6 et 7)*, où stationnent les bus en provenance de San Gil et de Guane, est un bon point de départ pour explorer la ville. Prendre le temps de flâner dans les rues pavées de Barichara est le meilleur moyen de s'imprégner de son atmosphère bohème.
★**Catedral de la Inmaculada Concepción** – *Carrera 7, entre les calles 5 et 6 - 7h-19h.*
Dominant la Plaza Principal, cette église du 18e s. est flanquée de deux tours. Les teintes jaune orangé de sa pierre, qui prennent de belles nuances au

coucher du soleil, contrastent avec les murs chaulés des demeures alentour. Caractéristique intéressante de ce bâtiment richement orné, sa **claire-voie**, élément architectural peu commun dans les églises coloniales espagnoles. À l'intérieur, vous noterez les douze colonnes cannelées de 5 m de haut, le retable du maître-autel aux ornementations dorées à la feuille, le plafond de bois et de bambou ainsi que la chapelle dédiée à la Virgen de la Piedra.

Museo Casa de la Cultura Emilio Pradilla González – *Calle 5, nº 6-29 (sur la Plaza Principal) - 8h-12h, 14h-18h sf dim. après-midi et mar. - 1 000 COP.* Ce musée porte le nom d'un ancien gouverneur du Santander né en 1881 à Barichara, qui fut aussi un écrivain et un poète fameux. Il rassemble un certain nombre de meubles et d'objets du 19e s. Expositions temporaires.

Casa Natal de Aquileo Parra – *Calle 6, nº 2-03 - lun.-vend. 8h-16h - entrée libre.* La maison natale d'**Aquileo Parra** (1825-1900), 11e président de la Colombie, a conservé sa cuisine et ses pièces d'habitation d'époque. La majeure partie du bâtiment est désormais occupée par une association de retraités qui filent et tissent le jute selon les techniques ancestrales ; leurs réalisations sont en vente sur place à des prix défiant toute concurrence.

Autres visites – Barichara possède trois chapelles aux intérieurs simples, assez austères. La **Capilla de San Antonio** *(carrera 4, calle 5)*, dotée d'une façade de pierre et d'adobe, date de 1831. Bâtie en 1797 avec des blocs de pierre grossièrement taillés, qui lui confèrent un certain charme, la **Capilla de Jesús** *(carrera 7, calle 3)*, surmontée d'un clocher-peigne, conserve un **retable★** en acajou de style baroque sévillan. Au nord de la ville, la **Capilla de Santa Bárbara** *(carrera 11, calle 6)*, édifiée vers 1800, montre, comme la précédente, une nef inclinée épousant la pente du terrain et mettant en valeur un retable richement orné. Au sommet de la colline qui se dresse derrière cette chapelle s'ouvre le **parque de las Artes Jorge Delgado Sierra★**, un agréable petit parc agrémenté de 22 sculptures de pierre ponctuant de petits canaux et dont l'amphithéâtre en plein air accueille parfois des concerts. Depuis le parc, **vue★** sur Barichara et la vallée voisine.

Du **mirador** *(en haut de la carrera 8, derrière le cimetière)*, le **panorama★** s'étend du **río Suárez** à la **Cordillera de los Cobardes**, la dernière portion de la Cordillère orientale avant la vallée du río Magdalena.

★★ Camino Real

Depuis Barichara, départ au niveau de la statue de Bolívar, carrera 10, entre les calles 4 et 5. Comptez env. 1h30 pour parcourir les 5,5 km du sentier (300 m de dénivelé en descente). Prenez eau, protection solaire et chaussures adéquates.

C'est une ancienne voie pavée reliant Barichara à Guane. À l'époque précolombienne, elle constituait l'axe de circulation principal du peuple guane. Plusieurs fois reconstruite au fil des siècles, elle fut classée monument national

LES FOURMIS GÉANTES GRILLÉES

Les **Guanes** du Santander attribuaient à l'*Atta laevigata*, une espèce de fourmi géante baptisée **hormiga culona** en espagnol, des propriétés aphrodisiaques. Ils avaient coutume de ramasser ces fourmis après les fortes pluies et de les faire rôtir, une pratique qui fit peu d'adeptes chez les premiers colons espagnols. Aujourd'hui, grillées et salées comme des cacahuètes, ces fourmis « à gros cul » sont très appréciées dans toute la région du Santander, notamment à San Gil, Barichara, Socorro, Zapatoca ou Suárez, où la culture guane est encore très ancrée. Sous la dent, leur carapace craquante libère un jus légèrement acide, à l'odeur forte.

en 1988. Après la descente de la paroi d'un canyon, le sentier traverse une vallée tapissée de cactus et d'arbres, traversant ponctuellement la grand-route qui mène à Guane. Hormis quelques vaches et chèvres dans les pâturages, vous ne devriez pas y rencontrer grand monde. En marchant, observez les fossiles inclus dans les pierres du chemin.

Une variante plus longue et plus difficile, sur 3 jours, consiste à faire un circuit reliant Barichara, Guane, Villanueva, Los Santos et la ville fantôme de Jericó : vous traverserez ainsi de haut en bas, puis de bas en haut, le **Cañón del Chicamocha**. Vous trouverez, le long du parcours, des lieux d'hébergement et de restauration où découvrir les spécialités culinaires locales.

★ Guane

Alt. 1 032 m. À 9 km au nord-ouest de Barichara. Bus de et pour Barichara et San Gil ttes les h sur le parque principal jusqu'à 16h15.

Ce hameau paisible où le temps semble s'être arrêté était autrefois la capitale de la **civilisation guane**. Comme tous les villages anciens de la région, il s'organise autour d'une **place centrale**, ici agrémentée de flamboyants et d'un monument dont les pierres sont décorées de fossiles incrustés, érigé en mémoire de **Guanetá**, le dernier cacique guane. Dominant la placette, la charmante **Iglesia de Santa Luciá**, flanquée d'un clocher-peigne à trois niveaux, fut construite en 1720. Les maisons coloniales sont nombreuses dans ce village endormi.

Museo Paleontológico y Arqueológico – *Carrera 6, n° 7-24 (sur le parque principal) - 8h-12h, 14h-17h - 2 000 COP.* Il possède une collection d'environ 10 000 fossiles datant de plus de 60 millions d'années. Axée sur la culture guane, la section archéologique compte plusieurs crânes, ainsi qu'une momie de 800 ans, des céramiques (pots, bols, cruches…), des meules à aiguiser, des textiles et d'autres objets fabriqués par les Guanes.

NOS ADRESSES À SAN GIL ET AUX ENVIRONS

INFORMATION UTILE

Change

Ares – *Calle 12, n° 8-74, juste au-dessus du parque principal - ☎ (7) 724 5463 - lun.-vend. 8h30-12h40, 14h-17h45, sam. 8h30-15h.*

ARRIVER/PARTIR

En bus

Terminal de Transportes – *À 3 km à l'ouest du centre, sur la route de Bogotá. Comptez 3 500 COP en taxi.* C'est là qu'arrivent les **bus longue distance**. Bogotá (6h - 30 000 COP), Bucaramanga (3h - 15 000 COP), Cúcuta (10h - 40 000 COP), Tunja (4h - 25 000 COP) et Santa Marta (12h - 70 000 COP). Depuis cette gare routière, des **busetas** rallient le terminal Cotrasangil.

Terminal Cotrasangil – *Carrera 11, angle calle 15.* Liaisons avec Bucaramanga *via* le Parque Nacional del Chicamocha (3h - 15 000 COP), Barichara (45mn - 4 400 COP), Guane (2h - 6 300 COP) et Curití (20mn - 2 000 COP).

HÉBERGEMENT

Vous trouverez de nombreuses solutions d'hébergement à moindre coût à **San Gil**, notamment sur la calle 10, entre les carreras 10 et 11 ; les établissements de moyen et haut de gamme se trouvent plutôt à la périphérie de la ville. En revanche, l'hébergement à **Barichara** est très cher, surtout en haute saison.

PREMIER PRIX

Santa Cruz del Puente – *Calle 10, nº 10-15 - (7) 724 6000 - - 15 ch. 40 000 COP.* Un établissement à l'atmosphère familiale, à mi-chemin entre le parque de la Libertad et le parque El Gallineral. Les chambres, assez spacieuses et pour la plupart dotées d'une fenêtre sur rue ou sur une arrière-cour calme, occupent deux niveaux. Un excellent rapport qualité-prix. Seul bémol : pas d'eau chaude. Wifi, service de laverie.

BUDGET MOYEN

Posada Campestre – *À 2 km au sud-ouest de San Gil sur la route de Charalá - (7) 723 8000 - www.hotelposadacampestre.com - - 50 ch. 116 000 COP.* L'hôtel propose 2 catégories de chambres, standard avec ventilateur et balcon, et Gold (air conditionné), ainsi qu'un ensemble de bungalows. Boîte de nuit et bar sur place, qui rendent l'endroit bruyant en fin de semaine et en période de vacances.

Aux environs de San Gil

PREMIER PRIX

La Cascada – *À 8 km au sud-ouest de San Gil sur la route de Socorro - (mob.) 320 859 1963 - www.hotellacascadasangil.com - - 10 ch. 60 000 COP.* Ses bungalows nichés dans la verdure abritent des chambres spartiates au sol carrelé, dotées de sdb. Cuisine internationale servie sur la terrasse du restaurant. Terrain de *tejo*, de basket et de volley.

POUR SE FAIRE PLAISIR

Wassiki Campestre – *Pinchote - à 5 km de San Gil en dir. de Socorro - (7) 724 8386 - www.hotelwassiki.com - - 15 ch. 280 000 COP .* À 15mn en taxi du centre de San Gil, cet hôtel-boutique est très bien équipé : salle de jeux, petite piscine lovée dans la végétation, vue sur les montagnes. Chambres gaies et colorées avec minibar. Jacuzzi dans les chambres Deluxe.

Barichara

POUR SE FAIRE PLAISIR

El Carambolo – *Calle 5, nº 3-27 - barrio San Antonio - (mob.) 316 701 6200 - - 4 ch. 200 000 COP .* Entre la place principale et la chapelle de San Antonio. Les chambres rustiques et à l'ameublement minimaliste de cette maison coloniale donnent sur le carambolier de la cour intérieure. Le propriétaire, espagnol, est un chef : s'il est là, sur demande, il vous mitonnera des plats colombiens aux influences méditerranéennes.

Misión Santa Bárbara – *Calle 5, nº 9-08 - Barichara - (7) 726 7163 - www.hostalmisionsantabarbara.com - - 31 ch. 200/225 000 COP .* Cette demeure coloniale magnifiquement rénovée incite au farniente : patio couvert de vignes, petite piscine, jardin coloré où se balancent des hamacs. Les chambres, confortablement meublées, sont spacieuses, douillettes et propres. Pas d'air conditionné mais le climat est doux. Une belle adresse.

RESTAURATION

PREMIER PRIX

El Maná – *Calle 10, nº 9-49 - (mob.) 300 460 6269 - - 11h30-14h30, 18h15-20h30 sf dim. soir - 12 000 COP.* Produits de qualité et portions copieuses pour cet établissement de cuisine régionale ne servant que des menus à prix fixe. Le poulet farci au jambon et au fromage et le porc aux prunes, qui figurent régulièrement à l'ardoise, sont un must.

Rogelia – *Carrera 10, nº 8-09 - ✆ (7) 724 0823 - 7h-19h - 20 000 COP.* Situé dans une maison populaire ancienne aux poutres apparentes, il sert des spécialités locales dont un remarquable *cabrito con pepitoria* (chevreau avec un riz aux abats) et de la *carne oreada* (fines lamelles de viande de bœuf séchée). Le petit-déjeuner est copieux.

Gringo Mike's – *Calle 12, nº 8-35 - ✆ (7) 724 1695 - www.gringomikes.net - 8h-23h - 25 000 COP.* *Quesadillas* et *burritos* mexicains, hamburgers végétariens ou non et salades de fruits ou de légumes : vous trouverez ici toute une panoplie de petite restauration fraîche, saine et légère à savourer sur des tables hautes installées dans un patio traditionnel. Cocktails et carte des vins.

BUDGET MOYEN

Balcón Sangileño – *Carrera 10, nº 12-19 - ✆ (7) 723 5637 - 11h30-22h - 35 000 COP.* Un restaurant de cuisine typique du Santander, dont la carte, assez variée, propose viandes, poissons et fruits de mer. Le samedi et le dimanche, on prépare le *sancocho de gallina* ou de *costillas* (soupe à la poule ou au porc). Grimpez à l'étage pour profiter des tables installées sur les balcons et donnant sur la cathédrale.

Barichara

POUR SE FAIRE PLAISIR

Algarabía – *Calle 6, nº 10-96 - ✆ (7) 726 7417 - dîner seult - 80 000 COP.* C'est un Espagnol qui dirige cet établissement situé tout en haut du village, devant la chapelle de Santa Bárbara. Beaucoup de paellas et de fruits de mer, mais aussi de la *tortilla* (omelette espagnole aux pommes de terre), du *pavo de castilla* (canard à la castillane) et des *calamares romana* (calamars à la romaine). Le service laisse toutefois à désirer.

PETITE PAUSE

La Casa del Balcón – *Calle 12, nº 9-19 - ✆ (7) 724 3603 - dim.-jeu. 8h30-22h30, vend.-sam. 9h-0h.* Son balcon tout en longueur face au parque de la Libertad, au-dessus du café La Polita, fait tout l'intérêt de cet établissement. Une petite carte de snacks sucrés et salés, des jus de fruits frais et des céréales, des salades de fruits et des petits-déjeuners à toute heure. Pour 1 500 COP/h, vous pourrez y jouer au Monopoly, au Scrabble, aux échecs et à toute une série de jeux de société.

ACTIVITÉS

Rafting

Les mois de novembre et d'avril sont les plus agréables pour cette activité. Le **río Fonce★★** est un cours d'eau idéal pour les débutants, avec des rapides de classes II et III. Le parcours démarre à 10 km du centre de San Gil, et s'achève face au parque El Gallineral.
Le **río Chicamocha★★**, avec ses rapides classés de I à V, traverse le Cañón del Chicamocha. Pour une expérience plus extrême, essayez le **río Suárez★**, avec ses rapides de classe V+.

Kayak

Obligatoires avant de se lancer à l'eau, les stages de 3 j., organisés sur le **río Fonce**, incluent l'apprentissage en piscine des techniques d'esquimautage.

Spéléologie

Le long de la route de Barichara s'ouvrent les grottes de **La Antigua**, peuplées de chauves-souris, où vous pourrez vous faufiler à la suite d'un guide le long d'étroits boyaux qui mènent à des chutes d'eau souterraines. Près d'El Páramo, à env. 10 km de San Gil, la **Cueva del Indio★** est une destination très prisée des amateurs de spéléologie et de sensations fortes. Après avoir exploré les profondeurs de ce splendide monde souterrain, riche en stalactites et en stalagmites, vous rejoindrez la sortie à la nage. Parmi les autres grottes à explorer, la **Cueva de la Vaca** et la **Cueva del Yeso**, à Curití, sont celles qui possèdent les plus belles formations rocheuses.

Parapente

Les deux meilleurs sites sont ceux de **Curití** et surtout du **Cañón del Chicamocha**. Vous survolerez des plantations de tabac et le plus grand canyon de Colombie. Pour un vol biplace de 25mn, comptez 200 000 COP.

Canyoning et rappel

Canyoning *(torrentismo)* et rappel sont souvent pratiqués ensemble au cours d'une même sortie. Parmi les plus courues, descente le long de la paroi abrupte des **Cascadas de Juan Curí★★** *(à 22 km de San Gil, sur la route de Charalá)*, une spectaculaire chute d'eau de 180 m, qui comprend trois paliers. Ce site très prisé des randonneurs possède un joli bassin de baignade au pied de l'une des cascades.

Agences

Les organismes à l'entrée du parque El Gallineral sont nombreux et pratiquent des tarifs assez similaires.

Planeta Azul – *Parque El Gallineral - San Gil - ✆ (7) 724 0000 - www.planetaazulcolombia.com - 8h-18h.* Un généraliste proposant une vaste gamme d'activités : rafting, canyoning, saut à l'élastique, rappel, parapente, spéléologie, paintball, etc.

Colombia Rafting – *Carrera 10, nº 7-83 - San Gil - ✆ (7) 724 5800 - www.colombiarafting.com - 8h-18h.* Kayak, hydrospeed et rafting pour ce spécialiste des rivières. Les 2 premiers se pratiquent sur le río Fonce. Pour le rafting, comptez 30 000 COP pour 1h30 de navigation sur le río Fonce, 125 000 COP pour 5h sur le río Suarez et 150 à 300 000 COP pour des expéditions d'1 à 2 j. sur le río Chicamocha avec bivouac sur place. Guides parlant anglais et espagnol.

Aventura Total – *Calle 7, nº 10-27 face au Malecón - San Gil - ✆ (7) 723 8888 - www.aventuratotal.com.co.* Large choix d'excursions. Cette agence, particulièrement réputée pour le parapente, organise également des sorties en rafting, du canyoning et du saut à l'élastique.

Nativox – *Carrera 11, nº 7-14 - San Gil - ✆ (7) 723 9999 - www.nativoxsangil.com.* Tous les renseignements sur le parapente à San Gil.

Bucaramanga et ses environs

527 000 habitants – Capitale du département du Santander – Alt. 959 m

Implantée dans la jolie vallée du río de Oro, Bucaramanga jouit d'un climat agréable toute l'année, grâce à la fraîcheur que lui confère la proximité des Andes. Avec sa périphérie immédiate, « Buca » forme une vaste métropole. C'est à la fois un grand carrefour commercial et une ville universitaire de premier plan, avec les embarras de circulation et les problèmes sociaux propres aux agglomérations de cette taille. Avec ses nombreux restaurants, bars et boîtes de nuit, Bucaramanga est réputée pour son intense vie nocturne. La petite ville coloniale de Girón vous attend aux portes de la cité, tandis qu'un peu plus loin, le nom de Mesa de Ruitoque fait vibrer d'impatience les parapentistes d'ici et d'ailleurs.

NOS ADRESSES PAGE 207
Hébergement, restauration, activités, etc.

S'INFORMER
Instituto Municipal de Cultura y Turismo – *Calle 30, nº 26-117 - Parque de los Niños - ✆ (7) 634 1132.*

SE REPÉRER
Carte de région B2 (p. 158) – plan de la ville p. 204-205.
À 98 km au nord de San Gil.
Voir aussi la rubrique « Arriver/partir » dans « Nos adresses ».

À NE PAS MANQUER
Un vol en parapente au-dessus de la Mesa de Ruitoque ; une soirée mexicaine dans la calle des mariachis.

ORGANISER SON TEMPS
Comptez une journée pour découvrir les environs, plus si vous désirez vous initier au parapente.

Se promener Plan de ville p. 204-205

Au départ du parque García Rovira, circuit 1 tracé en vert sur le plan de ville (p. 204-205) – Comptez 1/2 journée.

Fondée en 1662, Bucaramanga ne devint la capitale du Santander qu'en 1857. La **guerre des Mille Jours** *(voir p. 76)* causa de nombreuses destructions, mais la ville parvint à renaître de ses cendres. Aujourd'hui, avec son industrie florissante de la mode, de la chaussure et de la bijouterie, Bucaramanga s'affiche comme l'un des principaux carrefours commerciaux du nord-est de la Colombie. C'est aussi une ville universitaire réputée qui jouit d'un rayonnement culturel important dans toute la région.

LE CENTRE-VILLE

Fréquentés par tout un chacun, ses nombreux espaces verts, sympathiques petits squares ou placettes ombragées, permettent d'entrecouper la visite de la ville de pauses agréables.

Parque García Rovira AB2

Délimité par les calles 35 et 37 et par les carreras 10 et 11.

Ce petit square inauguré en 1897 apparaît comme une oasis de sérénité avec ses hauts palmiers et ses bancs. Au milieu du parc se dresse une **statue du général García Rovira** (1907), homme d'État néo-grenadin né à Bucaramanga en 1780 et fervent partisan de l'indépendance.

Intérieur de la Basílica Menor de San Juan Bautista, à Girón *(p. 206)*.
O. Garces/Camara Lucida RM/age fotostock

Capilla Nuestra Señora de los Dolores – *Carrera 10, calle 35, à l'angle du parque García Rovira - ne se visite pas.* Petite, simple et discrète avec ses murs blanchis à la chaux et ses pierres apparentes, cette chapelle désaffectée, la plus ancienne de la ville, daterait du milieu du 18e s. Entre ses murs repose le poète santandérin **Aurelio Martínez Mutis** (1885-1954). Au 19e s., au cours de son séjour à Bucaramanga, Simón Bolívar vint prier ici.

2

★ Museo Casa de Bolívar B2

Calle 37, n° 12-15 - ✆ (7) 630 4258 - lun.-vend. 8h-12h, 14h-18h, sam. 8h-12h - 2 000 COP.

Un petit musée d'anthropologie et d'histoire régionale occupe l'élégante demeure coloniale où Simón Bolívar séjourna pendant deux mois en 1828. Alors qu'il faisait route vers le Venezuela, Bolívar s'arrêta à Bucaramanga pour se ravitailler, et c'est dans cette maison qu'il planifia ses campagnes militaires ; une exposition relate son séjour dans la ville. Collection d'**objets guanes** et section consacrée à la **guerre des Mille Jours**.

Casa de la Cultura Custodio García Rovira B2

Calle 37, n° 12-46 - ✆ (7) 642 0163 - lun.-vend. 8h-18h30, sam. 8h-12h30 - entrée libre.

Cet édifice ancien, qui ne manque pas de cachet, accueille quelques toiles de peintres locaux. Expositions temporaires.

Parque de Santander B2

Délimité par les calles 35 et 36 et par les carreras 19 et 20.

Au cœur d'un quartier moderne dédié au commerce et aux affaires, ce square ombragé accueille une statue de **Francisco de Paula Santander** *(voir l'encadré p. 212)*. L'effigie de ce personnage emblématique du mouvement indépendantiste est l'œuvre du sculpteur français **Raoul Verlet** (1857-1923). Importés de Paris, les **réverbères** (1925) qui agrémentent le parc lui confèrent un petit air européen.

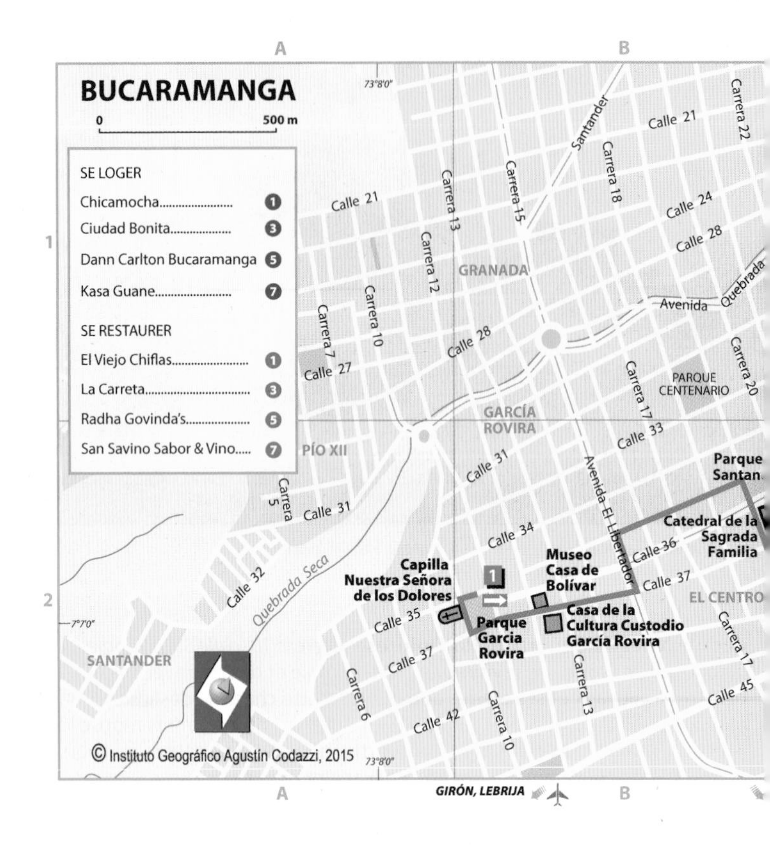

★ Catedral de la Sagrada Familia B2

Calle 36, entre les carreras 19 et 20 - ✆ (7) 642 7708 - 6h-19h.

Cette cathédrale d'inspiration néoclassique (1887), la plus vaste des églises du quartier, ouvre sur le parque de Santander. Sa construction constitua le chantier majeur de Bucaramanga au 19e s. Consacrée à la **Sainte Famille**, dont les statues surmontent le fronton triangulaire, cette église est particulièrement photogénique la nuit, lorsque les éclairages mettent en valeur sa belle façade sobre, flanquée de deux tours élégantes. L'intérieur, à trois nefs, est éclairé par un ensemble de **vitraux** et orné d'œuvres d'artistes locaux (Luis Alberto Acuña, Oscar Rodríguez Naranjo). Notez le splendide **baldaquin d'autel★★** de marbre italien et, de l'extérieur, la **coupole★** de céramique, fabriquée au Mexique.

Museo de Arte Moderno (MAMB) C2

Calle 37, nº 26-16 - ✆ (7) 645 0483 - lun.-vend. 8h30-12h, 14h-17h30 - entrée libre.

Installé dans un bâtiment républicain des années 1940, jadis une demeure particulière, il conserve dans ses jardins quelques sculptures en fer des années 1960-1970 : les *Terrazas de Machu Picchu* d'**Eduardo Ramírez Villamizar** (1922-2004), l'*Observatorio* d'Eduardo Estupiñán, ainsi que des œuvres de Ricardo Gómez Vanegas (1954-1995) et de Guillermo Espinoza. Expositions temporaires.

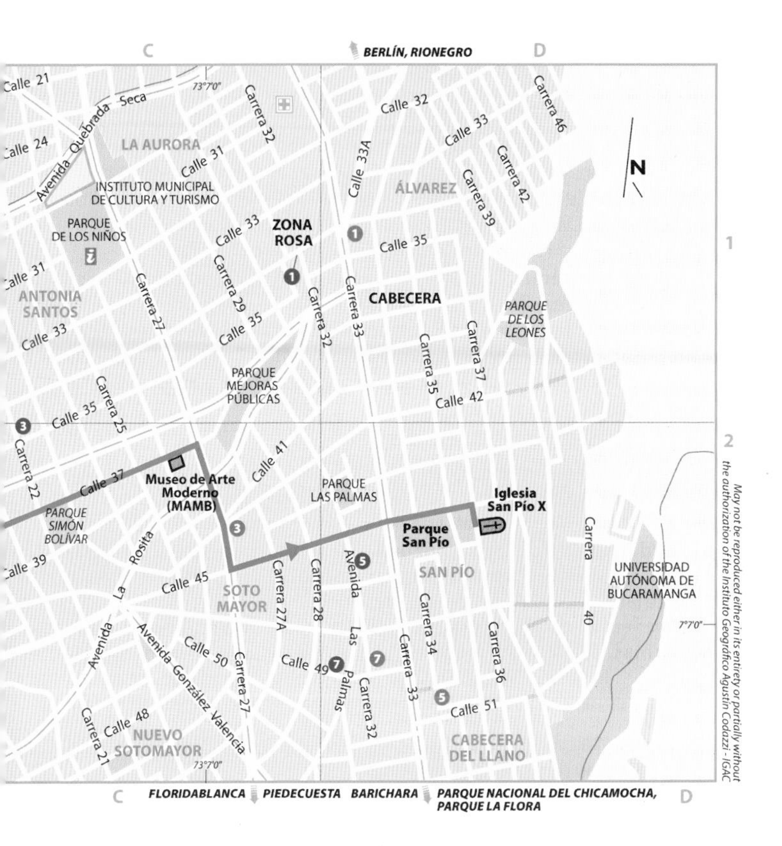

Iglesia San Pío X D2

Carrera 36, n° 45-51 - ouverte pour les offices uniquement.
L'église (1955) abrite des toiles d'**Oscar Rodríguez Naranjo** (1907–2006), un artiste santandérin né à Socorro, surtout connu pour ses peintures à l'huile. Au bas du parque San Pío, à l'angle de la carrera 33, se dresse la *Mujer de pie desnuda* (Femme nue debout) de Fernando Botero.

À proximité Carte de région B2 (p. 158)

La zone métropolitaine de Bucaramanga, qui s'étend jusqu'à Ruitoque et Palonegro, comporte quelques sites fort intéressants.

Floridablanca

À 8 km au sud-est de Bucaramanga par la carretera 45 - desservi par le Metrolínea.
Floridablanca (265 000 hab.), capitale de l'*oblea*, se trouve désormais intégrée à l'agglomération de Bucaramanga.
★ **Museo Arqueológico Regional Guane** – *Casa de la Cultura - carrera 7, n° 4-35 - ✆ (7) 649 7864 - www.casadeculturapiedradelsol.gov.co - lun.-vend. 8h-12h, 14h-18h - 2 000 COP.* Parmi les 800 pièces archéologiques qu'expose le musée, vous verrez des objets en or, des crânes et des squelettes, des céramiques en forme de coquillages, des textiles, des flèches et des *volantes de*

L'OR DE BUCARAMANGA

Avant l'arrivée des Espagnols, la région de Bucaramanga se situait en territoire **guane**, tout comme l'essentiel des terres de l'est du Santander. Les premiers Européens qui s'établirent dans la région, en 1622, choisirent ce site pour son emplacement stratégique à la confluence de deux rivières, le **río Oro** et le **río Frío**, mais aussi parce que de l'**or** avait été trouvé dans les environs. Dans les premières chroniques espagnoles, la ville était d'ailleurs citée sous le nom de **Real de Minas de Bucaramanga**.

En dépit d'un déclin progressif de la production d'or, Bucaramanga continua à s'étendre. Elle joua en outre un rôle essentiel durant la période qui précéda l'Indépendance. Le général **García Rovira**, natif de la ville, fut président des **Provinces unies de Nouvelle-Grenade**, avant d'être exécuté en 1816 sur ordre de Pablo Morillo (le « Pacificateur ») lors de la **Reconquête espagnole**.

huso (quenouilles) datés du 8e au 16e s., ainsi qu'une collection de vestiges de la **civilisation guane**. Il abrite surtout la **Piedra del Sol★**, gros rocher orné de motifs circulaires et de spirales gravés par les **Guanes** il y a plus de 1 000 ans.

★★ **Jardín Botánico Eloy Valenzuela** – *À 1 km au nord-ouest de la place principale - ✆ (7) 634 6100 - 8h-16h30 sf lun. - 4 000 COP.* Situé sur les rives du **río Frio**, ce jardin de 7,5 ha rassemble plusieurs centaines d'espèces représentatives des écosystèmes de forêts sèches et humides du Santander : **orchidées**, **heliconias**, épiphytes et fougères, plantes médicinales et bambous géants, palmiers… Près de la rivière, les jardins sont fréquentés par des écureuils, des tortues, des papillons, des canards, des iguanes, des caméléons et des tatous.

Piedecuesta

À 18,5 km au sud-est de Bucaramanga.

Réputée pour ses **cigares roulés à la main**, pour son mobilier sculpté et pour son industrie du tissage du jute, Piedecuesta (150 000 hab.) comptait seulement 500 Indiens et 50 Espagnols en 1573. Elle est désormais rattachée à l'agglomération de Bucaramanga. Vous pouvez visiter des fabriques de cigares dans les environs de Piedecuesta *(Cigarros Chicamocha – Carrera 7, nº 5-49 - ✆ (7) 654 4941 - www.cigarroschicamocha.com).*

★ Girón

À 10 km au sud-ouest de Bucaramanga - bus fréquents sur la calle 45 et sur la carrera 33.

Ses rues empierrées et son atmosphère paisible rendent plaisante à visiter cette bourgade (180 000 hab.) aux demeures anciennes bien conservées, dans la banlieue de Bucaramanga. Fondé en 1631 sur les rives du **río de Oro**, cet avant-poste colonial aujourd'hui assoupi fut jusqu'au 18e s. la principale ville de la région, surpassant en importance sa voisine. La ville draine désormais les citadins en week-end et les artistes, et dès le vendredi soir, son **Malecón** *(carrera 27)* s'anime, les chalands musardant entre les stands de charcuterie régionale, le petit marché de douceurs et les bars dansants qui lui font face.

Sur la place principale se dresse la **Basílica Menor de San Juan Bautista★** dont la construction, initiée en 1646, s'est achevée en 1876. Donnant sur le côté de cette place, la **Mansión del Fraile★** *(calle 30, nº 25-27)*, où eut lieu la signature entérinant officiellement l'indépendance de la Colombie, abrite désormais un restaurant.

Le pittoresque **parque Las Nieves★** *(angle carrera 28 et calle 28)*, placette entourée de maisons basses aux toits de tuiles derrière lesquelles se découpe la

silhouette des montagnes, attire beaucoup de jeunes couples de Bucaramanga, qui viennent se marier dans la **chapelle** de la Virgen de las Nieves.
Chaque année, aux alentours de la mi-août, Girón accueille la **Feria Tabacalera**, au cours de laquelle sont organisés des concerts, un concours de beauté et des concours entre les producteurs régionaux de tabac.

Rionegro

À 20 km au nord-ouest de Bucaramanga.
Cette jolie petite ville **caféière** s'étend à proximité de la **Laguna de Galago** et d'une chute d'eau. Vous pourrez vous promener le long de l'ancienne **voie ferrée** qui reliait autrefois Bucaramanga à Rionegro.

Berlín

À 64 km au nord-est de Bucaramanga.
Niché à 3 200 m d'altitude, au fond d'une vallée entourée de pics culminant à 4 000 m, ce village délivre des vues spectaculaires sur les paysages de la **Cordillère orientale**.

NOS ADRESSES À BUCARAMANGA

Plan de la ville p. 204-205

INFORMATION UTILE

Change – Cambios M & G – D2 - *Carrera 35A, n° 51-79 - (7) 647 0778 - lun.-vend. 8h-18h, sam. 9h-16h.* Change euros, dollars et chèques de voyage. Plusieurs autres *casas de cambio* dans la rue.

ARRIVER/PARTIR

En avion

Aeropuerto Internacional Palonegro – *À Palonegro, au sud de Bucaramanga.* Liaisons avec Bogotá et Medellín. Pour vous rendre en centre-ville, préférez le **taxi** (env. 32 000 COP), plus rapide, au bus.

En bus

Teminal de Transportes – *À env. 7 km au sud-ouest de la ville.* Liaisons avec Cúcuta (6h - 40 000 COP), Bogotá (9h - 60 000 COP), San Gil (3h - 15 000 COP), Santa Marta (8h - 70 000 COP), Medellín (8h - 80 000 COP) et Pamplona (4h - 25 000 COP). Liaisons avec Mompox *via* El Banco (7h - 40 000 COP).

TRANSPORTS

Metrolínea – *(7) 643 9090 - www.metrolinea.gov.co - 5h-22h.* La ville est desservie par ce service de bus articulés modernes qui rejoint Floridablanca et sera peut-être prolongé jusqu'à Piedecuesta et Girón. Coût d'un trajet : 1 850 COP.

Bus – Pour un trajet en bus urbain (hors réseau Metrolínea), comptez 1 900 COP. Ces bus relient les villes de Girón et Piedecuesta.

Taxi – Les taxis sont équipés d'un compteur. Tarif mini 5 000 COP.

HÉBERGEMENT

PREMIER PRIX

Kasa Guane – CD2 - *Calle 49, n° 28-21 - (7) 657 6960 - www.kasaguane.com - 5 ch. et 3 dortoirs 65/85 000 COP.* Le KGB, pour les initiés, est une auberge bien située, tenue par des fous de parapente. Dortoirs ou chambres individuelles spacieuses, sommairement meublées mais propres, avec ou sans sdb privée ; laverie et cuisine commune, salle TV et billard près du bar-terrasse, accès wifi.

POUR SE FAIRE PLAISIR

Chicamocha – C1 - *Calle 34, nº 31-24 - (7) 634 3000 - www.hotelchicamocha.com - - 162 ch. 230 000 COP.* Appartenant à la chaîne hôtelière colombienne Solar, il compte parmi les meilleurs établissements de la ville. Il est situé dans un quartier résidentiel, en bordure de la Zona Rosa. Rien à dire sur les chambres, impeccablement propres et confortables, mais aseptisées, comme dans la plupart des hôtels de ce standing. Si les chambres standard vous semblent trop petites, optez pour une *superior* ou une *junior suite*. Hammam, sauna et salle de gym.

Ciudad Bonita – C2 - *Calle 35, nº 22-01 - (7) 635 0101 - www.hotelciudadbonita.com.co - - 65 ch. 230 000 COP.* Un grand édifice de brique rouge très central, près du parque de Santander. La plupart des chambres sont exiguës. Dans la gamme supérieure, vous obtiendrez une chambre plus spacieuse, avec réfrigérateur et balcon. Au rez-de-chaussée, le restaurant Doña Petrona est spécialisé dans les fruits de mer.

UNE FOLIE

Dann Carlton Bucaramanga – D2 - *Calle 47, nº 28-83 - (7) 643 1139 - www.danncarltonbucaramanga.com - - 133 ch. 440 000 COP.* Cet établissement de luxe, appartenant lui aussi à une chaîne, a beaucoup d'allure. Les suites, spacieuses et lumineuses, sont superbes. Plusieurs restaurants, dont un avec vue panoramique, piano bar, terrasse sur le toit, salle de gym, agréable piscine, jacuzzi et sauna.

RESTAURATION

PREMIER PRIX

Radha Govinda's – D2 - *Carrera 34, nº 51-95 - (7) 643 3382 - http://bucaramanga.govindas.co - - lun.-sam. 12h-14h - menu 7 500 COP.* Pas de carte mais une formule menu différente chaque jour, strictement végétarienne, pour un déjeuner des plus sains. Elle comporte une soupe, un plat de légumes avec riz complet, et toute une pléiade de bonnes choses telles que beignets de courgettes, chou-fleur gratiné, croquettes d'épinards, etc., avec jus de fruits à volonté. La boutique attenante vend des produits bio.

BUDGET MOYEN

El Viejo Chiflas – D1 - *Carrera 33, nº 34-10 - (7) 632 0640 - www.elviejochiflasrestaurante.inf.travel - 7h-0h - 35/45 000 COP.* Les Bumanguéses vénèrent les viandes grillées que ce restaurant sert depuis 1957 dans sa grande salle toute de briques et de tomettes. Goûtez au *cabrito* (chevreau), une spécialité régionale. Également des *pinchos* (brochettes), des crêpes et des formules de petit-déjeuner.

POUR SE FAIRE PLAISIR

San Savino Sabor & Vino – D2 - *Carrera 32, nº 48-45 - (7) 643 4266 - www.restaurantesansavino.com - mar.-sam. 12h-15h, 18h-21h, dim. 12h-15h - - 70 000 COP.* Un cadre contemporain épuré dans les tons bleu et jaune avec, aux murs, des reproductions de vieilles réclames françaises des années 1950. On y sert une cuisine italo-méditerranéenne mâtinée de brésilien. Goûtez aux *fettuccine verona* aux langoustines, calamars et moules ou, pour une touche plus exotique, au *rodizio de carnes*, une grande brochette mêlant pièces de bœuf et de porc.

La Carreta – C2 - *Carrera 27, nº 42-27 - ✆ (7) 643 7212 - www.lacarreta.com.co - 12h-16h, 18h-0h sf dim. soir - 75 000 COP.* Un rendez-vous gourmet depuis 1957. Ce restaurant haut de gamme qui jouit d'une excellente réputation sert une cuisine argentine dans un cadre agréable : plusieurs petites salles entourent un patio fleuri d'azalées où l'on peut aussi prendre place sous le grand manguier. Viandes à la *parrilla* ou en sauce, poissons et fruits de mer, quelques plats végétariens : la carte satisfera tous les goûts. Belle cave.

Girón

PREMIER PRIX

Dónde la Tía Gloria – *Carrera 27 angle calle 28 - 💳 - 11h-0h - 15 000 COP.* Il fait partie des trois ou quatre *piqueteaderos*, ces stands de charcuteries régionales installés sur le Malecón. Là, sur des tables et bancs carrelés, on sert *morcilla* (boudin noir fourré au riz), côtes de porc, *chicharrón, longaniza* (saucisse), *capón* (rôti de porc farci aux œufs), le tout accompagné de pommes de terre *criollas* et de banane plantain fourrée au fromage. Demandez un assortiment *(picadita)* pour essayer un peu de chaque.

EN SOIRÉE/BOIRE UN VERRE

La vie nocturne à Bucaramanga est particulièrement intense.

Zona Rosa – CD2 - *Délimitée par les calles 33 et 34 et par les carreras 31 et 33.* C'est le quartier historique des noctambules.

Barrio Cabecera – D1 - *Le long de la carrera 30.* Réputé pour ses bars, ses cafés et ses boîtes de nuit, ce quartier est en passe de détrôner la Zona Rosa en tant qu'épicentre de la vie nocturne bumanguésa.

Calle de los Mariachis – D1 - *Carrera 33, entre les calles 37 et 39.* Cette rue du quartier de la Cabecera affiche une atmosphère plutôt mexicaine. Dès la tombée de la nuit, tous les **mariachis** de la ville, vêtus de leurs costumes noirs ou blancs à parements d'argent, s'y rassemblent en quête d'un lieu où se produire ; certains jouent dans la rue, d'autres partent animer les boîtes de nuit. Parmi les établissements où se produisent les mariachis, citons **El Guitarrón** *(Carrera 33, nº 37-34 - vend. et sam. à partir de 18h)* et **El Sombrero** *(Carrera 33, nº 37-15 - 18h-2h).*

ACTIVITÉS

Parapente

La **Mesa de Ruitoque**, grand plateau tabulaire dressé face au vent à env. 1 200 m d'alt., offre des aires de décollage et d'atterrissage idéales, une multitude de sites alternatifs où atterrir, des conditions de vol optimales et constantes : autant d'atouts qui font de cette longue *mesa* l'un des meilleurs sites de **parapente** du pays.

Colombia Paragliding – *Mesa de Ruitoque, à 2 km de Floridablanca - ✆ (mob.) 312 432 6266 - http://colombiaparagliding.com.* Vols biplaces de découverte en parapente (200 000 COP pour environ 30mn de vol). Nombreuses formules d'apprentissage jusqu'à la délivrance du brevet international de pilote de parapente.

2

Norte de Santander

Département du Norte de Santander

Le département du Norte de Santander couvre trois zones géographiques distinctes : à l'est, des chaînes de montagnes andines ; au nord-ouest, les bassins des rivières Catatumbo et Zulia ; au sud, la vallée du fleuve Magdalena. Du fait de ce relief accidenté, Cúcuta et Pamplona sont plus proches du Venezuela que de la capitale colombienne, et l'influence du pays voisin se ressent dans les traditions culturelles et culinaires. Terre d'accueil de nombreux Vénézuéliens expatriés, la capitale du département, Cúcuta, où vit 60 % de la population du Norte de Santander, reste très dépendante de son voisin pour son économie. Ville frontalière, elle pâtit d'une sombre réputation liée à la contrebande et aux trafics en tous genres, et seuls y font halte les (rares) touristes qui se rendent au Venezuela ou qui en viennent. Plus petite et plus calme, Pamplona s'avère plus séduisante.

NOS ADRESSES PAGE 216
Hébergement, restauration, etc.

S'INFORMER

Points d'information touristique à Cúcuta et à Pamplona.
Avant de vous rendre dans la région, il est indispensable de vous informer de l'état des relations entre Colombie et Venezuela, la frontière entre les deux pays pouvant être fermée à tout moment.

SE REPÉRER

Carte de région B2 (p. 158).
Cúcuta : à 560 km de Bogotá.
Pamplona : à 80 km de Cúcuta.
Voir aussi la rubrique « Arriver/partir » dans « Nos adresses ».

À NE PAS MANQUER

À Cúcuta, le Parque Grancolombiano ; à Pamplona, la Casa Anzoátegui.

Cúcuta Carte de région B2 p. 158

Alt. 320 m. À 200 km au nord-est de Bucaramanga (560 km de Bogotá).
Corporación Mixta de Promoción de Norte de Santander – *Calle 10, n° 0-30, Edificio Rosetal - (7) 571 3395 - www.nortedesantander.gov.co - lun.-vend. 8h30-11h30, 14h-17h30.*

Dans la capitale du Norte de Santander, l'omniprésence des **parcs** et des arbres contribuent à atténuer les effets d'une chaleur souvent oppressante. Les températures y oscillent en effet autour de 29°. La plupart des espaces verts furent aménagés sur les plans de l'ingénieur vénézuélien **Francisco de Paula Andrade Troconis** (1840-1915) suite au **séisme** qui dévasta la ville en 1875. Le développement tentaculaire de Cúcuta, la plus grande ville de la région par sa population (650 000 hab.), est le fruit d'une croissance rapide qui débuta dans les années 1960. Aujourd'hui, la « ville sans frontières », grand carrefour commercial, abrite une population mi-vénézuélienne (elle est à 16 km de San Antonio de Tachira), mi-colombienne.

Fondée en 1733 par **Juana Rangel de Cuéllar**, San José de Cúcuta fut le théâtre d'événements historiques de premier plan qui contribuèrent à faire de la Colombie un État indépendant *(voir l'encadré p. 213)*. C'est dans les environs immédiats que fut créée la **Grande Colombie** lors du **Congrès de Cúcuta** (août à octobre 1821).

Dominant la ville, le monument commémorant la bataille de Cúcuta.
O. Garces/Camara Lucida RM/age fotostock

★★ Catedral de San José

Parque de Santander - av. 5, entre les calles 10 et 11.

Lors du tremblement de terre de 1875, la cathédrale fut presque intégralement détruite. La **Capilla de San José**, l'une de ses chapelles latérales, lui survécut néanmoins et servit de refuge aux libéraux, alors menacés par les conservateurs, lors des troubles qui marquèrent les débuts de la République. La cathédrale abrite des **peintures à l'huile★★** de **Salvador Moreno** (1874-1953). Donnant sur le **parque de Santander**, elle se distingue par ses trois portes principales, qui représenteraient les différentes phases de l'histoire de l'édifice.

Torre del Reloj (tour de l'Horloge)

Calle 13, n° 3-67 - lun.-vend. 7h30-12h, 14h-18h.

Cet édifice de style républicain (début 20e s.), avec son **clocher** qui sonne l'hymne national toutes les heures, accueille des expositions artistiques.

Monumento a Cristo Rey (monument au Christ-Roi)

Av. 4, calle 19.

C'est du sommet de cette colline, sur laquelle se dresse une statue du Christ-Roi de 12 m de haut réalisée en 1946 par Marco León Mariño, que l'on aura le meilleur **point de vue★** sur Cúcuta.

À voir aussi

Columna Bolívar (colonne de Bolívar) – *Barrio Loma de Bolívar.* Cette colonne de 6 m, couronnée par une sphère en bronze, commémore la bataille de Cúcuta. Artiste : Pedro Tobías Vega (1923).

Columna de Padilla (colonne de Padilla) – *Barrio El Contento.* Cette colonne érigée en 1923 rend hommage à la victoire remportée par l'amiral colombien José Padilla lors de la bataille du lac Maracaibo en 1823.

Monumento al Indio Motilón (monument à l'Indien motilon) – *En face de la gare routière.* Monument érigé en hommage au peuple motilon. Artiste : Hugo Martínez (1968).

VILLA DEL ROSARIO

À 9 km au sud-est de Cúcuta par l'autopista internacional vía San Antonio.
La ville (88 000 hab.), fondée en 1750 par **Don Asencio Rodriguez** sur les rives du **río Táchira**, se trouve sur la route qui mène à la frontière avec le Venezuela.

★ Parque Grancolombiano

Au km 6, le long de l'autopista internacional vía San Antonio, à la sortie ouest de Villa del Rosario - pas de transports publics, allez-y en taxi.
Ce complexe historique réunit sur 2 ha plusieurs édifices qui marquèrent l'histoire de la région. Le **Congrès de Cúcuta** s'y réunit le 30 août 1820 pour rédiger la **Constitution de la Grande Colombie**.
Templo Histórico de Villa del Rosario – Ruines d'une église détruite lors du séisme de 1875 (seul le dôme a été reconstruit) où les pères fondateurs de la Grande Colombie se rassemblèrent pour s'accorder sur la version finale du texte.
Casa de la Bagatela – *lun.-vend. 7h30-12h, 14h-18h, sam. 7h30-14h - entrée libre.* Également appelé **Casa de Gobierno**, cet édifice devint le siège du pouvoir exécutif en 1821. Il comptait deux niveaux à l'origine, mais fut en grande partie détruit lors du séisme de 1875.
Tamarindo Histórico – Les auteurs de la Constitution avaient coutume de se reposer à l'ombre de ce vieux **tamarinier** après leurs longues réunions.
Casa Natal del General Santander – *(7) 570 0265 - mar.-sam. 8h-11h, 14h-17h, dim. 9h-11h, 13h-15h - entrée libre.* La reconstitution de la maison natale de

FRANCISCO DE PAULA SANTANDER (1792-1840)

Né dans une famille de la haute société créole enrichie grâce à la culture du cacao, de la canne à sucre et du café, Santander était étudiant en droit lorsque le mouvement indépendantiste sud-américain vit le jour en 1810. Il ne tarda pas à se joindre au combat mené contre les Espagnols et se vit nommé capitaine en 1812. En 1813, Bolívar le promut major et lui confia la responsabilité de défendre la **vallée de Cúcuta**. Vaincu par les forces royalistes, il se réfugia au Venezuela. Devenu colonel en 1816, il fut attaché au commandement de Bolívar dans la région du Casanare. Bolívar en fit ensuite l'un de ses généraux. Après la traversée des Andes aux côtés de Bolívar, il joua un rôle décisif dans la **bataille de Boyacá** et obtint le grade de général de division.
Bolívar ayant choisi de poursuivre son combat indépendantiste sur le reste du continent, Santander fut laissé aux commandes de l'État en tant que vice-président. Il encouragea le libre-échange et envoya des missions à l'étranger, qui aboutirent à la reconnaissance de la **Grande Colombie** par les États-Unis (1822) et par la Grande-Bretagne (1825). Profondément attaché à la Nouvelle-Grenade (Colombie), et estimant que la vaste République de Grande Colombie était trop difficile à gouverner, il pensait que l'Équateur et le Venezuela finiraient par faire sécession. Il était de plus en plus souvent en désaccord avec Bolívar, qui voulait unifier l'ensemble de l'Amérique du Sud en utilisant des soldats et des financements colombiens. Ses longues et violentes disputes avec Bolívar, après l'Indépendance, étaient notoires.

LA BATAILLE DE CÚCUTA - 28 FÉVRIER 1813

Pour reprendre la **vallée de Cúcuta** aux **royalistes**, **Simón Bolívar** et ses 400 soldats lancèrent leur offensive depuis la rive gauche du río Magdalena. Après plusieurs heures d'âpres combats, ils obtinrent la reddition des troupes du général **Ramón Correa**. La bataille fit 20 morts et 40 blessés du côté espagnol. Plus qu'une grande réussite stratégique, la bataille de Cúcuta fut une victoire hautement symbolique, qui eut pour effet de redonner le moral aux soldats de Bolívar alors qu'ils faisaient route vers Caracas. Elle marqua le début de la **campagne de libération du Venezuela**, alors occupé par les Espagnols.

Francisco de Paula Santander *(voir l'encadré ci-contre)* abrite un musée dédié aux guerres d'indépendance et à la contribution du célèbre général. Y sont exposés divers objets personnels ayant appartenu à Santander, notamment son épée et son uniforme.

★★ Pamplona Carte de région B2 (p. 158)

Alt. 2 642 m. À 80 km au sud-ouest de Cúcuta (490 km de Bogotá).

Instituto de Cultura y Turismo – *Museo Casa Colonial - calle 6, nº 2-56 - (7) 568 2043 - lun.-vend. 8h-12h, 14h-18h.*

Charmante ville commerçante (57 000 hab.) et universitaire située sur la route qui relie Bucaramanga à Cúcuta, la « Ciudad Patriota » regorge d'églises anciennes et d'étroites ruelles autour du **parque Águeda Gallardo**, cœur de la ville coloniale. Blottie dans une vallée verdoyante, le **Valle del Espíritu Santo**, Pamplona jouit d'un climat frais, avec une température moyenne de 16°, contrairement à Cúcuta où la chaleur est étouffante. La ville séduira ceux qui s'intéressent à l'histoire de la région. Pamplona se visite aisément à pied.

2

★ Museo Casa Colonial

Calle 6, nº 2-56 - (7) 568 2043 - lun.-vend. 8h-12h, 14h-18h - entrée libre.

Cette jolie maison en adobe du 17e s. – l'une des plus anciennes de la ville – expose une collection riche et éclectique, allant des fossiles et des pièces de monnaie aux œuvres d'art de l'époque coloniale en passant par des armes et divers documents évoquant la guerre des Mille Jours et l'Indépendance. La section consacrée aux peuples originaires du Norte de Santander rassemble des **poteries précolombiennes** ainsi que des vestiges **motilones** et **tunebos**.

Convento de Santa Clara

Calle 6, entre les carreras 3 et 4.

La **Capilla del Niño Huerfanito**, sur le site de l'ancien couvent des clarisses (16e s.), abrite une statue de l'Enfant Jésus appelée *El Huerfanito* (le petit orphelin). La statue, miraculeusement épargnée lors d'un séisme qui frappa la ville au 17e s., attire de nombreux croyants.

★★ Casa del Mercado

Calle 6, entre les carreras 4 et 5.

Ce **marché couvert** fut construit en 1920 à l'angle sud-est du parque Águeda Gallardo. Créé sur le site d'une ancienne école jésuite fondée en 1622, c'est un lieu chargé d'histoire. **Francisco Soto Montes de Oca** y convoqua une réunion le 31 juillet 1810, au cours de laquelle il apprit à son auditoire la révolution du 20 juillet à Bogotá. C'est ici que fut signé l'**Acte d'indépendance de Pamplona** (4 juillet 1810).

HISTOIRE DU NORTE DE SANTANDER

Avant l'arrivée des Espagnols, le Norte de Santander était occupé par les **Chitareros**, apparentés aux peuples de langue chibcha des environs de Bogotá, et les **Motilones**, apparentés au peuple caraïbe, dont les descendants se mêlent aujourd'hui aux Blancs et aux métis qui peuplent le département. Les premiers conquistadors arrivés dans la région rencontrèrent une grande résistance de la part des populations locales, comme en témoigne le destin de l'explorateur allemand **Ambrosius Ehinger** (1500-1533), tué par des Chitareros à Chinácota, entre Pamplona et Cúcuta. Les expéditions menées par **Hernán Pérez de Quesada** (décédé en 1544) et par **Alfonso Pérez de Tolosa**, frère du gouverneur du Venezuela, enregistrèrent aussi de lourdes pertes dans la région, dans les années 1540. Il fallut plusieurs décennies aux Espagnols pour venir à bout de la résistance indienne.

Aujourd'hui, la région a pris de l'importance en raison des relations commerciales vitales qu'elle entretient avec le Venezuela. Dans les années 1980, elle était surtout connue pour être un foyer de **contrebande** et un refuge pour les **groupes armés**. Si la contrebande reste un sujet d'actualité le long de cette frontière, la sécurité s'est améliorée. Mais la région reste très instable.

★★ Catedral de Santa Clara

Calle 6, entre les carreras 5 et 6.

Sobre et massive, cette cathédrale à cinq nefs (1584) est la plus importante du Norte de Santander. Endommagée par différents séismes, elle dut être reconstruite à plusieurs reprises. L'église du 16e s. faisait initialement partie du **Convento de Santa Clara de la Concepción**, fondé par Doña María Velasco de Montalvo, fille du conquistador et fondateur de la ville **Ortún Velasco**. Lorsque l'église Notre-Dame des Neiges fut détruite par le séisme de 1875, le diocèse de Pamplona décida de faire de Ste-Claire la nouvelle cathédrale de la ville, un rôle qu'elle a conservé depuis.

★ Parque Águeda Gallardo

Calles 5 et 6 et carreras 5 et 6. Marquant l'endroit où fut fondée la ville en 1549, le square était, selon la légende, planté de 38 pommiers. Il porte le nom de **Doña Águeda Gallardo**, dont le courageux acte de désobéissance civile fut à l'origine de la déclaration d'indépendance de la ville. Cet événement fait l'objet, chaque année, d'une reconstitution lors de la **Commémoration du cri d'indépendance** *(voir p. 217)*.

Casa de Doña Águeda Gallardo

Carrera 5, calle 5 - ✆ (7) 568 6394 - lun.-sam. 8h-12h, 14h-18h. C'est l'ancienne demeure de **Doña María Águeda Gallardo Guerrero de Villamizar** (1751-1840). Au 19e s., cette femme intelligente, cultivée et déterminée, prit la tête du **mouvement indépendantiste** de Pamplona alors qu'elle allait sur ses 60 ans. Le 29 juin 1810, défiant l'interdiction de célébrer la San Pedro décrétée par le gouverneur espagnol local, elle incita les habitants de la ville à le renverser. Menacée d'être arrêtée et craignant pour sa sécurité, Doña María dut quitter clandestinement la ville. Mais son départ ne put inverser le cours des événements : son acte de désobéissance fut l'élément déclencheur du soulèvement qui se produisit le 4 juillet de la même année, au cours duquel les habitants de la ville arrêtèrent le gouverneur, convoquèrent une assemblée générale et formèrent une **junte révolutionnaire** qui prit le contrôle de la ville. Ces événements eurent lieu avant l'insurrection historique du 20 juillet à Bogotá, ce que les Pamplonais aiment à rappeler : leur ville fut en effet le point de départ d'une importante vague de soulèvements contre l'autorité coloniale espagnole.

★ Museo Arquidiocesano de Arte Religioso

Carrera 5, n° 4-87 - ✆ (7) 568 1814 - http://arquipamplona.org - merc.-lun. 10h-12h, 15h-17h, dim. 10h-12h - 2 000 COP. Le **musée d'Art religieux** rassemble des objets du culte en or et en argent, des habits sacerdotaux, des sculptures sur bois et des tableaux signés Antonio Acero de la Cruz, Bartolomé de Figueroa, Alonso Hernández de Heredia, ainsi que des œuvres du grand maître de la période coloniale, Gregorio Vásquez de Arce y Ceballos.

★★ Museo de Arte Moderno Ramírez Villamizar

Casa de las Marías - *Calle 5, n° 5-75 - ✆ (7) 568 2999 - http://mamramirezvillamizar.com - mar.-dim. 9h-12h, 14h-18h - 2 000 COP.*
Cette demeure du milieu du 16e s. offre l'un des plus beaux exemples de l'architecture coloniale civile de Pamplona. Le musée qui l'occupe présente des peintures et des sculptures d'**Eduardo Ramírez Villamizar** (1922-2004), dont l'œuvre a souvent été décrite comme une réponse artistique à la situation politique agitée de la Colombie. La collection permet de suivre l'évolution de l'artiste de l'expressionnisme vers la sculpture abstraite et géométrique.

★ Iglesia de Nuestra Señora de las Nieves (église N.-D. des Neiges)

Carrera 7, calle 5.
Bâtie en 1557, l'église d'origine fut en grande partie détruite lors du séisme de 1875. Certains éléments issus de l'ancien Convento de Santo Domingo ont été intégrés à l'édifice actuel. À l'intérieur, une statue du *Señor Caído* et un autel latéral sont des vestiges de la période coloniale.
Ermita de las Nieves - Cette église discrète, la plus ancienne de Pamplona (1550), a conservé son **autel** d'origine en adobe.

★★ Museo Casa Anzoátegui

Carrera 6, n° 7-48 - ✆ (7) 568 0960 - www.museoanzoategui.blogspot.com - lun.-sam. 9h-12h, 14h-17h30 - 1 000 COP.
L'un des grands généraux de l'armée de Bolívar, **José Antonio Anzoátegui**, rendit son dernier soupir dans cette demeure en 1819, trois mois après la bataille de Boyacá. Il avait 30 ans. Cet illustre soldat aurait joué un rôle décisif

LES HEURES DE GLOIRE DE PAMPLONA

Fondée en 1549 par **Pedro de Ursúa** et **Ortún Velasco de Velázquez**, Pamplona était, à l'époque coloniale, une ville aussi importante que Bogotá et fut le berceau du mouvement indépendantiste, lancé en 1810 à l'initiative d'**Águeda Gallardo**, l'une des figures féminines majeures de la lutte pour l'indépendance du pays *(voir ci-contre)*. Important foyer d'**érudition**, elle comptait cinq couvents créés peu après sa fondation, et ne tarda pas à devenir un centre politique et religieux influent. Sa forte croissance démographique fut à l'origine de la construction d'églises et de demeures destinées à la classe aisée. En 1875, un violent **séisme** causa la destruction d'une bonne partie des édifices d'origine de la ville. Certains furent restaurés, d'autres remplacés par des bâtiments plus modernes.

dans la victoire. Un État du nord-est du Venezuela porte d'ailleurs son nom. Cette maison désormais transformée en musée abrite des souvenirs relatifs à ce chapitre essentiel de l'histoire de la Colombie, ainsi que les archives de la ville, qui couvrent les périodes coloniale et républicaine (1574 à 1900).

Plazuela Almeyda

Calle 9, carrera 5.

Cette jolie place porte le nom des frères **Ambrosio** et **Vicente Almeyda**, les fondateurs du mouvement de guérilla qui affronta les troupes espagnoles dirigées par **Pablo Morillo** lors de la **Reconquista**, en 1817 *(voir p. 73)*. Un obélisque fut érigé à leur mémoire en 1910.

★★ Ermita del Señor del Humilladero

Calle 2, entre les carreras 7 et 8 - 6h30-12h30, 14h-19h30.

En Nouvelle-Grenade, il était courant de trouver au bord des routes, à l'entrée et à la sortie des villes, de petits oratoires destinés aux voyageurs. À Pamplona, l'un de ces oratoires fut construit sur le côté gauche de la route de Chopo, ou Pamplonita. Vers 1605, il fut remplacé par un édifice plus important. Aujourd'hui, cette jolie église aux murs chaulés, qui se dresse à l'entrée d'un cimetière, est considérée comme l'une des plus belles des environs et offre sur la ville une **vue★** intéressante.

À l'intérieur, le **Cristo del Humilladero★** (Christ du Calvaire), une sculpture espagnole de la première moitié du 16e s., montre une représentation particulièrement réaliste du Christ. À noter, également, une belle œuvre de Juan Bautista de Guzman (1595) qui représente deux voleurs.

NOS ADRESSES À CÚCUTA ET À PAMPLONA

INFORMATION UTILE

Sécurité

Le taux de criminalité est élevé à **Cúcuta**, ville frontière : ne sortez pas la nuit.

Frontière

En raison des tensions politiques récurrentes entre Colombie et Venezuela, la frontière peut fermer à tout moment ; renseignez-vous au préalable et vérifiez les consignes du service diplomatique de votre pays.

De nombreux bus et taxis reliant les principales villes colombiennes au Venezuela, on passe la frontière facilement. Pensez à demander votre **visa de sortie** auprès de l'immigration colombienne : à défaut, vous seriez renvoyé en Colombie ou devriez payer une amende pour y rentrer ultérieurement.

ARRIVER/PARTIR

En avion

Aeropuerto Internacional Camilo Daza (CUC) – *À 6 km au nord de Cúcuta.* Dessert Bogotá et Medellín. Vols vers Caracas depuis l'aéroport domestique **San Antonio del Táchira** (Venezuela) ou l'**Aeropuerto Internacional de Santo Domingo**, plus important, au sud de San Cristóbal (Venezuela). **Minibus** direction « El Trigal Molinos » pour rejoindre l'avenida 1 ou l'avenida 3, dans le centre. En **taxi**, comptez env. 10 000 COP.

En bus

Terminal de Transportes – *Av. 8, nº 1-25 - à 800 m de la place principale de Cúcuta - http://ctranscucuta.gov.co.* Liaisons avec Bogotá (16h - 90 000 COP),

Bucaramanga (6h - 40 000 COP) et Pamplona (2h - 15 000 COP).

HÉBERGEMENT

Cúcuta

Évitez les hôtels de la gare routière, souvent des maisons closes louant leurs chambres à l'heure et peu sûres.

BUDGET MOYEN

Amaruc – *Av. 5, nº 9-73 - (7) 572 8100 - www.hotelamaruc.amawebs.com - - 45 ch. 140 000 COP*. Proche du parque de Santander et de la cathédrale, il a vue sur la place principale. Bureau dans toutes les chambres, certaines avec ventilateur, d'autres climatisées. Wifi.

POUR SE FAIRE PLAISIR

Bolívar – *Av. Demetrio Mendoza, en direction de San Luis - (7) 582 8666 - www.hotel-bolivar.com - - 83 ch. 180 000 COP*. Proche de l'aéroport, des restaurants, des boutiques et d'un petit centre commercial, mais vous trouverez sur place tout ce qu'il vous faut – y compris 3 piscines et 2 restaurants. Chambres standard (lits jumeaux ou lit double) et supérieures (2 lits doubles, bureau). Wifi.

Pamplona

PREMIER PRIX

El Alamo – *Calle 5, nº 6-68 - (7) 568 2137 - - 30 ch. 45 000 COP*. Des chambres microscopiques mais propres, avec sdb privative (eau chaude 9h-18h).

BUDGET MOYEN

Cariongo Plaza – *Angle carrera 5 et calle 9 - plazuela Almeyda - (7) 568 1515 - http://cariongoplazahotel.com - - 81 ch. 100 000 COP*. La boîte de nuit (elles sont rares à Pamplona) est en meilleur état que le reste de l'hôtel qui reste néanmoins convenable. Eau chaude, wifi.

RESTAURATION

Cúcuta

BUDGET MOYEN

La Mazorca – *Av. 4, nº 9-67 - (7) 571 1800 - - lun.-sam. 12h-19h, dim. 12h-17h - 35 000 COP*. Charmant restaurant servant une *comida criolla* traditionnelle dans une salle ouverte, décorée de paniers de fleurs. Petite carte des vins.

Punto Cero – *Av. 0, nº 15-60 - (7) 573 0153 - 24h/24 - 40 000 COP*. On vous y servira des plats typiquement colombiens, comme la *bandeja paisa* et le *sancocho*. Personnel aimable et atmosphère conviviale.

Pamplona

BUDGET MOYEN

Piero's Pizza y Pastas – *Calle 5A, nº 8B-67 - (7) 568 1964 - - lun.-sam. 17h-23h, dim. 12h-15h - 30 000 COP*. Les étudiants fréquentent assidûment cette pizzeria tenue depuis plus de 20 ans par une famille italienne. Pizzas généreuses avec un choix parmi 150 ingrédients. Possède une succursale à Cúcuta *(av. 3E, nº 7-38B)*.

AGENDA

Fêtes de l'indépendance – *20 juin-4 juil.* Commémore la déclaration d'indépendance de **Pamplona** vis-à-vis de l'Espagne, en 1810. Si le pays tout entier célèbre l'événement, Pamplona est réputée pour la qualité de ses festivités – processions, corridas, musique et danse – qui nécessitent jusqu'à un an de préparation.

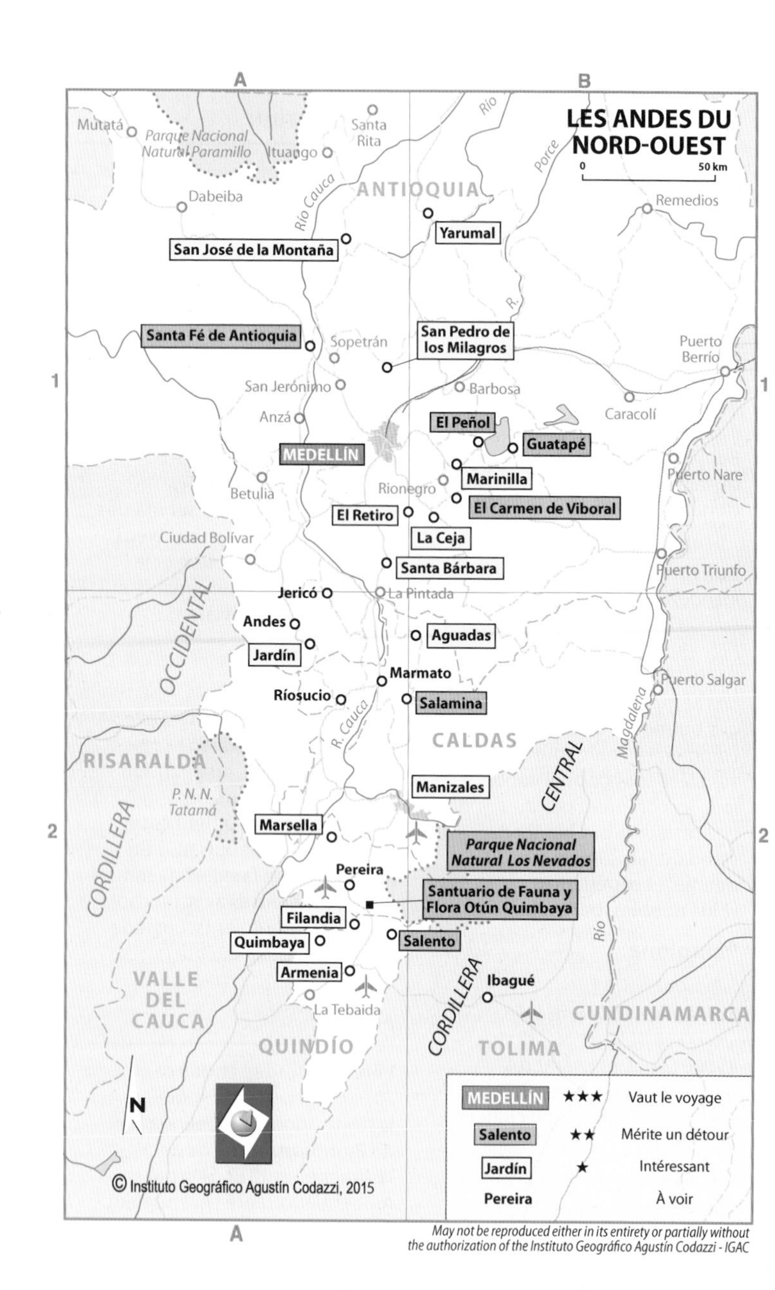
LES ANDES DU NORD-OUEST
0 50 km
A
B
1
2
Mutatá
Parque Nacional Natural Paramillo
Ituango
Santa Rita
ANTIOQUIA
Río Cauca
Río Porce
Dabeiba
Remedios
Yarumal
San José de la Montaña
Santa Fé de Antioquia
Sopetrán
San Pedro de los Milagros
Puerto Berrío
San Jerónimo
Barbosa
Anzá
Caracolí
El Peñol
Guatapé
MEDELLÍN
Marinilla
Puerto Nare
Betulia
Rionegro
El Carmen de Viboral
El Retiro
La Ceja
Ciudad Bolívar
Santa Bárbara
Puerto Triunfo
Jericó
La Pintada
OCCIDENTAL
Andes
Aguadas
Jardín
Marmato
Puerto Salgar
Ríosucio
Salamina
R. Cauca
CALDAS
RISARALDA
CENTRAL
Magdalena
P. N. N. Tatamá
Manizales
Marsella
Parque Nacional Natural Los Nevados
CORDILLERA
Pereira
Santuario de Fauna y Flora Otún Quimbaya
Filandia
Quimbaya
Salento
Río
Armenia
Ibagué
VALLE DEL CAUCA
La Tebaida
CORDILLERA
CUNDINAMARCA
QUINDÍO
TOLIMA
N
MEDELLÍN ★★★ Vaut le voyage
Salento ★★ Mérite un détour
Jardín ★ Intéressant
Pereira À voir
© Instituto Geográfico Agustín Codazzi, 2015

Les Andes du Nord-Ouest 3

Le monde paisa

Gravitant autour de Medellín, la **Tierra Paisa** *(voir p. 246)* englobe les départements de Caldas, Quindío, Risaralda et la vallée d'Aburrá. Cette dernière occupe un bassin naturel creusé par le **río Medellín**, couloir luxuriant de 60 km de long bordant la zone métropolitaine de Medellín. Située dans la **Cordillère centrale**, la vallée s'étend du sud au nord, son extrémité sud étant plus élevée que l'extrémité nord. De grandes variations climatiques marquent cette région composée de **neuf municipalités** qui montrent des aspects variés de la culture paisa, tantôt modernes, tantôt traditionnels. La **Zona Cafetera** *(voir p. 256)* couvre quant à elle de grandes étendues fertiles rythmées par des plantations de bananes, des champs de café, des vallées encaissées et des pitons volcaniques. Émaillant le paysage, les villages coloniaux endormis contrastent avec l'effervescence urbaine et la modernité de **Medellín**, capitale prospère de l'**Antioquia**.

Centre culturel et économique de la région paisa, Medellín possède un patrimoine artistique ancien, qui trouve son expression dans d'innombrables théâtres, orchestres, compagnies d'opéra et de danse. Sortie des années noires du conflit lié au cartel de Pablo Escobar, la ville est devenue l'une des plus progressistes et sûres de Colombie, et se voit désormais plébiscitée par les visiteurs tant nationaux qu'étrangers.

TERRE DU CAFÉ...

Seize départements de Colombie profitent de conditions climatiques idéales pour faire pousser des caféiers. Les plus représentatifs se nomment Antioquia, Valle del Cauca, Caldas, Risaralda et Quindío. Les trois derniers forment le « Triangle du café », l'**Eje Cafetero** ou **Zona Cafetera**, composé de champs de café touffus constellés de *fincas* (petites exploitations foncières) autour des principales villes productrices que sont **Manizales** (Caldas), **Pereira** (Risaralda) et **Armenia** (Quindío).

Méconnue jusqu'au milieu des années 2000, la Zona Cafetera est devenue l'une des destinations touristiques montantes du pays, un phénomène qui n'a fait que s'accroître depuis l'inscription de la région au Patrimoine mondial de l'Unesco en 2011. Les amateurs viennent y découvrir les processus d'élaboration du café lors de la visite de *fincas* et goûter différentes variétés dans des fermes dont les méthodes de travail sont restées traditionnelles.

... ET DES SPORTS NATURE

La Tierra Paisa se prête à de nombreux loisirs nature : randonnée, observation des oiseaux, pêche en rivière, kayak, tyrolienne dans les canopées de la forêt tropicale et VTT.

C'est aussi un excellent point de départ pour explorer un parc national d'exception, le **Parque Nacional Natural Los Nevados** *(voir p. 260)*, et, à pied ou à cheval, découvrir près de Salento le territoire du **Valle del Cocora** hérissé de palmiers à cire, arbres emblématiques du pays *(voir p. 269)*.

FOLKLORE

Les Paisas sont fiers de leur musique folklorique, la **música de carrilera** (musique du rail), née dans les chemins de fer antioquiens.

Quant au **Festival del Pasillo**, festival de danses et chants folkloriques qui se déroule à la mi-août à Aguadas, c'est l'un des grands rendez-vous de l'année.

LE MONDE PAISA

LA POPULATION PAISA

Au 18e s., presque tous les peuples indiens de la Tierra Paisa avaient disparu, n'ayant pu faire face aux **conquistadors** qui revendiquèrent le territoire et y instaurèrent l'esclavage. Arrivés de la région basque de l'Espagne au 17e s., les colons commencèrent à bâtir des propriétés agricoles dans l'est de l'Antioquia actuelle, région montagneuse similaire à celle de leur pays d'origine. Ces pionniers ont façonné l'identité de la région, en y implantant une éthique du travail et en y développant des communautés conservatrices très unies, dotées d'un formidable dynamisme. Fiers, décidés et autonomes, ils défendent les valeurs de la famille et du travail.

LE PARLER PAISA

Les Paisas ont un mode d'expression particulier, que l'on appelle **español antioqueño**, un dialecte doux prononcé à toute vitesse, qui utilise le pronom *vos* pour la 2e personne du singulier avec un accent sur le *s*, comme en castillan.

L'IDENTITÉ PAISA

Contrairement au reste de la Colombie, où les habitants se désignent par le nom de leur ville d'origine (Bogotano, Caleño, etc.), les habitants de la région paisa se nomment simplement… les **Paisas** (gens du pays). Ils sont parfois considérés comme un groupe ethnique distinct *(raza paisa)*, tant leur identité culturelle est unique.

Pour beaucoup de Colombiens, le personnage de fiction **Juan Valdez**, star des publicités pour le café, représente le Paisa par excellence : un travailleur du café besogneux, moustachu, vêtu d'une *ruana* et coiffé d'un sombrero, sac en bandoulière et machette au côté, accompagné de sa fidèle mule, avec les montagnes en arrière-plan.

Les descendants des colons vouent un respect particulier à leurs ancêtres et les anciens noms de famille basques sont toujours très courants. Une fervente foi catholique guide leurs activités quotidiennes et leurs valeurs se transmettent de génération en génération.

L'architecture

Les villes paisas furent conçues pour s'adapter aux versants vallonnés et abrupts, et à l'altitude. Construites en **tapia** (torchis), **bahareque** (lattes de *guadua* et boue) et tuiles en terre cuite, les maisons antioquiennes étaient ornées de balcons ou de grilles de bois ouvragées protégeant les fenêtres *(voir « L'architecture paisa », p. 88)*. Les écuries, greniers, poulaillers et la *helda* (espace couvert où les cultivateurs de café pouvaient laisser le café sécher à l'abri de la pluie) étaient annexés aux espaces d'habitation des *fincas*, mettant en évidence le lien qui unit intimement la maison et le travail du Paisa.

L'alimentation

Les Paisas cuisinent une nourriture copieuse, soignée et savoureuse. La plupart des recettes sont élaborées à partir de produits cultivés localement. Nombre de ces plats trouvent leur origine dans le nord de l'Espagne, comme les **ragoûts à la basque** et les **soupes** complètes. La cuisine paisa comprend des spécialités telles que la *sopa de mondongo* (soupe de tripes), les *empanadas antioqueñas* (à pâte très fine), les *frijoles* (haricots rouges), la *mazamorra* (maïs cuit et mélangé avec du lait et de la panela) et l'*arepa antioqueña*. Mais c'est la **bandeja paisa**, un plat très nourrissant composé de *chicharrón*, viande hachée, saucisse, *arepa*, banane plantain, riz et *frijoles*, que les Colombiens associent souvent à l'Antioquia.

Medellín

2 464 000 hab. – Capitale du département de l'Antioquia – Alt. 1 480 m

Nichée dans la vallée d'Aburrá que domine la majestueuse chaîne de la Cordillère centrale, « la Ville de l'éternel printemps » fait la fierté de la région paisa. Deuxième ville de Colombie en termes de population, Medellín doit une partie de son renouveau à un spectaculaire système intégré de transports qui est à l'origine de la restructuration de quartiers entiers. La volonté de mettre fin à une réputation persistante de violence et d'insécurité liée aux cartels de la drogue s'est traduite par une dynamique de renouveau urbain visant à désenclaver les quartiers défavorisés et à faciliter l'accès à l'éducation, au sport et à la culture. Aujourd'hui, Medellín s'affiche comme une ville propre, verte et prospère.

NOS ADRESSES PAGE 239
Hébergement, restauration, achats, activités, etc.

S'INFORMER

Puntos de Informacion Turística (PIT) – *Plaza Mayor Medellín Convenciones y Exposiciones - calle 41, nº 55-80 - (4) 460 1809 - www.medellin.travel et www.guiaturisticademedellin - 8h-18h.* Nombreux autres kiosques d'information en ville : sur la plaza Botero, sur le Cerro Nutibara, dans les 2 gares routières, dans les 2 aéroports.

L'office de tourisme édite chaque année une épaisse brochure très complète sur la ville et ses objectifs touristiques. Vous y trouverez un bon plan de la ville.

SE REPÉRER

Carte de région A1 (p. 218) – plan de l'agglomération (Plan I) p. 231 – plan du centre (Plan II) p. 224 – plan du Poblado (Plan III) p. 233.

À 450 km au nord-ouest de Bogotá, 423 km au nord de Cali.

Les différents quartiers sont reliés entre eux par un système moderne et intégré de métro, bus et téléphérique (Metrocable) facile d'utilisation.

Voir aussi la rubrique « Arriver/partir » dans « Nos adresses ».

À NE PAS MANQUER

Le Paseo Peatonal Carabobo et le Pasaje Junin, deux artères piétonnes ; les sculptures tout en rondeur de Fernando Botero sur la plaza de las Esculturas ; les restaurants et les cafés chics du Poblado, le quartier branché de Medellín ; une journée au Parque Arví.

ORGANISER SON TEMPS

Comptez 3 j. pour avoir un bon aperçu de la ville. Évitez le lundi, jour de fermeture de nombreux musées, et le dimanche, où, hormis dans le quartier du Poblado, vous aurez du mal à trouver un restaurant.

AVEC LES ENFANTS

Ils seront à la fête : bon nombre de musées et de parcs thématiques leur sont dédiés, tels que les manèges et les toboggans géants du Parque Norte J. Emilio Valderrama ; les spectacles en 3D du Planetario Municipal ; le Parque Zoológico Santa Fé ; le Museo del Agua ; les dinosaures et l'aquarium du Parque Explora ; les attractions ludiques du Parque de los Deseos.

Métro aérien devant le Palacio de la Cultura Rafael Uribe Uribe, Medellín.
J. Arnold/hemis.fr

★★★ El Centro Plan II (Centre) p. 224

Trois promenades d'une petite demi-journée chacune vous feront découvrir l'essentiel des points d'intérêt situés dans le centre de Medellín. Elles empruntent sur une bonne partie de leur parcours des rues fermées à la circulation automobile et qu'ont investies vendeurs ambulants de café, de fleurs et de ballons.

★ LA ALPUJARRA Plan II A3

Au départ de la Plaza Mayor (M° Alpujarra), circuit 1 tracé en vert sur le plan de ville (p. 224) – Comptez 4h.

Le **quartier financier et administratif** du centre-ville vous donnera un avant-goût de la renaissance de Medellín : il illustre la réussite de la transformation urbaine et des actions en faveur du tourisme et du commerce international. Autour de la **Plaza Mayor** *(office de tourisme)* se sont installés, dans des espaces urbains originaux, la mairie, les bâtiments du gouvernement départemental et des sièges d'entreprises.

Plaza Mayor Medellín Convenciones y Exposiciones Plan II A3

Calle 41, n° 55-80 - ✆ (4) 232 4022 - www.plazamayor.com.co.

Ce vaste complexe, à la fois **centre de congrès** et **salle d'expositions**, se trouve au cœur du quartier moderne d'Alpujarra. Inauguré en 2005, il fut construit pour attirer les grands événements nationaux et internationaux, concept impensable il n'y a pas si longtemps, lorsque Medellín avait la triste réputation d'être la « capitale du crime » de Colombie.

Teatro Metropolitano José Gutiérrez Gómez Plan II A3

Calle 41, n° 57-30 - ✆ (4) 232 2858 - www.teatrometropolitano.com.

Résidence du prestigieux **Orchestre philharmonique de Medellín**, le plus grand théâtre de la ville (1 634 sièges), un bâtiment contemporain de brique rouge aux poutres apparentes, s'ouvre sur un large escalier central. Depuis

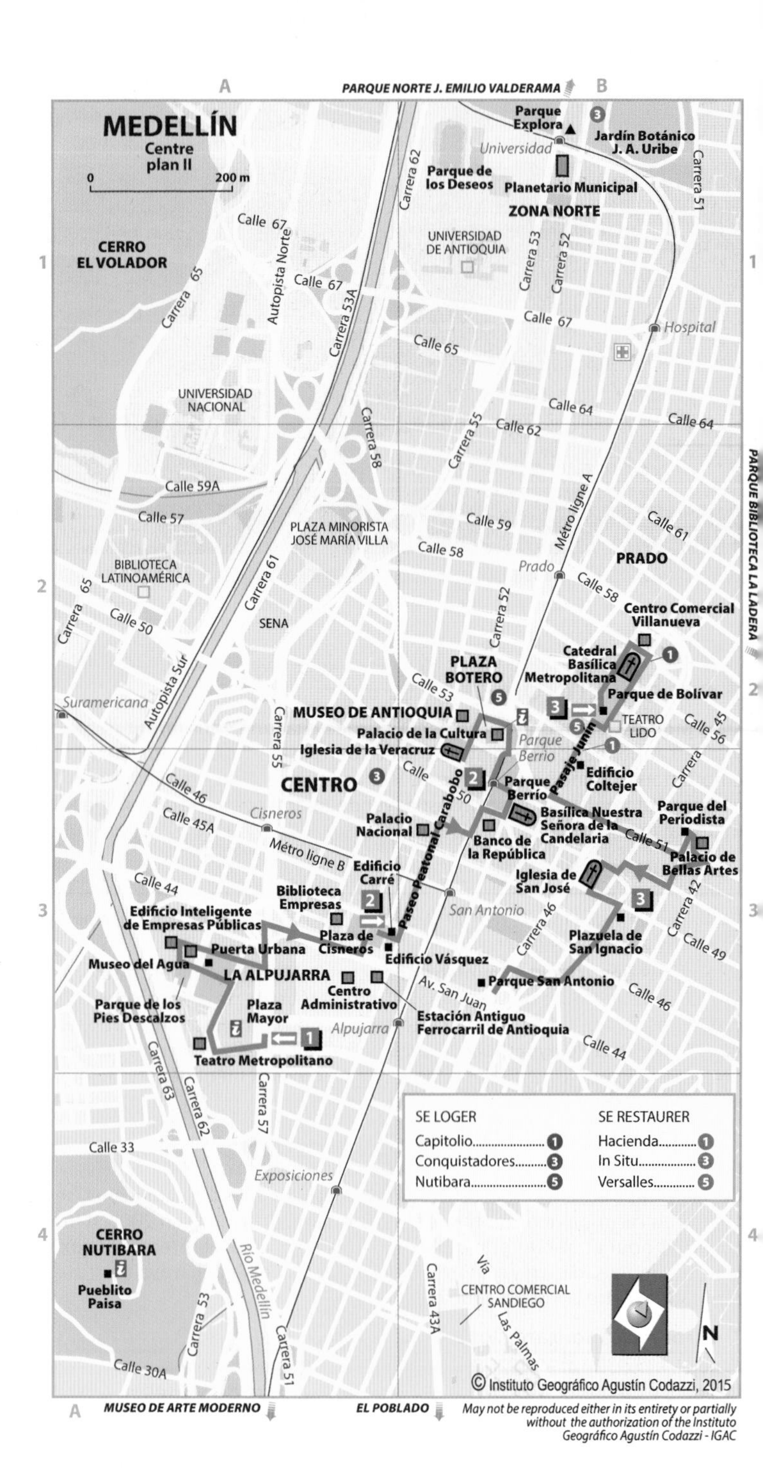
MEDELLÍN
Centre plan II
0 200 m
PARQUE NORTE J. EMILIO VALDERAMA
MUSEO DE ARTE MODERNO
EL POBLADO
PARQUE BIBLIOTECA LA LADERA
CERRO EL VOLADOR
UNIVERSIDAD NACIONAL
BIBLIOTECA LATINOAMÉRICA
SENA
PLAZA MINORISTA JOSÉ MARÍA VILLA
UNIVERSIDAD DE ANTIOQUIA
Parque Explora
Jardín Botánico J. A. Uribe
Parque de los Deseos
Planetario Municipal
ZONA NORTE
PRADO
Centro Comercial Villanueva
Catedral Basílica Metropolitana
Parque de Bolívar
TEATRO LIDO
PLAZA BOTERO
MUSEO DE ANTIOQUIA
Palacio de la Cultura
Iglesia de la Veracruz
CENTRO
Parque Berrío
Edificio Coltejer
Basílica Nuestra Señora de la Candelaria
Parque del Periodista
Palacio de Bellas Artes
Palacio Nacional
Banco de la República
Iglesia de San José
Paseo Peatonal Carabobo
Pasaje Junín
Edificio Carré
Biblioteca Empresas
Edificio Inteligente de Empresas Públicas
Puerta Urbana
Plaza de Cisneros
Edificio Vásquez
Museo del Agua
LA ALPUJARRA
Centro Administrativo
Estación Antiguo Ferrocarril de Antioquia
Plazuela de San Ignacio
Parque San Antonio
Parque de los Pies Descalzos
Plaza Mayor
Teatro Metropolitano
CERRO NUTIBARA
Pueblito Paisa
CENTRO COMERCIAL SANDIEGO
Vía Las Palmas
Universidad
Hospital
Prado
Suramericana
Cisneros
San Antonio
Alpujarra
Exposiciones
Métro ligne A
Métro ligne B
Autopista Norte
Autopista Sur
Río Medellín
Av. San Juan
Calle 67
Calle 65
Calle 64
Calle 62
Calle 61
Calle 59A
Calle 59
Calle 58
Calle 57
Calle 56
Calle 53
Calle 51
Calle 50
Calle 49
Calle 46
Calle 45A
Calle 44
Calle 33
Calle 30A
Carrera 65
Carrera 63
Carrera 62
Carrera 61
Carrera 58
Carrera 57
Carrera 55
Carrera 53A
Carrera 53
Carrera 52
Carrera 51
Carrera 46
Carrera 45
Carrera 43A
Carrera 42
SE LOGER
Capitolio 1
Conquistadores 3
Nutibara 5
SE RESTAURER
Hacienda 1
In Situ 3
Versalles 5
N
© Instituto Geográfico Agustín Codazzi, 2015
May not be reproduced either in its entirety or partially without the authorization of the Instituto Geográfico Agustín Codazzi - IGAC

son inauguration en 1987, il prend une part active à la promotion des talents locaux et collabore avec des écoles et des lycées, tout en offrant un programme d'événements de qualité.

★★ Parque de los Pies Descalzos Plan II A3

Carrera 58 et calle 42A.

Ce « Parc des pieds nus » occupant une partie de l'esplanade a été conçu pour permettre aux promeneurs de « sentir l'énergie de la planète ». Ôtez vos chaussures pour fouler les parterres de sable agencés entre deux petits bassins et un bosquet de bambous. Plusieurs terrasses de cafés bordent cet espace qui accueille parfois spectacles musicaux et événements culturels.

★ **Edificio Inteligente de Empresas Públicas de Medellín** – *Ne se visite pas.* Modèle de technologie intelligente reconnaissable à son allure futuriste et à ses murs végétalisés, le siège du groupe EPM, l'entreprise publique fournissant électricité, gaz et eau pour la ville, est réputé pour ses éclairages nocturnes.

Museo del Agua – *✆ (4) 380 6954 - www.fundacionepm.org.co - mar.-vend. 8h30-16h, w.-end et j. fériés 10h30-17h - 10 000 COP - Comptez 2h de visite.* Des effets visuels et sonores *(en espagnol)* plutôt bien faits content la genèse de l'eau, ses propriétés, son usage dans les civilisations anciennes et actuelles, avec une nette vocation éducative devant les risques liés à une pollution croissante et à une raréfaction des ressources.

★ **Puerta Urbana** – En sortant du parc, ne manquez pas cette « Porte urbaine », sculpture dotée d'une cascade de 9 m illuminée la nuit et symbolisant la « porte toujours ouverte » aux visiteurs.

Centro Administrativo La Alpujarra Plan II A3

Entre les calles 42 et 44 et la carrera 52.

Abritant à la fois les administrations régionale et municipale, le complexe occupe deux bâtiments identiques séparés par une grande esplanade sur laquelle se dresse le **Monumento à la Raza Antioqueña**★★ (1988), un hommage au peuple de l'Antioquia haut de 38 m et réalisé par le sculpteur **Rodrigo Arenas Betancourt** *(voir p. 83)*.

Estación Antiguo Ferrocarril de Antioquia Plan II A3

Carrera 52, n° 43-31 - lun.-vend. 8h-17h30, sam. 8h-12h30.

L'ancienne gare du **chemin de fer de l'Antioquia**, dont on a restauré la façade, accueille à présent des administrations publiques et des entreprises privées, ainsi qu'un café. Commencée en 1870, la construction des lignes de train marqua le début de la croissance industrielle de Medellín et du département de l'Antioquia. Le patio central expose une ancienne **locomotive à vapeur**.

★★ Plaza de Cisneros (Parque de la Luz) Plan II A3

Carrera 54, n° 44-48.

Aménagée sur l'ancienne place du marché, cette **forêt urbaine** fait jaillir d'un sol de béton lissé symbolisant la « boue » quelque 300 colonnes de béton aux allures d'aiguilles représentant les « arbres ». Des bambous, des bancs et des fontaines viennent compléter cet endroit original que des **jeux de lumière** illuminent à la nuit tombée.

★ **Biblioteca Empresas Públicas de Medellín** – *www2.epm.com.co/biblioteca epm - lun.-sam. 8h30-17h30.* Fermant la place à l'est, cette pyramide inversée en verre et béton (2005) symbolise les strates du savoir et abrite les collections de la bibliothèque de l'EPM sur les sciences, l'industrie, la technologie et l'environnement.

★★ AUTOUR DU PASEO PEATONAL CARABOBO Plan II AB3

Dans le prolongement du circuit précédent, circuit 2 tracé en vert sur le plan de ville (p. 224) – Comptez 4h. Départ au niveau du M° Alpujarra, arrivée au M° Parque Berrío.
La **promenade piétonne Carabobo** s'étire sur environ huit pâtés de maisons le long de la carrera 52. Elle compte quelques exemples fameux du patrimoine architectural medellinense entre lesquels se succèdent une multitude de boutiques en tous genres : vêtements, chaussures, téléphonie et enseignes de restauration rapide.

★ Edificio Carré et Edificio Vásquez Plan II A3

Carrera 52, n° 44B-17 et n° 44-31.
Bordant la plaza de Cisneros, ces deux bâtiments de brique rouge ont été fidèlement rénovés. Ils marquent la limite entre le quartier moderne d'Alpujarra et cette partie plus ancienne de la ville. Les deux structures ont été édifiées à la fin du 19e s., sur le modèle des bâtiments de séchage des grains de café que l'on trouve dans les *fincas* traditionnelles de la région paisa. L'édifice qui porte son nom a été conçu par l'architecte français **Charles Émile Carré** (1863-1909) qui dessina aussi les plans de la cathédrale de Medellín. Il abrite aujourd'hui les bureaux du ministre de l'Éducation de Medellín, tandis que l'Edificio Vásquez, également supervisé par Carré, abrite le siège d'un organisme social.

★★ Palacio Nacional Plan II B3

Carrera 52, n° 48-45 - lun.-sam. 8h-19h.
Conçu par l'architecte belge **Agustín Goovaerts** (1885-1939), cet ancien bâtiment gouvernemental, majestueuse construction datant de 1925, a été entièrement réorganisé et transformé en un **centre commercial** animé, comprenant des dizaines de magasins, des restaurants et des bars. Un escalier roulant permet d'accéder au **dernier étage**, d'où vous pourrez apprécier l'opulente architecture intérieure et ses innombrables arches.

Parque Berrío Plan II B3

Carrera 50 et calle 50 - M° Berrío.
Cette charmante placette, où les vendeurs de rue déambulent à l'ombre des palmiers et des tulipiers du Gabon *(flor de fuego)*, date de 1680 et constitue le cœur géographique de la ville. Au centre a été érigée une statue de **Pedro Justo Berrío**, figure politique majeure du 19e s. Une longue fresque de **Pedro Nel Gómez** intitulée *Historia del desarrollo económico e industrial del Departamento de Antioquia* (1956) habille le bas de la station de métro et le mur d'en face. De l'autre côté de la place, sur le parvis du Banco de la República, remarquez le **Torso Femenino★★** de Fernando Botero, surnommé *La Gorda* (*La Grosse*). À l'angle, au sommet d'une colonne de béton, se juche une statue de bronze signée Rodrigo Arenas Betancourt : **El Desafío de la Raza★** (*Le Défi de l'espèce*, 1988).
★ Basílica Nuestra Señora de la Candelaria – *Carrera 49A, n° 50-85.* L'église d'origine construite ici en 1649 fut remplacée en 1767 par cet édifice néoclassique, qui fut la cathédrale de Medellín de 1868 à 1931. Levez les yeux sur le **plafond à caissons**. Ne manquez pas la statue du *Señor Caído* (Christ tombé) sur la gauche, et l'étincelant retable principal.

★★★ Plaza Botero Plan II B2

Carrera 52, angle avec la calle 52.
Le pôle d'attraction du vieux quartier est également connu sous le nom de **plaza de las Esculturas**. Magnifique **musée de sculptures en plein air**, la

place présente une dizaine d'œuvres monumentales dont **Fernando Botero** *(voir p. 84)* a fait don à sa ville natale, notamment *La Mano* (La Main), *Caballo con Bridas* (Cheval avec brides), *Mujer con Fruta* (Femme avec fruit), *Eva* (Ève), *Mujer con Espejo* (Femme au miroir), *Hombre y Caballo* (Homme et Cheval), *Maternidad* (Maternité) et *Soldado romano* (Soldat romain). Chaque œuvre participe de la « légende Botero » qui veut que le simple fait de toucher les statues garantisse amour et chance. Cette agréable zone pavée plantée de frangipaniers odorants et comprenant une fontaine est remplie à toute heure du jour par les marchands ambulants de jus de fruits, de ballons et de *sombreros vueltiaos*, les chapeaux typiques.

★★★ Museo de Antioquia Plan II B2

Carrera 52, n° 52-43 (sur la plaza de las Esculturas) - ✆ (4) 251 3636 - www.museodeantioquia.org.co - lun.-sam. 10h-18h, dim. et j. fériés 10h-17h - 10 000 COP - visites guidées gratuites en espagnol à 14h (durée env. 1h20) - audioguide espagnol et anglais 7 000 COP.

Ce bâtiment Art déco de 1937, qui abritait auparavant la mairie et le conseil municipal, accueille désormais l'un des musées les plus importants de Colombie. La visite commence au 3e niveau, avec, dans la **salle d'art international★**, les œuvres de la collection privée de Botero : on y verra des bronzes et des peintures signés Max Ernst, Rufino Tamayo, Antoni Tàpies et maints noms célèbres de l'art européen et sud-américain allant des années 1940 aux années 1990. En face s'ouvre la **salle Botero★★★** qui réunit plus d'une centaine de peintures grand format, dessins et sculptures légués à la ville par l'artiste entre 1994 et 2008. Le 2e niveau dresse un panorama très complet de la **peinture colombienne★★★ du 19e au 21e s.** : Enrique Grau, Edgar Negret, Fídolo González Camargo, Marco Ospina *(voir p. 86)*, tous les grands noms de la peinture moderne et contemporaine y sont présents. Au rdc, une exposition permanente sur la **céramique★** dresse un parallèle entre les usages et les techniques préhispaniques et actuelles de l'emploi de l'argile. Les fresques de **Pedro Nel Gómez** *(voir l'encadré p. 232)* ornent certains des murs du bâtiment.

★ Palacio de la Cultura Rafael Uribe Uribe Plan II B2

Carrera 51, n° 52-03 - www.culturantioquia.gov.co - lun.-vend. 8h-12h, 14h-17h, sam. 8h-13h - entrée libre - projections cinématographiques le jeu. à 16h.

Ce bâtiment de style néogothique (1925), doté d'une façade en damier, abrita le siège du gouvernement de l'Antioquia. Il fut une source de grande frustration pour son architecte, **Agustín Goovaerts**, auteur également du Palacio Nacional, qui rencontra de nombreux obstacles pendant la réalisation de son projet. Restauré entre 1987 et 1998, le bâtiment abrite les archives historiques de la ville. Il héberge par ailleurs deux espaces d'exposition ; la **Sala Museo Rafael Uribe Uribe** (1859-1914), consacrée à l'avocat, écrivain et homme politique de l'Antioquia, et la **Sala de Patrimonio Artístico** qui présente, outre des expositions temporaires, les œuvres d'artistes locaux tels que Rafael Sáenz, Meliton Rodriguez, Ignacio Gomez Jaramillo et Débora Arango. Au dernier étage, une terrasse mirador donne sur la coupole de l'édifice et sur la place Botero.

★ Iglesia de la Veracruz Plan II B3

Calle 51, n° 52-58.

La seule église de style colonial de Medellín, reconstruite en 1803 sur une ancienne chapelle du 17e s., montre une façade blanche en pierre et *calicanto* (mélange de chaux, sable, pierre et blancs d'œuf) et un intérieur dépouillé. Elle est précédée d'un parvis encadré par des colonnes, fruit d'une restructuration de la placette à la fin des années 1960.

DU PARQUE DE BOLÍVAR AU PARQUE SAN ANTONIO Plan II B2-3

Au départ du parque de Bolívar (M° Prado ou Berrío), circuit 3 tracé en vert sur le plan de ville (p. 224) – Comptez 3h. La promenade prend fin au niveau du M° San Antonio.

Vous découvrirez là une autre partie du centre-ville, le **quartier de Villanueva**. Après une balade dans une artère commerçante populaire et un détour par l'une des plus vieilles places de Medellín, la plazuela de San Ignacio, vous arriverez au parque San Antonio, qui rassemble plusieurs statues de Botero.

★ Parque de Bolívar Plan II B2

Angle carrera 49 (Junín) et calle 54.

Situé sur une terre cédée à la ville en 1844 par un ingénieur anglais travaillant dans les mines voisines, Tyrrel Stuart Moore, l'endroit fut d'abord appelé Nueva Londres, avant d'être rebaptisé **Villanueva**. En 1871, le square fut à nouveau renommé, en l'honneur de Simón Bolívar, dont la statue équestre fut ajoutée en 1923. Les rues qui partent du square ont toutes été baptisées en mémoire du Libertador : calle Caracas (54), calle Peru (55), carrera Ecuador (48) et carrera Venezuela (49), en référence à sa ville natale et à trois des pays qu'il libéra de la domination espagnole. Le 1er samedi du mois, le parque de Bolívar accueille le **Mercado Artesanal de San Alejo**.

★★ Catedral Basílica Metropolitana Plan II B2

Au nord du parque de Bolívar - carrera 48, n° 56-81 - lun.-vend. 7h-10h30, 17h30-19h, w.-end 6h-12h, 17h-19h.

Ce majestueux édifice néoroman, conçu par **Charles Émile Carré** et construit entre 1875 et 1930, serait la plus grande église de brique au monde : un million de briques auraient été utilisées pour son édification. À ne pas manquer dans ce vaste bâtiment : d'éblouissants vitraux des années 1920, un baldaquin d'autel, la chaire, les bénitiers en marbre et l'orgue, ainsi que **El Cristo del Perdón★**, très belle œuvre du peintre d'Antioquia **Francisco Antonio Cano Cardona** (1865-1935).

Centro Comercial Villanueva – *Calle 57, n° 49-44 - ✆ (4) 251 0366 - lun.-sam. 8h-19h, fermé j. fériés.* Derrière la cathédrale, il occupe l'ancien **Seminario Mayor de Medellín** (1928), un joyau d'architecture de **Giovanni Buscaglione** (1874-1941). Cet architecte a dessiné de nombreux édifices religieux en Colombie, dont le **Santuario Nuestra Señora del Carmen** de Bogotá, considéré comme son chef-d'œuvre *(voir p. 121)*.

Pasaje Junín Plan II B2-3

Carrera 49.

L'une des rues les plus populaires de Medellín est cette grande **promenade piétonne** animée, connue pour ses étals de fleurs et ses vendeurs de glaces. Très fréquentée, bordée de magasins de prêt-à-porter, de boutiques en tous genres, de restaurants et de cafés, elle s'étend du parque de Bolívar au nord à l'avenida La Playa (calle 51) au sud.

Edificio Coltejer Plan II B2

Calle 52, n° 47-42 - ne se visite pas.

Achevé en 1972, ce gratte-ciel filiforme, semblable à une aiguille, est la plus haute structure de Medellín (175 m). Érigé pour une entreprise colombienne de textile, il rendait hommage aux traditions de confection très présentes dans la ville. Aujourd'hui, il accueille des sociétés financières, commerciales et de communication.

Plaza Botero, Medellín.
P. Tisserand/Michelin

★ **Parque del Periodista** Plan II B3

Angle carrera 43 et calle 53.

Cette placette triangulaire pavée rassemble une faune bigarrée, étudiants, amuseurs publics et néo-punks fumant ou partageant un gobelet d'*aguardiente* devant les fresques psychédéliques qui ornent les murs des bars. Œuvre d'Édgar Gamboa, *Los Niños de Villatina* (2003), une sphère métallique où des enfants jouent à la balle, commémore le massacre perpétré par un commando de police en civil, en 1992 : neuf enfants et adolescents furent assassinés. Plus ancien, un buste érigé à la mémoire du Cubain **Manuel del Socorro Rodríguez** (1758-1819), pionnier du journalisme en Colombie, rappelle les vies que la violence a prises au monde de la presse.

Palacio de Bellas Artes Plan II B3

Carrera 42, nº 52-33 - ✆ (4) 444 7747 - www.bellasartesmed.edu.co - lun.-vend. 8h-18h, sam. 8h-12h - entrée libre.

L'Académie des beaux-arts, un bâtiment de style républicain (1936), fut dessinée par Nel Rodríguez. On y vient non seulement pour ses concerts et ses « Vendredis du cinéma » *(gratuits)*, mais aussi pour les œuvres d'art qu'il recèle. La **Sala Beethoven**, salle de concert la plus ancienne de Medellín, est décorée de huit paysages peints par **Francisco Antonio Cano Cardona** (1865-1935), et la **Sala de Exposiciones Eladio Vélez** présente les œuvres des étudiants des promotions passées et actuelle. Au fond du hall principal figure une peinture murale de l'artiste antioqueño **Ramón Vásquez** (1922-2015).

Iglesia de San José Plan II B3

Carrera 46, nº 49-90.

Précédée d'une **fontaine** dessinée par Francisco Antonio Cano Cardona, cette église baroque (1847-1902) fut construite sur le site d'une ancienne chapelle dédiée à saint Laurent, patron de la ville. Un haut retable de bois incurvé, aux ornementations rehaussées d'or, épouse le fond de l'abside. Dans le collatéral droit, voyez le *Bautismo de Jesús* de Cano, et un tableau représentant saint Laurent.

★ Plazuela de San Ignacio Plan II B3

Carrera 44, entre les calles 48 et 49.

Parmi les plus anciens de Medellín, ce square est au cœur de la vie urbaine depuis des générations et accueille des vendeurs ambulants de *tinto* et des petits snacks ombragés par deux majestueux *ceibas* centenaires, sous l'œil vigilant du général **Francisco de Paula Santander** et de **Marceliano Vélez**, immortalisés dans le bronze.

Edificio de San Ignacio – Sa façade verte et jaune est celle de l'**Universidad de Antioquia**, l'une des institutions les plus prestigieuses de l'enseignement supérieur en Colombie, fondée en 1803 et dont les campus et les bâtiments sont dispersés partout dans la ville. Celui-ci, magnifiquement restauré, entoure des **patios intérieurs** fleuris et ornés de fontaines.

Iglesia de San Ignacio – *Carrera 44, n° 48-18 - 7h-12h, 17h30-19h.* En 1812, la communauté franciscaine qui avait bâti un cloître et une église sur le square avait quitté Medellín. Pendant les guerres civiles de 1885, les troupes en firent leur cantonnement et endommagèrent les bâtiments. Ceux-ci finirent par être confiés aux jésuites, qui les firent restaurer au début du 20e s. par des architectes reconnus, **Agustín Goovaerts** et **Félix Mejía**. Derrière la **façade baroque★** espagnole de l'église (début du 19e s.) se cache un intérieur colonial.

★ Parque San Antonio Plan II B3

Entre les calles 46 et 44, les carreras 46 et 49.

En arrivant par le côté nord-est, vous verrez la **Puerta de San Antonio**, œuvre de l'artiste colombien **Ronny Vayda** (né en 1954), auteur d'autres sculptures aux lignes épurées qui embellissent la ville.

Cette vaste esplanade accueille quatre sculptures très photographiées de **Fernando Botero**, *Torso masculino (Torse masculin)*, *La Venus durmiente (La Vénus endormie)* et deux versions d'*El Pájaro de Paz (L'Oiseau de Paix)*. En 1995, cette sculpture explosa sous une bombe terroriste qui tua et blessa des passants. Après avoir réalisé une copie à l'identique, Botero l'installa à côté des restes mutilés de l'original, envoyant ainsi un message d'espoir et de résistance face à l'adversité. En contrebas du *parque*, des artisans tiennent boutique sur le *Bulevar Artesanal* *(voir « Achats », p. 243)*.

Zona Norte Plans I (Agglomération) ci-contre et II (Centre) p. 224

La partie nord de la ville n'offre pas de curiosités que l'on puisse visiter en suivant un itinéraire précis mais elle comprend, concentrés autour du **métro Universidad**, plusieurs sites naturels, culturels et de loisirs à ne pas négliger.

★★ Jardín Botánico Joaquín Antonio Uribe Plan II B1

M° Universidad - carrera 52, n° 73-298 - ✆ (4) 444 5500 - www.botanicomedellin.org - 9h-18h (dernière entrée 17h) - cafétérias et restaurant (voir p. 242).

Une promenade sur ses chemins sinuant dans les sous-bois jusqu'au bosquet de palmiers et à la serre aux papillons, passant par les plantes du désert et le grand lac, constituera une bonne introduction aux paysages et aux écosystèmes de Colombie. L'endroit s'apparente plus à un vaste parc public qu'à un jardin botanique proprement dit. Spectaculaire, l'**Orquideorama José Jerónimo Triana★★**, construction organique primée conçue par Felipe Mesa et Alejandro Bernal (2006) est une structure en nids-d'abeilles recouverte de lattes de pin ajourées qui diffuse une lumière indirecte. Ce complexe maillage modulaire protège un ensemble de jardins temporaires, dont l'un est réservé aux orchidées.

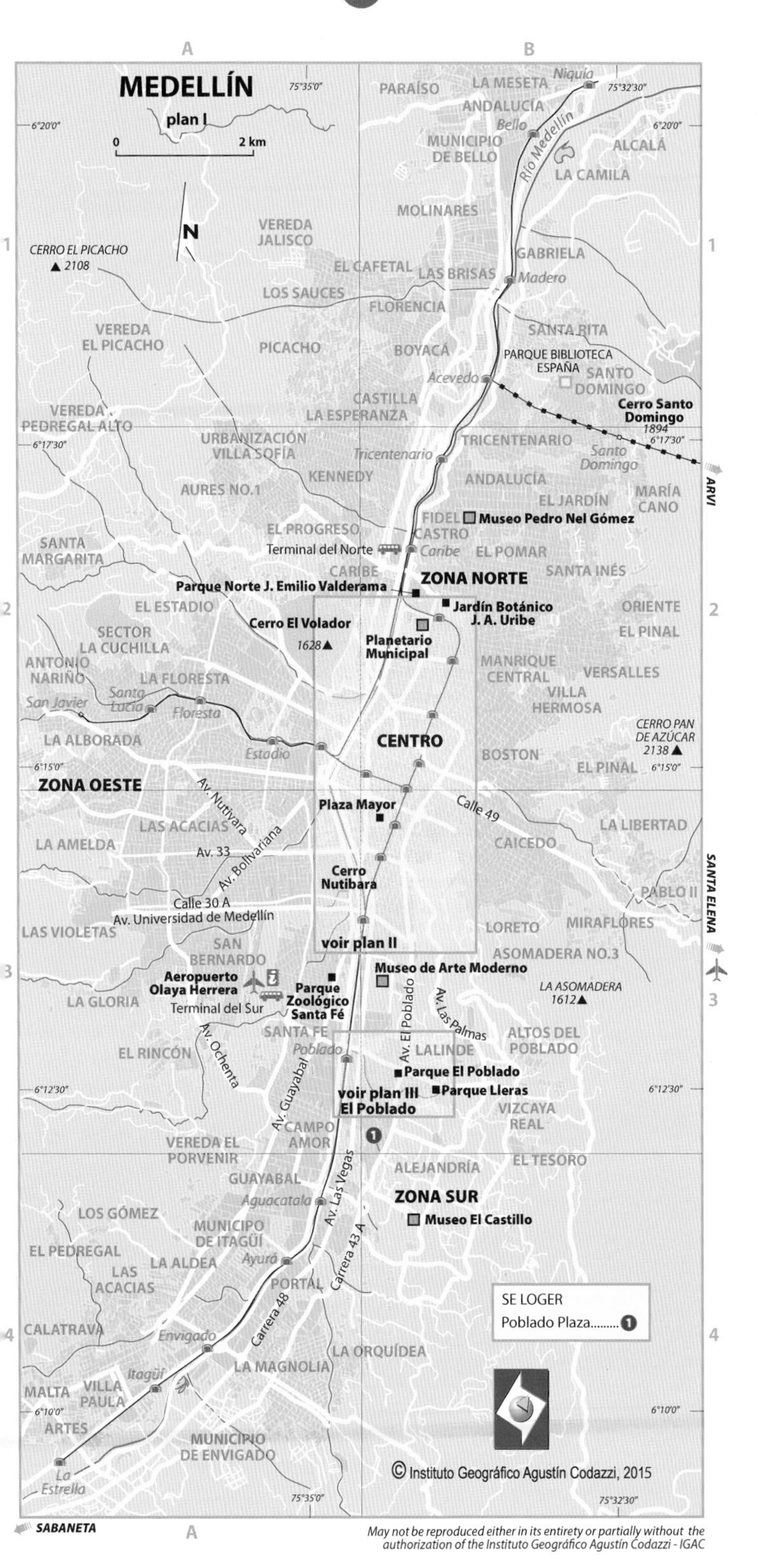
MEDELLÍN
plan I
0
2 km
N
ZONA NORTE
CENTRO
ZONA OESTE
ZONA SUR
Parque Norte J. Emilio Valderama
Jardín Botánico J. A. Uribe
Planetario Municipal
Cerro El Volador
1628
Museo Pedro Nel Gómez
Terminal del Norte
Parque Biblioteca España
Cerro Santo Domingo
1894
Plaza Mayor
Cerro Nutibara
voir plan II
Museo de Arte Moderno
Aeropuerto Olaya Herrera
Terminal del Sur
Parque Zoológico Santa Fé
Parque El Poblado
Parque Lleras
voir plan III El Poblado
Museo El Castillo
CERRO EL PICACHO
2108
CERRO PAN DE AZÚCAR
2138
LA ASOMADERA
1612
Río Medellín
Calle 49
Av. Nutivara
Av. Bolivariana
Av. 33
Calle 30 A
Av. Universidad de Medellín
Av. Ochenta
Av. Guayabal
Av. Las Vegas
Av. El Poblado
Av. Las Palmas
Carrera 43 A
Carrera 48
ARVI
SANTA ELENA
SABANETA
SE LOGER
Poblado Plaza......... 1
© Instituto Geográfico Agustín Codazzi, 2015

UN MURALISTE PROLIFIQUE

Pionnier de l'art public colombien, **Pedro Nel Gómez** (1899-1984) s'est fait connaître par ses peintures murales qui rompaient avec le style classique. Au long de sa carrière, il peignit plus de 2 000 m² de fresques sur des bâtiments publics, représentant la vie de dur labeur du peuple paisa et l'industrialisation de la région. Entre 1935 et 1938, il décora le **Palacio Municipal** de Medellín, occupé aujourd'hui par le Museo de Antioquia, avec une série de onze fresques sur le thème de la vie et du travail. Parmi celles-ci, un saisissant **Tríptico del Trabajo★★**, hommage au travail en trois volets, *De la bordadora a los telares eléctricos (De la brodeuse aux machines à coudre), El Problema del petróleo y la energía (Le Problème du pétrole et de l'énergie)* et *El Trabajo y la Maternidad (Le Travail et la Maternité).*

★ Parque Explora Plan II B1

M° Universidad - entre les carreras 52 et 53 - ✆ (4) 516 8349 - www.parqueexplora.org - mar.-vend. 8h30-17h30 (dernière entrée 16h), w.-end et j. fériés 10h-18h30 (dernière entrée 17h) - 22 000 COP avec l'aquarium et les salles interactives.

Consacré aux sciences et technologies, ce grand parc à thème propose 300 expériences interactives et des activités pédagogiques. L'**aquarium** de 25 000 m² réunit 29 bassins d'eau douce et salée où vivent 4 000 spécimens représentant 256 espèces de poissons, amphibiens, reptiles et arthropodes venus des océans et des cours d'eau de Colombie (ríos Magdalena, Orinoco…). Le parc possède également un vivarium et présente une vingtaine de dinosaures animés.

Dans la **Selva Inundada★** (forêt inondée) vivent des espèces originaires de l'Amazonie comme le plus grand poisson d'eau douce au monde, le *pirarucú (Arapaima gigas)* et l'extraordinaire dipneuste *(Lepidosiren paradoxa)* qui peut survivre à de longues périodes de sécheresse en creusant un trou dans la boue : ses nageoires font office de pattes pour se déplacer au fond du cours d'eau.

Planetario Municipal Jesús Emilio Ramírez González Plan II B1

M° Universidad - carrera 52, n° 71-117 - ✆ (4) 527 2222 - www.planetariomedellin.org - mar.-vend. 8h30-17h, w.-end et j. fériés 10h-18h - 13 000 COP.

Medellín fut la première ville sud-américaine à se doter d'un **planétarium** géré par ordinateur. Ce centre interactif d'apprentissage scientifique, équipé de puissants télescopes, organise des expositions thématiques et des spectacles sur les thèmes de la Terre et de l'espace, sous un dôme de 17,5 m.

Parque de los Deseos Plan II B1

M° Universidad - derrière le planétarium - www.fundacionepm.org.co - mar.-dim. 9h-0h - entrée libre. Beaucoup de monde le w.-end.

Géré par la fondation EPM (Empresas Públicas de Medellín), il affiche une vocation à la fois **ludique et récréative**. Ses présentations sont axées sur les découvertes auxquelles ont abouti les grands rêves de l'humanité. On y fait connaissance avec le monde des vents, celui des sphères célestes et des éclipses (réplique d'un **observatoire muisca**), on y apprend comment la voix circule à distance ou comment fonctionne une horloge solaire. Les attractions proposées privilégient une approche interactive qui facilite la compréhension des phénomènes. Communications, énergie, eau : on retrouve les thèmes fétiches de l'EPM et son souci de sensibiliser le jeune public à leur usage raisonné. Le dimanche soir, concerts et projections sur écrans géants. Nombreux événements culturels.

★ Casa Museo Maestro Pedro Nel Gómez Plan I B2

M° Universidad puis 25mn à pied - carrera 51B, n° 85-24 - ✆ (4) 444 2633 - lun.-sam. 9h-17h, dim. et j. fériés 10h-16h - entrée libre.

L'ancienne maison-atelier de **Pedro Nel Gómez** *(voir l'encadré ci-contre)* contient 1 500 dessins, aquarelles et huiles, ainsi que quelques sculptures et certaines de ses peintures murales, la plupart ayant été réalisées sur des espaces publics, partout en ville. Les documents et archives dévoilent la vie de l'homme qui était derrière le grand **mouvement muraliste** de Colombie.

Zona Sur Plan I (Agglomération) p. 231

★★ EL POBLADO Plan I B3, Plan III

Beaucoup d'habitants de Medellín tendent à résumer le sud de la ville au seul quartier du Poblado, tant cette zone résidentielle prospère éclipse les autres. El Poblado marque le lieu où fut fondée Medellín en 1616. Situé au sud de la ville, au bord d'une vallée escarpée, il s'étend jusqu'à Envigado (au sud), Santa Elena (à l'est) et la Candelaria (au nord). Au début du 20e s., le quartier fut convoité par les familles aisées qui souhaitaient se faire bâtir des maisons de campagne. Avec la construction d'une route le reliant à Medellín, la valeur du terrain augmenta considérablement. El Poblado devint une banlieue de la ville en se développant dans les années 1950. Dans les années 1970, il se distingua par une avenue bordée de villas de luxe, connue sous le nom de **Milla de Oro** (Golden Mile).

Aujourd'hui, le quartier animé de la **Zona Rosa** s'articule autour du **parque Lleras**, dans un quadrilatère délimité par les calles 9 et 10 et les carreras 36 et 42.

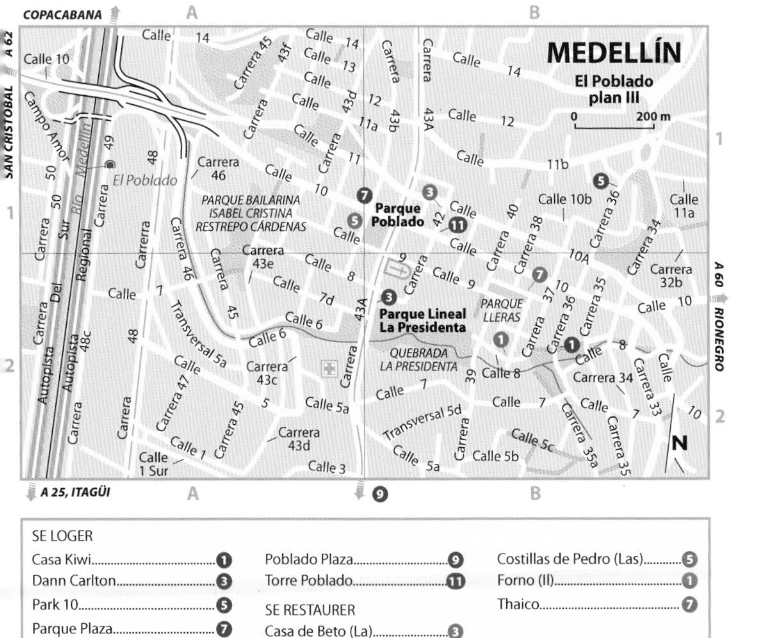

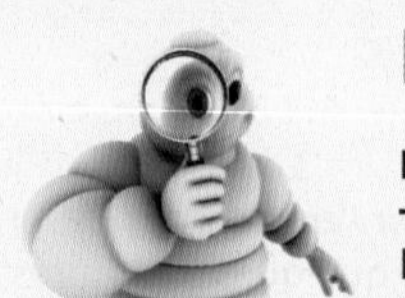

La métamorphose d'une ville

LES ORIGINES DE MEDELLÍN

La **vallée d'Aburrá**, peuplée successivement par les Yamesies, les Niquías, les Nutabes et les Aburraes, fut explorée par l'Espagnol **Jerónimo Luis Téjelo** en 1541. Mais la première colonie, appelée **San Lorenzo de Aburrá**, n'a été établie qu'en 1616 par **Francisco Herrera y Campuzano**, sur le site de l'actuel parque El Poblado. En 1675, sur ordre de la reine d'Autriche, elle fut rebaptisée **Villa de Nuestra Señora de la Candelaria de Medellín**. La ville s'affirma comme un acteur majeur au niveau régional et devint en 1826 le siège départemental de l'Antioquia, statut que Santa Fé de Antioquia avait conservé jusqu'en 1813.

LA CROISSANCE INDUSTRIELLE DE LA RÉGION

Au 19e s., Medellín était déjà une ville dynamique, exportatrice d'or puis de café. Après la guerre des Mille Jours *(voir p. 76)*, elle fut la première ville colombienne à entrer dans la révolution industrielle. La construction de **chemins de fer** permit aux exportations de se développer, et la création d'**universités** et d'institutions d'enseignement supérieur jeta les bases d'une ville orientée vers les arts et la culture. De cette période date aussi l'expansion du **secteur du textile** : Medellín devint rapidement la capitale de la mode dans l'Amérique du Sud.

LES ANNÉES ESCOBAR

Malgré les valeurs du peuple paisa *(voir p. 220)*, dominées par un réel sens du travail, la croissance industrielle de Medellín s'est trouvée gravement entravée par les cartels de la drogue. Cette activité criminelle était supervisée par **Pablo Escobar**, l'un des barons de la drogue les plus connus au monde, né en 1949 d'un père fermier dans la périphérie rurale de Medellín. Le slogan *« Plomo o plata »* (du plomb ou de l'argent, en clair la mort ou la corruption) dessine le quotidien de Medellín dans les années 1980, se traduisant par des milliers de victimes et faisant d'Escobar la 7e fortune mondiale. Celui que l'on surnomme El Capo soigne son image publique et se lance dans la politique (il se verra investi d'un mandat de suppléant au Sénat) ; il aménage quelque 50 terrains de football et fait construire sur les collines à l'est de la ville un quartier entier comprenant 400 logements, le barrio Pablo Escobar ou **Medellín sin tugurios** (Medellín sans taudis).

Lorsque le gouvernement passe à l'action et autorise l'extradition des chefs mafieux vers les États-Unis, commence une **guerre sans merci** entre les trafiquants visés par cette mesure et l'État. Corruption et extorsion, enlèvements, attentats (siège du DAS, ambassade américaine, Palais de justice à Bogotá), assassinat de personnalités politiques ou de journalistes sont monnaie courante. Escobar poursuit en parallèle une guerre acharnée contre le cartel rival de Cali. En 1991, il accepte de se livrer pour échapper à l'extradition et il est emprisonné dans une geôle de luxe créée à sa demande, la *Catedral*, d'où il continue ses activités criminelles. Il s'en évadera un an plus tard avec son frère et ses hommes pour reprendre la guerre contre le cartel de Cali. Après 16 mois de cavale, Escobar est mortellement blessé lors d'une fusillade, en 1993. Son décès marque la fin d'une violente et indescriptible **période de terreur**. Vingt-cinq ans plus tard, son nom demeure cependant un mythe, tant en Colombie qu'à l'extérieur, comme le montre la popularité de la série *El Patrón del Mal* produite par la télévision nationale et diffusée dans plus de 60 pays.

Téléphérique desservant les quartiers nord-est de Medellín.
B. Falk/World Pictures/age fotostock

LA RENAISSANCE

Medellín a pris ensuite un tournant radical en restaurant l'espoir et la fierté de sa population. Vingt ans après la mort d'Escobar, c'était une ville métamorphosée. Elle doit beaucoup à la vision de l'ancien maire **Sergio Fajardo Valderrama**, professeur de mathématiques, inscrit au Partido Verde et actuel gouverneur du département de l'Antioquia ; avec un réel enthousiasme pour sa ville natale, il a inscrit son mandat (2004-2007) dans le cadre du projet « Medellín, la más educada » (la plus éduquée), axé sur le développement de la sécurité, la création d'espaces publics dédiés aux loisirs et à la culture, la mise en place d'un système de transports de pointe combinant métro, bus et téléphérique et visant à abolir les frontières avec les quartiers défavorisés ; il a, enfin, dirigé la renaissance de Medellín sous le slogan « De la peur à l'espoir », avec l'ambition affichée d'en faire une ville agréable à vivre.

UNE ÉCONOMIE DYNAMIQUE

Certes, les défis restant à relever sont grands ; dans l'ombre, certaines forces obscures ne manquent pas de rappeler les démons du passé. Medellín est néanmoins devenue une métropole prospère et un centre florissant d'excellence universitaire et médicale, qui accueille plus de 30 universités et de nombreux hôpitaux et cliniques pionniers.

Ces deux dernières décennies, la ville s'est progressivement hérissée de tours de brique détachant leurs sveltes silhouettes sur les flancs verdoyants des cordillères. Beaucoup de conglomérats internationaux ont par ailleurs établi leurs bureaux dans ou aux environs de Medellín, comme Philip Morris, Levi Strauss, Renault, Toyota, Kimberly-Clark ou Mitsubishi. Le renouveau urbain de Medellín s'est également traduit par la construction de plusieurs grands **parcs-bibliothèques**, souvent situés dans des quartiers particulièrement défavorisés ; ces réalisations témoignent plus que d'autres d'une volonté de voir la ville renaître sous l'angle de la culture et de l'éducation pour tous.

Ce petit square arboré où les peintres du dimanche exposent leurs œuvres est devenu le centre de la vie nocturne avec ses bars et ses restaurants touristiques déclinant les cuisines thaïe, tex-mex, japonaise, fusion, etc. C'est le lieu par excellence pour les *afterworks* et pour faire la fête le week-end.
El Poblado ne se limite pourtant pas à ses élégants hôtels, ses restaurants et ses boutiques branchées : il participe d'un modèle d'urbanisme de qualité, le développement du quartier ayant su marier harmonieusement une architecture moderne avec le patrimoine historique du quartier et sa topographie.

Parque El Poblado Plan III B1

Entre les carreras 43A et 43B et les calles 9 et 10.
La zone où se sont installés les premiers habitants du Valle de Aburrá a été construite au début du 17e s. Sur un côté de ce joli square arboré et pavé de brique rouge se dresse, édifiée dans le même matériau, l'église néoromane dédiée à **San José del Poblado**.

Parque Lineal La Presidenta Plan III B2

Carrera 43A, face à la calle 7.
Preuve de l'investissement continu de la ville dans la création d'espaces verts, ce parc où serpente un cours d'eau offre une promenade pittoresque vers le parque Lleras qui vous fera traverser trois ponts. Des bancs, tables et points de vue sont installés au milieu de 46 espèces d'arbres, d'aires de jeux et de zones calmes pour se délasser en paix.

★ Museo El Castillo Plan I B4

Calle 9 sud, n° 32-269, Loma de los Balsos - ☎ (4) 266 0900 - www.museoelcastillo.org - lun.-vend. 9h-12h, 14h-18h, w.-end et j. fériés 10h-17h - 10 000 COP.
Vaguement inspirée des châteaux de la Loire, cette bâtisse (1930) aux tourelles néo-médiévales a été dessinée par l'architecte **Nel Rodríguez** au milieu de magnifiques jardins à la française. Transformée en musée, elle présente une collection d'art européen, d'art décoratif et de mobilier dans neuf pièces, correspondant chacune à une époque.

À VOIR AUSSI Plan I (Agglomération)

★ Museo de Arte Moderno de Medellín (MAMM) Plan I B3

M° Poblado ou Industriales puis 10mn à pied ou bus sur l'av. Las Vegas - carrera 44, n° 19A-100 - ☎ (4) 444 2622 - www.elmamm.org - mar.-vend. 9h-17h30, sam. 10h-17h30, dim. 10h-17h - 8 000 COP.
Le **musée d'Art moderne de Medellín** occupe une fonderie désaffectée, l'un des rares vestiges de cette ancienne friche industrielle entièrement transformée dans les années 2010. Cet espace d'avant-garde, où l'on a conservé la structure d'origine, se dédie à des expositions temporaires consacrées à des plasticiens, des architectes ou des mouvements artistiques contemporains. Cette institution progressiste se concentre surtout sur l'avenir de l'art à Medellín. Une nouvelle aile devrait ouvrir en 2016 pour accueillir les collections permanentes du musée et en particulier les travaux que l'Antioquienne **Débora Arango** (1907-2005) a légués à la ville.

★ Parque Zoológico Santa Fé Plan I A3

M° Poblado ou Industriales et 10mn à pied - carrera 52, n° 20-63 - ☎ (4) 444 7787 - www.zoologicosantafe.com - 9h-17h - 11 000 COP, enfants 6 000 COP.
Cette infrastructure de 4 ha accueille un millier de pensionnaires représentant 238 espèces, principalement d'Amérique centrale et d'Amérique du

Sud. La volière, le vivarium et la serre aux papillons méritent un arrêt. La visite vous familiarisera aussi avec bon nombre d'arbres et d'arbustes tropicaux, dont une belle série de palmiers indigènes.

★ Collines de Medellín Plans I (Agglomération) et II (Centre)

Sept collines, les **Cerros Tutelares** de Medellín, encerclent la ville. Certaines, comme le Cerro El Volador, se sont converties en de vastes espaces dédiés aux sports de plein air, aux activités de loisirs et à l'écotourisme. D'autres affichent une vocation touristique et méritent le détour. D'autres en revanche, entourés de *barrios* défavorisés, ne se prêtent pas à la visite.

★ Cerro Nutibara Plan II A4

Mº Industriales ou Exposiciones puis 20mn à pied - à 2 km au sud-ouest du centre-ville, Comuna 16 - foire artisanale les 2ᵉ et 3ᵉ sam. du mois.

L'ensemble de la colline a été aménagé en un parc sillonné par cinq sentiers ombragés à thème : faune, oiseaux, art, etc. L'un d'eux descend jusqu'au théâtre en plein air Carlos Vieco Ortiz. Un autre est jalonné d'une dizaine de sculptures abstraites réalisées par des artistes sud-américains, dont Carlos Cruz Diez (Venezuela) et le Colombien Edgar Negret. Du sommet, **panorama★** sur la vallée d'Aburrá.

Pueblito Paisa – *Au sommet du Cerro Nutibara - alt. 1 562 m - entrée libre.* Gardé par une statue en béton patiné du *Cacique Nutibara* (1955, José Horacio Betancur), ce site très populaire se veut la **réplique d'un village paisa** typique de l'Antioquia coloniale, avec son esplanade pavée, son église, sa fontaine, et quelques maisons abritant des boutiques de souvenirs. Des gargotes accueillantes servent des plats régionaux.

★ Cerro El Volador Plan II A1

À l'ouest de la ville, Comuna 9. Accès en taxi recommandé.

La colline (alt. 1 628 m.), ponctuée de six **miradors★**, est parcourue par des sentiers propices à l'observation ornithologique. Les citadins s'échappent de la ville en fin de semaine pour venir y faire du vélo, du jogging ou y partager un pique-nique en famille.

3

★ Cerro Santo Domingo Plan I B1

Alt. 1 894 m - à l'est de la ville, Comuna 8 - changez au Mº Acevedo où la connexion est assurée avec le Metrocable (téléphérique, ligne K) jusqu'au Mº Santo Domingo.

Sur la colline s'est établi le **barrio Santo Domingo Savio**, un quartier populaire que parcourt un labyrinthe de ruelles pentues ; vous le survolerez en empruntant le Metrocable en direction du Parque Arví et vous vous contenterez d'y changer de téléphérique, les deux tronçons étant reliés par une passerelle.

★★ Parque Ecoturístico Arví – Plan I A1 en dir. *À la station Santo Domingo, prenez le Metrocable L (4 600 COP incluant l'entrée au parc écotouristique) - ✆ (4) 414 2979 - www.parquearvi.org - mar.-sam. 9h-18h, dim. 8h30-18h. Venez dès l'ouverture et prévoyez la journée entière.* Vous y accéderez au terme d'un **parcours★★** de 4,6 km en téléphérique (env. 20mn et 800 m de dénivelé) surplombant les derniers quartiers de la ville et le début des forêts couvrant le *cerro*. Entre 2 200 et 2 600 m d'altitude, l'immense réserve naturelle s'adresse avant tout aux amateurs de randonnée pédestre ou équestre *(plan des sentiers à l'arrivée du téléphérique)* et aux férus de sports d'aventure : murs d'escalade, accrobranche, tyrolienne, pont suspendu, etc. *(tarif forfaitaire toutes activités 15 000 COP)*. Vous trouverez sur place des guides (obligatoires) pour

TERRE DE FLEURS

La Colombie peut se vanter de posséder 1 600 variétés différentes de fleurs. C'est le deuxième exportateur de fleurs coupées au monde, après les Pays-Bas, et le principal fournisseur des États-Unis, qui importent de Colombie les trois quarts des fleurs qu'ils vendent. L'**industrie floricole** s'est réellement implantée sur les hauts plateaux ensoleillés de Medellín, où la lumière favorise de longues floraisons. Les gerbéras, les fleurs de gingembre, les roses, les tournesols et les orchidées comptent parmi les fleurs les plus utilisées dans les festivals du pays.

vous accompagner jusqu'au lac Guarne, à la retenue de Piedras Blancas ou au mirador d'El Porvenir d'où la **vue★★** plonge sur Medellín. L'un des parcours proposés suit le **Camino Cieza de León**, une voie pavée remontant à l'époque préhispanique. Un système de navettes gratuites relie entre eux les différents points d'intérêt du parc. Une belle sortie nature aux portes de la ville.
En fin de semaine, un petit marché bio se tient au sortir du téléphérique : une occasion de découvrir le vin de Santa Elena, élaboré avec du *mortiño*, ou de se laisser tenter par les fraises, mûres et autres fruits de saison produits localement.

À proximité Carte de la région paisa p. 248

Aux portes de la ville, dans un rayon d'une quinzaine de kilomètres, cinq **villages annexés** forment ce que l'on appelle les **corregimientos** de Medellín, dont fait partie Santa Elena. Neuf autres municipalités, dont Sabaneta, sont implantées dans la vallée d'Aburra, que caractérisent le nombre et la diversité de ses micro-climats et, partant, la variété de ses productions agricoles.

★ Santa Elena

À 8 km à l'est de Medellín par la calle 49.
Constituée de 17 **hameaux** ou *veredas*, cette communauté agricole se niche entre 2 200 et 2 700 m d'altitude dans les montagnes à l'est de Medellín, une zone prisée pour son air pur. Pommes de terre, mûres, fraises, chaque *vereda* a sa propre spécialité et son caractère bien à elle. Les paysages alentour montrent des collines arrondies parcourues de ruisseaux et de forêts, du sommet desquelles vous apprécierez de superbes panoramas sur la vallée d'Aburrá.
Sur place, plusieurs *fincas* dédiées à la **floriculture** ouvrent leurs portes aux visiteurs. Les *silleteros* (horticulteurs) de la région jouent un rôle essentiel dans la **Feria de las Flores** de Medellín, fameuse parade des fleurs qui a lieu chaque année en août. Ils quittent alors leurs villages et parcourent Medellín, portant sur le dos d'immenses compositions multicolores de fleurs fraîchement coupées ; celles-ci sont artistiquement disposées en étages dans des sortes de chaises (*sillas*, d'où leur nom) accrochées à leurs épaules.

★ Sabaneta

À 14 km au sud de Medellín.
Pour les habitants de Medellín, Sabaneta (52 000 hab., 1 540 m d'alt.), avec ses nombreux **bars** et **clubs**, est le lieu par excellence des soirées de fin de semaine. Fondée en 1896, la ville propose également des produits d'artisanat local et affiche quelques charmants bâtiments anciens.

NOS ADRESSES À MEDELLÍN

Plan I (agglo) p. 231 - plan II (centre) p. 224 - plan III (El Poblado) p. 233

INFORMATIONS UTILES

Change

Nutifinanzas – Plan II B3 - *Centro comercial Coltejer, local 203 - Centro - lun.-vend. 8h-19h, sam. 8h-14h*. Change euros et dollars en espèces.

Inter Dollar – Plan III B1 - *Carrera 40, nº 10-19 - El Poblado - lun.-jeu. 9h-18h, vend. 18h-6h, sam. 9h-15h, 18h-6h*. L'un des rares bureaux à rester ouverts la nuit.

Consulats

Consulat de France – *Carrera 65, nº 35-71 - Itagüi - ✆ (4) 371 9899.*

Consulat de Belgique – *Diagonal 75B, nº 2A-120 - ✆ (4) 341 0516 - gjube@yahoo.com.co - lun.-vend. 8h-12h, 14h-18h.*

ARRIVER/PARTIR

En avion

Aeropuerto Internacional José María Córdova (MDE) – *À 35 km au sud-est du centre-ville, non loin de Rionegro - ✆ (4) 562 2885 - www.airplan.aero*. Avianca, VivaColombia et Satena assurent de nombreuses liaisons avec Bogotá. Des **bus** font la liaison avec le centre-ville : arrêt derrière l'hôtel Nutibara Plan II A4 *(8 000 COP)*. En **taxi**, comptez 30mn *(50 000 COP)* pour rallier le centre.

Aeropuerto Olaya Herrera (EOH) – Plan I A3 - *À côté de la gare routière sud - ✆ (4) 365 6100.* Accueille des vols en provenance de localités colombiennes de moindre importance. Dessert en particulier Guapi, Bahia Solano et Buenaventura, sur la côte pacifique.

En bus

Medellín compte deux gares routières, le Terminal del Norte et le Terminal del Sur, gérés par la même compagnie *(www.terminalesmedellin.com)* ; un service de bus urbains (T3) les relie entre eux.

Terminal del Norte – Plan I B2 - *Mº Caribe - à 3 km au nord du centre-ville - ✆ (4) 444 8020 - www.terminalesmedellin.com.* Les bus qui desservent le nord, l'est et le sud-est du pays arrivent au Terminal del Norte : Barranquilla (14h - 100 000 COP), Bogotá (9h - 60 000 COP), Cartagena (13h - 100 000 COP), Santa Fé de Antioquia (2h - 12 500 COP) et Santa Marta (16h - 100 000 COP).

Terminal del Sur – Plan I A3 - *Au sud de la ville - ✆ (4) 361 1499.* Les bus longue distance qui viennent de l'ouest et du sud arrivent ici. Liaisons avec Armenia (6h - 45 000 COP), Cali (9h - 52 000 COP) et Manizales (4h - 7 000 COP), entre autres.

TRANSPORTS

Outre les combis et les *busetas* urbains, le réseau de transports urbains de Medellín (SITVA), propre, facile à utiliser et efficace, comprend les bus articulés (Metroplús) ainsi qu'un métro qui circule pour l'essentiel en extérieur *(lun.-sam. 4h30-23h, dim. 5h-22h)* et un système de téléphérique (Metrocable) dont les cabines peuvent transporter 10 personnes *(lun.-sam. 4h30-23h, dim. 9h-22h)*. Prix du ticket : 2 000 COP.

Métro

www.metromedellin.gov.co (plan des lignes).

La **Linea A** relie La Estrella au sud à Niquía au nord.
La **Linea B**, perpendiculaire à la ligne A, va de San Antonio à San Javíer (interconnexion avec le Metrocable de la ligne J).

Téléphérique

La **Linea K** débute à la station Acevedo, sur la Linea A, et grimpe jusqu'à Santo Domingo en trois stations. Là, une passerelle la connecte à la **Linea L** qui dessert l'Ecoparque Arví (tarif spécial 4 600 COP).
La **Linea J** part de la station San Javíer et rejoint le quartier de La Aurora en trois stations.

Bus

La ville est bien desservie.
La plupart des bus partent de l'avenida Oriental (près du parque San Antonio) et du parque Berrío. Pratique pour rejoindre le musée d'Art moderne ou le zoo, qui se situent loin des stations de métro.

Taxi

Les taxis ont un compteur; vérifiez qu'il affiche le montant minimal officiel (2 700 COP) en début de course.

HÉBERGEMENT

Centro

PREMIER PRIX

Conquistadores – Plan II A3 - *Carrera 54, n° 49-31 - M° Berrío - ☎ (4) 512 3232 - www.hotel-conquistadores.com.co - ▤ - 38 ch. 40 000 COP.* En plein centre-ville, dans le quartier des grossistes en textiles, il est à la fois proche du métro et de la plaza Botero. Cet hôtel impersonnel aux chambres sans fioritures assure pourtant l'un des meilleurs rapports qualité-prix dans cette gamme. Les chambres, toutes avec sdb (eau chaude), sont relativement calmes à condition d'éviter celles donnant sur rue. Petite restauration au déjeuner et service de laverie. Wifi.

Capitolio – Plan II B2 - *Carrera 49, n° 57-21 - M° Prado - ☎ (4) 512 0012 - www.hotelcapitoliohc.com - ▤✕ - 28 ch. 65 000 COP.* Calme, situé derrière la cathédrale, tout près du parque de Bolívar et des restaurants du passage Junin, il propose des chambres spacieuses, jolies et proprettes, toutes pourvues d'une salle de bains (eau chaude) et d'un mini-frigo.

BUDGET MOYEN

Nutibara – Plan II B2 - *Calle 52A, n° 50-46 - M° Berrío - ☎ (4) 511 5111 - www.hotelnutibara.com - ▤✕ - 130 ch. 160/215 000 COP.* À deux pas de la plaza Botero, le Nutibara a longtemps accueilli les hôtes prestigieux de la ville avant que ne se construisent les hôtels plus luxueux du Poblado. S'il a un peu perdu de sa superbe, le lieu, qui a conservé une partie de son ornementation Art déco, possède un charme authentique et beaucoup de caractère. Les chambres de catégorie supérieure du 10e étage possèdent toutes un balcon avec une vue exceptionnelle.

El Poblado

PREMIER PRIX

Casa Kiwi – Plan III B2 - *Carrera 36, n° 7-10 - ☎ (4) 268 2668 - www.casakiwi.net - ✕ - 21 ch. 95 000 COP.* En bordure de la Zona Rosa, cet *hostal* qui s'adresse à une clientèle de jeunes voyageurs étrangers compte aussi bien des dortoirs (4, 6 et 10 lits) que des chambres avec ou sans sdb. Le petit-déj, en sus, se prend au restaurant de l'établissement, qui propose par ailleurs une vaste palette de services et d'activités : wifi, cuisine commune (petit supermarché en face), excursions à vélo, billard, etc.

BUDGET MOYEN

Parque Plaza – Plan III AB1 - *Carrera 43B, nº 9-15 - ✆ (4) 266 2847 - http://hotelparqueplaza.com - 55 ch. 110 000 COP.* Ouvert en 2013, il fait l'angle du parque El Poblado. Il propose des chambres impeccablement tenues rafraîchies par des ventilateurs, au mobilier de pin ou laqué noir et à la décoration sobre et lumineuse. Terrasse solarium avec transats et jacuzzi, sauna à disposition.

POUR SE FAIRE PLAISIR

Torre Poblado – Plan III B1 - *Carrera 42, nº 9-28 - ✆ (4) 268 0244 - www.torrepoblado.com - ▤ - 28 ch. 229 000 COP ☕.* Idéale pour un séjour en famille, cette petite tour de 5 étages propose des suites en duplex et des studios équipés d'une kitchenette et parfaitement meublés. Wifi. Réservation conseillée.

Park 10 – Plan III B1 - *Carrera 36B, nº 11-12 - ✆ (4) 310 6060 - http://hotelpark10.com.co - ▤✕ - 55 ch. 270 000 COP ☕.* Sols en marbre, hall lambrissé, chambres bien équipées, ce luxueux établissement s'adresse d'abord à une clientèle d'affaires qui voyage en semaine… et pratique donc des tarifs réduits très intéressants le week-end. Les suites sont équipées de jacuzzi. La situation de l'hôtel, en contre-haut du parque Lleras mais à l'écart des nuisances sonores de sa vie nocturne, est parfaite.

Poblado Plaza – Plan III B2 en dir. - *Carrera 43A, nº 4 Sur-75 - ✆ (4) 268 5555 - www.hotelpobladoplaza.com - ▤✕ - 84 ch. 180/250 000 COP ☕.* Cet hôtel situé au sud du Poblado draine une clientèle d'hommes d'affaires et de touristes colombiens fortunés. Les chambres, spacieuses et confortables, sont décorées dans les tons bruns. Les clients ont à leur disposition un sauna et une salle de fitness.

UNE FOLIE

Dann Carlton – Plan III B2 - *Carrera 43A, nº 7-50 - ✆ (4) 444 5151 - www.danncarlton.com - ▤✕≈ - 200 ch. 380/420 000 COP ☕.* Voisin du Parque Lineal, un hôtel au service impeccable. Les chambres, garnies de fleurs fraîches, possèdent tout le confort moderne (sèche-cheveux, minibar, peignoirs dans les suites…). Le room service et la réception fonctionnent 24h/24. Ne manquez pas de dîner au restaurant panoramique tournant du 20e étage.

RESTAURATION

Centro

BUDGET MOYEN

Hacienda – Plan II B3 - *Carrera 49 (Pasaje Junin), nº 52-98 - 1er étage - ✆ (4) 448 9030 - lun.-jeu. 12h-20h, vend.-sam. 12h-22h, dim. 12h-18h - 35 000 COP.* Le restaurant, une institution dans la ville, possède une belle terrasse fleurie surplombant le passage Junin. Il promeut les traditions antioquiennes dans tous leurs aspects, comme en témoignent l'architecture des lieux, la décoration murale et les costumes que portent les serveurs. Vous retrouverez à la carte les plats typiques de la région, dont plusieurs à partager et à accompagner d'un verre de *guandolo* (*agua* *de panela* et citron). L'Hacienda a ouvert en 2015 une succursale sur la Milla de Oro (El Poblado).

Versalles – Plan II B2 - *Carrera 49 (Pasaje Junin), n° 53-39 - ☎ (4) 511 9148 - lun.-sam. 7h-21h, dim. 8h-18h - 35 000 COP.* Ouvert depuis les années 1960, ce restaurant-pâtisserie s'affiche comme une institution dans le quartier. Dépasser les vitrines de douceurs pour gagner la salle où l'on sert un menu du jour (14 000 COP) avec dessert et boisson ou, à la carte, *churrasco*, poisson, pizzas : le choix est vaste. Les clients sont invités à aller suivre en cuisine la confection des plats.

Zona Norte

POUR SE FAIRE PLAISIR

In Situ – Plan II B1 - *Jardín Botánico - Calle 73, n° 51D-14 - ☎ (4) 320 8507 - www.botanicomedellin.org - lun. 12h-15h, mar.-sam. 12h-15h, 19h-22h, dim. et j. fériés 12h-16h - 60 000 COP.* La grande salle moderne, sobre et lumineuse, offre un espace fort agréable entre l'orchidarium et le patio des azalées. N'utilisant que des ingrédients bio, le restaurant pratique une cuisine d'auteur inventive laissant la part belle aux multiples aromates et condiments cultivés dans les parterres jouxtant la salle : poivre, piments, basilic, origan, etc. Langoustines sauce coco ou *aguardiente*, ceviches de thon et pastèque, de crevettes et mangue verte, tout est fait minute et votre commande peut tarder ; mais le cadre, reposant, invite à la patience.

El Poblado

PREMIER PRIX

La Casa de Beto – Plan III B1 - *Carrera 42, n° 9-53 - ⊭ - lun.-sam. 7h-16h - 15 000 COP.* Suffisamment rare pour être signalé, c'est l'une des dernières authentiques cantines de quartier du Poblado. Son menu du jour à 8 700 COP et ses copieuses assiettes de truite, de *bandeja paisa* et autres plats traditionnels séduisent une clientèle d'habitués. Une adresse non touristique.

Il Forno – Plan III B2 - *Carrera 37A, n° 8-9 - ☎ (4) 268 9402 - www.ilforno.com.co - 12h-22h (21h le dim.) - 20 000 COP.* Doté d'une grande terrasse d'angle ventilée au cœur de la Zona Rosa, ce restaurant franchisé sert des spécialités italiennes : pizzas cuites au feu de bois dont vous composez vous-même la garniture en choisissant parmi une trentaine d'ingrédients, lasagnes, raviolis, soupe à la tomate… Le service pourrait être plus attentif, mais pour ce prix-là, on peut fermer les yeux ! Plusieurs succursales dans la ville.

BUDGET MOYEN

Las Costillas de Pedro – Plan III A1 - *Carrera 43B, n° 8-65 - ☎ (4) 311 5877- ⊭ - 11h-21h (19h le dim.) - 30 000 COP.* Ce restaurant couru du centre-ville doit son nom à sa spécialité, les côtes de porc cuisinées façon ribs et sauce BBQ. Outre ce plat phare, spécialités de *parrilla* et la traditionnelle *bandeja paisa* vous seront servis dans une petite salle carrelée toute simple et très propre ou sur l'une des quatre tables en terrasse sur la rue. Menu fixe à 10 000 COP au déjeuner.

Thaico – Plan III B2 - *Calle 9A, n° 37-40 - sur le parque Lleras - ☎ (4) 352 2166 - 12h30-0h (2h le w.-end) - 47 000 COP.* Parmi les nombreux restaurants entourant la placette, celui-ci affiche une carte internationale avec une prédilection pour les cuisines asiatiques : *pad* *thaï*, poulet à l'indonésienne, rouleaux de printemps, riz à la japonaise ou à la vietnamienne. On a su y adapter les saveurs des pays du soleil levant au goût local en évitant les préparations trop épicées. Venez avant 19h pour goûter aux plats à moitié prix et boire 3 cocktails pour le prix d'un. Ambiance décontractée à midi et très animée le soir.

PETITE PAUSE

Centro

Cafe con Mucho Amor – Plan II B3 - *Carrera 52, nº 48-45 - dans le Palacio Nacional - lun.-sam. 8h-19h*. Ce « café avec beaucoup d'amour » déploie ses parasols beiges et rouges sous les trois étages d'arcades de ce centre commercial au cadre unique. Il offre un cadre très agréable pour le petit-déjeuner, avant que la foule des chalands n'envahisse les lieux. Formule du jour à midi.

El Laboratorio del Café – Plan II B2 - *Au pied du museo de Antioquia - carrera 52, nº 52-43 - 10h-18h*. Assis à l'une de ses quatre tables en terrasse, vous serez aux premières loges pour observer passants et vendeurs de ballons et de chapeaux qui déambulent sur la plaza Botero. L'enseigne a été primée pour la qualité de ses cafés provenant des *fincas* du Triangle du café.

Panaderia Palacio – Plan II B2 - *Carrera 52, nº 56-43 - ✆ (4) 231 3174 - 9h-19h*. Cette pâtisserie centenaire se spécialise dans le *bizcocho* (gâteau éponge) et vend toutes sortes de spécialités antioqueñas comme les *rosquitas de anís* (biscuits à l'anis), les *pasteles de arequipe* (gâteaux à la confiture de lait) ou de *guayaba* (goyave).

Cerro Nutibara

Pueblito Paisa – Plan II A4 - *Sur le Cerro Nutibara - 9h-18h30*. Une vingtaine de stands alignent leurs tables d'aluminium en contrebas de la placette et servent *mondongo* (tripes), *bandeja paisa*, *empanadas*, *arepas* et rafraîchissements. Une pause bienvenue pour reprendre des forces après la grimpette jusqu'au sommet de la colline.

ACHATS

Artisanat

Bulevar Artesanal San Antonio – Plan II B3 - *Calle 47, au niveau de la carerra 46*. Sur une trentaine de kiosques d'aluminium, artisans et vendeurs présentent des objets paisas traditionnels en cuir, notamment des sandales, des ceintures, des pochettes, etc.

Mercado Artesanal San Alejo – Plan II B2 - *Sur le parque de Bolívar*. Marché d'artisanat le 1er sam. du mois.

Marché

Placita de Flórez – Plan II B3 en dir. - *Carrera 39, entre la calle 49A et la calle Colombia*. Fruits et légumes, plantes, fleurs coupées et herbes médicinales sur 3 niveaux. Du jeu. au sam., à partir de 18h, s'y tient en outre un *mercado campesino*, un marché de petits producteurs des campagnes environnantes.

Prêt-à-porter

Outlets – La ville compte plusieurs magasins d'usine qui vendent des marques, connues ou non, à prix cassés. Parmi les plus courus : **Sector Avenida 33** *(calle 37, entre les carreras 46 et 50)*, et **Sector Avenida Guayabal** *(carrera 52, angle calle 29A)*.

Vía Primavera – Plan III B2 - *Mº El Poblado - Carrera 37,* *au niveau des calles 8, 9 et 10 - lun.-sam. 10h-18h.* Près du parque Lleras, un ensemble de boutiques de créateurs où vous trouverez vêtements, chaussures et accessoires.

Centro Mundial de la Moda (Cedemoda) – Plan II A3 - *M° Cisneros, entre av. Ferrocarril et calle Colombia - lun.-sam. 8h30-18h30.* Ateliers de confection et boutiques : c'est ici que se fait la mode colombienne.

BOIRE UN VERRE

La 33 – Plan I A3 - Un peu moins chic que la Zona Rosa, moins *gringa* (touristes occidentaux) et plus colombienne, cette avenue qui s'étire du barrio de San Diego à celui de Laureles regorge de bars, de restaurants et de discothèques. Aucun métro ne dessert « la 33 », mais elle est facilement accessible en bus et en taxi.

El Patio del Tango – Plan I A3 - *Calle 23, n° 58-38 - ✆ (4) 235 4595 - www.patiodeltango.com.* Ce petit club hors des sentiers battus est le bon endroit pour se régaler d'un solide steak argentin, écouter du tango live et suivre les évolutions des danseurs *(à partir de 20h).*

EN SOIRÉE

Théâtre

La ville compte plus de dix théâtres offrant un vaste choix de spectacles *(www.medellinesescena.org).*

Teatro Lido – Plan II B2 - *Au sud-est du parque de Bolívar - Carrera 48, n° 54-20 - ✆ (4) 251 5334.* Comédies musicales, danse, cinéma et musique de chambre.

Teatro Pablo Tobon Uribe – Plan II B3 en dir. - *Carrera 40, n° 51-24 - www.teatropablotobon.com.* La plus grande scène de Medellín organise des concerts, mais aussi des ateliers de yoga et des cours de tango : un agenda culturel éclectique.

Casa del Teatro Medellín – Plan II B2 - *M° Prado - Calle 59, n° 50A-25 - www.casadelteatro.org.co.* L'espace artistique alternatif de la ville.

Teatro Metropolitano – Plan II A3 - *Calle 41, n° 57-30 - www.teatrometropolitano.com.* Pour les spectacles d'opéra, de ballet et les concerts de l'Orchestre philharmonique.

Sede Ballet Folklórico de Antioquia – Plan II B2 - *Carrera 50, n° 59-71 - www.bfda.org.* Le bastion des danses traditionnelles paisas ou d'autres régions de Colombie, interprétées dans un édifice coloré par un groupe de danseurs créé en 1991 par Albeiro Roldán Penagos.

Palacio de Bellas Artes – Plan II B3 - *Carrera 42, n° 52-33 - ✆ (4) 444 7787 - www.bellasartesmed.edu.co.* Projections de films récents, souvent primés, le vend. à 18h15 ; concerts de musique classique ou populaire le mar. à 19h. Entrée libre.

Salón Málaga – Plan II B3 - *M° San Antonio - Carrera 51, n° 45-80 - ✆ (4) 231 2658 - www.salonmalaga.com - 8h-0h.* Concerts le jeu. à 17h30, mélodies d'antan le vend. apr.-midi, spectacles de tango le sam. à partir de 17h30, et, de 14h à 20h30, rythmes nostalgiques avec les 78 tours du programme Gustavo Artega Rios.

ACTIVITÉS

Visites guidées

Turibus – *✆ (4) 371 5054 - www.turibuscolombia.com - 9h-18h.* Billet valable 24h (45 000 COP)

ou 48h (56 000 COP). Principales haltes : plaza Botero, Parque de los Deseos, Metro Estadio, parque de los Pies Descalzos, Pueblito Paisa, Museo del Castillo et parque del Poblado.
Paisa Roads – *✆ (mob.) 317 489 2629 - www.paisaroad.com/tour-pablo-escobar.html - lun.-sam. à 9h30 - 40 000 COP.* L'excursion (3h) fait le tour des lieux fréquentés par Pablo Escobar ; le guide explique l'impact des cartels, de la violence et de la drogue sur la ville et sur l'ensemble de la société.

Excursions

Tours Guatapé – *✆ (4) 604 5613 - www.lapiedradelpenol.com - 69 000 COP.* Départ tlj à 7h45 du parque El Poblado ou à 8h15 devant l'hôtel Nutibara ; les excursions comprennent la visite des villages de Peñol et de Guatapé, un arrêt au monolithe (ascension en option) et un tour sur le lac de barrage.
Resplandor Tour – *✆ (mob.) 310 654 5903 - 75 000 COP.* Départ du parque El Poblado à 8h ou du M° Estadio à 8h30 ; visite des villages de San Jerónimo et Santa Fé de Antioquia, halte au Puente del Occidente et après-midi piscine.

Parc d'attractions

Parque Norte J. Emilio Valderrama – Plan I B2 - *M° Universidad - Carrera 53, n° 76-115 (à un pâté de maisons de la station de métro) - ✆ (4) 210 0300 - www.parquenorte.gov.co - mar.-jeu. 9h30-17h, vend. 10h-19h, w.-end et j. fériés 10h30-20h - entrée 5 000 COP, 35 000 COP pour l'accès illimité à toutes les attractions.* Extrêmement apprécié des habitants de Medellín, ce parc de loisirs géré par la ville est une attraction tentaculaire concentrée autour d'un lac. Manèges à sensations fortes, toboggans géants, grande roue, autotamponneuses, etc.

Parapente

Zona de Vuelo – *À 6 km de Medellín dir. San Pedro de los Milagros - ✆ (4) 388 1556 - www.zonadevuelo.com.* Les vents qui soufflent autour de Medellín font de la région un endroit apprécié pour pratiquer le parapente. Vols en tandem et cours.

AGENDA

Festival Internacional de Tango – *5 j. fin juin - www.festivaldetangomedellin.com.* La mémoire du *tanguero* argentin Carlos Gardel, mort dans un accident d'avion à Medellín en 1935, revit chaque année à l'occasion du festival, organisé depuis 2007 à la Casa Gardeliana *(carrera 45, n° 76-50).*
Colombiamoda – *2 j. en juillet - http://colombiamoda.inexmoda.org.co.* Le plus important salon professionnel de mode de Colombie se déroule sur la Plaza Mayor.
Feria de las Flores – *10 j. début août.* La fameuse parade des fleurs est un événement majeur à Medellín. Clou des défilés, les Gigantes de Flores, des figures géantes en compositions florales, représentent des personnages de la culture paisa.

La région paisa

Tierra Paisa

Département de l'Antioquia

Correspondant à un sous-groupe culturel plutôt qu'à une région naturelle, la Tierra Paisa s'étend tout autour de Medellín, essentiellement dans le département de l'Antioquia, mais ses traits identitaires imprègnent aussi le Caldas, le Risaralda et le Quindío, plus au sud, et l'on retrouve la culture paisa jusqu'au nord du Valle del Cauca et au nord-ouest du Tolima. Bénéficiant d'un climat agréable, l'Antioquia se présente comme une étendue de collines verdoyantes couvertes de bananiers et d'arbres fruitiers, de plantations de café et de bosquets de bambous géants qu'arrosent de multiples cours d'eau. La Tierra Paisa est ponctuée de « pueblitos » (petits villages) fiers de leur identité et veillant au maintien de leurs traditions. Si vous devez n'en retenir que deux, ce seront Santa Fé de Antioquia et Guatapé, qui ont conservé un joli patrimoine colonial.

NOS ADRESSES PAGE 253
Hébergement, restauration, activités, etc.

S'INFORMER
Faites-le avant de quitter Medellín, dans l'un des points d'information touristique *(voir la rubrique « S'informer » p. 222).*

SE REPÉRER
Carte de région AB1-2 (p. 218) – carte de la région paisa p. 248.
Voir aussi la rubrique « Arriver/partir » dans « Nos adresses ».

À NE PAS MANQUER
Les spectaculaires vues sur la campagne de l'Antioquia depuis El Peñol ; Santa Fé de Antioquia et ses bâtiments coloniaux.

ORGANISER SON TEMPS
Vous pouvez visiter Guatapé et Santa Fé de Antioquia en excursions à la journée depuis Medellín ou prévoir d'y passer la nuit.

Excursions Carte de la région paisa p. 248

★★ SANTA FÉ DE ANTIOQUIA A1

Alt. 550 m. À 60 km au nord-ouest de Medellín par la carretera 62.

« Ciudad Madre » (la Ville Mère, 24 000 hab.) occupe une vallée basse et brumeuse arrosée par le Cauca et le Tonusco. Fondé en 1541 par **Jorge Robledo**, le village originel reçut du **roi Philippe II d'Espagne** le titre de Villa de Santa Fé de Antioquia en 1545. La ville prospéra et embellit sous la domination espagnole, remplissant le rôle de **capitale de l'Antioquia** de 1584 à 1826, avant d'être détrônée par Medellín.

Ses jolies rues pavées n'ont pour ainsi dire pas changé depuis le début du 18e s., Santa Fé entretenant avec soin son patrimoine architectural. Trois des rues du bourg ont conservé des édifices coloniaux : la calle de la Amargura (calle 11), la calle del Medio (calle 10, qui passe par la Plaza Mayor) et la calle de la Mocha (calle 9). L'ensemble se parcourt à pied, à la découverte de bâtiments

Santa Fé de Antioquia, fenêtre traditionnelle.
P. Tisserand/Michelin

de plain-pied chaulés de blanc et entourant des cours fleuries. Une demi-journée suffit à faire le tour de ce charmant *pueblo* mais il peut être plaisant d'y prévoir une étape d'une nuit.

★ Plaza Mayor

À l'angle de la carrera 10 et de la calle 10.

Entourée de vénérables demeures au long desquelles courent des balcons de bois ouvragés et colorés, la grand-place centrale s'organise autour de la statue de Bolívar et d'une **fontaine** vieille de 450 ans. Une statue de bronze a été érigée en l'honneur de **Juan del Corral**, figure politique locale du début du 19e s. célèbre pour ses interventions en faveur de l'indépendance de l'Antioquia. On vend sur des étals de bois, au centre de la place, la **pulpa de tamarindo**, un bonbon extrêmement sucré avec une note acidulée fait à partir du tamarin cultivé dans la vallée environnante.

★ **Catedral Basílica Metropolitana de la Inmaculada Concepción** – *Sur la Plaza Mayor - ouverte pour les offices uniquement (lun.-sam. 7h-8h, dim. 7h-11h).* Édifiée entre 1797 et 1837, elle arbore une façade asymétrique de pierre blanche et de brique apparente, typique du style de la région. Passez la tête à l'intérieur pour voir son Christ du 17e s.

★ Calle de la Amargura

Calle 11.

★ **Museo de Arte Religioso Francisco Cristóbal Toro** – *Calle 11, n° 8-12 - ✆ (4) 853 1031 - w.-end et j. fériés 10h-13h, 14h-17h - 3 000 COP.* Il jouxte la façade de brique rose de la curieuse **Iglesia de Santa Bárbara★**, face à une jolie placette. Parmi les œuvres d'art sacré exposées, des peintures de Gregorio Vásquez de Arce y Ceballos.

Museo Juan del Corral – *Calle 11, n° 9-77 - ✆ (4) 853 4605 - lun.-mar., jeu.-vend. 9h-12h, 14h-17h30, w.-end et j. fériés 10h-17h - entrée libre.* Traversant l'histoire de l'Antioquia de la préhistoire au 19e s., il expose quelques urnes funéraires incisées et des pièces de céramique précolombienne. Une salle d'**art colonial**

présente reliquaires et bénitiers de bois ainsi que des peintures religieuses naïves du 18e s. Vaisselle et mobilier font revivre la période de l'Indépendance.

★ Calle del Medio

Calle 10.

Nuestra Señora de Chiquinquirá – *Carrera 13 et calle 10.* Construite sur les ruines d'un temple franciscain du 17e s., l'église du 19e s. a servi pendant un temps de prison. Elle jouxte le **Palacio Arzobispal** *(carrera 12 et calle 10)*, bâtiment de 1902 rénové dans le style républicain, doté d'un patio et des traditionnelles fenêtres protégées par des volets et des grilles de bois.

Iglesia de Jesús Nazareno – *Calle 10 et carrera 5.* Petit édifice mêlant les styles néoclassique et baroque. En poursuivant la calle 10 derrière cette église jusqu'au cimetière, vous parviendrez à un **pont de guaduas** couvert de tuiles.

★★ Puente de Occidente

À 6 km au nord-est de Santa Fé de Antioquia.

Joyau du génie civil du 19e s., c'est l'un des premiers ponts suspendus au monde. Sa structure de métal et de bois, qui enjambe le río Cauca et relie Olaya et Santa Fé de Antioquia, a été conçue par **José María Villa** (1850-1913), architecte colombien formé dans le New Jersey et qui contribua à la construction du Brooklyn Bridge de New York.

Villa a construit quatre ponts sur le río Cauca, mais il lui aura fallu huit ans (1887-1895) pour terminer celui-ci, qui comporte deux tourelles à chaque extrémité. D'une longueur de 291 m, le pont fut fermé à la circulation en 1978. Il n'est plus utilisé que par les véhicules légers, et vous sentirez mieux encore son effet oscillant en le parcourant à pied.

★ AU NORD DE MEDELLÍN

Des terrains en pente raide et des prairies verdoyantes caractérisent cette région agricole où l'élevage de bétail, les cheptels laitiers, les cultures légumières et, dans une moindre mesure, l'exploitation minière constituent la pierre angulaire de l'économie. Le **patrimoine indien** est mis à l'honneur dans les musées locaux et la gamme des produits de l'artisanat s'étend des céramiques aux sacs tressés.

★ San Pedro de los Milagros A1

À 42 km au nord de Medellín.

★★ **Basílica Menor del Señor de los Milagros** – *(4) 882 3456 - www.parroquiasanpedro.org.* Les murs et le plafond de cette basilique, couverts de 25 fresques, lui ont valu d'être surnommée « la chapelle Sixtine de l'Antioquia » – quelque peu abusivement car, de référence à Michel-Ange, vous ne trouverez qu'une copie de sa *Pietà*. Cette riche décoration, à laquelle s'ajoutent des colonnes cannelées, des arches finement ouvragées et quantité de dorures, compose néanmoins un ensemble hors du commun. L'édifice (1895) attire en foule des pèlerins de toute la région, son image du Christ étant réputée miraculeuse. Les 14 scènes du Chemin de croix ont été restaurées à la feuille d'or.

★ San José de la Montaña A1

Alt. 2 550 m. À 134 km au nord-ouest de Medellín par la carretera 25.

Ce petit village (3 000 hab.) aux maisons blanches se juche sur les hauteurs dans un décor de prairies verdoyantes, de fermes laitières, de forêts de chênes et de rivières. Il abrite quelques bâtiments historiques bien conservés, dont la **Casa Cural** *(à l'angle du parque principal)*, avec ses tuiles en céramique, ses murs délavés et ses grandes cours fleuries.

On peut rejoindre l'**Alto del Cristo★**, dont le pic se dresse en périphérie de la ville, par un sentier de découverte offrant de belles vues sur les villages alentour. D'autres chemins serpentent à travers le **Valle de Frailejones** dont la végétation est typique. Autrefois bassin d'activité minière, les **Cavernas de Santa Bárbara** furent abandonnées dans la deuxième moitié du 20e s., mais l'un des anciens sentiers muletiers est toujours visible.

★ Yarumal B1

Alt. 2 300 m. À 123 km au nord-est de Medellín, le long de la carretera 25.

L'auteur des paroles de l'hymne antioquien, **Epifanio Mejía** (1839-1913), naquit dans cette ville des hauts plateaux (46 000 hab.) autour de laquelle poussent les bananes, le manioc, le maïs, le café et la canne à sucre, piliers de l'économie locale.

Un sentier, la **Vereda Chorros Blancos★**, mène au champ de bataille de Chorros Blancos où, en 1820, les royalistes fidèles à la Couronne d'Espagne tentèrent de reprendre le contrôle de la Nouvelle-Grenade. Six mois après la bataille de Boyacá, le soulèvement fut défait par **José María Córdova** *(voir l'encadré p. 251)*, le gouverneur de la province d'Antioquia qui était en charge de quelques-unes des troupes de Bolívar. Un obélisque rappelle cet événement crucial dans la lutte pour l'indépendance.

Ruelle de Guatapé.
P. Tisserand/Michelin

À L'EST DE MEDELLÍN

Ses terres agricoles fertiles, ses cultures abondantes et un bétail nombreux marquent les paysages de la partie orientale de l'Antioquia. Les *fincas paisas* (petites fermes traditionnelles) aux toits rouges s'élèvent parmi les champs de café, de haricots, de maïs et de tomates. Les *campesinos* (paysans) armés de leurs machettes coupent la végétation qui pousse rapidement sur les talus abrupts où paissent les chevaux. Les petites communautés qui vivent dans ces villages s'accrochent fièrement à leurs traditions agricoles. Modernité oblige, l'écotourisme s'y développe depuis quelques années et les **sentiers pédestres** et **cyclables** se multiplient.

★ El Retiro A2

À 35 km au sud-est de Medellín par Envigado, sur la route de La Ceja.
« La Retraite », un village colonial endormi (19 000 hab.), a pour principale activité l'élevage en ranch de bétail et une solide tradition de **fabrication de meubles** en bois. La plupart de ses habitants cultivent des légumes et produisent du lait.
Construite en 1825, l'**Hacienda Fizebad** *(ne se visite pas)* entretient une **collection d'orchidées** venant de tout l'Antioquia. Faisant office de country-club, cette belle propriété abrite également la réplique d'un **pueblito paisa** typique.
Depuis El Retiro, une balade vous conduira jusqu'à un ensemble de bassins naturels et de chutes d'eau, notamment le **Salto del Tequendamita**, belle cascade de 20 m de haut sur la route de La Ceja.

★ La Ceja B2

À 45 km au sud-est de Medellín par Envigado.
Habitée par des Tahamíes pacifiques qui cultivaient le maïs à l'époque précolombienne, La Ceja (52 000 hab.) fut colonisée par les Espagnols en 1541. Cette ville floricole accueille en décembre la **Fiesta del Toldo y las Flores**. Une quinzaine de floriculteurs locaux exportent des lys, tulipes, œillets, hortensias et chrysanthèmes. En ville, ne manquez pas de goûter aux bonbons

faits maison de La Ceja ou aux pommes caramélisées, confitures, caramels et chocolats, que vous pourrez acheter sur et autour de la **plaza de Bolívar** (place centrale).

★★ El Carmen de Viboral B2

À 62 km au sud-est de Medellín (par la carretera 60 depuis le nord-est de Medellín, puis bifurcation à droite avant Marinilla).

Cette ville (46 000 hab.) est réputée pour ses *vajillas del Carmen*, des **céramiques peintes** dont beaucoup sont toujours fabriquées à la main. Des représentations florales décorent la base ou le col des vases, des pots, des cruches ou des tasses, blancs ou couleur crème. Les boutiques ne manquent pas, telle **Ceramicas Esmaltarte** *(carrera 31, nº 37-05 - ✆ (mob.) 310 857 0632 - http://vajillasdelcarmen.blogspot.com)*, qui dispose d'un séchoir dans une petite cour, où sont alignées les pièces qui attendent d'être cuites pour la deuxième fois.

★ Marinilla B2

À 53 km au sud-est de Medellín (par la carretera 60 depuis le nord-est de Medellín).

Surnommée « la Ciudad con Alma musical » (« la Ville à l'âme musicienne »), Marinilla (53 000 hab.) héberge une scène musicale locale active et reconnue. En tant qu'hôte annuel du **Festival de Música Andina Colombiana**, en novembre, elle attire de nombreux touristes mélomanes. Son **Festival de Música Religiosa**, qui a lieu pendant la Semaine sainte, déplace lui aussi les foules.

Fabrica de Guitarras Ensueño – *Calle 22, nº 31-18 - ✆ (4) 548 4076.* Réputée au-delà des frontières de la région, cette fabrique de guitares appartient à la famille Arbeláez depuis le 19e s. Elle s'est spécialisée dans les instruments à cordes, en bois et fabriqués main, et accueille les passionnés de musique.

★★ Guatapé B1

À 80 km à l'est de Medellín (2h de trajet).

Le bourg (5 000 hab.), charmant, s'étend au bord d'un lac qui attire chaque week-end en grand nombre les habitants de Medellín venus y pratiquer la navigation de plaisance ou faire des balades à cheval sur les collines avoisinantes. La création de ce **lac artificiel** dans les années 1960 et la construction de son **barrage** provoquèrent l'inondation du village **El Peñol** et son déplacement. Un **malecón** (promenade piétonne) a été aménagé au bord du lac et l'on vous y proposera activités nautiques et sorties en bateau, notamment en direction du monolithe du Peñol *(voir plus loin)*.

Guatapé est l'un des principaux centres de production hydroélectrique du pays et, à ce titre, a été la cible de groupes armés illégaux au début des années 1990.

JOSÉ MARÍA CÓRDOVA (1799-1829)

La statue équestre de ce héros antioquien, dans le parque de la Libertad de Rionegro, rend hommage à un grand général de la période de la guerre d'indépendance dans la région. Ardent défenseur de la démocratie, Córdova combattit les royalistes espagnols et parvint à les défaire en janvier 1820, lors de la célèbre **bataille des Chorros Blancos**, sonnant le glas de la présence militaire espagnole dans l'Antioquia. Córdova se rebella ensuite contre Simón Bolívar et ses « prétentions dictatoriales », et fit l'objet d'une enquête autour de la conspiration de la Noche Septembrina, tentative d'assassinat manquée contre Bolívar par les officiers mutins.

GUATAPÉ, « PUEBLO DE ZÓCALOS »

Guatapé est réputée pour ses **zócalos** colorés. Tradition espagnole exportée et revue à la manière locale, ces **plinthes** pittoresques d'environ 1 m de haut, décorées de frises en relief, ornent la partie basse des maisons. Fabriquées à base de ciment et en série, elles servent à protéger les murs de l'humidité et de l'usure. Elles représentent souvent des figures naïves ou satiriques, des métiers anciens ou des motifs géométriques. Les *zócalos*, devenus partie intégrante de l'identité de Guatapé, sont protégés par ordonnance municipale.

Principales curiosités de la ville, les **zócalos** *(voir l'encadré ci-dessus)* colorent le bas des murs des maisons ; vous trouverez certains des plus traditionnels dans la **calle del Recuerdo**, à deux pâtés de maisons de la place principale. Sur cette dernière se dresse la façade blanche et rouge de la **Iglesia Nuestra Señora del Carmen** au beau plafond de bois souligné de dorures ; sur son horloge murale, notez la curieuse graphie du chiffre IIII, ancienne façon d'écrire le IV, que l'on retrouve sur mainte église du pays.

★★ **Piedra d'El Peñol** – *À 3 km à l'est de Guatapé.* Version miniature du Pain de sucre de Rio, cet impressionnant **monolithe** de granite de 200 m de haut s'élève sur les rives du lac artificiel. Accessible par un escalier de 650 marches creusé d'un côté de la roche, la **terrasse d'observation** *(12 000 COP)* au sommet révèle une **vue**★★ spectaculaire sur la campagne antioquienne.

★★ AU SUD DE MEDELLÍN

Des tapis broussailleux de caféiers annoncent le seuil de la **Zona Cafetera** *(voir p. 256)*, bien qu'ici le terrain soit surtout voué aux cultures de légumes. Des poules picorent du maïs sur le bas-côté de la route tandis que les fermiers, machette au côté, vaquent aux champs. Des étals sur lesquels s'empilent les bananes charnues bordent les routes de campagne, sur fond de jolies villes paisas et de villages coloniaux bien conservés.

★ Santa Bárbara A2

À 53 km au sud de Medellín.

De plus en plus de campings et de chalets apparaissent dans et autour de cette ville (22 000 hab.). Ils sont destinés en premier lieu aux **cyclistes** qui parcourent les routes escarpées de la montagne, bordées des deux côtés par des ravins sur les vallées et le río Cauca, en contrebas. Santa Bárbara offre des **panoramas**★★ époustouflants sur les plantations de bananes, de cannes à sucre et de café environnantes.

Jericó A2

Alt. 2 000 m. À 109 km au sud-ouest de Medellín par la carretera 60 vers Bomboló, puis par Peñalisa sur la route de Marginal del Cauca.

Connu pour ses **carrieles** (sacs en bandoulière) antioquiens faits main et pour ses beaux exemples d'**architecture républicaine**, le village de Jericó (4 000 hab.) affiche un soutien indéfectible aux traditions régionales. Il constitue une bonne base pour explorer les collines alentour, qui accueillent tous les ans au mois d'août le **Festival de la Cometa** : des milliers de **cerfs-volants** de toutes couleurs, formes et tailles emplissent alors le ciel.

Parque Ecológico Las Nubes – *À 3 km à l'ouest de Jericó - accessible de la station de funiculaire d'El Morro del Salvador, à 10 pâtés de maisons du parque principal - ✆ (4) 852 3065 - http://turismojerico.com - 9h-17h30 sf jeu.* L'accès en **téléphérique** (750 m de long) délivre une vue d'ensemble sur le village en contrebas et sur les vallées environnantes. Situé à 2 250 m d'altitude, le parc est sillonné de cours d'eau rocheux et de petits chemins. Des zones de conservation botanique ont été créées, protégeant des espèces menacées originaires de tout l'Antioquia.

Andes A2

À 117 km au sud-ouest de Medellín par la carretera 60 dir. Alfonso López, puis la route sud par San José et Buenos Aires.

Cette ville de commerce du café animée (45 000 hab.) est celle de **Carlos Castañeda**, un *cafetero* choisi par la Fédération nationale des producteurs de café de Colombie pour incarner l'icône nationale **Juan Valdez** *(voir p. 221)*. Haut perchée sur des versants de montagne luxuriants et traversée par le río Taparto et le río San Juan, elle marque la frontière de la Zona Cafetera. Quelques sentiers abrupts montent aux sommets environnants de l'Alto de Caramanta, l'Alto San Fernando, l'Alto La Venada, l'Alto Lanas et l'Alto Bocato, qui offrent un **panorama★** inoubliable sur les plantations de café et au-delà.

★ Jardín A2

À 138 km au sud-ouest de Medellín par la carretera 60 dir. Alfonso López, puis la route du sud par San José et Andes.

Joli bourg de campagne au milieu des pâturages, des élevages de truites et des plantations de café et de bananiers, Jardín (13 000 hab.) regroupe des bâtiments d'un blanc immaculé typiquement paisas, avec leurs balcons et leurs portes d'entrée peintes en rouge, bleu et jaune vif. La **Basílica Menor de la Inmaculada Concepción** *(carrera 3, nº 10-71)*, de style néogothique, renferme un bel autel de marbre italien classé monument historique, tout comme la **Plaza Principal** fleurie.

NOS ADRESSES DANS LA RÉGION PAISA

TRANSPORTS

En bus

Selon votre destination, vous partirez du Terminal del Sur ou du Terminal del Norte, à Medellín. Depuis le Terminal del Norte, liaisons ttes les 30mn avec Santa Fé de Antioquia *(8 500 COP)* et Guatapé *(12 500 COP)*.

HÉBERGEMENT

Santa Fé de Antioquia

Les hôtels affichent souvent complet en fin de semaine, Santa Fé étant l'une des destinations privilégiées des habitants de Medellín pour le week-end. Ils proposent par ailleurs des tarifs plus économiques en semaine.

BUDGET MOYEN

Caserón Plaza – *Calle 9, nº 9-41 - parque principal - (4) 853 2040 - www.hotelcaseronplaza.com.co - - 30 ch. 160/200 000 COP.*
Cet authentique bâtiment colonial, qui se dresse sur la place principale, dispose de chambres de tout type (air cond. ou ventilateur, avec balcon ou sans fenêtre), la plupart spacieuses et lumineuses, certaines pouvant accueillir jusqu'à cinq personnes, avec vue sur la cour intérieure ou sur la Plaza Mayor. Grande piscine, solarium-belvédère, hamacs dans la grande véranda à l'étage, wifi dans les parties communes. Menus et plats à la carte (grillades) au restaurant de l'hôtel.

POUR SE FAIRE PLAISIR

Mariscal Robledo – *Angle calle 10 et carrera 12 - ✆ (4) 853 1563 - www.hotelmariscalrobledo.com - - 37 ch. 200 000 COP ☕.* Les chambres de cet édifice colonial cultivent un certain charme avec leur carrelage vert des années 1960 et leur ameublement soigné. Certaines donnent sur la jolie place de l'église Chiquinquirá, d'autres sur l'immense piscine (bruyante en fin de semaine). Pour le même prix, demandez l'une des quatre chambres *premium*, de véritables mini-suites avec leur coin salon. Petit jardin et agréables espaces communs avec canapés, meubles anciens et très belle vue sur la cathédrale et les montagnes.

Guatapé

C'est aussi une destination de week-end pour les Medellinenses : venez plutôt en semaine pour être sûr de trouver de la place – et apprécier le village au calme.

BUDGET MOYEN

Guatatur – *Calle 31, nº 31-04 - parque principal - ✆ (4) 861 1212 - www.hotelguatatur.com - 16 ch. 120/170 000 COP ☕.* Une situation on ne peut plus centrale mais l'endroit devient bruyant en fin de semaine, Guatapé. De la chambre standard sans vue à celle donnant sur le *parque central* et aux *junior suites* avec jacuzzi et vue sur le lac, vous choisirez en fonction de votre budget. Toit-terrasse, mini-frigo dans les chambres, wifi.

RESTAURATION

Santa Fé de Antioquia

PREMIER PRIX

Las Carnes del Tío – *Calle 10, nº 7-22 - ✆ (4) 853 3385 - - 7h-20h - 15 000 COP.* On prend place dans l'agréable patio rempli de plantes vertes pour faire honneur au menu du jour : une formule soupe, plat, jus de fruits et dessert d'un excellent rapport qualité-prix et servie avec le sourire. Propose aussi quatre chambres économiques, simples mais spacieuses et hautes de plafond dans cette ancienne demeure antioquienne organisée autour de deux courettes.

BUDGET MOYEN

Portón del Parque – *Calle 10, nº 11-03 - ✆ (4) 853 3207 - lun. 12h-16h, mar.-sam. 12h-21h, dim. 12h-18h - 47 000 COP.* Une élégante demeure coloniale aux plafonds élevés et aux murs couverts de portraits à la manière de Modigliani, sol de tomettes anciennes et petit patio à l'arrière : le cadre est assurément plaisant. Large carte de cuisine internationale (viandes et poissons, pâtes…) avec quelques plats régionaux. En dessert, on vous proposera l'*arequipe con leche* à base de lait bouilli et de sucre, comparable au *dulce de leche* (confiture de lait).

Guatapé

PREMIER PRIX

La Fogata – *Calle 30, nº 31-34 (face au terminal de bus) - ✆ (4) 861 1040 - 8h-20h (22h le w.-end) - 18 000 COP.* On sert surtout de la cuisine régionale dans cet établissement installé face au lac (terrasse et salle à l'étage avec vue) : copieuse *bandeja paisa* avec 13 ingrédients, ou, spécialité du lieu, la *trucha arcoiris* (truite arc-en-ciel), délicieuse, à accompagner d'un verre de vin ou d'une bière artisanale. La Fogata loue plusieurs chambres et appartements disséminés dans le village, à des tarifs raisonnables.

ACTIVITÉS

Santa Fé de Antioquia

Naturaventura – *Dans l'hôtel Mariscal Robledo - angle calle 10 et carrera 12 - ✆ (4) 853 1946 - naturaventura28@yahoo.es.* Organise toutes sortes d'activités de plein air : randonnées pédestres et équestres, descente en rafting sur 16 km, etc. Loue également des VTT.

Guatapé

Excursions en bateau – Stationnant sur le *malecón*, les guides qui travaillent pour la Cooperativa Multiactiva de Lancheros vous proposeront des tours en *lancha* d'env. 1h *(90 000 COP jusqu'à 6 pers.)* vers le rocher d'El Peñol, l'ancienne *finca* de Pablo Escobar et le clocher de l'église engloutie par le lac de barrage.

Mesa Norte

Reserva Natural Cañón del Río Claro El Refugio – *À 162 km à l'est de Medellín, près de la Mesa Norte, par la carretera 60 dir. Bogotá - ✆ (4) 268 8855 - www.rioclaroelrefugio.com - lun.-vend. 8h-13h, 14h-18h, sam. 9h-12h. Prenez une torche (pour les grottes), des chaussures de marche et un maillot de bain.* Cette réserve naturelle privée couvre plus de 250 ha de terrain tropical sur les versants sud-ouest de la **Cordillère centrale** ; vues imprenables sur l'une des plus belles rivières de Colombie, faune et flore féeriques dans une forêt luxuriante au sol calcaire accidenté. La réserve s'agence autour d'un spectaculaire **canyon** creusé par la rivière. De petites criques sablonneuses délimitées par des affleurements rocheux créent des **bassins naturels** invitant à la baignade. Nombreuses activités de plein air. Les rapides de catégorie II, sur le **río Claro**, permettent une descente tranquille de 2h en radeau pneumatique, au cœur de la forêt tropicale. En kayak, vous vous faufilerez le long du rivage où les oiseaux ont élu domicile. **Sentiers** balisés pour une randonnée panoramique de 4h ponctuée de grottes (dénivelé : 500 m) en amont de la rivière.

Le Triangle du café

Zona Cafetera

Départements du Caldas, du Quindío et du Risaralda

Verdoyante et accidentée, nourrie par de fréquentes précipitations, la Zona Cafetera, la plus grande région caféière du pays, a vu ses paysages classés à l'Unesco en 2011. Situées sur les hauts plateaux andins de l'ouest du pays, à des altitudes allant de 800 m à 1 800 m, ses collines aux pentes douces produisent la moitié du café colombien sur une superficie représentant à peine 1 % du territoire national. Trois villes délimitent ce Triangle du café : Manizales, Pereira et Armenia, des localités sans charme mais où vous transiterez pour découvrir les villages typiques du Quindio et du Caldas, les fincas de café, maintes sources thermales et deux parcs naturels uniques en leur genre : celui du Valle del Cocora où poussent les palmiers à cire, et celui de Los Nevados dominé par le pic enneigé d'El Ruiz.

NOS ADRESSES PAGE 271
Hébergement, restauration, activités, etc.

S'INFORMER
Vous trouverez des **points d'information touristique** (PIT) dans les trois principales villes de la Zona Cafetera, Manizales, Pereira et Armenia, ainsi que dans les villages les plus fréquentés.

SE REPÉRER
Carte de région AB2 (p. 218) – carte du Triangle du café ci-contre.
De Medellín, Manizales se trouve à 195 km au sud-est, Pereira à 215 km au sud, et Armenia à 266 km au sud.
Voir aussi la rubrique « Arriver/partir » dans « Nos adresses ».

À NE PAS MANQUER
La visite d'une *finca* de café ; le joli village de Salento et les palmiers à cire du Valle del Cocora ; les pics enneigés du parc naturel Los Nevados, à découvrir en excursion depuis Manizales.

ORGANISER SON TEMPS
En saison humide, le ciel, relativement dégagé le matin, s'assombrit généralement après le déjeuner : programmez vos visites et vos activités en conséquence.

★ Manizales Carte du Triangle du café B2

Alt. 2 000 m. À 195 km au sud-est de Medellín.

PIT Manizales – *Kiosque sur le parque Benjamín López - angle carrera 22 et calle 31 - (6) 873 3901 - http://culturayturismomanizales.gov.co - 7h-19h.*

Manizales (396 000 hab.) est la capitale du département du **Caldas**. Cette ville de commerce au charme brut, située sur un terrain montagneux (un téléphérique relie la ville basse, populaire, à la ville haute, plus touristique) sujet à l'instabilité sismique, est la plus attrayante des trois villes marquant les pointes du Triangle du café. Son importante **population estudiantine** lui confère un caractère détendu et bohème qui compense quelque peu son manque d'intérêt touristique ; la ville a en effet été victime, dans les années 1920, de **séismes** et d'**incendies** qui la détruisirent presque entièrement. La reconstruction

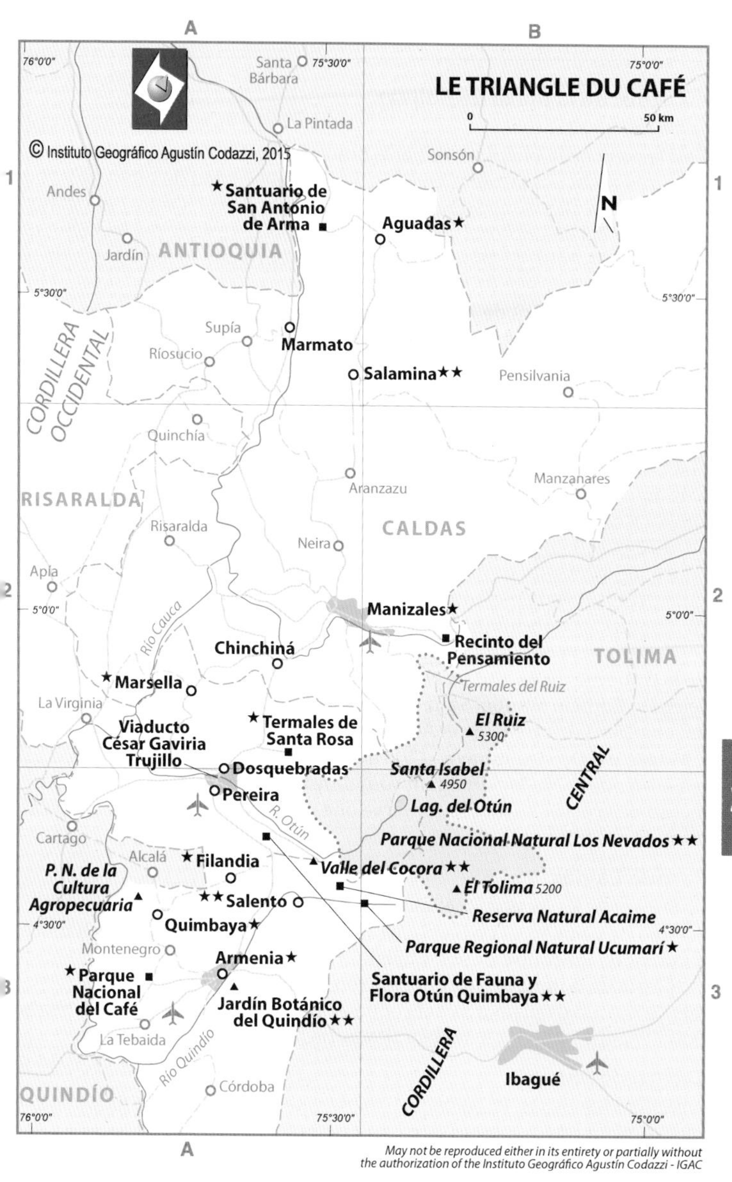

dota néanmoins Manizales de quelques beaux bâtiments, tels que sa majestueuse cathédrale et plusieurs édifices républicains, principalement situés dans le centre historique.

Manizales, qui se trouve à une distance raisonnable des grandes réserves naturelles, des cultures de café traditionnelles et du spectaculaire Parque Nacional Natural Los Nevados *(voir p. 260)*, constitue une excellente base pour explorer la région.

★ LE CENTRE-VILLE

★ Autour de la plaza de Bolívar

Angle carrera 22 et calle 21.

C'est le cœur de la ville, dominé par le **Bolívar-Cóndor★★**, une statue signée Rodrigo Arenas Betancourt (1991). Ce fier homme-oiseau de bronze est l'un des hommages les plus originaux au Libertador. De part et d'autre de la statue, des panneaux de bas-reliefs en céramique émaillée réalisés par le sculpteur **Guillermo Botero-Gutiérrez** (1917-2001) célèbrent l'indépendance de la Colombie, le 20 juillet 1810.

★★ **Catedral Basílica de Nuestra Señora del Rosario** – *Au sud de la place - carrera 22, n° 22-12 - 7h-19h.* Imposant édifice néogothique construit dans les années 1928-1939, encadré de quatre tours (dont l'une abrite un café, *voir p. 274*) et surmonté d'une flèche de 106 m de hauteur, la cathédrale dédiée à Notre-Dame du Rosaire se juche au sommet d'un escalier. C'est la troisième église à occuper ce site, la première s'étant écroulée à la suite d'un tremblement de terre, et la deuxième ayant été détruite par un incendie. Il s'agit du plus grand monument religieux d'Amérique latine à être construit en béton armé. La cathédrale abrite un grand **baldaquin** de bois doré, de superbes **vitraux★★** et un **bénitier en marbre**, simple et élégant, à gauche de l'entrée principale aux belles portes de bronze. Accès aux tours et à la flèche dans le cadre d'une visite commentée d'1h15 *(9h-20h - 10 000 COP)*.

La plupart des **bâtiments républicains** construits après les incendies des années 1920 se concentrent autour des calles 22 et 23. Parmi eux, le **Palacio de la Gobernación★** *(carrera 21 entre les calles 22 et 23)*, au nord de la place, et l'élégant **Edificio Manuel Sanz★** *(calle 22, n° 23-17)*, conçu par les architectes italiens Gian Carlo Bonarda et Angelo Papio.

★ **Museo del Oro Quimbaya** – *Carrera 23, n° 23-6 - ✆ (6) 884 5534 - temporairement fermé pour d'importants travaux de restauration.* À un pâté de maisons au sud de la place, ce musée conserve une petite collection d'**or** et de **céramiques quimbayas**.

Parque Caldas

Calle 29, entre les carreras 22 et 23.

Plantée de palmiers et de bambous, la deuxième place de la ville fait office de point de rencontre pour les habitants, toutes générations confondues. La **Iglesia de la Inmaculada Concepción★**, un édifice néogothique du 20e s., mérite le coup d'œil pour sa nef centrale rythmée par 15 arches ogivales de bois et aboutissant aux lumineux vitraux de l'abside.

Centro de Museos

Universidad de Caldas - Palogrande Campus - carrera 23, n° 58-65 - ✆ (6) 878 1500 - www.ucaldas.edu.co/museos - lun.-vend. 8h15-12h, 14h15-18h.

Nourrissant une série d'expositions permanentes et temporaires, les collections de l'université du Caldas se trouvent dans l'ancien bâtiment des séminaires de la ville. Elles s'organisent en trois salles. Celle d'**archéologie★** rassemble des **céramiques★★**, de la culture quimbaya, des urnes de style *marron inciso*, caractérisées par leurs incisions en arêtes, et des poteries ornées de motifs géométriques appliqués au rouleau. Notez les récipients en forme de bateau, peu courants. Au sous-sol, une salle d'**histoire naturelle** présente quatre des écosystèmes majeurs de Colombie au travers d'animaux naturalisés. Enfin, une petite salle de **géologie** montre minéraux et fossiles de différentes régions (Sierra Nevada de Santa Marta, Desierto de la Tatacoa).

Le *Bolívar-Cóndor* de Rodrigo Arenas Betancourt devant la cathédrale de Manizales.
P. Tisserand/Michelin

Torre de Herveo

Av. Santander (carrera 23), à l'angle de la calle 65.

Cette tour de bois est l'unique survivant et le plus haut des 376 pylônes qui soutenaient le système de funiculaire construit pour acheminer le café par le col d'Alto de las Letras (3 700 m). Celui-ci, en service de 1922 à 1961, parcourait 73 km jusqu'à Mariquita d'où le café était ensuite transporté par la route et le rail jusqu'au río Magdalena puis chargé sur les bateaux qui descendaient à Barranquilla. Cette tour était à l'origine située près de la ville de Herveo (département du Tolima) et fut déplacée ici dans les années 1970. L'École d'architecture de l'Universidad Nacional qui se trouve de l'autre côté de la rue occupe l'emplacement de l'ancienne **Estación del Cable** qui donne son nom au quartier. Au coin de la rue suivante (calle 66) a été reconstituée une partie de l'ancien funiculaire.

Plaza de Toros

Av. Centenario - ✆ (6) 883 8124 - www.cormanizales.com.

Inaugurées en 1951, ces arènes de style néomauresque peuvent accueillir 15 000 spectateurs. Les combats de taureaux s'y déroulent principalement début janvier, durant la feria de Manizales. Le reste de l'année, l'édifice se convertit en scène de spectacles et de concerts.

★ Parque de los Colonizadores

Au nord-ouest du centre-ville - accès par l'av. 12 de Octubre (barrio Chipre), à 5mn de taxi de la plaza de Bolívar.

Pour des vues panoramiques sur la ville et les vallées environnantes, promenez-vous dans ce parc public aménagé au sommet d'une colline et surplombant l'agglomération et les plantations de café à flanc de colline. Le **Monumento a los Colonizadores** *(av. 12 de Octubre)*, grande statue de bronze de Luis Guillermo Arias, rend hommage aux fondateurs paisas de la ville. Tant que vous êtes dans le quartier, jetez un œil à la **Iglesia Nuestra Señora del Rosario** *(calle 10, nº 12-48)*, réplique de l'ancienne cathédrale de Manizales détruite par un incendie dans les années 1920.

À PROXIMITÉ DE MANIZALES Carte du Triangle du café

Recinto del Pensamiento B2

À 11 km à l'est de Manizales sur la route du Magdalena - (6) 874 7494 - www.recintodelpensamiento.com - mar.-dim. et j. fériés 9h-16h - départs des visites ttes les h - 18 000 COP avec le télésiège.

Le **sentier explicatif** de 2,5 km vous mènera à la **serre aux papillons** et à un surprenant **pavillon de bambou** de 14 m de haut construit en *guadua*. Quelque 280 espèces d'**orchidées** fleurissent dans la forêt humide du parc. Le **jardin aromatique** présente 80 variétés de plantes utilisées pour parfumer les aliments et les boissons et dont on vous expliquera les usages médicinaux. Un parcours en **télésiège** vous offrira une vue aérienne de ce parc de 179 ha géré par la branche du Caldas de la FNC (Federación Nacional de Cafeteros de Colombia).

★★ Parque Nacional Natural Los Nevados AB2-3

Accès au parc par **Las Brisas** *(à 14 km de La Esperanza, qui se trouve à 27 km au sud-est de Manizales) - www.parquesnacionales.gov.co - entrée 34 500 COP, visite guidée obligatoire comprise. Attention aux effets de l'altitude si vous y êtes sensible. Vêtements chauds impératifs.*

De cette entrée, on accède facilement au secteur nord du parc qui est délimité par le chalet Arenales *(à 3 km de Las Brisas)*, le Refugio del Ruiz et le **Centro de Visitantes El Cisne** *(à 24 km de Las Brisas)*. De Las Brisas, la piste se prolonge sur 10 km jusqu'au bord du Nevado del Ruiz, excursion classique d'une journée depuis Manizales *(voir « Activités », p. 275)*.

Ce magnifique parc ne présente pas de difficultés techniques particulières. La majorité des visiteurs en font le tour à bord d'un véhicule, ne s'arrêtant que pour de brèves promenades dans les *páramos* et jusqu'aux coulées de lave aux teintes rosâtres – les zones supérieures étant interdites d'accès en raison de la reprise d'activité du volcan.

Le parc couvre une étendue andine de 58 000 ha ponctuée de cinq **pics enneigés** : **El Ruiz** (5 300 m), volcan toujours en activité à l'extrême nord du parc (sa dernière éruption, en 1985, dévasta tout sur son passage), **El Cisne** (4 800 m), **Santa Isabel** (4 950 m), **El Quindío** (4 800 m) et **El Tolima** (5 200 m), montagne la plus méridionale du parc. El Ruiz est composé de trois cratères ; **Arenas**, **Olleta** et **Piraña** ; après l'éruption de 1985, le glacier s'est reformé sans pour autant retrouver ses dimensions d'origine, la couche neigeuse ne parvenant pas à se maintenir sur ses parties les plus basses. Tout comme les autres glaciers dans le parc, gravement touché par le réchauffement climatique, il fond à une vitesse inquiétante depuis quelques années.

Ce terrain spectaculaire abrite ours à lunettes, tapirs des Andes, opossums à oreilles blanches, pumas fugaces, écureuils, chauves-souris et oiseaux tels que le condor andin et le colibri de páramo. On notera également ses différentes espèces de bromélias, fougères et *frailejones* dont la hauteur peut atteindre 12 m.

Les sentiers parcourent des forêts humides jusqu'à la zone d'accès restreint, quelques centaines de mètres en contrebas du **sommet d'El Ruiz**, montant en altitude sur tous types de terrains *(guide indispensable)*.

Chinchiná A2

Alt. 1 378 m. À 23 km au sud-ouest de Manizales par la route de Pereira.

Lovée dans une vallée couverte d'arbustes de café, Chinchiná (51 000 hab.) abrite l'usine de production de café **Buendia** *(carrera 4 et calle 16 - vía*

Palestina - ✆ (6) 850 4040 - www.www.buencafe.com) et **Cenicafé**, un centre de recherche sur le café *(Sede Planalto, à 4 km au nord-est de Chinchiná sur la route de Manizales - ✆ (6) 850 6550 - www.cenicafe.org - bibliothèque : lun.-vend. 8h-12h, 13h-17h30).*

Mirador Agroturistico Colina del Sol – *Carrera 8, nº 8-63, à 30mn au-dessus de Chinchiná - ✆ (mob.) 300 362 9578 - http://colinadelsol.com.co.* Ce petit producteur dont la *finca* donne sur les montagnes organise des visites suivies de dégustations. Sa *finca* cumule l'exploitation du café et de la canne à sucre. Parcours des plantations, découverte des processus d'élaboration artisanale du café et de la *panela*, visite du *trapiche* (moulin à canne).

EXCURSIONS DEPUIS MANIZALES Carte du Triangle du café

Marmato A1

À 93 km au nord de Manizales (120 km au sud de Medellín).

Petite ville du département du Caldas, Marmato (9 000 hab.) revendique une tradition d'extraction d'or de plus de 500 ans. Défiant les lois de la gravité, elle est accrochée aux versants d'**El Burro**, montagne andine qui fit de la ville l'un des plus importants districts aurifères de Colombie.

Les premiers Espagnols à avoir découvert la zone furent des soldats placés sous le commandement de **Sebastián de Belalcázar** en 1536. Au milieu du 16ᵉ s., l'exploitation des mines était entièrement passée sous contrôle espagnol. Marmato fut d'abord exploitée par le **peuple indien des Cartamas**, puis par des **esclaves noirs** amenés de Cartagena par les Espagnols. En 1825, **Simón Bolívar** céda les mines à l'Angleterre comme garantie pour financer la guerre d'indépendance contre l'Espagne ; des **mineurs de Cornouailles** quittèrent les industries en crise de leur terre natale pour un nouveau départ et une vie meilleure à Marmato.

Aujourd'hui, la petite communauté minière fait face à un avenir incertain : les multiples concessions qui étaient jusque-là exploitées par des particuliers ont été mises à l'arrêt et une entité unique, la Gran Colombia Gold, détient désormais à elle seule les droits d'extraction, et beaucoup de Marmateños se sont vus contraints de partir à la recherche d'un nouveau lieu de résidence.

L'écrivain et poète **Iván Cocherín** (1909-1982), pseudonyme de Jesús González Barahona, natif de Marmato, parle de la condition des Marmateños et de la tragique saga des mineurs dans deux de ses œuvres, *Túnel* et *Derrumbes (Glissements de terrain).*

★★ Salamina A1

Alt. 1 822 m. À 71 km au nord de Manizales par Neira et Aranzazu.

Salamina (16 000 hab.), fondé en 1825, fait partie des plus anciens villages de la Zona Cafetera. Ce bourg vivant de la culture du café a conservé son **architecture traditionnelle** typique du département du Caldas et l'on appréciera, au long des rues, une belle série d'habitations **bahareques** *(voir l'encadré p. 88 et p. 221)*, ornées de balcons fleuris et de détails baroques.

La **Basilica de la Inmaculada Concepción**★ (1865), sur le parque de Bolívar, se distingue par sa vaste nef rectangulaire dépourvue de piliers et couverte d'un plafond de bois sculpté. La tour centrale octogonale dissimule une cloche fabriquée à partir de bijoux donnés par les membres de la congrégation et fondus. Le **cimetière** local est intéressant du point de vue social : il était jadis divisé en deux zones séparant les riches et les pauvres. En 1976, l'archevêque Luis Enrique Hoyos brisa les barrières de classes et mit fin à toute forme de discrimination.

★ **Aguadas** B1

Alt. 2 214 m. À 45 km au nord de Salamina (136 km au nord de Manizales).
Fondée en 1808 par les muletiers antioquiens, Aguadas (22 000 hab.) rassemble de charmantes **fincas de café**, dont beaucoup ont ouvert grand leurs portes au tourisme. La ville est aussi connue pour un chapeau finement tressé en fibre d'iraca, celle qui est employée pour la confection des panamas : le **sombrero aguadeño,** couvre-chef typiquement paisa.

Le **Templo de la Inmaculada Concepción★**, un bâtiment aux influences éclectiques construit en 1883, conserve une statue du *Señor Caído* (Christ tombé) sculptée dans un tronc d'oranger, qui fait l'objet d'une grande dévotion.

★ **Santuario de San Antonio de Arma** – *Villa Serrana de Santiago de Arma - à 15 km à l'ouest d'Aguadas.* Cette église de brique rouge, construite dans les années 1930, renferme des reliques historiques et une représentation de saint Antoine qui aurait été ramenée de Quito par la femme du conquistador **Jorge Robledo** en 1549. Le 13 de chaque mois, des centaines de pèlerins affluent pour rendre hommage à Notre-Dame du Rosaire.

Pereira Carte du Triangle du café A3 (p. 257)

Alt. 1 411 m. À 52 km au sud-ouest de Manizales par la route de Chinchiná (215 km au sud de Medellín).

PIT Pereira – *À la gare routière - www.pereiraculturayturismo.gov.co - lun.-vend. 8h-11h, 13h-18h. Centro Cultural Lucy Tejada - carrera 10, nº 16-60 - (6) 311 6544.*
Capitale du département du **Risaralda** et plus grande ville (469 000 hab.) du Triangle du café, la « Perle du río Otún » manque singulièrement d'attrait. De fondation récente (1863), elle a conservé peu d'édifices historiques et les reconstructions ayant suivi le tremblement de terre dévastateur de 1999 en ont fait un patchwork de styles architecturaux sans grâce.

LE CENTRE-VILLE

Pereira s'articule autour de sa **plaza de Bolívar★** *(angle carrera 7 et calle 19)*, portant en son centre le **Bolívar Desnudo★**, une œuvre d'Arenas Betancourt. Cette sculpture de bronze (1963) de 8,5 m de haut représente El Libertador nu, à cheval. La place déroule son tapis de pavés au pied de la **Catedral de Nuestra Señora de la Pobreza**, initialement bâtie en 1875 et plusieurs fois reconstruite depuis, au détriment de son unité esthétique. L'élégant intérieur montre une étonnante **charpente★** faite de milliers de poutrelles entrelacées.

★ Les parcs de Pereira

Parque Jorge Eliécer Gaitán – *Carrera 4, entre les calles 25 et 26.* Un parc très fréquenté avec ses cireurs de chaussures, ses kiosques et ses étals pour manger sur le pouce.

Parque La Libertad – *Carrera 7A et calle 8A, entre les carreras 13 et 14.* Il est décoré d'une belle mosaïque de l'artiste Lucy Tejada.

Parque del Lago Uribe Uribe – *Carreras 7A et 8A, calles 24 et 25.* Pittoresque, il attire les visiteurs avec sa fontaine illuminée et son lac artificiel.

ART DE RUE DANS PEREIRA

Trois autres sculptures de **Rodrigo Arenas Betancourt** (1919-1995) sont visibles en ville :

El Monumento a los Fundadores – *carrera 13 et calle 12.*

El Cristo sin Cruz – *dans la Capilla de la Fátima, av. 30 de Agosto, entre les calles 49 et 50.*

El Prometeo – *dans l'Universidad Tecnológica de Pereira, sur la calle 14.*

À L'ÉCART DU CENTRE Carte du Triangle du café

Viaducto César Gaviria Trujillo A3

À 1,3 km à l'est de Pereira.

Construit en 1998 pour franchir le grondant río Otún, ce viaduc relie Pereira à la ville industrielle de **Dosquebradas** (198 000 hab.). Comptant parmi les ponts suspendus à haubans les plus longs d'Amérique du Sud, avec 704 m de longueur, l'ouvrage fut baptisé en l'honneur du 40e président de Colombie, né à Pereira, **César Gaviria**, qui fut à la tête de l'État de 1990 à 1994. Cette prouesse technologique contraste avec l'autre pont fameux de Pereira, réalisé en *guadua* celui-là, le **Guaducto★** (*Universidad Tecnológica de Pereira, en périphérie de la ville, par La Julita).*

À PROXIMITÉ DE PEREIRA Carte du Triangle du café

★ Termales de Santa Rosa A2

À 26 km au nord-est de Pereira, à 11 km à l'est de Santa Rosa de Cabal - (6) 364 5500 - http://termales.com.co.

Bénéficiant d'un cadre exceptionnel et d'incroyables vues, **Santa Rosa de Cabal** (72 000 hab.), localité rurale nichée au cœur de la forêt, est connue pour ses **sources thermales**. Jaillissant à 70°, les eaux, naturellement riches en minéraux, retombent en cascades dans trois bassins à 40° où l'on peut se baigner. Le complexe a pour décor une **chute d'eau** de 170 m, assez spectaculaire. Vous pouvez passer la nuit dans un pavillon, un hôtel ou un chalet, ou venir pour la journée seulement et profiter du restaurant, du bar et des bassins.

★★ Santuario de Fauna y Flora Otún Quimbaya A3

À 14 km au sud-est de Pereira par La Florida - Vereda La Suiza - (6) 314 4162 - www.parquesnacionales.gov.co - 5 000 COP - visites guidées avec l'Asociación Comunitaria Yarumo Blanco del Municipio de Pereira - chivas pour La Florida, certaines directes jusqu'au Santuario. Hébergement basique au Centro de Visitantes La Suiza.

Cette petite étendue de 5 km² de **forêt andine** sert de terrain d'étude pour les botanistes et les zoologistes. Ses pentes, rivières et cascades abritent une grande variété de papillons, d'oiseaux et de mammifères, dont des tapirs des Andes et des ours à lunettes, mais aussi des plantes rares comme l'emblématique **palmier à cire** et toutes sortes de broméliacées et d'orchidées.

Des **sentiers de découverte** *(3 à 4h de marche)* à des altitudes de 1 800 m à 2 400 m mènent au Parque Ucumarí tout proche.

3

★ Parque Regional Natural Ucumarí B3

À 30 km au sud-est de Pereira par La Florida puis El Cedral (piste).

Surnommée « la Terre des oiseaux » pour les 185 espèces qui y ont été recensées, cette réserve naturelle de 4 200 ha au milieu du **bassin du río Otún** a été très peu explorée (et n'est pas cartographiée), bien qu'elle abrite une exceptionnelle vie sauvage, notamment des ours à lunettes. Des sentiers de randonnée avancent entre les versants vers les sommets nuageux et les **chutes d'eau** telles que Peña Bonita, La Vereda et El Bosque.

Depuis El Cedral, un sentier pierreux le long du río Otún *(6 km)* mène au centre d'informations du parc, le **Refugio La Pastora** *((6) 314 4162 - http://fecomar.jimdo.com - visites écologiques guidées organisées par Fecomar)* avant de continuer vers la partie ouest du **Parque Nacional Natural Los Nevados** *(voir p. 260)* jusqu'à son lac, la **Laguna del Otún** *(6 à 7h de marche aller).*

L'ACIER VERT

Connu en Colombie sous le nom de **guadua** *(Guadua angustifolia)*, le **bambou géant** est utilisé comme matériau de construction dans toute la Tierra Paisa. Il permet de bâtir des maisons bon marché mais étonnamment durables. Surnommé « l'acier végétal », le *guadua*, très apprécié, gagne du terrain sur le marché international pour ses qualités **antisismiques**. Et il présente bien d'autres avantages : il atteint sa taille maximale (20 à 25 m) en moins d'un an, pouvant croître de 12 cm par jour, et, une fois coupé, il se régénère rapidement. La plupart des bambous peuvent être récoltés après cinq ans. Le coût de transport est relativement bas car ce matériau est assez léger. Dans la Zona Cafetera, de nombreuses maisons faites simplement à partir de bambou et de boue peuvent faire penser qu'elles sont en brique. Inspirée des pratiques précolombiennes, la **technique bahareque** fut adoptée très tôt par les colons espagnols. Le tronc du bambou sert d'armature tandis que des lattes du même matériau recouvrent les murs. La partie la plus rugueuse est tournée vers l'extérieur afin que l'enduit de boue adhère (pour une meilleure résistance aux secousses sismiques, la boue peut être remplacée par du ciment). Les habitants possèdent aussi des meubles en bambou, mais le plus impressionnant reste ces incroyables **ponts** construits à partir de *guadua*, dont la résistance à la traction, à poids égal, est supérieure à celle de nombreux alliages d'acier. Sur le site de l'**Universidad Tecnológica de Pereira** *(en périphérie de Pereira, par La Julita)*, le **Guaducto** est un magnifique exemple d'ingénierie civile et de savoir-faire.

★ Marsella A2

Alt. 1 575 m. À 30 km au nord-ouest de Pereira.

Au beau milieu du **Parque Natural Municipal de la Nona★**, réserve naturelle d'une superficie de 604 ha, ce village paisa typique (23 000 hab.), avec ses collines vert émeraude et ses champs de café, est connu comme la « Ciudad Verde ».

★ **Jardín Botánico Alejandro Humboldt** – *Av. Villa Rica de Segovia, entre les carreras 9 et 10 - (mob.) 314 623 4941 - http://jardinbotanicomarsella.com - mar.-dim. 8h-17h - 4 000 COP.* Ce jardin botanique porte le nom du naturaliste et explorateur allemand **Alexander von Humboldt** (1769-1859), célèbre pour son expédition en Amérique centrale, en Amérique du Sud et à Cuba. Il recrée les écosystèmes de la Zona Cafetera et recense 482 espèces de l'avifaune locale. Dans le jardin, les nombreuses espèces de palmiers, de *guaduas*, d'hortensias et d'orchidées attirent une foule d'oiseaux indigènes et migrateurs.

★ Armenia Carte du Triangle du café A3 (p. 257)

Alt. 1 483 m. À 50 km au sud de Pereira (266 km au sud de Medellín par la carretera 25).

PIT Armenia – *Petit kiosque à la gare routière - (6) 741 2991 - autre point d'information à l'aéroport El Edén.*

L'histoire de la **capitale du département du Quindío** (296 000 hab.) est marquée par une solide résilience face aux catastrophes. Après les effets dévastateurs du **tremblement de terre** de 1999 (un tiers de la ville fut rasé), Armenia fut reconstruite avec un courage et une détermination stoïques. La ville continue à vivre de la production de café et de bananes plantains, tandis que l'**écotourisme** joue un rôle croissant dans l'économie des bourgs environnants.

LE CENTRE-VILLE

Sur la **plaza de Bolívar★** *(angle calle 21 et carrera 14)* se dresse une statue de bronze classique du Libertador en uniforme, sculptée en 1930 par Roberto Henao Buriticá. En face, la sculpture monumentale de bronze et de béton **El Monumento al Esfuerzo★** (1978), signée Rodrigo Arenas Betancourt, représente un couple de *campesinos* paisas dans un mouvement en avant symbolisant l'esprit pionnier et rendant hommage à la population d'Armenia, travailleuse et volontaire.

Œuvre imposante de l'architecture postmoderne, la **Catedral de la Inmaculada Concepción★** (1966) occupe le sud-est de la plaza de Bolívar. Elle se distingue par son clocher séparé et son dessin triangulaire, symbole de la Sainte Trinité. Ses vitraux monumentaux illustrent les moments clés de la vie du Christ.

À L'ÉCART DU CENTRE

Parque de la Vida

À 2 km au nord-est du centre-ville - av. Bolívar et calle 6 Norte - 2 000 COP.

Cette agréable oasis de 8,2 ha tranche avec l'animation de la ville. De larges sentiers traversent une flore luxuriante, franchissent des cours d'eau sur des ponts rustiques, s'arrêtent devant des chutes d'eau et au bord d'un lac sur lequel nagent canards et oies. Inspirée par l'architecture régionale, une structure faite de bambou et de tuiles en terre cuite abrite des objets d'art faits main.

★★ Museo del Oro Quimbaya

À 4 km au nord-est du centre-ville (bus urbains dir. Oro Negro) - av. Bolívar nº 40N-80 - ✆ (6) 749 8433 - www.banrepcultural.org/armenia - mar.-dim. 9h-17h - entrée libre.

Didactique et clairement présenté, le musée de l'Or occupe un bâtiment de brique qui valut à son auteur, **Rogelio Salmona** (1927-2007), le Prix national d'architecture en 1986. Connus pour leur travail d'orfèvrerie particulièrement sophistiqué, les Quimbayas produisirent certaines de leurs œuvres les plus fines et les plus emblématiques entre 300 et 600 apr. J.-C. Une magnifique

LA CIRE PERDUE, CLÉ DE L'ORFÈVRERIE QUIMBAYA

Véritables maîtres du travail de l'or et du *tumbaga,* les orfèvres quimbayas se firent connaître par leur méthode de moulage à la **cire perdue**. Grâce à cette technique simple et géniale à la fois, ils pouvaient produire des figures complexes à grande échelle. Voici les principales étapes de ce processus ancestral :

- créer un noyau de charbon et de terre cuite ;
- couvrir le noyau d'une couche de cire d'abeille utilisée comme matériau de sculpture ;
- mouler la cire dans la forme désirée et la refroidir dans l'eau pour la faire durcir ;
- recouvrir la cire d'abeille avec une couche de terre cuite ;
- chauffer l'objet afin de durcir la terre cuite et de liquéfier la cire ;
- vider la cire d'abeille et verser de l'or fondu ou du *tumbaga* dans le moule de terre cuite ;
- laisser le métal refroidir et solidifier ;
- briser le moule et retirer l'objet en or.

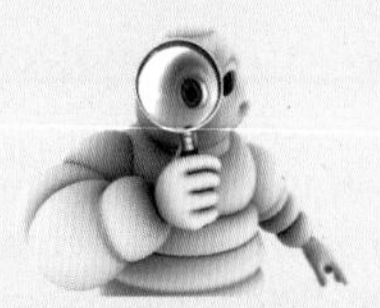

La culture du café

Les « paysages culturels du café » de Colombie ont été inscrits par l'Unesco au Patrimoine de l'humanité en 2011. Cette reconnaissance s'est traduite par un nouvel engouement pour la région et un fort développement de l'écotourisme, une activité économique qui vient désormais doubler celle de la production de café.

L'ESSOR DE LA ZONE CAFÉIÈRE

Une partie de la Zona Cafetera, le Triangle du café, fut colonisée par les Antioquiens dans les années 1850, quand le Nord connaissait des troubles civils. De nombreux immigrants du Valle del Cauca, de Bogotá et d'autres grandes villes colombiennes contribuèrent à son développement.

En 1879, le Congrès vota la **loi sur le café** (loi 29) qui engageait le gouvernement à financer, soutenir et promouvoir la culture du café dans les régions appropriées. Les forêts de bambou et les terres inondables furent bientôt transformées en plantations. Les **hauts plateaux** s'étageant entre 1 000 m et 2 000 m d'altitude et les **sols volcaniques** fertiles de la région offraient des conditions idéales. Entre 1880 et 1920, la production de café en Colombie explosa, passant de 107 000 à 2,4 millions de sacs par an (un sac pèse 60 kg). Les **petits cultivateurs** furent le moteur de cette croissance, plantant, traitant et vendant leur café pratiquement sans l'aide de l'État.

La Zona Cafetera s'étend actuellement sur environ 870 000 ha, soit près de 200 000 ha de moins qu'en 1970, mais qui utilisent désormais des méthodes de **production intensive**. En 2014, la récolte s'est élevée à plus de 12 millions de sacs.

LE RÔLE DE LA FNC

En 1927, la **Federación Nacional de Cafeteros de Colombia** ou **Fedecafé** (FNC) fut fondée pour représenter un nombre croissant de producteurs, dont la plupart géraient de petites exploitations familiales. Les adhésions augmentèrent et les *cafeteros* commencèrent à vendre leur café à la FNC qui redistribuait les bénéfices aux *cafeteros*.

La FNC sert de tampon entre les petits producteurs et le marché international du café, qui voit régulièrement ses prix évoluer en dents de scie. Les exploitants n'ont toutefois aucune obligation de vendre à la fédération, qui n'a pas de monopole commercial.

LA TRANSFORMATION DU CAFÉ

Un plant de café classique requiert environ quatre ans pour atteindre sa taille maximale et sa floraison. Les fruits rouges et mûrs du caféier sont alors cueillis à la main et placés dans des paniers de *fique*, puis on les passe dans une machine à dépulper pour séparer le grain de la couche externe de la peau. Les grains fermentent dans des conteneurs pendant 24 heures avant d'être soigneusement lavés pour enlever toutes les impuretés. Ils sont ensuite étendus sur des terrasses en plein air pour sécher au soleil. Ils sont enfin torréfiés, afin de transformer l'amidon en huiles aromatiques qui donnent au café son parfum particulier.

sélection d'objets en or présente notamment des *poporos*, récipients traditionnels utilisés pour conserver la chaux que l'on mélangeait aux feuilles de coca afin d'en libérer les principes actifs. Des panneaux explicatifs détaillent les techniques employées, dont celle dite à la cire perdue, et livrent des informations éclairantes sur le symbolisme du *tumbaga* *(voir p. 81)*, union des principes féminin (le cuivre) et masculin (l'or) ou sur celui des figures animales : ainsi, la chrysalide du papillon est par exemple une image du changement, tandis que l'homme-lézard figure le chaman qui voyage dans le monde surnaturel. Les collections comportent également des céramiques anthropomorphes, des urnes funéraires et de la poterie réalisées essentiellement par les Quimbayas, qui, avant l'arrivée des Espagnols, habitaient le centre de la région du Cauca, dans les départements actuels du Caldas, du Risaralda et du Quindío.

Estación del Ferrocarril

À 1 km à l'ouest du centre-ville - calle 26, entre les carreras 18 et 19. Devrait être prochainement convertie en centre culturel.

Cette ancienne gare de chemin de fer républicaine de 1927 a conservé ses couleurs originales, ses détails en fer forgé et même quelques gargouilles. Elle est entourée de jardins à la végétation luxuriante, représentative de la flore régionale.

À PROXIMITÉ D'ARMENIA Carte du Triangle du café

★★ Jardín Botánico del Quindío A3

Av. Centenario nº 15-190 - Calarcá - à 6 km au sud-est d'Armenia (bus urbain dir. Calarcá/Mariposario) - (6) 742 7254 - www.jardinbotanicoquindio.org - 9h-16h - 18 000 COP - visite guidée 2h30. Venez le plus tôt possible pour augmenter vos chances d'apercevoir oiseaux et animaux en liberté.

Plus qu'un jardin à proprement parler, ce morceau de jungle vous fera traverser successivement une forêt de palmiers (190 espèces sur les 250 que compte le pays), de fougères arborescentes et un sous-bois d'heliconias. Un pont suspendu conduit à un poste dédié à l'observation des oiseaux, dont de nombreux colibris. Une promenade d'env. 2,5 km sur des sentiers bien aménagés vous mènera à une forêt secondaire et aux orchidées. Là, une **tour** de 22 m surplombe la canopée. Au terme du parcours, passé quelques salles d'ethnobotanique, de géologie et d'entomologie, vous arriverez à la grande **serre aux papillons**★★ *(mariposario)* où vivent plus de 1 500 spécimens appartenant aux 35 espèces que compte la Zona Cafetera.

3

EXCURSIONS DEPUIS ARMENIA Carte du Triangle du café

★ Parque Nacional del Café A3

À 18 km à l'ouest d'Armenia et à 5 km de Pueblo Tapao. Bus dir. Montenegro - (6) 741 7417 - www.parquenacionaldelcafe.com - merc.-vend. 10h-18h, w.-end et j. fériés 9h-18h (dernière entrée 16h) - tarif de base : 24 000 COP ; 58 000 COP toutes attractions incluses.

La Federación Nacional de Cafeteros de Colombia (FNC) est l'instigatrice de ce **parc à thème** de 48 ha associant expositions informatives sur l'héritage et l'histoire du café colombien et loisirs familiaux : montagnes russes, autotamponneuses, téléphérique, petit train, promenades à cheval, spectacle musical centré sur la vie des cueilleurs de café paisas.

Le **Sendero del Café**, agréable sentier à travers une plantation, permet de se familiariser avec toutes les variétés de café et de découvrir le processus de production, de la cueillette des fruits au séchage en passant par la torréfaction des grains. Dans le **Museo del Café**, une vidéo en 3D présente la vie quotidienne d'un producteur de café. La **Torre Mirador**, une tour d'observation de 18 m devenue le symbole du parc, offre de belles **vues** sur Armenia et Montenegro ; cette imposante structure a été réalisée en *guadua*, bambou autochtone connu pour sa résistance et sa flexibilité *(voir l'encadré p. 264)*, mis à l'honneur dans le **bambusario**. Ne quittez pas le parc sans un détour par le **Pueblo Quindiano**, réplique d'une ville caféière typique, ni, inutile de le dire, sans avoir goûté le café sur l'un des nombreux stands tout autour de la place.

★ Quimbaya A3

Alt. 1 525 m. À 21 km au nord-ouest d'Armenia. Bus dir. Cartago.

Fondée en 1914, cette ville (34 000 hab.) doit son nom à la culture précolombienne qui s'épanouissait dans la région avant l'arrivée des Espagnols. Les Quimbayas auraient disparu à la fin du 16e s., suite à un lent processus d'éradication. Ces tribus indiennes particulièrement fières, bien organisées et combattantes (300-1550 apr. J.-C.) comptaient d'excellents **orfèvres**, valorisant l'or moins pour sa valeur matérielle que pour sa facilité d'utilisation et sa valeur symbolique. Les artisans quimbayas, qui employaient des techniques de travail du métal telles que le moulage à la cire perdue *(voir l'encadré p. 265)*, affichaient une prédilection pour le *tumbaga*, un alliage composé de cuivre et d'or *(voir p. 81)*, et créaient de délicates pièces à motifs humains et végétaux. Les 7 et 8 décembre, Quimbaya s'illumine à l'occasion du **Festival de Velas y Faroles** : lanternes de papier et bougies scintillent dans tous les quartiers qui concourent pour la composition lumineuse la plus spectaculaire.

Parque Nacional de la Cultura Agropecuaria (Panaca) A3

À 28 km au nord-ouest d'Armenia et à 7 km de Quimbaya par Montenegro - (6) 758 2830 - www.panaca.com.co - 9h-18h (fermé lun. en basse saison) - 29 000 COP pour 10 attractions, 59 000 COP pour toutes les attractions.

Conçu à l'intention des familles colombiennes vivant en milieu urbain, ce parc à thème vise à la fois à divertir et à instruire en matière d'agrotourisme. Le décor rural alterne, sur 103 ha, pâturages, bosquets de *guaduas* et terres boisées où des aires de pique-nique et des points d'observation ont été aménagés. Le parcours traverse 8 zones agricoles différentes renfermant vaches, moutons et chèvres, poules, cochons, chiens, chevaux et mules. Vous rejoindrez en carriole les pacages du bétail, les cultures, les élevages de vers à soie et les parterres de plantes médicinales et aromatiques. La journée est ponctuée par des expositions interactives et des spectacles équestres ou d'adresse au lasso. Le Panaca produit ses propres œufs, son lait, sa viande et ses fruits pour les restaurants qui se trouvent sur le site. Il utilise les méthodes de l'agriculture biologique et satisfait une grande part des besoins en carburant grâce au fumier.

★★ Salento A3

Alt. 1 895 m. À 31 km au nord-est d'Armenia.

Ce village antioquien traditionnel (7 000 hab.), le plus vieux du Quindío, remonte à 1850. Plébiscité par les Colombiens des villes environnantes qui y viennent nombreux chaque week-end, il s'organise autour d'une agréable placette bordée de vieilles et belles maisons converties en hôtels, restaurants et magasins. C'est là que stationnent les jeeps Willys qui emmènent les touristes à Cocora. Alentour partent en damier de charmantes ruelles dont les maisons, cafés et boutiques d'artisanat sont parés de balcons fleuris et de portes de bois peintes de couleurs vives. Salento conserve quelques-uns des meilleurs exemples d'**architecture bahareque** *(voir l'encadré p. 88)* de la Zona Cafetera.

Palmiers à cire dans le Valle del Cocora.
F. Guiziou/hemis.fr

Un sentier part au bout de la calle Real et grimpe les 250 marches du **Mirador de Salento**, d'où la **vue★★** embrasse le Valle del Cocora qui serpente au pied des pics de la Cordillère occidentale.

★★ Valle del Cocora A3

À 12 km à l'est de Salento. Les jeeps Willys de Salento vous déposeront à Cocora, point de départ des sentiers et où vous trouverez guides et chevaux à louer pour randonner dans la vallée. Les bottes en caoutchouc sont fortement recommandées car le terrain peut devenir boueux.

Encadrée de hauts sommets et bordée par les eaux cristallines du río Quindío, cette verte vallée s'étend de l'est de Salento aux confins sud-ouest du Parque Nacional Natural Los Nevados. Souvent noyés dans la brume, les splendides paysages de pins et d'eucalyptus sont dominés par la svelte silhouette des **palmiers à cire**, l'arbre national de Colombie. Endémique des hauts plateaux andins, la *palma de cera* pousse sur des terrains montagneux fertiles, profonds et bien drainés, à des altitudes supérieures à 1 000 m. Cette espèce, la plus haute parmi les palmiers, atteint jusqu'à 60 m de hauteur. Très protégée, elle en impose par sa beauté mais aussi par son extraordinaire résistance et sa longévité puisqu'un arbre peut vivre jusqu'à 120 ans. Son tronc cylindrique, lisse et légèrement coloré, porte des feuilles vert foncé aux tiges grisâtres où aime à se poser la **conure à joues d'or**, un perroquet en voie d'extinction.

Reserva Natural Acaime – *Depuis Cocora, dépassez l'élevage de truites ; la direction du sentier est clairement indiquée - 5 000 COP. 5h30 AR à pied ou 3h à cheval.* Marcher jusqu'à cette réserve naturelle et en revenir est une façon agréable de découvrir le Valle del Cocora. Un sentier d'une difficulté raisonnable vous fera descendre jusqu'au **río Quindío**, puis passer à travers des prairies et au milieu des **palmiers à cire**, et enfin cheminer dans une **forêt humide**. À un embranchement, dirigez-vous à droite, vers Acaime (alt. 2 770 m), où vous trouverez de quoi vous restaurer et vous désaltérer parmi les **colibris** familiers du lieu.

★ Filandia A3

Alt. 1 923 m. À 36 km au nord-est d'Armenia par Salento.

Un village paisa (13 000 hab.) aux maisons dotées de portes et fenêtres colorées et de balcons fleuris… Quel Colombien ne connaît pas cette image ? Ce décor est en effet celui de la populaire *telenovela* **Café con Aroma de Mujer** *(Café avec un parfum de femme)*, série télévisée créée par Fernando Gaitán Salom, et il attire en nombre les amateurs du feuilleton, curieux de repérer les lieux. Tant que vous êtes à Filandia, profitez des superbes **vues★★** sur les lointains sommets du Parque Nacional Natural Los Nevados et poussez la porte de la **Iglesia de la Inmaculada Concepción★** *(calle 7A, nº 3-29, sur la plaza municipal)* aux trois dômes gris et blancs, construite en 1892.

Près du cimetière, un étonnant **mirador** de *guadua (temporairement fermé)* offre un superbe **panorama** sur Pereira, Armenia, Cartago et Quimbaya.

Ibagué B3

Alt. 1 285 m. À 87 km à l'est d'Armenia par la route de Cajamarca.

Surnommée « la Ville musicale de Colombie » du fait de son patrimoine, de ses académies et d'un prestigieux programme d'événements musicaux, Ibagué (553 000 hab.) est la capitale du département du **Tolima**.

Jardín Botánico San Jorge – *Antigua Granja San Jorge, sur la route de Calambeo - ☎ (8) 263 8334 - www.jardinbotanicosanjorge.org - lun.-vend. 8h-17h, w.-end et j. fériés sur réserv. 8h-16h - 9 000 COP pour une randonnée autour du Mirador Sindamanoy ou Los Arrayanes - 8000 COP pour une randonnée autour du Mirador Los Fiques.* Sentiers de découverte propices à l'observation ornithologique et collections d'**orchidées**, broméliacées, balisiers et aracées (la famille des arums).

NOS ADRESSES DANS LE TRIANGLE DU CAFÉ

INFORMATIONS UTILES

Change

Manizales – Giros y Finanzas – *Angle carrera 22 et calle 19 - sur la place de l'Alcaldía, en sous-sol - lun.-vend. 8h-18h, sam. 8h-17h.*

Armenia – Western Union – *Av. Bolívar (carrera 14), à une cuadra du parque principal, au 2e étage du centro comercial IBG - lun.-vend. 8h-18h30, sam. 8h-17h.*

ARRIVER/PARTIR

En avion

Manizales – Aeropuerto La Nubia (MZL) – *À 8 km au sud-est du centre-ville, en retrait de la route de Bogotá - ☎ (6) 874 5451.* Avianca assure plusieurs liaisons quotidiennes avec Bogotá.

Pereira – Aeropuerto Matecaña (PEI) – *À 5 km à l'ouest du centre-ville - ☎ (6) 326 0021.* Liaisons avec Medellín, Cartagena, Bogotá et Panama assurées par Avianca et Satena.

Armenia – Aeropuerto El Edén (AXM) – *À 20 km de la ville, sur la route de Calcan.* Vols quotidiens de/vers Bogotá avec Avianca.

En bus

Manizales – Terminal de Transportes – *Carrera 43, nº 65-100 - au pied du téléphérique (station Los Cámbulos) - ☎ (6) 878 7858 - www.terminaldemanizales.com.co.* Bus pour Bogotá (7h - 47 000 COP), Cali (5h - 35 000 COP), Medellín (4h - 37 000 COP), Pereira (1h - 8 000 COP). Départs ttes les 45mn pour Salamina

(2h - 16 000 COP). Pour vous rendre en ville, empruntez le téléphérique *(cable - 1 600 COP)* jusqu'à la station Fundadores.

Pereira – Terminal de Transportes – *Calle 17, n° 23-157 - ☏ (6) 315 2321 - www.terminalpereira.com.* Liaisons avec Bogotá (8h - 45 000 COP), Cali (4h30 - 28 000 COP), Medellín (7h - 37 000 COP), Armenia (1h - 8 000 COP) et Manizales (1h - 10 000 COP). Liaisons fréquentes avec Marsella.

Armenia – Terminal de Transportes – *Angle carrera 19 et calle 35, à env. 1,5 km au sud-ouest de la plaza de Bolívar - ☏ (6) 747 3355 - www.terminalarmenia.com.* Liaisons avec Bogotá (9h - 52 000 COP), Cali (3h30 - 25 000 COP), Medellín (8h - 45 000 COP), Pereira (1h - 8 000 COP) et Manizales (2h - 16 000 COP). Liaisons régulières avec le Parque Nacional del Café, Salento, Filandia, Quimbaya et Ibagué.

HÉBERGEMENT

Manizales et ses environs

Logez à Manizales même si vous envisagez une excursion au parc national Los Nevados.

PREMIER PRIX

Colonial – *Calle 5, n° 6-74 - sur le parque de Bolívar - Salamina - ☏ (6) 859 5978 - 24 ch. 45/85 000 COP.* De toutes tailles, agencement et disposition, les chambres séduisent par leur parquet d'époque qui craque et leurs grandes portes-fenêtres peintes et, comme le veut l'usage, dépourvues de vitres. Cette demeure historique, parsemée d'objets anciens et aux boiseries usées par le temps, fait l'angle de la place principale de Salamina. Wifi et restaurant au pied de l'hôtel.

Bella Montaña – *Carrera 23, n° 21-57 - Manizales - ☏ (6) 884 0729 - http://hotelbellamontanamanizales.com - 13 ch. 90 000 COP ☕.* Dans le centre historique, juste à côté de la cathédrale, un hôtel familial aux chambres confortables et bien tenues, certaines carrelées, d'autres avec parquet. Elles sont réparties au 1er et au 2e étage de l'édifice que relie un bel escalier en hélice. Elles sont de taille variable : visitez-en plusieurs avant de faire votre choix. Wifi.

Hacienda Venecia – *Vereda El Rosario, 20mn en jeep à l'ouest de Manizales depuis la route de Chinchiná - ☏ (mob.) 320 636 5719 - www.haciendavenecia.com - ✕ 🏊 - 7 ch. 90 000 COP ☕ - réserv. obligatoire.* Cette belle ferme transformée en hôtel de charme se trouve au cœur d'une caféière. Du lit en dortoir à la suite luxueuse, elle propose des solutions pour toutes les bourses. Les chambres sont décorées de photos anciennes, tandis que les parties communes privilégient le thème du cheval. Hamacs et rocking-chairs à disposition sur la véranda, jardins luxuriants et piscine. En saison, vous pourrez assister à la récolte et au traitement du café.

BUDGET MOYEN

Escorial – *Calle 21, n° 21-11 - Manizales - ☏ (6) 884 7696 - ✕ - 56 ch. 110/135 000 COP ☕.* Un édifice des années 1930 dont les espaces communs dégagent de beaux volumes. Réparties sur 3 niveaux sans ascenseur, les chambres les plus lumineuses, quelques-unes avec balcon, donnent sur la rue, tandis que les plus calmes ouvrent

3

leurs fenêtres sur un puits de lumière intérieur. Toutes sont bien meublées, avec parquet au sol et grande sdb. Wifi.

POUR SE FAIRE PLAISIR

Varuna Hotel – *Calle 62, nº 23C-18 - Manizales - ✆ (6) 881 1122 - www.varunahotelcom - ✕ - 38 ch. 218 000 COP ☕.* Apprécié des voyageurs d'affaires, cet hôtel situé dans la Zona Rosa de Manizales, à quelques minutes à pied du centre commercial Cable Plaza, possède des chambres spacieuses et sobrement décorées. En fin de semaine, préférez les chambres situées en étage *(ascenseur)*, plus éloignées des salons de réception accueillant anniversaires et mariages parfois bruyants. Wifi, coffre-fort, minibar.

Pereira

PREMIER PRIX

Mi Casita – *Calle 25, nº 6-20 - Pereira - ✆ (6) 333 9995 - http://hotelmicasitapereira.com - ✕ - 18 ch. 90 000 COP ☕.* Un charmant petit hôtel familial d'un excellent rapport qualité-prix : sdb privative (eau chaude), ventilateur et personnel serviable. Sur place, un petit café agréablement éclairé par un puits de lumière. Wifi.

Armenia et ses environs

Vous logerez à Armenia en cas d'arrivée tardive ou de bref transit. Si vous disposez d'un peu de temps, mieux vaut faire étape dans les villages alentour où l'offre est plus large et le cadre bien plus plaisant.

BUDGET MOYEN

Bolívar Plaza – *Calle 21, nº 14-17 - Armenia - ✆ (6) 741 0083 - www.bolivarplaza.com - ▤✕ - 18 ch. 130/180 000 COP ☕.* Au coin de la plaza de Bolívar, cet hôtel fonctionnel propose des chambres confortables et bien tenues, avec ventilateur ou climatisation, dont certaines ont un balcon donnant sur la Cordillère centrale. Les chambres de la catégorie standard sont assez petites. Belle vue sur les montagnes depuis le restaurant du 7e et dernier étage. Réduction de 30 % en fin de semaine.

La Moraleja – *Calle 7, nº 5-04 - Salento - ✆ (mob.) 321 623 7352 - 9 ch. 120 000 COP ☕.* Cette demeure récente construite dans le respect du style historique de Salento a privilégié le bois dans sa décoration, des planchers aux plafonds en passant par les portes ouvragées. L'ensemble dégage un charme certain, tout comme le petit jardin soigné à l'arrière de l'édifice. Une chambre familiale et une très belle suite avec cheminée. Wifi.

POUR SE FAIRE PLAISIR

Hotel Termales – *À 5 km au sud-est de Santa Rosa de Cabal - ✆ (6) 364 6500 - www.termales.com.co - ✕ - 28 ch. 320 000 COP ☕ - pension complète.* Cette demeure de 3 étages abrite des chambres luxueuses qui donnent accès aux bassins d'eau thermale de Santa Rosa, aménagés autour des 3 cascades voisines. Au spa, une série de soins vous permettra d'apprécier les propriétés bienfaisantes des sources. Tarifs moins élevés en semaine.

RESTAURATION

Manizales

Poulet grillé et *empanadas* font office de summum gastronomique autour de la plaza de Bolívar, où vous aurez du mal à trouver un restaurant correct. Ceux-ci se concentrent dans la Zona Rosa, quartier résidentiel plus huppé situé le long de l'av. Santander, à env. 25mn à pied à l'ouest du centre historique.

PREMIER PRIX

Los Geranios – *Carrera 23, nº 71-67 - ✆ (6) 886 8400 - ⊭ - 9h-19h - 25 000 COP.* Réputé pour ses portions généreuses, ce petit restaurant de quartier propose notamment la traditionnelle *bandeja paisa*, de l'*ajiaco* et 5 sortes de *sancocho*. Chaque plat est servi avec l'une des 5 sauces maison. L'endroit est toujours très animé et bruyant.

Don Juaco – *Calle 65, nº 23A-44 - barrio El Cable - ✆ (6) 885 0610 - ⊭ - lun.-sam. 12h-22h, dim. 12h-21h - 30 000 COP.* Ce snack avec grande terrasse sur la rue se remplit vite à l'heure du déjeuner. Outre sa spécialité de *frijoles*, il sert lasagnes, hamburgers et petite restauration rapide. Arrosez le tout de *mazamorra con panela*, une boisson à base de maïs broyé, généralement servie avec un bonbon au jus de canne.

BUDGET MOYEN

Olive – *Calle 66, nº 23-31 - barrio El Cable - ✆ (6) 892 4177 - lun.-sam. 12h-15h, 18h-22h30, dim. 12h-21h - 40 000 COP.* Ouvert en 2015, ce restaurant de *cocina saludable* (cuisine saine) insiste sur la qualité des produits qu'il utilise. Sa carte, qui se démarque nettement des autres restaurants de la ville, cultive la diversité : trilogie de la mer (tartare de saumon, langoustines sauce coco et poisson), canard au four ou *pad thaï* (crevettes et nouilles de riz dans une sauce huîtres et tamarin) sont servis sur des tables aux nappes blanches. Les végétariens apprécieront les multiples préparations à base de quinoa. Vin chilien et argentin au verre.

Pereira

BUDGET MOYEN

El Mirador – *Av. Circunvalar et calle 4 - ✆ (6) 331 2141 - www.elmiradorparrillashow.com - dîner seult - tlj sf dim. - 50 000 COP.* Perché au sommet d'une montagne, cet étonnant hôtel-restaurant à l'extérieur de Pereira jouit d'une vue panoramique sur la ville. Les amateurs de viande apprécieront le *churrasco argentino* (assortiment de viandes grillées) arrosé d'un bon vin argentin. Essayez de venir un vendredi ou un samedi pour le spectacle de tango, mais réservez à l'avance.

Mama Flor – *Calle 11, nº 15-12 - barrio Los Alpes - ✆ (6) 335 4793 - lun.-sam. 12h-21h (18h le dim.) - 50 000 COP.* Un restaurant traditionnel tout de bois et de bambou situé en haut d'une colline, dans un quartier résidentiel de Pereira. Essayez la *parrilla de carnes* (assortiment de viandes grillées) ou le *róbalo* (bar) si vous préférez le poisson.

Armenia et ses environs

PREMIER PRIX

Los Urrea – *Calle 7, nº 5-03 - Salento - ✆ (mob.) 312 803 3275 - ⊭ - 11h-22h - 20 000 COP.* Dans une rue au sud de la place centrale, une grande salle originale avec son décor de bouteilles de vin pendues en grappes aux poutrelles de bambou. La carte affiche la spécialité de Salento, la truite d'élevage, cuisinée aux fines herbes, à l'ail, gratinée ou aux champignons. Autre plat phare du lieu, les *patacones* (plantains frites) avec toutes sortes d'accompagnements, ainsi que des pizzas au feu de bois.

BUDGET MOYEN

El Solar – *À 2 km au nord-est d'Armenia, sur la route de Circasia - ✆ (6) 749 3990 - lun.-jeu. 12h-21h30, vend.-sam. 12h-23h, dim. 12h-17h30 - 40 000 COP.* Ce grill de bord de route au décor original sert viandes grillées à la *parrilla*, poisson et *bandeja paisa*. L'endroit est bondé les vendredis soir, lorsque des musiciens s'y produisent.

Bakkho – *Calle 41, n° 27-56 - Calarcá (à l'est d'Armenia) - ✆ (mob.) 314 888 8647 - http://bakkho.com - tlj sf dim. - 55 000 COP.* Venez y déjeuner après la visite du jardin botanique, situé de l'autre côté du village. Ce restaurant moderne aux murs décorés de fresques de couleurs vives se trouve à deux *cuadras* du *parque principal* de Calarcá. Il possède – hommage à Bacchus qui a inspiré son nom à l'établissement – une belle carte des vins et propose deux menus de dégustation.

PETITE PAUSE

Café Tazzioli – *Dans l'une des tours de la cathédrale de Manizales - accès par l'ascenseur situé au portail est, niveau 2 - ✆ (mob.) 311 619 8378 - 9h-20h.* Café, gâteaux et sucreries mais surtout une vue plongeante sur le baldaquin de la cathédrale, les tours et sculptures de la place, et une entrée qui vous fera passer juste au niveau des vitraux. Une situation unique.

EN SOIRÉE

Mango Biche – *La Badea, à 1 km au nord de Pereira, à Dosquebradas - ✆ (6) 330 4242.* Une discothèque qui ressemble à une ferme où l'on danse une salsa mâtinée de merengue.

ACTIVITÉS

Découverte des caféières

De nombreux planteurs de café ont aménagé dans leur **finca** (exploitation agricole) des chambres d'hôtes allant de la **chambre rustique** dans un environnement simple à la **suite luxueuse** au cœur d'un domaine prestigieux. Presque toutes proposent la dégustation des **spécialités régionales** et dans certaines, vous pourrez aussi pratiquer l'équitation. La visite des lieux permet de découvrir l'histoire de la plantation et le processus de production du café. Essayez de faire un séjour pendant la **récolte** (oct.-déc.) pour vous faire une idée de l'incroyable travail que cela représente.

Hacienda Guayabal – *Quebrada Guayabal, à 3 km au sud de Chinchiná, depuis la route de Pereira - ✆ 314 772 4856 - www.haciendaguayabal.com.* Une caféière intéressante à visiter. Pour plus d'informations : *www.clubhaciendasdelcafe.com* ou *www.turiscolombia.com/eje_cafetero.htm.*

Parcs écotouristiques

El Bosque del Samán – *Vereda La Caña - Alcalá - à 36 km au nord d'Armenia - ✆ (6) 336 5589 - www.bosquesdelsaman.com.* Varappe, traversée de ponts de corde, randonnée, équitation et parcours de 2 km en **tyrolienne** au-dessus de la canopée dans une réserve boisée entourant une *finca*, à une altitude moyenne de 2 000 m. Le décor est, au sens propre du terme, pittoresque, délivrant de superbes vues sur les villages environnants et la campagne vallonnée.

Ecoparque Los Yarumos – *Calle 61B, n° 15A-01 - à 7 km au nord-est de*

Manizales - ✆ (6) 875 5621. Ce parc, sur une colline surplombant Manizales, offre de nombreuses activités : sentiers de balade, chutes d'eau, mur d'escalade, rappel dans les cascades, tyrolienne. Agrandissement et réaménagement en projet.

Excursions

Pour vous rendre dans le parc du **Nevado del Ruiz**, adressez-vous à l'une des agences de voyage présentes à Manizales. Toutes proposent une formule *(85/100 000 COP)* comprenant transport depuis votre hôtel, petit-déjeuner, entrée au parc, déjeuner et, en option, un bain aux sources thermales. Vêtements chauds et bonne réserve d'eau indispensables.

Rosa de los Vientos – *Carrera 21, entre les calles 29 et 30 - dans le centre commercial Caldas au 2e étage - Manizales - ✆ (6) 883 5940 - www.turismorosadelosvientos.com.* Excursions d'une journée au Nevado del Ruiz et au Nevado Santa Isabel.

Ecosistema – *Carrera 21, nº 23-21 - Manizales - ✆ (6) 880 8300 - http://ecosistemastravel.com.* À deux pas de la cathédrale. Outre l'excursion classique au Nevado, l'agence organise des visites guidées de la ville de 4h.

Kumanday Adventures – *Carrera 23, nº 60-13 - Manizales - ✆ (6) 885 4980 - www.kumanday.com.* Voisine de la Universidad Catolica (université catholique), cette agence s'est spécialisée dans la randonnée en VTT dans la montagne. Circuits d'1 à 3 j. dans le Parque Nacional Natural Los Nevados.

AGENDA

Manizales

Feria de Manizales – *1 sem. début janv.* Courses de taureaux, défilés, feux d'artifice et concours de beauté.

Festival de Teatro – *www.festivaldemanizales.com - sept.-oct.* Festival international de théâtre.

Armenia et ses environs

Desfile y Concurso del Yipao – *En oct. à Armenia et fin juin à Calarcá, à l'occasion de la Fête du café.* Les Willys, ces jeeps traditionnellement utilisées pour charger les sacs de café, paradent dans les rues.

3

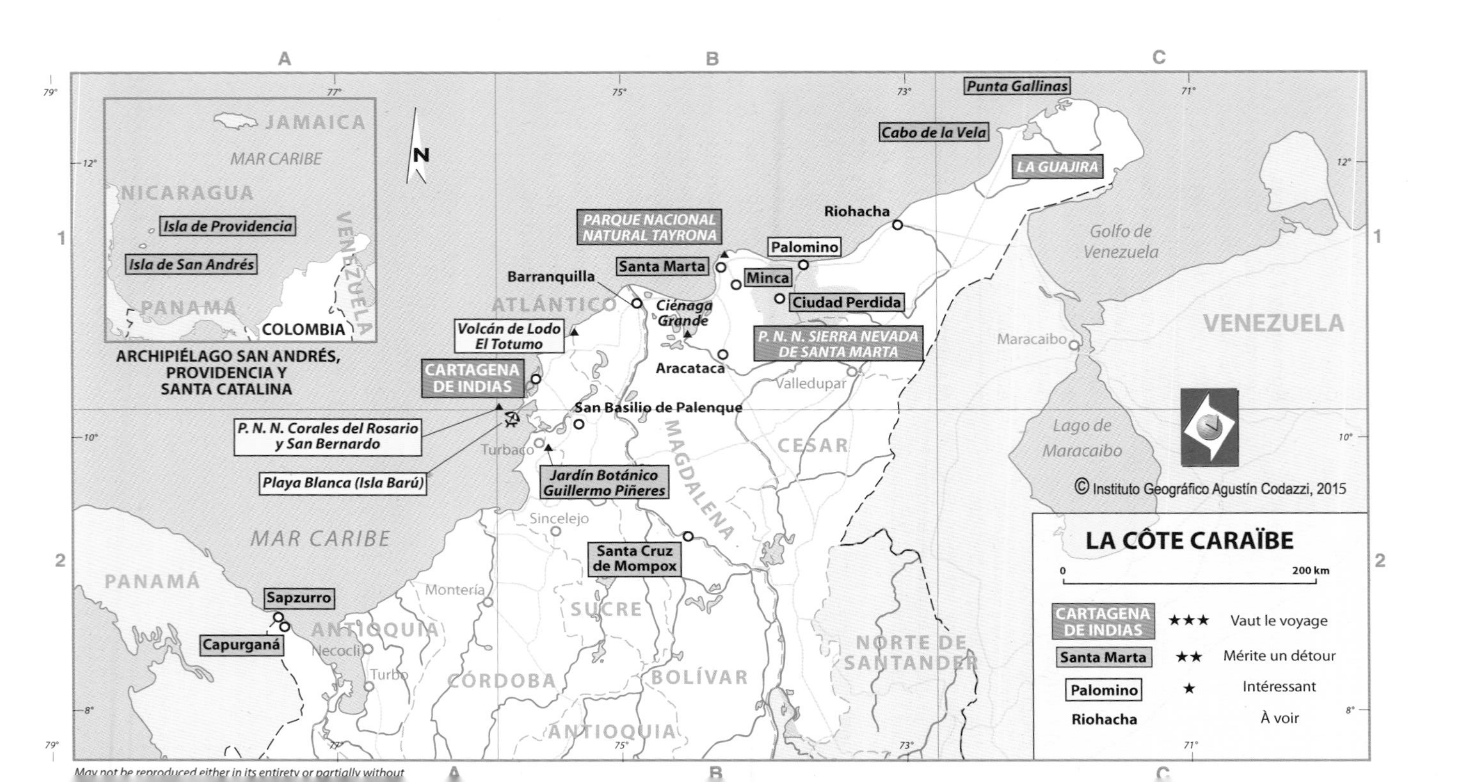
A
B
C
1
2
79°
77°
75°
73°
71°
12°
10°
8°
JAMAICA
MAR CARIBE
NICARAGUA
Isla de Providencia
Isla de San Andrés
PANAMÁ
VENEZUELA
COLOMBIA
ARCHIPIÉLAGO SAN ANDRÉS, PROVIDENCIA Y SANTA CATALINA
N
Punta Gallinas
Cabo de la Vela
LA GUAJIRA
Riohacha
PARQUE NACIONAL NATURAL TAYRONA
Palomino
Santa Marta
Minca
Barranquilla
Ciénaga Grande
Ciudad Perdida
ATLÁNTICO
Volcán de Lodo El Totumo
P. N. N. SIERRA NEVADA DE SANTA MARTA
Aracataca
CARTAGENA DE INDIAS
Valledupar
San Basilio de Palenque
P. N. N. Corales del Rosario y San Bernardo
Turbaco
MAGDALENA
CESAR
Playa Blanca (Isla Barú)
Jardín Botánico Guillermo Piñeres
Golfo de Venezuela
VENEZUELA
Maracaibo
Lago de Maracaibo
© Instituto Geográfico Agustín Codazzi, 2015
Sincelejo
MAR CARIBE
Santa Cruz de Mompox
PANAMÁ
Montería
Sapzurro
SUCRE
Capurganá
ANTIOQUIA
Necoclí
Turbo
CÓRDOBA
BOLÍVAR
NORTE DE SANTANDER
ANTIOQUIA
LA CÔTE CARAÏBE
0
200 km
CARTAGENA DE INDIAS ★★★ Vaut le voyage
Santa Marta ★★ Mérite un détour
Palomino ★ Intéressant
Riohacha À voir

La côte caraïbe 4

La Caraïbe, une région métisse au pied des neiges éternelles

Singulière et contrastée, la côte caraïbe colombienne, qui s'étend sur quelque 1 600 km, est émaillée d'infinies richesses : élégantes **cités coloniales** de Carthagène et de Santa Marta, mystérieuse **Cité perdue** cachée au plus profond de la jungle, parcs naturels de Tayrona et de la Sierra Nevada de Santa Marta...
D'une grande diversité, ses traditions culturelles puisent dans le patrimoine indien, africain et espagnol, qui inspirèrent nombre d'artistes, d'écrivains, d'historiens et de musiciens. On y voyage à la rencontre des communautés indiennes, on y parcourt des paysages tantôt désertiques, tantôt montagneux, passant en un clin d'œil de la jungle aux mangroves.

JUNGLE, PLAGES ET HAUTE MONTAGNE : VARIÉTÉ DES PAYSAGES

La plus grande partie de la région caraïbe est recouverte par les **basses terres marécageuses** et la **jungle**. Dans sa partie orientale, elle est bordée par le plus haut massif côtier du monde, la **Sierra Nevada de Santa Marta** dont les neiges éternelles alimentent rivières et fleuves. Véritable exception géographique, cette chaîne montagneuse abrite à moins de 50 km des côtes les plus hauts sommets de Colombie, qui culminent à 5 775 m.
À quelques heures de route en direction du Venezuela s'étire la **péninsule de La Guajira**, terre austère de broussailles et de dunes, souffrant cruellement du manque d'eau, dont la grisaille contraste avec les vêtements aux couleurs vives des **Wayúus**.
Les amateurs de plages, les ornithologues, les plongeurs et tous les amoureux de la nature découvriront ici une multitude de sites à explorer : des parcs nationaux, comme celui de **Tayrona**, les récifs coralliens des **Islas del Rosario**, les forêts montagneuses humides de la **Sierra Nevada de Santa Marta**, le **Santuario de los Flamencos**, les terres marécageuses de la vallée du bas Magdalena.

DIVERSITÉ ETHNIQUE ET MUSICALE

La population caribéenne se place sous le signe du métissage culturel et ethnique. Les Indiens **tules** et **kunas**, qui vivent à proximité des bananeraies et des somptueuses baies du **golfe d'Urabá** (proche du Panama), et les descendants des **esclaves africains**, des **Créoles espagnols**, des **Arhuacos** et des **Koguis** peuplent la région.
La variété des styles musicaux, qui incarnent les racines de la Colombie en Afrique, en Europe et dans les Amériques, dessine une véritable carte d'identité sonore de la région. Le brassage des origines ethniques explique que l'on peut y entendre aussi bien de la **salsa** originaire des Caraïbes que de la **cumbia** en provenance des rives du río Magdalena, en passant par le **vallenato** qui trouve ses origines dans le département du Cesar.

Carthagène des Indes et ses environs

Cartagena de Indias

1 002 000 habitants – Capitale du département du Bolívar – Alt. 2 m

Joyau de la Caraïbe coloniale, la belle cité fortifiée du 16e s. est inscrite au Patrimoine mondial de l'Unesco depuis 1984. Carthagène des Indes, petite sœur de son homonyme espagnole, s'enorgueillit de ses puissants remparts et de sa forteresse inexpugnable. Régulièrement attaquée par les pirates et les corsaires français, anglais, hollandais qui, du 16e au 18e s., s'ingénièrent à faire main basse sur les cargaisons d'or et d'argent de l'Empire espagnol, Cartagena s'en est courageusement défendue. Toujours vaillante, elle s'est acquis le surnom de « Ciudad Heroica » lorsqu'elle a proclamé son indépendance de la Couronne espagnole, en 1811. La ville a aujourd'hui retrouvé le calme, son port est désormais dédié au commerce et au tourisme, et les seuls envahisseurs à venir encore de la mer sont les croisiéristes. Maisons peintes de couleurs vives ou pastel, construites en pierre et corail dur, avec des patios intérieurs et des balcons de bois fleuris : c'est un vrai plaisir que de déambuler dans les étroites ruelles qui serpentent à l'abri de la muraille, autour des placettes animées et des cafés ombragés.

NOS ADRESSES PAGE 294
Hébergement, restauration, achats, activités, etc.

S'INFORMER

Puntos de Información Turística (PIT) – Plan I A2 - *Casa Márquez de Premio Real - plaza de la Aduana, nº 30-53 - ✆ (5) 660 1583 - www.cartagenadeindias.travel - lun.-sam. 8h-12h, 13h-18h, dim. 9h-17h.* Autres PIT sur la plaza de la Paz, près de l'hôtel Caribe (Bocagrande) et à l'aéroport.

SE REPÉRER

Carte de région B1 (p. 276) – plan du centre (Plan I) p. 283 – plan de Bocagrande (Plan II) p. 288. La ville se trouve au bord de la mer Caraïbe, à 1 058 km au nord-ouest de Bogotá et 640 km au nord-est de Medellín. Le centre historique fortifié est relié à la zone hôtelière de Bocagrande, située à 2 km, par l'av. Santander.

Voir aussi la rubrique « Arriver/ partir » dans « Nos adresses ».

À NE PAS MANQUER

Une promenade dans les ruelles de la Ciudad Amurallada et du barrio San Diego ; les édifices entourant la plaza de Bolívar ; le Castillo San Felipe de Barajas ; le coucher du soleil depuis le Baluarte de Santo Domingo ; les eaux cristallines de Playa Blanca ; une échappée à Santa Cruz de Mompox.

ORGANISER SON TEMPS

Visitez le centre historique de Carthagène tôt le matin, avant l'arrivée des croisiéristes, et en fin d'après-midi, quand les grosses chaleurs sont retombées.
Faites l'excursion à Playa Blanca un jour de semaine pour y être plus tranquille. Pour un aller-retour à Santa Cruz de Mompox, prévoyez au moins 2 j.

★★★ La Ciudad Amurallada Plan I (Centre) p. 283

La **ville fortifiée** compte trois quartiers principaux : le Centro, le quartier plus résidentiel de San Diego et le barrio plus populaire de Getsemaní. Elle se découvre à pied, le nez levé sur les façades anciennes où grimpent des bougainvillées et où courent des balcons de bois. Dans ce cadre unique, surplombant la mer des Caraïbes, enracinée dans l'histoire, la cité se distingue par son atmosphère à la fois romantique et très contemporaine. D'octobre à mai, quelque 180 paquebots accostent à Carthagène, déversant plusieurs fois par semaine dans la ville des flots de croisiéristes qui ne s'éloignent toutefois guère des principales rues du quartier Centro. Éloignez-vous de quelques dizaines de mètres, et vous aurez à nouveau pour vous les ruelles colorées de la « perle de la Caraïbe ».

En boucle depuis la Puerta del Reloj, circuit 1 tracé en vert sur le plan de ville (p. 283) – Comptez une grosse journée.

★★★ CENTRO Plan I A2

C'est la partie la plus visitée de la vieille ville. Elle rassemble les principaux monuments historiques et les placettes qui font le charme de la ville, avec ses vendeurs ambulants, ses étals de chapeaux et de tableaux naïfs et ses boutiques de luxe vendant émeraudes et accessoires de mode.

★ Puerta del Reloj (porte de l'Horloge) Plan I A2

Occupée par quelques bouquinistes et vendeurs de souvenirs, cette imposante porte ménagée dans les murailles et surmontée de la flèche jaune et blanche de la tour de l'Horloge constituait autrefois l'entrée principale de Carthagène. Vous la franchirez, sur les pas des dignitaires, des rebelles et des brigands, pour être accueillis par la **statue★** de Pedro de Heredia, fondateur de la ville. Là stationnent d'élégantes **calèches** attendant le chaland pour un tour du centre historique.

Une fois la porte franchie, tournez à gauche.

★ Plaza de los Coches Plan I A2

La photogénique **place des Carrosses** est bordée d'un côté par le rempart, de l'autre par des édifices coloniaux soigneusement restaurés. C'est ici que les écrivains publics s'asseyaient pour rédiger les lettres de leurs clients analphabètes dans le roman de Gabriel García Márquez, *L'Amour aux temps du choléra*. Sous les arcades dites **Portal de los Dulces** se tiennent des stands de douceurs et de sucreries : ne manquez pas cette occasion de goûter les confiseries caribéennes que l'on y vend.

Poursuivez vers la gauche et traversez la plaza de la Aduana, une place triangulaire qui doit son nom à l'ancien bâtiment des douanes abritant aujourd'hui la mairie, puis remontez en direction de la plaza de San Pedro Claver.

Plaza de San Pedro Claver Plan I A2

★ **Museo de Arte Moderno de Cartagena** – *✆ (5) 664 5815 - lun.-vend. 9h-12h, 15h-19h, sam. 10h-13h - 5 000 COP, gratuit le merc.* Il occupe le premier édifice affecté aux douanes de Carthagène et les entrepôts qui lui furent adjoints à la fin du 19e s. La collection permanente présente des œuvres d'artistes colombiens et latino-américains des années 1950 à nos jours, tels Cecilia Porras, Alejandro Obregón ou Enrique Grau, ainsi que des expositions temporaires consacrées à des plasticiens contemporains. Des sculptures de fer d'Edgardo Carmona animent la ruelle piétonne en face du musée.

Plaza de los Coches, Cartagena.
Ch. Kober/Robert Harding Picture Library/age fotostock

★★ **Iglesia de San Pedro Claver** – *Lun.-sam. 7h-9h, 17h30-19h.* La place est dominée par cette imposante église édifiée en 1580 puis reconstruite en 1654. Missionnaire jésuite et véritable pionnier des droits de l'homme, **San Pedro Claver Corberó** (1580-1654), qui arriva à Carthagène à l'âge de 20 ans, consacra les 40 années de son ministère aux **esclaves**.

Museo Santuario de San Pedro Claver – *Attenant à l'église - ✆ (5) 664 4991 - lun.-vend. 8h-18h, w.-end 8h-17h - 10 000 COP.* Derrière une imposante façade de pierre de style baroque, le musée-sanctuaire dédié au saint homme occupe l'ancien complexe religieux où il œuvra. Vous visiterez la sacristie, la porterie, l'infirmerie et les dortoirs des esclaves. Dans le patio arboré a été conservée la **cuvette** dans laquelle San Pedro baptisait les esclaves. Quelques effets personnels de San Pedro Claver, ainsi que des œuvres d'art sacré et des sculptures rendent hommage à l'homme et à son œuvre.

Dirigez-vous vers la calle San Juan de Dios.

4

Plaza de Santa Teresa Plan I A2

Museo Naval del Caribe – *Au sud de la plaza de Santa Teresa - 8h-17h30 - 8 000 COP.* L'ancien collège jésuite jouxtant le complexe religieux de San Pedro Claver fit un temps fonction d'hôpital ; il accueille désormais ce **musée naval** où l'on pourra suivre l'histoire de Carthagène des Indes dans ses relations avec la mer grâce à un ensemble de maquettes et de projections vidéo. La genèse et le rôle des fortifications y sont retracés, tout comme les batailles navales les plus fameuses soutenues par la ville.

Charleston Santa Teresa – *Carrera 3A, n° 31-23 - ne se visite pas.* L'ancien **couvent de Santa Teresa**★ (17e s.), dont il ne subsiste que peu de vestiges, a été reconverti en hôtel haut de gamme. Cette institution chic reçoit depuis des années les dignitaires étrangers et les célébrités de ce monde *(voir « Hébergement », p. 297)*.

Remontez la calle de Santa Teresa qui se trouve derrière l'hôtel et poursuivez sur trois pâtés de maisons.

★ Calle de Santo Domingo Plan I A2

Dans cette rue à la mode se succèdent bijouteries, boutiques d'émeraudes et magasins chics où l'on vend des vêtements et accessoires griffés, dont des créations de designers locaux comme Hernán Zahar, natif de Mompox. Jalonnant la rue, de grandes demeures opulentes abritent aujourd'hui des hôtels-boutiques et des restaurants touristiques.

★ **Casa de Pestagua** – *Calle de Santo Domingo, n° 33-63 - www.hotelboutique casapestagua.com - ne se visite pas.* Cette ancienne demeure aristocratique fut construite avec des influences mauresques dans le style des 16e et 17e s. Convertie en hôtel, elle accueille souvent des mariages et des réceptions.

Poursuivez jusqu'à la plaza de Santo Domingo.

★ Plaza de Santo Domingo Plan I A2

C'est l'une des petites places les plus touristiques du quartier. Cafés et restaurants alignent leurs parasols rouges sous les balcons de bois fleuris de quelques belles demeures anciennes, devant la *Figura reclinada* de Botero (1992). Le soir, **artistes de rue** et **musiciens** animent la placette.

★ **Iglesia de Santo Domingo** – *11h-12h30, 14h-16h (offices).* Un imposant portail en corail se détache sur la façade jaune de l'église Santo Domingo (16e s.). À l'intérieur, l'abside peinte en jaune d'or et bleu outremer met en valeur les colonnes de marbre rose du grand retable de pierre. Une légende locale veut que le diable ait cherché en vain à détruire le clocher de cette église, lui donnant sa forme tordue. De puissants contreforts soutiennent les murs latéraux de l'édifice.

Poursuivez dans la calle de la Factoría jusqu'à rejoindre les remparts où vous tournerez à droite.

★ Teatro Heredia Adolfo Mejía Plan I A2

Plaza de la Merced, n° 38-10 - ✆ (5) 664 6023 - lun.-vend. 8h-12h, 14h-18h - visite guidée 11 000 COP.

Construit sur les ruines de l'ancienne **Iglesia de la Merced** (1625), ce beau théâtre à la façade rosée, inauguré en 1911, porte le nom du fondateur de la ville. D'une capacité de 650 places, il accueille des symposiums littéraires pendant le **Hay Festival de Cartagena** *(voir « Agenda », p. 301).*

Faites demi-tour dans la calle Don Sancho pour arriver à la plaza de Bolívar.

★★ Plaza de Bolívar Plan I A2

Cette belle place ombragée (1896) par des palmiers, des badamiers *(almendros)*, des lauriers et un bel arbre à pluie (*campano* ou *Samanea saman*) dessine un carré autour de la statue équestre du Libertador. Vendeurs de glaces et de jus de fruits y déambulent entre les bancs, en faisant un endroit très apprécié pour une petite pause.

★ **Catedral de Santa Catalina de Alejandría** – *À l'angle de la calle de los Santos de Piedra et de la plaza de la Proclamación - lun.-sam. 9h30-10h30, 11h30-12h30, dim. 9h30-10h30, 11h30-12h30 et 18h-19h30.* Dominant la ville fortifiée, le **beffroi** de la cathédrale, aux teintes douces, est coiffé d'un **dôme** datant du 20e s. C'est l'une des plus anciennes cathédrales des Amériques. Sa construction débuta en 1575, sur l'emplacement d'une modeste église de paille et de roseaux. Alors qu'elle était presque achevée, la cathédrale fut endommagée par des tirs de canon lors de l'attaque lancée en 1586 par **sir Francis Drake** sur la ville. L'édifice fut reconstruit entre 1598 et 1612. La magnifique restauration dont il a bénéficié récemment a effacé les outrages du temps. Ne manquez pas les piliers de corail de la nef et son **retable★★** en bois sculpté au riche décor polychrome.

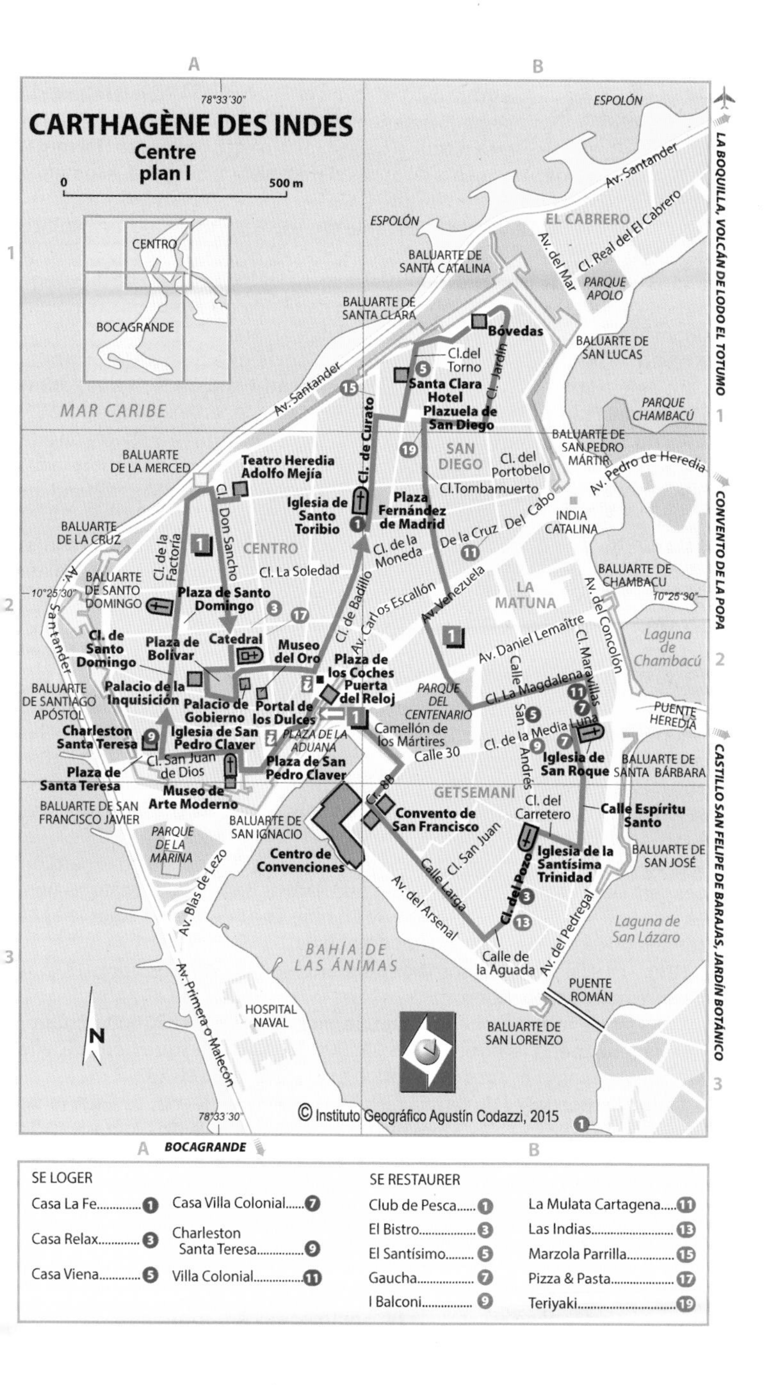
CARTHAGÈNE DES INDES
Centre
plan I
0
500 m
A
B
1
2
3
78°33'30"
10°25'30"
CENTRO
BOCAGRANDE
MAR CARIBE
ESPOLÓN
EL CABRERO
Av. Santander
Cl. Real del El Cabrero
Av. del Mar
PARQUE APOLO
BALUARTE DE SANTA CATALINA
BALUARTE DE SANTA CLARA
BALUARTE DE SAN LUCAS
PARQUE CHAMBACÚ
Bóvedas
Cl.del Torno
Cl. Jardín
Santa Clara Hotel
Plazuela de San Diego
Cl. de Curato
SAN DIEGO
Cl. del Portobelo
Cl.Tombamuerto
BALUARTE DE SAN PEDRO MÁRTIR
Av. Pedro de Heredia
BALUARTE DE LA MERCED
Teatro Heredia Adolfo Mejía
Iglesia de Santo Toribio
Plaza Fernández de Madrid
INDIA CATALINA
Del Cabo
De la Cruz
BALUARTE DE LA CRUZ
Cl. Don Sancho
Cl. de la Factoría
Cl. La Soledad
Cl. de la Moneda
BALUARTE DE CHAMBACU
BALUARTE DE SANTO DOMINGO
Plaza de Santo Domingo
Cl. de Badillo
Av. Carlos Escallón
Av. Venezuela
LA MATUNA
Av. del Concolón
Cl. de Santo Domingo
Plaza de Bolívar
Catedral
Museo del Oro
Plaza de los Coches
Av. Daniel Lemaître
Cl. Maravillas
Laguna de Chambacú
BALUARTE DE SANTIAGO APÓSTOL
Palacio de la Inquisición
Palacio de Gobierno
Portal de los Dulces
Puerta del Reloj
PARQUE DEL CENTENARIO
Calle San Andrés
Cl. La Magdalena
PUENTE HEREDIA
Charleston Santa Teresa
Iglesia de San Pedro Claver
PLAZA DE LA ADUANA
Camellón de los Mártires
Calle 30
Cl. de la Media Luna
Cl. San Juan de Dios
Plaza de San Pedro Claver
Iglesia de San Roque
BALUARTE DE SANTA BÁRBARA
Plaza de Santa Teresa
Museo de Arte Moderno
Cl. 8B
GETSEMANÍ
Cl. del Carretero
Calle Espíritu Santo
BALUARTE DE SAN FRANCISCO JAVIER
BALUARTE DE SAN IGNACIO
Convento de San Francisco
PARQUE DE LA MARINA
Centro de Convenciones
Cl. San Juan
Iglesia de la Santísima Trinidad
BALUARTE DE SAN JOSÉ
Calle Larga
Cl. del Pozo
Av. Blas de Lezo
Av. del Arsenal
Av. del Pedregal
Laguna de San Lázaro
BAHÍA DE LAS ÁNIMAS
Calle de la Aguada
PUENTE ROMÁN
Av. Primera o Malecón
HOSPITAL NAVAL
BALUARTE DE SAN LORENZO
N
© Instituto Geográfico Agustín Codazzi, 2015
BOCAGRANDE
LA BOQUILLA, VOLCÁN DE LODO EL TOTUMO
CONVENTO DE LA POPA
CASTILLO SAN FELIPE DE BARAJAS, JARDÍN BOTÁNICO
SE LOGER
Casa La Fe 1
Casa Relax 3
Casa Viena 5
Casa Villa Colonial 7
Charleston Santa Teresa 9
Villa Colonial 11
SE RESTAURER
Club de Pesca 1
El Bistro 3
El Santísimo 5
Gaucha 7
I Balconi 9
La Mulata Cartagena 11
Las Indias 13
Marzola Parrilla 15
Pizza & Pasta 17
Teriyaki 19

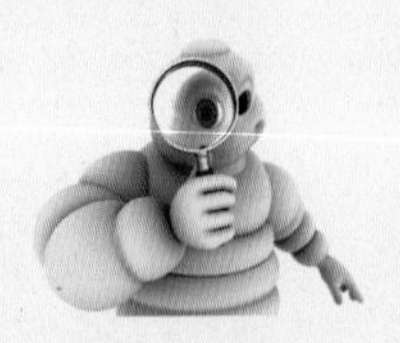

Le passé tumultueux de Carthagène

- **7000 av. J.-C.** *(époque incertaine)* – Première colonie de peuplement précolombien de la région caraïbe. On en a retrouvé trace dans la grotte de **Puerto Hormiga**, à cheval sur les départements du Sucre et du Bolívar, à quelques kilomètres de Carthagène.
- **1501** – **Rodrigo de Bastidas** effectue des expéditions de reconnaissance dans la baie.
- **1533** – **Pedro de Heredia** fonde Carthagène de Indias sur le site du village indien de **Calamari** ; il lui donne le nom de la ville espagnole d'où étaient originaires un grand nombre de ses marins.
- **1586** – Devenue rapidement l'un des ports principaux de l'empire, Carthagène attire corsaires et pirates, dont **Jean-François Roberval**, **John Hawkins** et **Francis Drake** qui fait détruire une grande partie de la ville en 1586.
- **Fin du 16e s.** – Face aux menaces constantes, la Couronne espagnole décide d'assurer la défense de la ville en bâtissant une ligne de fortifications ainsi que le formidable **Castillo San Felipe de Barajas**. Les murailles défendent la ville jusqu'au 18e s.
- **Début du 17e s.** – La ville devient une place négrière après avoir été une plaque tournante des exportations d'or et d'argent de la Nouvelle-Grenade vers l'Espagne.
- **1610** – Le **tribunal de** l'**Inquisition** s'installe à Carthagène.
- **1697** – Le Français Jean-Bernard de Pointis prend la ville au nom du roi Louis XIV au cours de l'**expédition de Carthagène**.
- **1741** – Carthagène est assiégée par l'amiral **Edward Vernon**, à la tête de troupes anglo-américaines. Les envahisseurs, très nombreux, remportent les premières escarmouches mais, surpris par la saison des pluies, doivent battre en retraite. À l'issue d'une bataille qui dure 67 jours, la flotte anglo-américaine se retire, après avoir subi de lourdes pertes dues aux combats, à la fièvre jaune, à la dysenterie et à la famine.
- **1750-1810** – Carthagène vit son « âge d'argent », une période d'expansion pendant laquelle le pouvoir politique se déplace de Bogotá vers la côte caraïbe. La ville voit se construire maisons de commerce et demeures coloniales et connaît une forte croissance démographique.
- **1811** – La ville proclame son **indépendance** le 11 novembre, après 275 ans de domination espagnole.
- **1815** – Une tentative de reconquête de la part des Espagnols échoue ; Carthagène prend le surnom de « Ciudad Heroica ». Presque détruite, elle repassera néanmoins sous domination espagnole jusqu'en 1821.
- **1840** – Le port perd du terrain face à sa rivale Santa Marta. La **Guerra de los Supremos** (guerre des Suprêmes ou guerre des Couvents) bloque le trafic portuaire, entraînant des difficultés économiques.
- **Milieu du 19e s.** – Carthagène traverse plusieurs crises de grande ampleur, dont de graves épidémies de **choléra**.
- **Fin du 19e s.** – Des vagues d'immigrants de culture arabe ou originaires de l'intérieur du pays contribuent à la renaissance de Carthagène.
- **1984** – Carthagène est inscrite au Patrimoine mondial de l'Unesco.
- **2012** – Carthagène accueille le **IVe Sommet des Amériques**.

Palacio de la Inquisición – *Plaza de Bolívar - ☏ (5) 664 4570 - lun.-sam. 9h-18h, dim. et j. fériés 10h-16h - 17 000 COP.* Le tribunal de la Sainte Inquisition s'établit à Carthagène en 1610 et fonctionna sans discontinuer jusqu'à la révolution de 1811, avant d'être définitivement banni en 1821. L'**édifice★**, qui a conservé son architecture d'origine, témoigne de cette époque sombre qu'il illustre par des reproductions des instruments de torture ainsi qu'un certain nombre de tableaux et de maquettes. Deux salles sont consacrées à l'histoire de la Ciudad Heroica. Très visité, ce musée s'avère cependant décevant par rapport au tarif demandé.

Palacio de Gobierno – *Au sud de la place.* Sous ses arcades, des plaques portent les noms des **Miss Colombie**. Les concours de beauté sont une industrie lucrative dans le pays. « Miss Colombie », qui a lieu tous les ans en décembre à Carthagène, donne lieu à une émission de télévision à très forte audience. Les plaques nominatives rendent un hommage dans le plus pur style hollywoodien à ces reines de beauté. Le bâtiment abrite le gouvernement régional ainsi que les instances organisatrices du concours.

Museo del Oro Zenú – *Plaza de Bolívar - mar.-sam. 9h-17h, dim. 10h-15h - entrée libre.* Les Zenús, qui peuplèrent les plaines côtières caribéennes à partir de 200 av. J.-C., réalisèrent quantité de boucles d'oreilles en filigrane et de figurines animales dont certaines sont exposées dans ce petit **musée de l'Or**. Une belle série d'urnes funéraires du bas Magdalena et de poteries cérémonielles complète la collection.

Quittez la plaza de Bolívar et dirigez-vous à l'est vers la calle de las Carretas qui se prolonge dans la calle de Badillo.

★★★ BARRIO SAN DIEGO Plan I B1-2

Le quartier colonial de San Diego, bien plus calme que le Centro, s'avère tout aussi pittoresque, avec ses rues tranquilles et fleuries, même s'il est moins monumental.

★ Plaza Fernández de Madrid Plan I B2

À l'angle des calles Segunda Badillo et La Tablada.

Certaines parties du film *L'Amour aux temps du choléra,* adapté du roman de Gabriel García Márquez par Ronald Harwood (2007), ont été tournées sur cette place paisible, très appréciée des réalisateurs de cinéma. La **Iglesia de Santo Toribio** *(ouverte pour l'office, à 7h et 18h)*, à l'angle nord-ouest de la place, conserve un retable baroque richement ornementé. L'**Institut français** *(voir « Petite pause », p. 299)*, occupe une maison bleue donnant sur la place.

Remontez la jolie calle del Curato, bordée de maisons coloniales aux façades pastel, puis tournez à droite dans la calle Stuart pour rejoindre la plazuela de San Diego.

★ Plazuela de San Diego Plan I B1

Une autre placette ravissante ombragée d'arbres vénérables et entourée de balcons fleuris. La façade néogothique toute simple d'une ancienne chapelle marque l'entrée de l'École des beaux-arts.

★★ **Santa Clara Hotel** – *Calle del Torno, n° 39-29.* L'ancien **couvent** (1621), restauré, a été transformé en hôtel de luxe (Sofitel), son **cloître** central regorgeant de plantes tropicales servant désormais de cadre à un restaurant apprécié.

De Santa Clara, tournez à gauche en direction des fortifications ; là, prenez à droite jusqu'au Baluarte de Santa Catalina.

★ **Bóvedas** (voûtes) Plan I B1

Entre les bastions (baluartes) de Santa Clara et de Santa Catalina.

Les 23 niches ménagées dans les fortifications à la fin du 18e s. permettaient de loger la garnison à l'abri des tirs de canon venus du large. Elles ont été reconverties en autant d'échoppes d'artisanat *(voir « Achats », p. 300)*.

Revenez vers le parque del Centenario par les ruelles du barrio San Diego (la calle Tumbamuerto et la calle Cochera del Hobo comptent parmi les plus pittoresques).

★★ GETSEMANÍ Plan I B2-3

À 15mn à pied du barrio San Diego se trouve ce quartier moins pimpant mais tout aussi intéressant et plus vivant. À l'époque coloniale, cette partie de Carthagène abritait les **classes ouvrières** ; c'est encore vrai en partie, même si le quartier commence à se rénover et à s'embourgeoiser – c'est aujourd'hui un lieu branché. Au cœur du quartier, la **calle de la Media Luna** regorge de pensions bon marché qui en ont fait un QG pour voyageurs à petit budget.

Du parque del Centenario, prenez la calle Magdalena puis à gauche, la calle de las Maravillas.

★ **Calle Espíritu Santo** (rue du Saint-Esprit) Plan I B2-3

Carrera 10C entre la calle de la Media Luna et la calle 29.

Elle commence à l'angle de la petite **Parroquia San Roque**, construite en 1674 après une épidémie de fièvre jaune particulièrement virulente qui frappa Carthagène. Cette ruelle pittoresque sert de terrain de jeu aux artistes de rue, qui en ont redécoré les murs avec de grandes fresques colorées naïves, satiriques ou pleines d'humour.

Prenez à droite la calle del Carretero.

Calle del Pozo (rue du Puits) Plan I B3

Calle 10B.

La **Iglesia de la Santísima Trinidad**, à la belle charpente apparente et aux piliers de corail dur, fut achevée dans la seconde moitié du 17e s. Le groupe de bronze sculpté sur la placette, commémorant le mouvement des **lanciers de Getsemaní** en faveur de l'indépendance (1811), les fresques couvrant les murs jaunes dessinent une ambiance composite typique du quartier. On se retrouve ici dès la nuit tombée pour bavarder tandis que les enfants jouent au ballon et que les vendeurs ambulants s'installent autour de la place.

L'église marque le début de la charmante **calle del Pozo**, bordée de maisons aux façades pastel croulant sous les bougainvillées. Derrière les grilles des

Vieille ville de Cartagena.
J. Sweeney/Agency Jon Arnold Images/age fotostock

fenêtres se laisse entr'apercevoir le quotidien des habitants. Le soir, les anciens sortent leurs fauteuils à bascule sur le pas de la porte pour prendre le frais ou partager un verre de rhum avec les voisins.

La ruelle aboutit sur la **plazoleta del Pozo**, dont vous partagerez les bancs avec quelques sculptures de fer figurant des scènes familières ; elles ont été réalisées par **Edgardo Carmona**, un artiste contemporain que l'on retrouve ici et là dans la ville, notamment en face du musée d'Art moderne *(voir « Centro », p. 280).*

Poursuivez dans la calle de la Aguada qui prolonge la ruelle et tournez à droite dans la calle Larga.

Convento de San Francisco Plan I B3

Calle 8B, à côté du Teatro Colón.

Les franciscains avaient établi leur siège et bâti des cloîtres à Getsemaní en 1555. Leur couvent servit de quartier général à l'Inquisition. Il accueille aujourd'hui les locaux de l'université autour d'un patio arboré.

Traversez la rue.

Centro de Convenciones Plan I A3

À l'angle de l'av. del Arsenal.

Cet imposant centre des congrès ultramoderne contraste avec l'architecture coloniale environnante. Il accueille un large éventail de manifestations et de séminaires, ainsi que l'élection annuelle de **Miss Colombie**. En basse saison, ces congrès maintiennent à flot l'industrie hôtelière de Carthagène.

Le Camellón de los Mártires, large esplanade située entre le Centro de Convenciones et le parque del Centenario, ramène à la Torre del Reloj.

★★ Les fortifications du mur d'enceinte

Promenade de 2h30 sur tout le pourtour du centre historique.

Seize des 21 bastions *(baluartes)* originaux subsistent au long des 11 km de remparts dont la construction, ordonnée à la fin du 16e s. par Philippe II d'Espagne, s'étira sur plus de deux siècles. Vous pouvez accéder aux remparts au niveau du **Baluarte de San Francisco Javier**, derrière la plaza de San Pedro Claver, et les suivre jusqu'au **Puente Román**, au bout du quartier de Getsemaní. Au **Baluarte de Santa Catalina**, descendez au niveau de la rue pour voir les **Bóvedas** *(voir p. 286)*. Le **Baluarte de San José** *(av. del Pedregal)*, commencé en 1631, fut achevé en 1776 ; son impressionnante batterie de 12 canons protégeait Getsemaní. De l'autre côté du Puente Román, le **Fuerte del Pastelillo** fermait cette partie du système de défense. Il abrite aujourd'hui le Club de Pesca *(voir « Restauration », p. 299).*

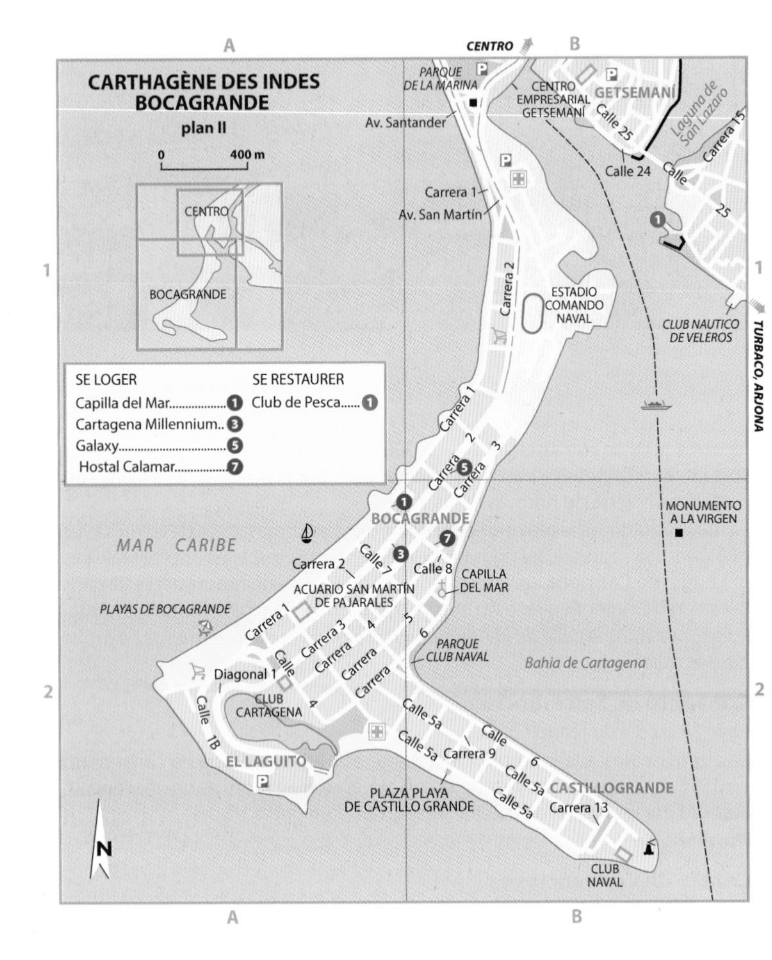

Hors les murs Plans I (Centre) p. 283 et II (Bocagrande)

★★★ **Castillo San Felipe de Barajas** Plan I B2 en dir.

Av. Arévalo - Cerro San Lázaro (de l'autre côté du Puente Heredia, à 20mn à pied de la tour de l'Horloge) - ✆ (5) 656 0590 - www.fortificacionesdecartagena.com - 8h-17h30 - 17 000 COP. Comptez 1h30 de visite.

C'est la pièce maîtresse du système de défense de la ville. Dessinée par **Antonio de Arévalo**, cette forteresse fut édifiée pour l'essentiel entre 1639 et 1657, puis agrandie en 1762. Construite par des esclaves africains sur la colline de **San Lázaro**, elle jouait un rôle dissuasif face aux envahisseurs. Ses tunnels, réserves, tourelles et murs inclinés la rendaient quasiment imprenable et en font l'un des plus formidables bastions jamais construits par les colons espagnols. Une statue de **Don Blas de Lezo**, commandant en chef du fort à l'époque de la bataille de Carthagène (1741), est installée en face de la forteresse. Non loin, les **Vieilles Bottes**, une paire de godillots géants en bronze (Tito Lombana, 1957), sont un hommage à Luis Carlos López (1879-1950), un poète natif de Carthagène qui a beaucoup écrit sur sa ville et ses habitants les plus humbles.

★ Convento de la Popa Plan I B2 en dir.
Calle Nueva del Toril, n° 21 - Cerro de la Popa - 8h-17h - 12 000 COP. Allez-y impérativement en taxi (le sentier qui y grimpe traverse des quartiers mal famés) et demandez au chauffeur de vous attendre sur place.
Situé un peu à l'écart de la vieille ville, ce **monastère** construit en 1607 fut utilisé comme forteresse en raison de son emplacement stratégique, au sommet de la colline. Il abrite un joli **patio**, une petite collection d'art colonial et une **chapelle** consacrée à la Virgen de la Candelaria. Du haut de ses 150 m, il offre des **vues★★** magnifiques sur la ville, surtout au coucher du soleil.

Bocagrande Plan II
À 2 km à l'est du centre historique.
Cette péninsule hérissée de gratte-ciel qui se donne Dubai pour modèle architectural apparaît comme l'antithèse du centre historique. Les tours résidentielles y côtoient les hôtels de luxe, aux standards aussi uniformisés que les chaînes de fast-food et les centres commerciaux qui en ponctuent les rues. Le quartier, bien que perpétuellement en chantier, draine un tourisme de masse, essentiellement colombien, et la grande plage qui le borde au nord attire toujours beaucoup de monde.

À proximité Carte de région B1-2 (p. 276)

La Boquilla
À 7 km au nord-est de Cartagena, au bout de la langue de terre fermant la cienaga de la Virgen. Bus urbains sur l'av. Santander.
Dans cet ancien village de pêcheurs, traditionnellement habité par des Afro-Colombiens, on peut encore parcourir en bateau les **mangroves de palétuviers**. Mais il faut pour cela se dépêcher : l'atmosphère de La Boquilla a changé depuis que Carthagène est devenue une destination à la mode, et ses habitants d'origine sont nombreux à avoir dû abandonner leurs maisons pour céder la place à des complexes résidentiels et hôteliers de standing.

★★ Jardín Botánico Guillermo Piñeres
À 18 km au sud-est de Cartagena. Depuis Cartagena, les bus pour Turbaco vous laisseront à l'entrée du jardin - ✆ (mob.) 312 220 9051 - 8h-16h - www.jbgp.org.co - 15 700 COP.
Créé en 1978 à des fins d'étude et de conservation de la flore de la région caraïbe, le Jardin botanique est sillonné de chemins qui serpentent à travers des espaces recréant le désert, la forêt humide et la forêt tropicale. Il abrite quelque 12 600 espèces de plantes, dont le remarquable **sabal** (palmier éventail).

★ Playa Blanca (Isla Barú)
À 20 km au sud-ouest de Cartagena. Excursions à la journée en lancha depuis le Muelle Turístico de Cartagena (50 000 COP) ou accès en bus jusqu'à Pasacaballos puis taxi. Hébergement basique sur place.
Ici, dans un décor de carte postale, serviette posée sur le sable blanc à l'ombre des palmiers, vous suivrez le vol des pélicans qui plongent dans l'océan. Située sur l'**Isla Barú** (en fait une presqu'île), cette plage protégée d'une longueur de 3,5 km, bordant des eaux turquoise, constitue la partie continentale du Parque Nacional Natural Corales del Rosario *(voir p. 290)*. Les courants y sont quasiment inexistants, et la **baignade** y est sûre. Programmez votre journée à Playa Blanca en milieu de semaine, lorsqu'elle est peu fréquentée.

★ Parque Nacional Natural Corales del Rosario y San Bernardo

À 45 km au sud-ouest de Cartagena - (mob.) 300 403 6523 - www.parquesnacionales.gov.co - 8h-17h - accès en bateau et uniquement pour pratiquer le snorkeling ou la plongée - 7 000 COP.

Ce parc d'une superficie d'environ 120 000 ha couvre une trentaine d'îles peuplées d'oiseaux qui, hormis deux ou trois îles privées *(voir « Hébergement », p. 297)*, sont interdites d'accès : on ne le découvre qu'en bateau ou palmes aux pieds. Il a été créé pour protéger les herbiers sous-marins et les prairies d'algues, écosystèmes fragiles où vivent poissons, invertébrés et coraux, ainsi que les **forêts de palétuviers** composant les mangroves qui frangent les îles. Ses eaux claires peu profondes et ses récifs coralliens attendent les amateurs de **plongée sous-marine** et de **snorkeling**.

★ Volcán de Lodo El Totumo

À 52 km au nord-est de Cartagena, à proximité de Galerazamba. Excursion proposée par de nombreuses agences de Cartagena ou accès en bus jusqu'à Lomita Arena.

Ce **volcan de boue**, qui ressemble à une gigantesque fourmilière, sera l'occasion d'une excursion d'une demi-journée. Un escalier de bois mène au **chaudron** bouillonnant ; on peut s'y tremper dans les boues soufrées sombres et épaisses, aux propriétés revigorantes. Ne vous sentez pas obligé d'accepter les massages proposés par des « experts » locaux. Vous vous dirigerez ensuite vers le lac où l'on vous proposera de vous débarrasser de votre gangue de boue contre une modeste rétribution.

San Basilio de Palenque

À 60 km au sud-est de Cartagena.

Ancien village d'esclaves libres dont les habitants actuels sont les descendants, ce bourg d'environ 3 500 habitants demeure un symbole de résistance et de liberté. On y parle un créole à part, mélange de castillan et de dialectes bantous. San Basilio est l'un des derniers *palenques* de la région ; ces villages fortifiés où trouvaient refuge les « nègres marrons », ceux qui étaient parvenus à s'enfuir des plantations, étaient nombreux au 17e s. Autogérés, ils avaient leur propre organisation sociale, fondée sur l'appartenance à un groupe d'âge qui déterminait le rôle de chacun dans la communauté et les tâches auxquelles était affecté celui-ci. La grande **Fête des tambours** de San Basilio *(chaque année en octobre)* est l'occasion de revivifier les mythes fondateurs, les légendes et les traditions africaines au cours de soirées de narration.

Excursions Carte de région p. 276

★★ SANTA CRUZ DE MOMPOX B2

À 248 km au sud-est de Cartagena. Accès : voir p. 295.

Dans la Casa de la Cultura - calle del Medio, n° 16A-01 - lun.-sam. 8h-12h, 14h-17h. Petit plan de la ville.

Dans l'intérieur des terres, au bord du río Magdalena, Mompox (ou Mompós, 44 000 hab.) est l'une des plus charmantes villes coloniales de la région caraïbe. Cet ancien port fluvial abrité fut fondé par **Alonso de Heredia** vers 1540, quelques années après que son frère Pedro eut posé la première pierre de Carthagène. Les bateaux transportant de l'or et de l'**argent** de l'Équateur à Carthagène y faisaient étape, et la ville connut un développement fulgurant à l'époque coloniale ; elle tomba peu à peu dans l'oubli avec l'envasement du fleuve. Son isolement relatif lui a permis de conserver quasiment intacte son architecture coloniale.

Classé par l'**Unesco** au Patrimoine mondial de l'humanité en 1995, le cœur historique de la ville compte six églises remarquablement conservées *(ouvertes pour les offices uniquement)*, toutes situées dans les trois rues parallèles à la rivière.

Mompox perpétue par ailleurs la tradition de la **filigrana momposina** *(voir l'encadré p. 60 et la rubrique « Achats », p. 300)*. La ville abrite de nombreux **ateliers** où l'on fabrique ces bijoux en filigrane d'argent. L'assemblage de ces boucles en métal spiralé, qui demande un soin infini, est fascinant à regarder.

La ville, qui se parcourt aisément à pied, se compose de quatre carreras numérotées à partir du fleuve. Les principaux édifices coloniaux se trouvent entre les calles 14 à 20. Comptez une demi-journée pour en faire le tour, en commençant votre balade le long du fleuve.

Albarradas (berges)

Promenade piétonne aménagée en bordure du fleuve (carrera 1).

★★ **Iglesia de Santa Bárbara** – *Angle calle 14.* L'église la plus curieuse de la ville, dont la façade jaune est rehaussée de palmes et de motifs floraux, fut construite en 1613 et refaite en 1733. Elle est flanquée d'un **campanile octogonal** richement ornementé qui fait allusion à la tour où la jeune chrétienne fut enfermée par son père. Sur ce clocher, remarquez les têtes de lion formant chapiteau au-dessus des colonnes engagées, les grilles de fer forgé et, au premier niveau, le **balcon** au toit de tuiles soutenu par des colonnes de bois. L'église à trois nefs conserve un retable de bois baroque, doré à la feuille. C'est de la plaza de Santa Bárbara que partent les processions de la Semana Santa *(voir l'encadré ci-dessous)*.

★ **Portales de la Marquesa** (arcades de la Marquise) – *Entre le callejón de las Tres Cruces et le callejón de Choperena.* Cette longue galerie couverte de tuiles et soutenue par de sveltes colonnes de bois peintes de couleurs vives protégeait un ensemble de demeures aristocratiques construites au début du 18e s. L'une d'elles a été reconvertie en un hôtel de charme *(voir la rubrique « Hébergement », p. 297)*. Il fait bon y flâner à la fraîche, quand la brise se lève, en fin d'après-midi. Certaines scènes de la série télévisée *La Cacica*, portant sur la vie de Consuelo Araújo Noguera, ministre de la Culture assassinée par les FARC en 2001, ont été tournées sous les arcades en 2015.

Piedra de Bolívar (pierre de Bolívar) – *À l'angle de la calle 17.* Cette stèle liste les dates où Simón Bolívar séjourna à Mompox, point de départ de la célèbre expédition du Libertador vers Caracas et première ville de Nouvelle-Grenade à s'être soulevée contre la domination espagnole *(voir l'encadré p. 292)*.

LA SEMANA SANTA À MOMPOX

Les **festivités de Pâques** à Mompox sont, avec celles de **Popayán** *(voir p. 398)*, les plus belles de Colombie. Les **pèlerins** nazaréens vêtus de lourdes tuniques pourpres font deux pas en avant puis un pas en arrière, portant de lourdes châsses richement ornées dans la chaleur des processions qui commencent en fin d'après-midi et ne se terminent qu'aux petites heures du matin. Arrivez le mercredi pour vivre le **Miércoles Alumbrado**, quand les habitants, vêtus de leurs plus beaux atours, se rendent de nuit au cimetière pour placer des bougies sur les tombes de leurs défunts, au son d'une sérénade solennelle jouée par la fanfare. Des tapis de sciure et de sable de couleur parent les rues de motifs religieux.

★★ **Casa de la Aduana** (Maison des douanes) – *Plaza Real de la Concepción, au niveau de la calle 18.* L'ancienne Maison des douanes, également connue sous le nom de « vieux marché » *(antiguo mercado)*, possède deux entrées, l'une sur la place, l'autre tournée vers la rivière, avec un escalier menant directement aux berges où l'on débarquait les marchandises. Ses murs virent s'entasser quantité d'or, d'argent et de denrées de toutes sortes, avant que l'édifice ne soit converti au début du 20e s. en marché, fonction qu'il conserva jusqu'en 1996. C'est ici que fut tournée une partie du film *Chronique d'une mort annoncée.* De l'autre côté de la place se dresse la façade néoclassique de la **Iglesia de la Concepción**. Victime de tremblements de terre, elle a fait l'objet de maints remaniements depuis sa fondation initiale en 1541, et les dernières modifications ne datent que de 1931.
★ **Iglesia de San Francisco** – *Calle 20.* Cette église, la plus ancienne de la ville, fut fondée en 1580. Sa façade peinte en rouge montre, au-dessus du portail central, une ornementation originale en forme de losange tronqué. Notez, sur le côté gauche, les contreforts ajoutés postérieurement pour consolider la structure.

Calle Real del Medio

Carrera 2.

San Juan de Dios – *Entre les calles 19 et 20.* Sa façade montre quatre portes de tailles différentes, l'une pour chacune des trois nefs et une quatrième au pied de la tour que surmonte un **clocher-mur★**. Cette dernière porte donnait accès jusqu'en 1907 à l'ancien hôpital des frères de San Juan de Dios, fonction qu'elle a conservée avec le nouveau centre de santé.
★ **Iglesia de San Agustín** – *Entre les calles 16 et 17.* Notez sa belle charpente d'où pendent des lustres de bronze et ses éléments décoratifs du 19e s. Le bas-côté gauche ouvre sur le ravissant cloître arboré de l'ancien couvent augustinien.
Plaza de la Libertad – *Angle de la calle 19.* L'Alcaldía (mairie) a installé ses bureaux dans le cloître de l'ancien couvent jésuite de San Carlos dominant la place, qu'entourent de belles demeures anciennes à balcons de bois et portes richement ornées.
★ **Casa de la Cultura** – *Entre les calles 16 et 17 - lun.-sam. 8h-12h, 14h-17h - 2 000 COP.* Son petit musée archéologique, mineur, est surtout un prétexte pour découvrir le patio de cette demeure coloniale bien restaurée. L'une des pièces abrite un petit point d'information touristique et un atelier d'orfèvrerie.

Calle de Atrás

Carrera 3.

★ **Colegio Pinillos** – *Calle 18, entre la plaza de Santo Domingo et la plaza de Bolívar.* Ce fut la première université de la côte colombienne, sous le nom d'**Antiguo Colegio Universidad de San Pedro Apóstol**. La construction de ce bel édifice à deux niveaux commença en 1794. Achevé en 1809, il abrite un lycée.
★ **Plaza de Santo Domingo** – *Angle calle 18.* En son centre se dresse le Monumento al

BOLÍVAR À MOMPOX

Dans sa lutte pour libérer la Nouvelle-Grenade, **Simón Bolívar** leva une armée de 400 Momposinos pour marcher sur Caracas, lors de la *Campaña Admirable*. Fort du soutien de ces hommes, le Libertador déclara qu'il devait sa vie à Caracas, mais sa gloire à Mompox. Ces paroles, source de grande fierté pour la population locale, sont gravées sur le socle de la **statue** de Bolívar, sur la plaza de la Libertad.

Mompox, Iglesia de Santa Bárbara.
P. Tisserand/Michelin

Nazareno Momposino, personnage central des célébrations de la Semaine sainte. La statue a été érigée en 2010 à l'occasion du bicentenaire de l'indépendance. À la tombée de la nuit, les vendeurs de jus de fruits se rassemblent ici et mixent de savants mélanges de fruits tropicaux, dont certains gagnent à être goûtés, comme le *corozo*, riche en vitamine C.

Calle Nueva

Carrera 4.

★ **Cementerio** – *Angle calle 18.* La tradition coloniale voulait que les morts soient enterrés au plus près des églises ; mais à Mompox, où ces dernières se trouvent au bord de la rivière, des mesures de santé publique obligèrent à établir le cimetière ici. Parmi les tombes blanchies à la chaux émergent les bustes de héros du mouvement d'indépendance, d'immigrants de toutes origines et du père de la poésie noire d'Amérique du Sud, le Momposino **Candelario Obeso** (1849-1884).

Jardín Botánico El Cuchubo – *Calle 14, entre les carreras 3 et 4, sur la droite. Pas de signe : toquez à la porte pour vous faire ouvrir - contribution demandée.* Ce petit jardin privé et informel rassemble plantes, palmes, arbustes et arbres fruitiers venus d'Asie, d'Afrique ou de Madagascar. Le gardien des lieux vous en détaillera (en espagnol) l'origine et les usages culinaires ou médicinaux.

★★ Ciénaga de Pijiño

Excursion de 3h organisée en fin de journée par plusieurs hôtels, dont la Casa del Viajero *(voir p. 297).*

Les terres marécageuses *(ciénagas)* et les multiples cours d'eau entourant Mompox, qu'affectionnent les iguanes, les singes hurleurs, les **aigrettes** et les **hérons**, se prêtent à une excursion en bateau. L'embarcation emprunte les **canaux** creusés au fil des siècles, à la fois pour lutter contre les inondations et pour relier entre eux les différents bras d'eau, et passe par de petits villages ; elle croise de temps à autre des pêcheurs hameçonnant les poissons-chats et les *bocachicos*, des espèces locales.

★★ CAPURGANÁ A2

À 470 km au sud-ouest de Cartagena (bus puis lancha) ou 360 km au nord-ouest de Medellín (avion). Accès : voir p. 295. La zone est a priori sécurisée, mais il n'est pas inutile de se renseigner sur la situation dans la région du golfe d'Urabá au moment de votre passage.

En attendant la fin de la construction de la nouvelle route, Capurganá, au bout de la côte occidentale du golfe d'Urabá, n'est accessible qu'en *lancha* ou en avionnette. On tombe vite sous le charme de ses ruelles de sable qui ne connaissent pas encore le trafic automobile. Toujours difficile d'accès mais désormais sans risque, ce hameau appartenant au département du **Chocó** est un point de passage obligé pour les voyageurs qui poursuivent leur route vers le Panama et l'Amérique centrale. Ses **plages★★** de carte postale, avec leur sable blanc et leurs cocotiers penchés au-dessus d'une eau turquoise, les **kayaks de mer** passant au large, précèdent un **cap rocheux** où se retrouvent plongeurs et amateurs de snorkeling. Proche de la région du Darién, Capurganá est entourée d'une belle **forêt tropicale humide** sillonnée de sentiers aménagés *(prenez des bottes s'il a plu)*. Parmi les objectifs de balade favoris figurent la **cascade El Cielo★** et la jolie plage, encore plus sauvage et tranquille, de **Sapzurro★★** *(1h30)*, à la frontière panaméenne. On accède à pied ou en *lancha* à la **Playa de La Miel★★**, juste de l'autre côté de la frontière *(inutile de faire tamponner son passeport pour une excursion à la journée)*. On peut aussi envisager une sortie en mer en direction de l'une des 400 îles panaméennes de San Blas.

NOS ADRESSES À CARTHAGÈNE DES INDES ET AUX ENVIRONS

Plan I (centre) p. 283 - plan II (Bocagrande) p. 288

INFORMATIONS UTILES

Change – Plusieurs *casas de cambio* dans la calle San Andrés (Getsemaní) Plan I B2 et autour de la plaza de los Coches (Centro) Plan I A2.

ARRIVER/PARTIR

En avion

Aeropuerto Internacional Rafael Núñez (CTG) – Plan I B1 en dir. - *À 1,5 km au nord de la ville - (5) 656 9200 - www.sasca.com.co.* Liaisons fréquentes de/vers Bogotá. Des **colectivos** et des navettes *(metrocars)* relient l'aéroport au centre historique. **Taxis** *(15mn de trajet - 10 000 COP)* pour le centre-ville à la sortie du hall des arrivées.

En bus

Terminal de Transportes – *À 7 km à l'est du centre-ville.* Pour rejoindre le centre, comptez 30mn de taxi ou 1h de bus, la circulation étant souvent très dense en sortie de ville. Bus fréquents de/vers Bogotá (22h - 100 000 COP), Barranquilla (2h30 - 10 000 COP) et Santa Marta (5h - 20 000 COP). Pour Medellín, 8 départs/j. (13h - 120 000 COP).

Pour Mompox

Trois bus directs par jour (env. 7h) ou départs fréquents pour Magangué (4h - 40 000 COP) puis *lancha* ou bac (3/j.) jusqu'à Bodegas, d'où il reste 1h de route pour Mompox.

Pour Capurganá

Accès en **lancha** (bateau) au départ des villes portuaires de Turbo et Necoclí, sur le golfe d'Urabá (1 départ/j., tôt le matin - 1h30 à 2h30 de mer). Ces villes sont reliées à Cartagena par bus *via* Montería ; prenez un bus avant 8h du matin pour être sûr d'arriver à Turbo ou Necoclí avant la nuit. En **avion** : vol direct tlj de/vers Medellín et Panama City. De Capurganá, si vous poursuivez vers le **Panama**, il vous faudra montrer un billet de retour ou de continuation (sortie du Panama) et faire tamponner votre passeport à la sortie de Colombie.

TRANSPORTS

Bus urbains – Les petits bus reliant le centre historique à Bocagrande se prennent sur l'av. Santander. Pour le Terminal de Transportes, arrêt principal au Puente Heredia *(1 800 COP)*.

HÉBERGEMENT

À Cartagena, auberges et hôtels premier prix se trouvent dans le quartier de **Getsemaní** Plan I, et particulièrement dans les calles de la Media Luna et de San Andrés. Comptez autour de 50/70 000 COP pour une chambre double avec ventilateur/air conditionné, souvent minuscule et d'une propreté laissant fortement à désirer. Les établissements de standing international se situent quant à eux dans les grandes tours de la zone hôtelière de **Bocagrande** Plan II.

PREMIER PRIX

Casa Viena – Plan I B2 - *Calle San Andrés, n° 30-53 - Getsemaní - ✆ (5) 668 5048 - www.casaviena.com - 9 ch. 50/70 000 COP.* Avec ou sans fenêtres, donnant sur la ruelle animée ou sur les couloirs intérieurs, elles sont de taille variable pour un même prix. Deux dortoirs de 3 et 8 lits. Relativement bien tenu par un personnel serviable, l'établissement est sûr. Café et appels locaux gratuits.

Galaxy – Plan II B1 - *Carrera 2 (av. San Martin), n° 9-42 - Bocagrande - ✆ (5) 665 4864 - ▤ - 30 ch. 60/70 000 COP.* Si les chambres (ventilateur ou air conditionné) sont rudimentaires, avec ou sans fenêtres, elles ont toutes une sdb et restent d'un bien meilleur rapport qualité-prix qu'à budget équivalent dans le centre historique. Entretien correct sans plus. Wifi dans les parties communes. Restaurant économique au pied de l'hôtel.

Hostal Calamar – Plan II B2 - *Calle 8, n°3-49 - Bocagrande - ✆ (5) 665 2696 - www.hostalcalamar.com - ▤✕ - 18 ch. 95 000 COP ☕.* Toutes climatisées, les chambres se répartissent sur deux étages dans l'une des dernières maisons traditionnelles de Bocagrande. Très spacieuses, équipées d'un bureau et disposant du wifi, elles vous garantissent un séjour paisible à deux pas de toutes les commodités (plage, centres commerciaux). Bon restaurant de cuisine *criolla* sur place à petit prix.

BUDGET MOYEN

Villa Colonial – Plan I B2 - *Calle de las Maravillas, n° 30-60 - Getsemaní - ✆ (5) 664 4996 - www.hotelvillacolonial.com - ▤ - 25 ch. 100/130 000 COP ☕.* C'est la version économique de la Casa Villa Colonial voisine *(voir plus bas)*. Les chambres, blanches et sobres, sommairement meublées mais bien entretenues, se répartissent sur deux étages. Trois d'entre elles disposent d'un balcon. Personnel avenant et serviable, wifi. Un très bon rapport qualité-prix dans cette gamme.

Casa Relax – Plan I B3 - *Calle del Pozo, n° 25-105 - Getsemaní - (5) 664 1117 - www.cartagenarelax.com* - - *12 ch. 150 000 COP* . À quelques minutes à pied de la tour de l'Horloge, ses chambres relativement spacieuses mais sombres, très bien tenues, occupent un bâtiment colonial. Leurs fenêtres donnent sur le patio avec piscine. Cuisine commune et hamacs à disposition, billard et bibliothèque proposant de nombreux livres en français. Service de laverie.

POUR SE FAIRE PLAISIR

Casa Villa Colonial – Plan I B2 - *Calle de la Media Luna, n° 10-89 - Getsemaní - (5) 664 5421 -* - *www.hotelvillacolonial.com - 13 ch. 186 000 COP* . Au cœur de Getsemaní, près du centre historique, cet hôtel de catégorie moyenne propose des chambres impeccables et relativement grandes, certaines pour 4 pers. Petite cuisine à disposition des hôtes. Le personnel vous aidera à organiser des excursions ou à commander une pizza.

Cartagena Millennium – Plan II A2 - *Carrera 2 (av. San Martin), n° 7-121 - Bocagrande - (5) 642 4747 - www.hotelcartagenamillennium.com* - - *51 ch. 215 000 COP* . Touristes et hommes d'affaires apprécient cet établissement moderne de la zone hôtelière, à taille humaine par rapport aux tours environnantes. Les chambres, spacieuses, sont décorées avec goût. Coin salon dans les suites Deluxe. Instant détente sur la terrasse du toit et piscine au rez-de-chaussée. Le restaurant est spécialisé dans la cuisine créole.

UNE FOLIE

Casa La Fe – Plan I AB2 - *Calle Segunda de Badillo, n° 36-125 - Centro - (5) 664 0306 - http://kalihotels.com/en/hotel-casa-la-fe* - - *14 ch. 340 000 COP* . Une maison d'hôtes primée au concours des plus beaux balcons de Carthagène et décorée d'œuvres d'art religieux. Les chambres les plus chères donnent sur la plaza Fernández de Madrid. Petit-déjeuner servi dans la cour intérieure verdoyante. Prêt de vélos, piscine-jacuzzi avec vue. Une adresse de charme.

Capilla del Mar – Plan II A2 - *Angle carrera 1 et calle 8 - Bocagrande - (5) 650 1500 - www.capilladelmar.com* - - *203 ch. 350 000 COP* . À 15mn de l'aéroport et à 10mn en bus des remparts. Rien à dire sur les chambres de cet hôtel-tour (22 étages) qui obéissent à tous les standards du confort international. Bar avec vue unique au 21e étage, piscine sur la terrasse du dernier niveau. Accueil impersonnel.

Charleston Santa Teresa – Plan I A2 - *Carrera 3, n° 31-23 - plaza de Santa Teresa - Centro - (5) 664 9494 - www.hotelcharlestonsantateresa.com* - - *89 ch. 1 450 000 COP* . Mêlant harmonieusement style colonial et décoration contemporaine, l'ancien couvent de Santa Teresa s'agence autour de deux cours intérieures ombragées de bougainvillées. Quelques chambres ont vue sur mer. Une salle de gym bien équipée est à la disposition de la clientèle ainsi qu'un spa. Piscine au dernier étage, où se trouve également un excellent restaurant *(réservé aux clients de l'hôtel)* d'où l'on peut admirer les toits de Cartagena. Les tarifs varient du simple au double selon le taux d'occupation et la saison.

Islas del Rosario

UNE FOLIE

Isla Pirata – *Dans le Parque Nacional Natural Corales del Rosario - ✆ (5) 665 2952 - www.hotelislapirata.com - 12 ch. 490 000 COP en pension complète - réserv. obligatoire pour que l'on vienne vous chercher en lancha à Cartagena.* Sur cette île de rêve, l'une des deux ou trois îles privées à l'intérieur de la réserve protégée, ont été aménagés des bungalows de luxe. Eaux cristallines, snorkelling et plongée, kayak de mer au programme d'un séjour loin du monde. Vous pouvez aussi profiter de ce petit coin de paradis à l'occasion d'une excursion à la journée : 115 000 COP déjeuner et activités nautiques comprises.

Mompox

PREMIER PRIX

Hostal La Casa del Viajero – *Calle Real del Medio, nº 13-54 - ✆ (5) 684 0657 - - 5 ch. 80 000 COP.* Juste derrière l'église Santa Bárbara, à une *cuadra* du terminus des bus arrivant de Cartagena ou de Barranquilla. Chambres tous budgets, avec ou sans sdb, ventilateur ou air conditionné. Ce petit *hostal* à l'ambiance familiale se révèle une mine d'informations sur la région. Wifi, service de laverie, location de vélos, visites guidées de la ville et tours en pirogue dans les *ciénagas*. Une halte sympathique.

POUR SE FAIRE PLAISIR

Portal de la Marquesa – *Carrera 1, nº 15-27 - ✆ (5) 685 6221 www.portaldelamarquesa.com - - 4 ch. 200 000 COP.* Face au fleuve, cet hôtel-boutique occupe l'une des plus belles demeures de la Mompox coloniale. Elle a conservé avec soin l'architecture d'origine dans les superbes espaces communs, remplis de poteries anciennes et d'antiquités. Immense suite avec jacuzzi et grande baie vitrée donnant sur le patio planté de bananiers et d'orangers.

RESTAURATION

PREMIER PRIX

Pizza & Pasta – Plan I A2 - *Angle calle del Arzobispado et calle del Coliseo - Centro - ✆ (5) 664 8960 - - 7h-22h30 - 25 000 COP.* À un jet de pierre de la cathédrale et de la plaza de Bolívar, l'un des rares restaurants petit budget de ce quartier. Optez sans hésiter pour la formule du jour, incluant soupe et boisson (8 000 COP) ou, dans sa version plus élaborée – avec guacamole et frites –, à 24 000 COP. Les plats « italiens » à la carte sont quant à eux surévalués.

La Mulata Cartagena – Plan I B2 - *Calle Queno, nº 9-58 - San Diego - ✆ (5) 664 6222 - lun.-sam. 11h30-16h - 30 000 COP.* Cuisine caribéenne mâtinée d'une touche colombienne avec essentiellement des spécialités de la mer : cassolette de fruits de mer au lait de coco, moules, calamar, crevettes à la *parrilla*. *Aguas frescas* (jus de fruits frais allongés d'eau) et limonades accompagnent cette cuisine légère où coco et citron vert sont de toutes les préparations.

I Balconi – Plan I B2 - *Angle calle de la Media Luna et calle del Guerrero - Getsemaní - ✆ (5) 660 9880 - 16h-23h - 30 000 COP.* Il est situé au 1er étage, juste au-dessus du café Habana. Venez-y tôt pour pouvoir vous installer sur l'un des petits balcons de cet édifice d'angle : la vue sur le carrefour le plus animé de Getsemaní fait une bonne partie de l'intérêt de cette pizzeria. À la carte, pas de surprises, vous êtes vraiment dans un restaurant italien.

BUDGET MOYEN

Las Indias – Plan I B3 - *Plaza El Pozo, n° 25-48 - Getsemaní - ✆ (5) 660 4150 - http://lasindiasboutiquegourmet.com - 12h-16h, 19h-23h - 45 000 COP.* Ici, tout est cuit au four à braise, des légumes aux fruits en passant par les viandes et les poissons, pour une cuisine saine, légère et inventive. Tables bien dressées et assiettes joliment présentées dans une demeure de 1880 au cadre intimiste et au mobilier choisi. Une adresse de charme et un excellent rapport qualité-prix. Au déjeuner, menu à 13 000 COP.

Marzola Parrilla – Plan I B1 - *Calle del Curato, n° 38-137 - San Diego - ✆ (5) 660 2403 - http://el-bistro-cartagena.com - 12h-23h - 50 000 COP.* Le cadre, certes un peu chargé avec ses murs constellés de capsules, de coupures de presse, de photos et de miroirs, ne manque pas d'originalité. Sous les vieilles lanternes et les appareils TSF antédiluviens, la carte vous plongera dans l'Argentine du tango et des gauchos. Du *bife de chorizo* à la *parrilla* en passant par la carte des vins et le look des serveurs, tout est de là-bas.

El Bistro – Plan I A2 - *Calle de Ayos, n° 4-46 - Centro - ✆ (5) 660 2065 - http://el-bistro-cartagena.com - lun.-sam. 9h-23h - 50 000 COP.* Ce bistrot à l'atmosphère décontractée propose une cuisine continentale aux accents caribéens. Le menu figurant sur l'ardoise change tous les jours. Produits frais et pain maison. Bières artisanales à la pression, vins et cocktails.

Teriyaki – Plan I B1 - *Plaza de San Diego, n° 8-28 - San Diego - ✆ (5) 664 8651 - 12h-22h30 (21h le dim.) - 60 000 COP.* Dans la rue des restaurants de poisson se spécialisant dans les ceviches, cet asiatique démarque sa carte de celles de ses voisins. Cuisine thaïe et japonaise essentiellement à savourer assis au comptoir, en salle ou en terrasse face à la place. Spécialité de la maison, le *teppanyaki*, la cuisson sur plaque chauffante.

POUR SE FAIRE PLAISIR

Gaucha – Plan I B2 - *Calle Espíritu Santo, n° 29-207 - Getsemaní - ✆ (5) 660 8348 - lun.-sam. 18h-0h - 70 000 COP.* Au cœur d'un quartier à la vie nocturne trépidante, une petite salle haute de plafond, sobrement décorée, et deux tables dans la ruelle face à la paroisse San Roque. La carte, peu étendue, séduira les amateurs de viandes, toutes importées d'Argentine et préparées à la *parrilla*. Service sympathique.

El Santísimo – Plan I B1 - *Calle del Torno, n° 39-62 - San Diego - ✆ (5) 660 1531 - www.elsantisimo.com - 12h-16h, 19h-23h - 80 000 COP.* Salle climatisée et décoration contemporaine soignée pour ce restaurant de qualité. Fiez-vous aux suggestions du chef ou optez pour la « pêche miraculeuse », le poisson du jour cuit au four à bois, ou pour l'*obapala*, ragoût de bœuf mariné. Avec la formule de dégustation *(108 000 COP)*, vous pourrez élaborer votre propre menu et bénéficier de boissons à volonté pendant 2h. Le personnel de l'établissement est particulièrement accueillant et chaleureux.

UNE FOLIE

Club de Pesca – Plan I B3 - *Av. Miramar, Fuerte del Pastelillo - Manga - ✆ (5) 660 5578 - www.clubdepesca.com - 12h-15h, 18h-22h - 110 000 COP.* Ici, on déjeune ou on dîne dehors, avec vue sur la marina. Un établissement chic installé entre les murs du Fuerte de San Sebastián del Pastelillo, qui connut son heure de gloire pendant l'ère coloniale. Belle touche de modernité dans la préparation des fruits de mer et superbe carte des vins.

Mompox

En fin de journée, la plaza de Santo Domingo se transforme en *plaza de comida* où de petits stands vendent le **queso de capas** (boulettes de fromage au lait de vache enrobant un bonbon de pâte de goyave) et la **butifarra** (petite saucisse ronde de porc), deux spécialités locales. Sur la Plaza Real de la Concepción, une poignée de pizzerias-crêperies ouvrent leurs terrasses et s'animent dès la tombée du jour.

BUDGET MOYEN

Fuerte San Anselmo – *Carrera 1, n° 12-163 - ✆ (5) 685 6762 - www.fuertemompox.com - tlj sf merc. 18h30-21h30 - 45 000 COP.* Derrière les murs de l'ancien fort (18e s.), un cadre hors du commun et une décoration contemporaine inventive témoignant de beaucoup de goût : tables coupées dans la tranche d'arbres centenaires, chaises de fer forgé, éclairage choisi. Passez la première salle pour gagner le patio que domine un grand manguier. Pâtes, pizzas au feu de bois, focaccia : dans cette carte italienne, tout est fait maison, avec des produits d'une grande fraîcheur. Seuls le *schnitzel* et le *speck* fumé sur place rappellent que le propriétaire, Walter, est autrichien. Carte des vins.

PETITE PAUSE

Café Le Coq – Plan I B2 - *Plaza Fernandez de Madrid - San Diego - ✆ (5) 664 6714 - lun.-vend. 9h-12h30, 15h-19h, sam. 15h-19h.* Le patio de l'Alliance française de Carthagène rassemble quelques tables où l'on sert crêpes et jus de fruits. Ciné-club et programmation culturelle.

El Balcon – Plan I B1 - *Calle Tumbamuertos, n° 38-85 - San Diego - ✆ (5) 643 4393 - 16h-23h.* Son balcon turquoise, au 1er étage, surplombe la plazuela de San Diego. Un cadre ravissant pour siroter un *mojito*, un cocktail ou prendre un en-cas rafraîchissant tel que gaspacho ou ceviche.

La Dulcería – Plan II A2 - *Carrera 2 (av. San Martin), n° 6-53 - Bocagrande - ✆ (5) 655 0281 - 12h-18h.* Un charmant petit café où faire une pause gourmande au calme, dans le patio ou en terrasse sur l'avenue. La maison est spécialisée en tartes et pâtisseries.

ACHATS

À Cartagena, les prix sont plus élevés que partout ailleurs. Les boutiques haut de gamme s'abritent à l'intérieur des remparts ; les commerces bon marché se concentrent à Getsemaní ; pour les centres commerciaux, rendez-vous à Bocagrande.

Las Bóvedas – Plan I B1 - *Entre les bastions (baluartes) de Santa Clara et de Santa Catalina, dans la cité fortifiée - 9h-18h.* Vêtements, hamacs, chapeaux et souvenirs en tous genres dans les 23 boutiques aménagées sous les remparts.

Artesanías de Colombia – Plan I A3 - *Centro de Convenciones - local 5 - ✆ (5) 660 9615 - lun.-vend. 10h-19h, sam. 10h-16h.* De l'Amazonie à La Guajira et du Boyacá au Pacifique, l'artisanat de la plupart des régions colombiennes se retrouve dans ce magasin d'État. Une garantie de qualité.

Upalema Handicrafts – Plan I A2 - *Calle San Juan de Dios, nº 3-99 - Centro - ✆ (5) 664 5032 - 9h-22h.* De l'artisanat d'art contemporain, essentiellement en vaisselle émaillée, jouets en bois et petite décoration.

Mompox

Taller de Joyería Hema – *Calle 17A, nº 4B-85 - Mompox - ✆ (mob.) 311 652 9296 - lun.-sam. 7h-18h, dim. 9h-12h.* Un atelier familial où l'on vous expliquera (en espagnol) tout le processus de fabrication du filigrane *momposino*. Bijoux et accessoires à prix d'atelier, deux fois moins chers qu'en ville.

Vino Mompox – *Calle del Medio, nº 17-01 - Mompox - ✆ (mob.) 310 352 7420 - 8h-19h.* Liqueurs et vins de goyave, d'orange amère, et surtout de *corozo*, sorte de raisin sans chair produit par un palmier. À boire très frais.

BOIRE UN VERRE

Café del Mar – Plan I A2 - *Baluarte de Santo Domingo - Centro - à partir de 17h.* Au sommet du bastion le plus occidental de la muraille, ce bar est l'endroit incontournable pour suivre le coucher de soleil. Tables en terrasse sur les remparts pour savourer la spécialité du lieu, le *mojito*.

Café Havana – Plan I B2 - *À l'angle des calles del Guerrero et Media Luna - Getsemaní - www.cafehavanacartagena.com - 20h30-2h.* Ce club accueille d'excellents musiciens et propose de fabuleux cigares cubains. Concerts du merc. au dim. à partir de 23h45. *Cover 15 000 COP.*

El Coro – Plan I B1 - *Hôtel Santa Clara - calle del Torno - San Diego - ✆ (5) 650 4700 - 12h30-2h.* Jouxtant l'ancienne chapelle, un lieu d'exception accueillant, du merc. au sam. à partir de 22h30, des formations de salsa ou de merengue. Vous pouvez aussi y venir plus tôt pour siroter un cocktail au calme dans un cadre choisi. Un petit escalier descend dans la crypte.

ACTIVITÉS

Visite guidée

Free Tour Cartagena – *✆ (mob.) 300 788 4863 - www.freetourcartagena.com.co.* Rendez-vous directement sur la Plaza de Santa Teresa, du lun. au sam. à 9h, 10h, 11h et 15h, pour suivre cette visite guidée gratuite *(espagnol et anglais)* du centre et du quartier de San Diego. Pourboire laissé à votre appréciation.

City Sightseeing – *Carrera 2 (av. San Martin), nº 6-50 - Bocagrande - ✆ (5) 655 2018 - www.citysightseeing.com.* Les bus panoramiques font le tour des murailles et de la péninsule de Bocagrande en passant par le Castillo San Felipe *(durée 1h30)*. Audioguide en français.

Rumba and Chiva – *Carrera 1, nº 6-130 - Bocagrande - ✆ (5) 655 0086.* Le même parcours que les fameux bus rouges (murailles, monastère de la Popa, Castillo, Bóvedas, Bocagrande), mais dans une authentique *chiva* traditionnelle, l'après-midi *(14h-18h)* ou le soir *(20h-23h30)* en version alcoolisée avec musique *gaita* ou *vallenato*, bar ouvert avec haltes dans quelques discothèques.

Vélo

Bike & Arts – Plan I B2 - *Calle de la Media Luna, nº 10-23 - Getsemaní - ✆ (mob.) 313 506 4472 -*

Organise des visites guidées de la ville en deux-roues *(2 ou 3h - 60/80 000 COP)* avec haltes et visite des principaux sites. Location de tandems.

Plongée à Carthagène

Buzos de Barú – *Hotel Caribe, local 9 - Bocagrande - ✆ (5) 665 7061 - www.buzosdebaru.com.* Centre de plongée très soucieux de l'environnement.

Diving Planet – *Calle Estanco del Aguardiente, nº 5-09 - ✆ (mob.) 300 815 7169 - www.divingplanet.org.* Cours et sorties de pêche sous-marine, plongée.

Plongée à Capurganá

Dive & Green – *À 30 m à gauche de la jetée principale - ✆ (mob.) 311 578 4021 - www.diveandgreen.com.* Cours, certification PADI, plongées de nuit, sorties organisées sur une trentaine de sites s'étendant jusqu'aux îles San Blas (Panama). Le centre est tenu par une équipe professionnelle, établie de longue date à Capurganá. Comptez 190 000 COP la plongée avec deux bouteilles. Location de matériel. Dispose de solutions d'hébergement.

AGENDA

Carthagène

Hay Festival – *www.hayfestival.com. 4 j. fin janv.* Festival littéraire et culturel.

Festival Internacional de Cine – *http://ficcifestival.com. 1 sem. en mars.* Le festival du film ibéro-américain.

Independencia de Cartagena - Reinado Nacional de Belleza – *1re quinz. de nov.* Défilés, commémorations et concours de beauté.

San Basilio de Palenque

Festival de Tambores – *3 j. en oct.* Percussions et soirées arrosées de *ñeque* (l'alcool local) pour commémorer la liberté retrouvée des esclaves venus se réfugier dans le *palenque*.

Mompox

Festival de Jazz – *3 j. en oct.* Concerts gratuits sur les principales places du centre historique.

Barranquilla et ses environs

1 219 000 habitants – Capitale du département de l'Atlántico – Alt. 0 à 142 m

À mi-route entre Carthagène et Santa Marta, « la Arenosa » (la Ville de sable), occupe une position stratégique à l'embouchure du río Magdalena. Le port historique des Caraïbes colombiennes, ville natale de la chanteuse et danseuse Shakira, accueille le deuxième carnaval le plus important du continent et joue un rôle de premier plan dans l'œuvre de Gabriel García Márquez. Malgré ces titres de gloire, « Quilla » reste boudée par les touristes qui, dans leur périple caribéen, passent en général directement de Carthagène à Santa Marta sans s'y arrêter.

NOS ADRESSES PAGE 309
Hébergement, restauration, activités, etc.

S'INFORMER

Cotelco – *Dans l'hôtel Barahona 72 - carrera 49, n° 72-19 - ☏ (5) 260 1710 - lun.-vend. 8h-18h. PIT à la gare routière et à l'aéroport - ☏ (5) 372 9581 - www.culturacaribe.org.*

SE REPÉRER

Carte de région B1 (p. 276) – plans de la ville p. 304-305.
À 130 km au nord-est de Cartagena ; à 100 km au sud-ouest de Santa Marta. La ville est trop vaste et anarchique pour être parcourue à pied ; prenez un taxi pour vous rendre d'un quartier à l'autre.
Voir aussi la rubrique « Arriver/partir » dans « Nos adresses ».

À NE PAS MANQUER

Le Museo del Caribe ; les défilés du carnaval.

ORGANISER SON TEMPS

Les prix grimpent en flèche en période de carnaval et les hôtels sont alors pris d'assaut : réservez longtemps à l'avance.

Se promener Plans de ville p. 304-305

Ville portuaire, ville industrielle, ville bourdonnant d'activité, et surtout la quatrième agglomération du pays, Barranquilla n'a pas de vocation touristique. Ici, pas de vieille ville coloniale. S'il reste bon nombre de bâtiments anciens, édifices néoclassiques de la période républicaine ou demeures de la première moitié du 20e s., ils pâtissent d'un sérieux manque d'entretien et sont noyés au milieu de quartiers modernes disgracieux, aux trottoirs dépavés et aux rues parfois jonchées de plastique. Le paysage urbain de Barranquilla manque de cohérence, et seuls l'apprécieront les fanas d'architecture déjà rompus à l'anarchie des grandes villes sud-américaines.

Au départ de l'ancienne maison des douanes, circuit 1 tracé en vert sur les deux plans de quartier (p. 304-305) – Comptez 1 journée en enchaînant les visites du Centro (Barrio Abajo) et du Prado.

★ BARRIO ABAJO Plan Centro

Situé sur les berges du fleuve, le **centre-ville**, ou Barrio Abajo, mêle vie commerçante animée et immeubles de bureaux des années 1970 entre lesquels émergent çà et là une église néogothique incongrue et d'anciens entrepôts décatis rappelant le rôle clé que jouait jadis la ville dans le trafic des marchandises entre l'Europe et l'intérieur des terres, auquel la reliait le río

Carnaval de Barranquilla.
J. Sochor/age fotostock

Magdalena. Entre la cathédrale et la Maison du carnaval, vous aurez un aperçu de la Barranquilla traditionnelle des peuples **afro-colombiens** : il règne une atmosphère paisible parmi les maisons basses bordant des rues aux trottoirs surélevés, qui protègent des inondations à la saison des pluies.

★ Edificio de la Aduana B1

Vía 40, nº 36-135 - www.clena.org - lun.-vend. 8h-17h, sam. 9h-13h - entrée libre.
L'ancienne Maison des douanes, imposant édifice à la façade jaune orangé, témoigne du considérable essor commercial de Barranquilla au 19e s. Elle fut reconstruite en 1915, après la destruction du bâtiment original dans un incendie. Laissée à l'abandon jusqu'en 1994 et restaurée depuis, elle abrite désormais une bibliothèque et les archives du département de l'Atlántico. Un édicule dans les jardins abrite la fresque d'Alejandro Obregón (1920-1992) intitulée *Simbología de Barranquilla*.
★ **Antigua Estación de Trenes Montoya** – *À l'extrémité nord de l'Edificio de la Aduana.* La vieille gare ferroviaire entra en service en 1871. Les trains reliaient alors la ville à **Puerto Colombia**, où arrivaient les paquebots transatlantiques, et aux **Bocas de Ceniza**, là où le río Magdalena se jette dans la mer des Caraïbes.

★★ Museo del Caribe (musée de la Caraïbe) B1

Calle 36, nº 46-66 - ✆ (5) 372 0581 - www.culturacaribe.org - lun.-jeu. 8h-17h, vend. 8h-18h, w.-end et j. fériés 9h-18h (dernière entrée 1h avant fermeture) - fermé le 1er lun. du mois - 12 000 COP (visite guidée en anglais 4 000 COP) - cafétéria.
Conçu pour revitaliser le centre délabré, ce musée logé dans un bâtiment moderne a ouvert ses portes en 2009. Dédié à l'ensemble de la région caraïbe, à ses traditions et à ses spécificités, il rend hommage à la vigoureuse **cultura costeña**, source de grande fierté. La visite commence au 5e étage par une pièce dédiée à l'œuvre de **Gabriel García Márquez** et une autre présentant la diversité géographique de la région. Les quatre salles suivantes, une par étage, présentent successivement les **origines préhispaniques** de la région, ses habitants et leurs traditions orales, mythes, contes et légendes, l'histoire

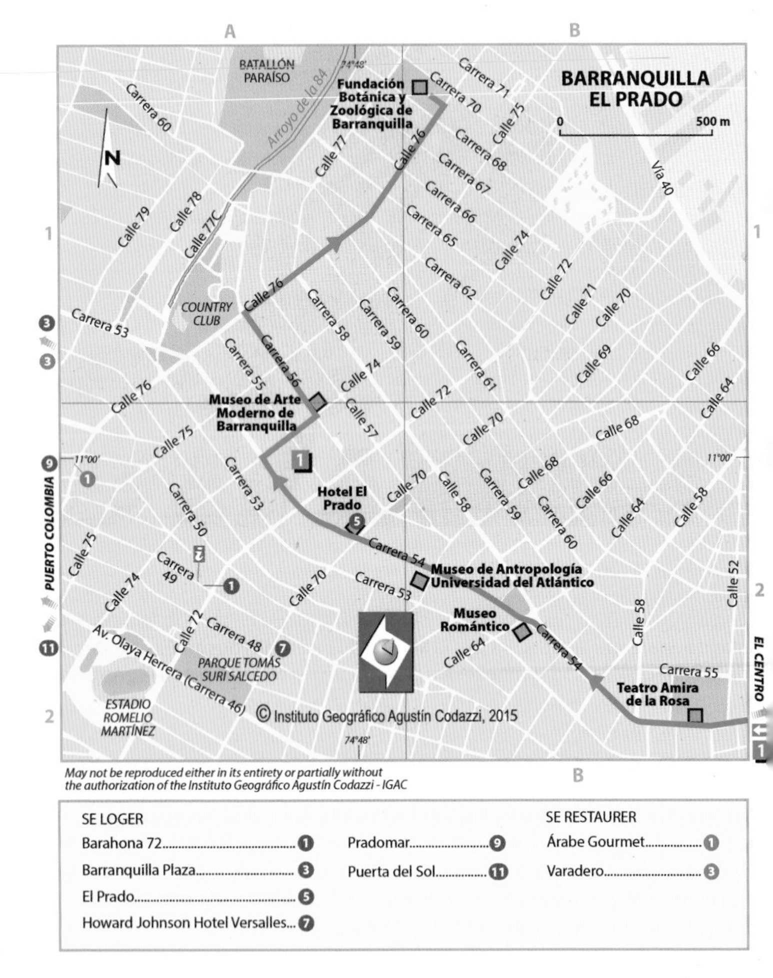

économique, sociale et politique de la Caraïbe, et enfin les musiques, les danses (*bullerengue, chalupa, fandango, cumbia* et *porro*) et les grandes fêtes caribéennes. Au sous-sol, la **Mediateca Macondo** est un centre de documentation spécialisé dans l'œuvre de l'écrivain fétiche de la ville.

Le **Parque Cultural del Caribe**, qui entoure le musée, s'attache à promouvoir l'héritage caribéen de la Colombie au gré de nombreuses expositions et de spectacles donnés sur la scène du théâtre en plein air ; c'est là que se produisent, le jeudi précédant le carnaval, les musiciens venus de tout le Magdalena pour la Noche del Río.

★ Iglesia de San Nicolás de Tolentino B2

Carrera 42, nº 33-45 - ouverte pour les offices uniquement.

Telle une grosse pâtisserie rose et ocre, l'église néogothique surplombe la **plaza de San Nicolás**. Sa construction, qui commença au 17e s., ne fut achevée que trois siècles plus tard. Les rues alentour, populaires et commerçantes, sont encombrées d'étals proposant toutes sortes de marchandises. Attention aux pickpockets qui sévissent dans le quartier et évitez de vous y attarder passé la tombée du jour, l'endroit n'a pas bonne réputation.

★ **La Cueva** A1

Carrera 43, nº 59-03 - ✆ (5) 340 9813 - www.fundacionlacueva.org - lun.-jeu. 12h-15h, 18h-22h, vend.-sam. 12h-15h, 18h-0h.

Seul survivant des nombreux bars et clubs de l'époque, ce restaurant fondé en 1954 *(voir aussi p. 311)* est avant tout un lieu historique qui conserve le souvenir de quelques grands noms de la scène artistique colombienne. L'écrivain **Gabriel García Márquez**, le compositeur vallenato **Rafael Escalona** et le peintre et sculpteur **Alejandro Obregón**, qui formèrent le « Grupo de Barranquilla » *(voir p. 95)*, s'y retrouvaient à la fin des années 1950. Restaurant, galerie et foyer de débats d'idées jusqu'à la fin des années 1960, La Cueva perpétue cet heureux mélange des genres et reste l'un des bars favoris des intellectuels et des artistes de la ville. Vous y verrez la fresque *La Mulata* (1957) peinte par Alejandro Obregón parmi de nombreuses photos d'époque et des expositions temporaires d'artistes locaux.

★ **Catedral Metropolitana María Reina de Barranquilla** A1

Carrera 45, nº 53-140 (portail ouest) - 7h-19h.

Sa façade principale donne sur la **plaza de la Paz** mais on y entre par le portail ouest. On doit à Ángelo Masón de Grande, un architecte italien, les plans de cette cathédrale moderne (1955-1982). L'intérieur, aux amples proportions, est illuminé par des **vitraux**★★ montant jusqu'au plafond; ils racontent la Création (façade sud) et symbolisent les sacrements de l'Église. Derrière l'autel, le **Cristo Libertador Latinoamericano**★★ (1985), une sculpture en bronze

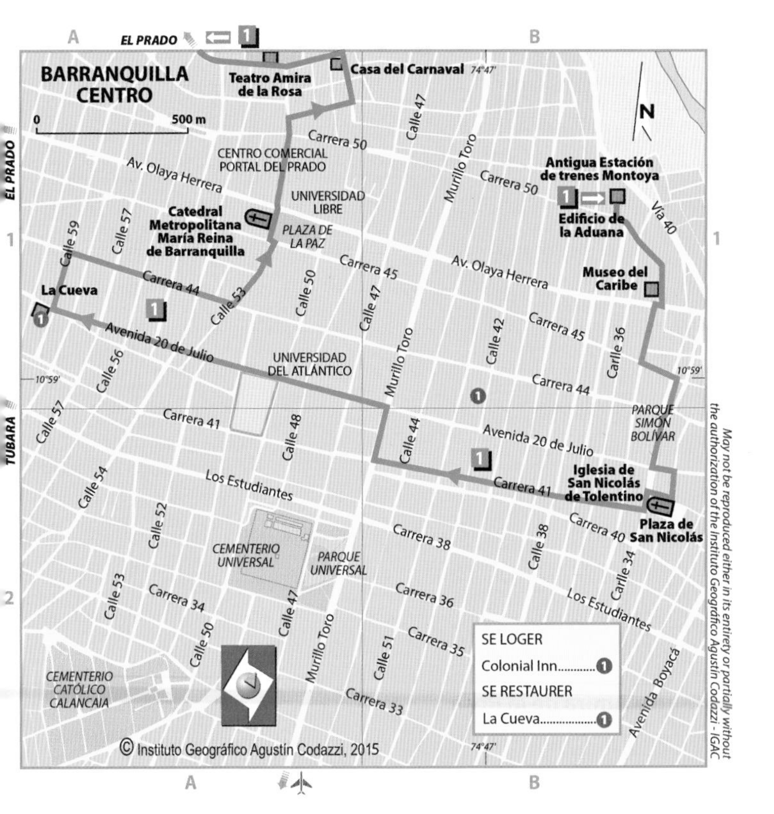

★★★ LE CARNAVAL DE BARRANQUILLA

Inscrit par l'Unesco au Patrimoine culturel immatériel de l'humanité, le carnaval de Barranquilla remonterait au début du 19e s. C'est le deuxième carnaval des Amériques par la taille après celui de Rio de Janeiro. Débutant officiellement quatre jours avant le mercredi des Cendres, les festivités débordent largement le calendrier officiel, des *fiestas* étant organisées durant un bon mois. Cette fête aux racines indiennes – c'était à l'origine un défilé propre aux habitants de la côte – s'est enrichie au fil du temps de nouveaux apports, lorsque y prirent part les populations débarquant d'Afrique, puis d'Europe. Nourri de danses et de musiques métissées, produit d'une véritable fusion culturelle, le carnaval de Barranquilla vibre au son des rythmes et musiques de ces trois continents, comme un raccourci de l'évolution de la nation et de l'identité colombiennes : on y danse le **congo**, venu d'Afrique en transitant par Carthagène, le **garavato**, arrivé à Ciénaga en provenance d'Espagne, le **paloteo**, également d'origine espagnole, qui a fait souche dans le Magdalena, la **cumbia** de Tamalameque et El Banco (Magdalena). Le **marimondo**, personnage clé du carnaval, incarne un homme pauvre révolté contre les classes dominantes, critique de l'oppression exercée par les couches supérieures et par les politiciens corrompus. Le carnaval, censé abolir les barrières sociales, n'arrive certes pas à brasser toutes les classes mais permet de s'affranchir des normes pendant quelques jours de liberté.

de **Rodrigo Arenas Betancourt** *(voir p. 83)* de 16 m de hauteur et pesant 16 tonnes, montre la Foi sortant des flots et constitue un hommage au métissage. Elle se détache sur un grand bas-relief de Roy Perez (1996) figurant les quatre éléments.

★ Casa del Carnaval A1

Carrera 54, n° 49B-39 - ✆ (5) 319 7616 - www.carnavaldebarranquilla.org - mar.-dim. 9h-17h30 - 5 000 COP.

C'est le point de départ et d'arrivée des défilés et des processions, et vous y trouverez toujours quelqu'un prêt à vous régaler d'anecdotes. Cette bâtisse construite en 1929 abrite la fondation du Carnaval de Barranquilla, siège des instances qui organisent la grande fête annuelle. Elle lui consacre une salle « interactive » dans laquelle vidéos et écrans retracent les grands moments et la symbolique du carnaval. Vous apprendrez à y distinguer les 8 types de costumes portés à cette occasion ainsi que les principaux rythmes : *cumbia, puya, són corrido, matalé* et *chandé*. Une série de 27 masques en bois sculpté ou en papier mâché aux couleurs éclatantes complètent la présentation.

★ BARRIO EL PRADO Plan El Prado

Construit au début du 20e s., le Prado incarnait alors la **Barranquilla « moderne »,** qui contrastait avec le Centro où la ville puise ses racines. La plupart des **théâtres**, **musées** et **hôtels** se trouvent dans ce *barrio* (quartier) aux larges avenues verdoyantes, bordées de demeures majestueuses, hélas pas toujours entretenues comme elles le mériteraient. À l'époque de sa création, dans les années 1920, un tel schéma urbain était révolutionnaire.

Teatro Amira de la Rosa B2

Carrera 54, n° 52-258 - ✆ (5) 349 1117 - www.banrepcultural.org/amira-de-la-rosa - lun.-vend. 8h-12h, 14h-18h - entrée libre.

Ce bâtiment moderne, achevé en 1982, accueille opéra, danse et concerts. Peint par **Alejandro Obregón**, le rideau de scène, que l'on fera descendre pour vous, représente le mythe local de l'Hombre Caimán (l'homme-caïman, *voir p. 62*).

Museo Romántico B2

Carrera 54, n° 59-199 - ✆ (5) 344 4591 - 8h15-12h, 14h-18h - 10 000 COP.

Installé dans une belle demeure de style républicain, il raconte la fondation et le développement de Barranquilla. Ses archives comprennent photos, documents historiques (vieux journaux, lettres de Simón Bolívar...) et la machine à écrire sur laquelle Gabriel García Márquez tapa *La Hojarasca (Des feuilles dans la bourrasque)*, un roman court qui se déroule dans le village fictif de Macondo.

Museo de Antropología-Universidad del Atlántico (MAUA) B2

Au 1er étage de la Faculté des beaux-arts - calle 68, n° 53-45 - ✆ (5) 356 0067 - http://maua.co - lun.-vend. 8h-12h, 13h30-17h - entrée libre.

Il expose quelques céramiques **précolombiennes** provenant des civilisations guane, calima, tayrona, tumaco et de Puerto Hormiga.

★ Hotel El Prado A2

Carrera 54, n° 70-10 (voir « Hébergement », p. 310).

Ce bâtiment classé, construit en 1928, offre un bel exemple de **style républicain** néoclassique. Ses hautes colonnes et son vaste hall d'entrée témoignent des années de prospérité de Barranquilla.

Museo de Arte Moderno de Barranquilla (MAMB) A1-2

Carrera 56, n° 74-22 - ✆ (5) 369 0101 - www.mambq.org - lun.-vend. 9h-13h, 15h-19h, sam. 9h-13h - entrée libre (prévoir une donation).

Expositions temporaires d'œuvres modernes et contemporaines d'artistes colombiens et étrangers, avec une prédilection pour l'art de la région caraïbe de la seconde moitié du 20e s.

BARRANQUILLA, DES VAPEURS ET DES AVIONS

Fondée vers 1629, Barranquilla adopta vite le système de l'**encomienda** qui attribuait un certain nombre d'Indiens aux sujets méritants de la Couronne espagnole. Les colons espagnols pouvaient exiger des Indiens un tribut sous forme de travail, de marchandises ou d'or en échange d'une protection et de leur conversion au christianisme. La région se développant, en 1825, Juan Bernardo Elbers importa les premiers **bateaux à vapeur du Mississippi** ; Barranquilla prit son essor grâce à ces nouveaux modes de transport qui remontaient le río Magdalena. La ville devint une capitale moderne de la mode et de l'industrie au tournant du 19e s. C'est ici que fut créée en 1919 la Sociedad Colombo Alemana de Transporte Aéreo, future Avianca, la compagnie nationale. L'aéroport de Barranquilla fut le premier d'Amérique du Sud. Dans les années 1940, des **vagues d'immigrants** arrivèrent d'Europe et d'Asie, et Barranquilla devint la deuxième ville du pays par la taille, après Bogotá. Elle comptait de grandes communautés d'immigrants britanniques, allemands, italiens, arabes et juifs. Après la guerre, Barranquilla commença à décliner, et fut dépassée par Cali et Medellín. La ville a de nouveau le vent en poupe grâce à son essor commercial et aux manifestations culturelles qui s'y déroulent mais demeure peu appréciée des touristes.

Fundación Botánica Zoológica de Barranquilla B1
Calle 77, nº 68-40 - ✆ (5) 360 0314 - www.zoobaq.org - 9h-17h - 10 500 COP.
Ce petit zoo abrite 450 animaux de 130 espèces différentes. Il se concentre sur la protection des espèces animales et végétales locales menacées d'extinction, telles que les lamantins et les ours à lunettes. Vous y ferez connaissance avec le *titi cabeci blanco*, un minuscule singe endémique de la région.

À proximité Carte de région p. 276

La Soledad

À 8 km au sud-est de Barranquilla par la carretera 90.
Simón Bolívar ne s'est jamais rendu à Barranquilla mais a passé quelque temps non loin de là, à La Soledad. La ville (599 000 hab.) est réputée pour sa **musique** et ses spécialités culinaires, dont la **butifarra**, une sorte de saucisse.
Casa de Bolívar – *Carrera 26, nº 18-10 - ✆ (5) 342 0207 - fermée temporairement.*
Le Libertador y résida pendant une brève période et y écrivit 23 lettres avant de rejoindre **Santa Marta**, où il mourut en décembre 1830.

Puerto Colombia

À 17 km à l'ouest de Barranquilla. Bus sur la carrera 54.
Puerto Colombia, version sud-américaine d'Ellis Island, vit débarquer des milliers d'immigrants en quête d'une vie meilleure. La route littorale mène au petit port (27 000 hab.) immortalisé dans le roman de Gabriel García Márquez *Mémoire de mes putains tristes* (2004). La localité a décliné au fil du temps, mais la restauration de l'hôtel **Pradomar** *(voir « Hébergement », p. 310)* et l'ouverture de restaurants proposant une cuisine traditionnelle à base de poissons et de fruits de mer en ont fait ces dernières années un lieu de villégiature très prisé en fin de semaine, d'autant que l'on peut se baigner sur les **plages** situées à proximité.
Muelle de Puerto Colombia – La fameuse **jetée** de Puerto Colombia, qui s'avance dans la **baie de Cupino**, est un monument national. Conçue par l'ingénieur cubain Francisco Javier Cisneros en 1888, elle était le deuxième ouvrage de ce type au monde par la longueur (env. 1 300 m) au moment de sa construction. En 2009, la dernière partie de la jetée, mal entretenue, fut détruite par de fortes vagues, puis fermée.

El Morro

À env. 10 km à l'ouest de Puerto Colombia.
Cette petite agglomération abrite une réserve indienne où l'on a retrouvé, sur les rives de la Cajoru, des **pétroglyphes** figurant des formes animales et humaines *(difficiles à trouver : y aller avec un guide local)*. Belles **plages** à proximité.

Parque Isla de Salamanca

À 9 km à l'est de Barranquilla - ✆ (5) 373 5909 - www.parquesnacionales.gov.co - 8h-16h - 39 500 COP.
Le parc s'étend sur l'ancien estuaire du río Magdalena, entre Barranquilla et Sitio Nuevo, à Ciénaga. Cette zone protégée s'étend de part et d'autre de la **route littorale** et permet de découvrir les milieux humides au gré de trois sentiers *(1 à 3h de randonnée)* longeant les mangroves. On vous proposera des excursions à bord de petites embarcations près des postes de péage de Tasajera pour **observer les oiseaux**, la motivation essentielle de cette visite : on en dénombre 200 espèces environ, dont des oiseaux migrateurs.

Ciénaga Grande

À 70 km à l'est de Barranquilla.

Située sur la route littorale, la ville de Ciénaga (104 000 hab.) est associée au massacre des **ouvriers des bananeraies** en 1928. Gabriel García Márquez y travailla comme vendeur ambulant de livres avant de connaître le succès. Ciénaga, entourée de *barrios* miséreux vivant tant bien que mal de l'exploitation du sel, ne se prête pas à la visite.

Reserva de Biosfera Ciénaga Grande de Santa Marta – *Fermé au public - vous la verrez sur votre droite depuis la route entre Barranquilla et Santa Marta.* Lagune littorale la plus étendue de Colombie, elle forme un réseau complexe de marais, de marécages et de canaux reliés au río Magdalena et à la mer des Caraïbes. Elle fait partie des cinq réserves colombiennes figurant dans le programme de l'Unesco sur l'Homme et la biosphère et compte parmi ses principaux écosystèmes des mangroves et des récifs coralliens. Bien que son système écologique fragile soit menacé, cette zone sert encore d'habitat à une faune et une flore très variées. Sur le marais, accessibles uniquement par bateau, sont établis des **villages sur pilotis** comme Nueva Venecia, Trojas de Cataca et Pueblo Viejo, dont les communautés vivent de la pêche artisanale. Lourdement touché par la construction de **routes** et de **digues** qui ont bouleversé son délicat équilibre, l'écosystème de Ciénaga Grande montre depuis quelques années des signes de dégradation avancée. L'**hypersalinisation**, combinée à la **pollution** due au déversement de résidus industriels et ménagers non traités, a entraîné le dépérissement des **marais** et des **mangroves**, avec de graves conséquences sur la biodiversité.

NOS ADRESSES À BARRANQUILLA

Plan de la ville p. 304-305

INFORMATIONS UTILES

Change – **Western Union** – Centro B2 - *CC Tropical Centro - carrera 43, nº 36-05 - 1er étage - lun.-vend. 8h-18h, sam. 8h-14h.* Change euros et dollars en espèces. Autres *casas de cambio* dans les rues entourant le centre commercial. Autre bureau Western Union au Centro Comercial Portal del Prado, à côté de la plaza de la Paz.

ARRIVER/PARTIR

En avion

Aeropuerto Ernesto Cortissoz (BAQ)– *À 7 km au sud du centre-ville - ✆ (5) 334 2110.* Vols directs pour Bogotá, Cali, Medellín, Panama City et Miami. En **taxi**, comptez env. 15 000 COP pour rejoindre le centre. En **bus**, 1 800 COP.

En bus

Terminal de Transportes – *À 7 km du centre - www.ttbaq.com.co - comptez 1h en bus et 30mn en taxi (12 000 COP).* Bus directs pour Bogotá (18h - 90 000 COP), Medellín (13h - 120 000 COP), Santa Marta (2h - 12 000 COP), Cartagena (2h30 - 12 000 COP) et, avec changement à Santa Marta, Riohacha (5h - 32 000 COP). Pour Mompox, trois bus directs/j. ou départs fréquents pour Magangué (4h - 40 000 COP) puis ferry.

TRANSPORTS

Transports en commun – Barranquilla et sa grande banlieue sont desservies par le **Transmetro** *(www.transmetro.gov.co)*, réseau de bus articulés.

Taxi – Pas de compteur : négociez le prix de la course au préalable.

4

HÉBERGEMENT

Pour le carnaval *(voir p. 306)*, réservez longtemps à l'avance.

PREMIER PRIX

Colonial Inn – Centro B1 - *Calle 42, n° 43-131 - ✆ (5) 379 0241 - ▤✕ - 36 ch. 55/65 000 COP.* Annoncé par de fausses colonnes romaines, il s'organise autour d'un patio central. Les chambres se répartissent sur 3 étages. Elles sont propres, confortables mais parfois dépourvues de fenêtres. Wifi, service de laverie et ordinateurs à disposition au rdc.

BUDGET MOYEN

Barahona 72 – Prado A2 - *Carrera 49, n° 72-19 - ✆ (5) 358 4600 - www.hotelesbarahona.com - ▤✕ - 29 ch. 100 000 COP ☕.* Il fait partie d'une chaîne colombienne d'un bon rapport qualité-prix. À tarif égal, les chambres sont de taille variable, plutôt spacieuses dans l'ensemble. Les *junior suites* (une par étage), immenses, bénéficient en outre d'un balcon et d'une antichambre avec table et sofa. Le cadre et la décoration manquent de chaleur mais la gentillesse du personnel vous le fera vite oublier.

Howard Johnson Hotel Versalles – Prado A2 - *Carrera 48, n° 70-188 - ✆ (5) 368 2183 - www.hojobarranquilla.com - ▤✕⛱ - 85 ch. 120/130 000 COP ☕.* Dans une zone commerçante du Prado, un hôtel de bon confort pratiquant des tarifs plus intéressants du vend. au dim. qu'en semaine. Chambres tout confort et agréables restaurants, dont l'un en terrasse.

POUR SE FAIRE PLAISIR

El Prado – Prado A2 - *Carrera 54, n° 70-10 - ✆ (5) 369 7777 - www.hotelelpradosa.com - ▤✕⛱ - 250 ch. 165/225 000 COP ☕.* L'hôtel le plus ancien de Barranquilla a pour cadre une demeure de la fin des années 1920, classée monument historique. Les chambres sont spacieuses et agréablement décorées. Sur place : galerie d'art, spa et piscine sous les palmiers. Un endroit raffiné et romantique dont vous pourrez profiter même si vous ne logez pas ici : la piscine est ouverte aux non-résidents pour 28 000 COP, 38 000 avec formule *parrillada* (9h-18h).

Barranquilla Plaza – Prado A1 en dir. - *Carrera 51B, n° 79-246 - ✆ (5) 361 0361 - www.hbp.com.co - ▤✕⛱ - 176 ch. 168/225 000 COP ☕.* Dans le quartier chic d'Alto Prado, à deux pas des commerces et des restaurants de luxe. Sans surprise, les chambres disposent de tout le confort d'un hôtel de standing international. Très belle vue sur la ville depuis le restaurant-bar panoramique du 25e étage. Tarifs attractifs en fin de semaine.

Puerta del Sol – Prado A2 en dir. - *Calle 75, n° 41D-79 - ✆ (5) 330 1000 - www.puertadelsol.com.co - ▤✕ - 109 ch. 185 000 COP ☕.* Au nord de la ville, dans le quartier des affaires. Beaucoup de petits détails luxueux comme le *menu de almohadas* (pour choisir son oreiller sur mesure), des journaux et des magazines dans chaque chambre. Parking surveillé et assistance médicale sur place.

Puerto Colombia

POUR SE FAIRE PLAISIR

Pradomar – Prado A2 en dir. - *Calle 2, n° 22-61 - ✆ (5) 309 6011 - www.hotelpradomar.com - ▤✕ - 10 ch. 173 000 COP ☕.* Des *cabañas* de luxe avec terrasse en bord de mer, à 15mn du centre de Barranquilla et à 30mn de l'aéroport. On y vient pour profiter de la plage (surf et kite) et du restaurant *lounge* Climandiario. Atmosphère festive en fin de semaine.

RESTAURATION

BUDGET MOYEN

Árabe Gourmet – Prado A2 - *Carrera 49C, nº 76-181 - ✆ (5) 360 5930 - 12h-22h - 55 000 COP.* Un restaurant soigné attirant une clientèle bourgeoise dans une salle climatisée à la décoration orientale. Au menu : *kibbeh*, riz aux amandes, taboulé, *tahini* et nombreux autres délices orientaux. Propose aussi quelques plats végétariens. Carte de vins chiliens.

POUR SE FAIRE PLAISIR

La Cueva – Centro A1 - *Carrera 43, nº 59-03 - ✆ (5) 340 9813 - www.fundacionlacueva.org - lun.-jeu. 12h-15h, 18h-22h, vend.-sam. 12h-15h, 18h-0h - 60 000 COP.* Bar-restaurant historique, La Cueva a été le lieu de rencontre des membres du Groupe de Barranquilla. Elle sert des plats caribéens comme la *posta negra* (sorte de rôti mariné) ou le délicieux *róbalo micuy-ricuy*, du bar aux fruits de mer et au riz coco. Des photos d'époque et des œuvres d'artistes colombiens ornent les salles.

Varadero – Prado A1 en dir. - *Carrera 51B, nº 79-97 - ✆ (5) 378 6519 - www.varadero.com.co - lun.-jeu. 12h-23h, vend.-sam. 12h-0h, dim. 12h-22h - 60/70 000 COP.* Ambiance et décoration cubaines dans ce restaurant dont le nom rappelle la célèbre station balnéaire de l'île. Spécialisé dans les poissons et fruits de mer, il propose du carpaccio de thon, de saumon et de poulpe et un fameux mille-feuille de poisson à la crème de crabe et à la coriandre. *Són* cubain lun.-sam. à partir de 20h30.

PETITE PAUSE

Castillo de Salgar – *Carrera 38, nº 2B-15 - vía Pradomar - à 7 km de Puerto Colombia - ✆ (5) 385 5000 - vend.-dim. 11h-0h.* Dominant la mer au sommet d'une falaise, l'ancien fort espagnol de Salgar, datant de 1815, offre un cadre exceptionnel pour un en-cas (le restaurant lui-même est cher et décevant).

BOIRE UN VERRE

Moys – Prado A2 - *Carrera 52, nº 74-125 - ✆ (5) 358 4309 - lun.-sam. 18h-23h, dim. 12h-16h.* Toujours beaucoup d'animation dans ce bar-restaurant où les habitués viennent danser la rumba jusqu'au petit matin.

ACTIVITÉS

Estadio Roberto Meléndez – *Av. Murillo et av. Circunvalar (au sud de la ville) - ✆ (5) 360 0338 - www.juniorfc.co - tickets pour les matchs vendus à l'entrée.* Le stade de Barranquilla (50 000 places), foyer du club de football **Atlético Junior**, a été le stade attitré de l'équipe nationale. **Los Cafeteros**, aux supporters enthousiastes et impitoyables, étaient difficiles à battre lorsqu'ils jouaient à domicile, d'autant qu'ils choisissaient de jouer les matchs en milieu de journée, sous une chaleur écrasante. La vie est plus terne depuis que l'équipe s'est installée à Medellín, au public plus indulgent.

AGENDA

Carnaval – *www.carnavaldebarranquilla.org - fin fév.-début mars.* Un événement à ne pas manquer. *Voir p. 306.*

Barranquijazz – *http://barranquijazz.com - 2e sem. de sept.* Le festival de jazz le plus important de la région caraïbe se déroule à la fois au Teatro Amira de la Rosa et dans la rue.

Santa Marta et ses environs

480 000 habitants – Capitale du département du Magdalena – Alt. 2 m

Blottie entre les eaux cristallines de la mer des Caraïbes et les cimes enneigées de la Sierra Nevada, la chaîne côtière la plus élevée au monde, Santa Marta cache derrière ses installations portuaires un petit cœur colonial qu'elle s'efforce de mettre en valeur, même si, sur ce point, elle est encore loin de rivaliser avec Carthagène. Fondée dans une région où, avant l'arrivée des conquistadors, brillait la civilisation tayrona, la ville fut un bastion des fidèles de la Couronne espagnole pendant l'époque coloniale. Le Rodadero, la station balnéaire jouxtant la ville, est aujourd'hui une destination très populaire auprès des touristes colombiens. Aux alentours, deux musts : les plages du parc Tayrona et la Ciudad Perdida, dissimulée dans les hauteurs de la Sierra Nevada.

NOS ADRESSES PAGE 321
Hébergement, restauration, achats, activités, etc.

S'INFORMER

En saison, petits kiosques d'information touristique sur le front de mer. Pour tout ce qui concerne les excursions, les agences privées sauront vous renseigner.

SE REPÉRER

Carte de région B1 (p. 276) – plan de la ville p. 314.
À 234 km au nord-est de Cartagena (104 km au nord-est de Barranquilla).
Voir aussi la rubrique « Arriver/partir » dans « Nos adresses ».

À NE PAS MANQUER

Une promenade sur le Camellón au crépuscule ; une randonnée dans la jungle pour rejoindre la Cité perdue ; les plages du parc Tayrona.

ORGANISER SON TEMPS

Pour profiter au calme des plages de Taganga et du Rodadero, venez-y plutôt en semaine. Comptez 1 j. pour découvrir le parc Tayrona et prévoyez d'y passer la nuit. Une excursion à la Ciudad Perdida vous demandera au moins 5 j.

Se promener Plan de ville p. 314

Misant depuis quelques années sur le développement du tourisme national, de petits hôtels de luxe et des restaurants « tendance » surgissent à Santa Marta. La ville vit actuellement une **métamorphose** longtemps espérée qui s'est traduite par d'importants travaux de rénovation dans le **centre colonial**. Certaines places et ruelles sont désormais fermées à la circulation, ce qui rend plaisante la balade dans la ville, même si celle-ci ne regorge pas de sites majeurs. Santa Marta ayant fait l'objet de maints remaniements au cours des 19e et 20e s., il ne subsiste en effet, hormis la cathédrale, que quelques édifices anciens. On citera notamment, au rang du patrimoine religieux, la **Iglesia de San Francisco** *(calle 13, nº 3-77)*, de style colonial, construite en 1597 et autrefois entourée d'un marché, la **Iglesia del Hospital San Juan de Dios** *(calle 22 et carrera 2)*, qui date de 1746, et le **Convento de Santo Domingo** du 18e s., rénové et converti en Académie d'histoire de Santa Marta *(carrera 1A, nº 16-15 - ne se visite pas)*.

La plage du Rodadero, Santa Marta.
P. Tisserand/Michelin

LE CENTRE-VILLE Plan de ville

Au départ du front de mer, circuit 1 tracé en vert sur le plan de ville (p. 314) – Comptez 1/2 journée.

Camellón A1-2

Avenue du front de mer (carrera 1).

Cette populaire promenade piétonne aménagée en bord de mer longe toute la baie de Santa Marta. Également connue sous le nom de **Paseo de Bastidas**, elle attire Samarios (habitants de Santa Marta) et touristes qui aiment à y déambuler en fin d'après-midi. Tout au long de la promenade, jusqu'à la calle 22, ont été érigées des statues glorifiant la civilisation tayrona.

Au niveau de la calle 22, le Camellón aboutit à la nouvelle **marina de Santa Marta**. Entre les tours flambant neuves qui poussent peu à peu dans ce quartier surgissent çà et là quelques édifices du 19e s. à la façade jaune pâle. Derrière la marina s'ouvre une petite plage plus tranquille que celle du centre-ville.

4

★ Plaza de Bolívar A1

Angle front de mer et calle 14.

Bordée de beaux édifices de l'époque coloniale, cette vaste place arborée a été rendue aux piétons. Le bâtiment contemporain qui marque l'angle avec le front de mer abrite un casino et s'habille la nuit de jeux de lumières changeantes; avec ses petits restaurants proprets, le lieu est emblématique de la nouvelle image que met en avant Santa Marta.

Casa de la Aduana – *Carrera 2 et calle 14, nº 2-7.* La Maison des douanes de Santa Marta, réputée avoir été construite en 1531, a survécu aux incendies et aux tremblements de terre. Ses balcons extérieurs typiques et ses toits traditionnels ont été soigneusement restaurés à l'identique. À l'époque coloniale, elle contrôlait les marchandises qui arrivaient dans le port.

★★ **Museo del Oro Tairona** – *Dans la Casa de la Aduana - ✆ (5) 421 0251 - www.banrepcultural.org/museo-del-oro-tairona/ - mar.-sam. 9h-17h, dim. et j. fériés*

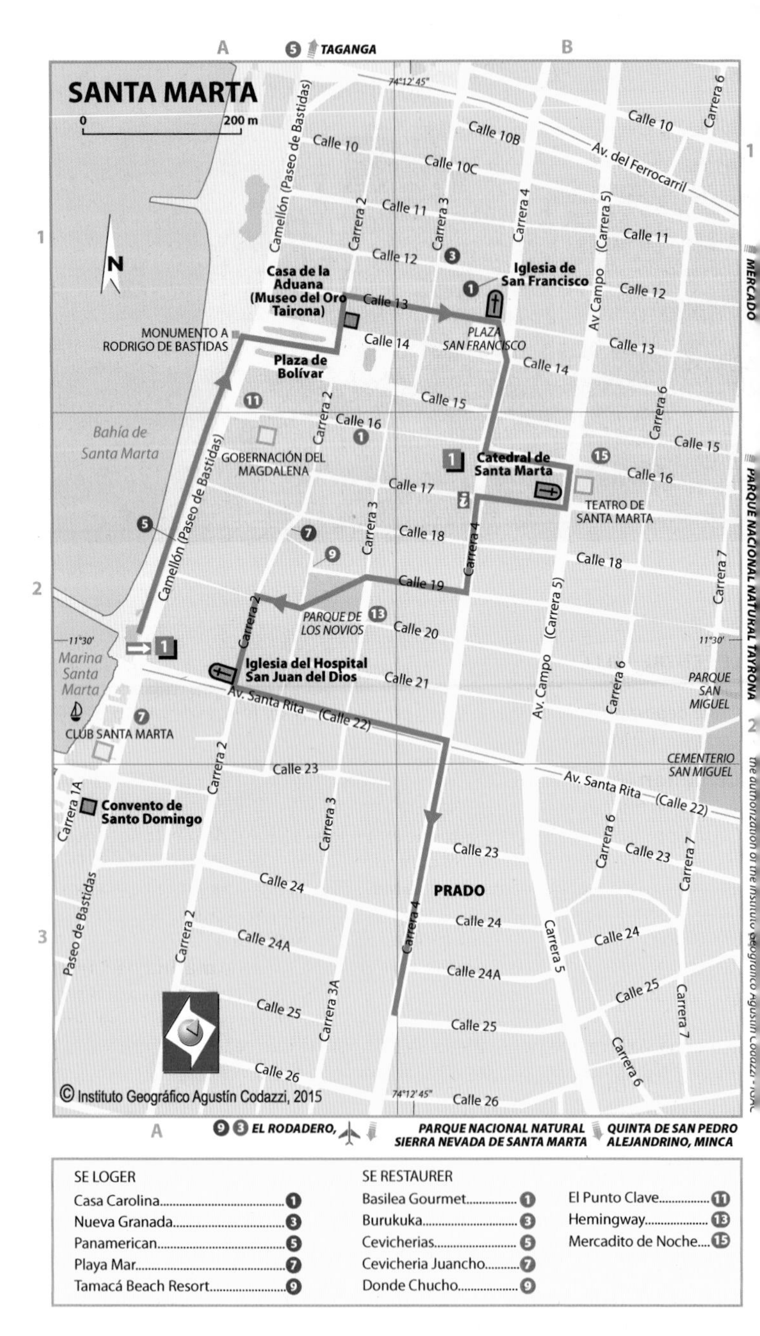

10h-15h - entrée libre. Il présente une riche exposition de poteries et d'objets en **or** des civilisations nahuangue (200-900 apr. J.-C.) et tayrona (900-1600) qui peuplèrent successivement la région, ainsi que des artefacts koguis et arhuacos. Y sont expliquées les techniques agricoles mises en œuvre par ces premiers habitants de la région. À l'étage, une série de photos anciennes et actuelles retrace l'histoire de Santa Marta et son évolution économique et sociale depuis sa fondation, et présente les peuples vivant sur les côtes et dans les montagnes alentour.

Catedral de Santa Marta B2

Carrera 5, n° 16-03 - ouverte pour les offices uniquement (horaires affichés).
La construction de cette imposante église coloniale blanche, connue sous le nom de **Basílica Menor** et « mère de toutes les églises colombiennes », dura trente ans à peine (1766-1794). Son intérieur bien conservé est pavé de marbre et orné de lustres italiens. **Rodrigo de Bastidas**, fondateur de la ville, y est enterré. **Simón Bolívar** fut également inhumé dans la cathédrale entre 1830 et 1842, avant le transfert de sa dépouille au panthéon de Caracas.

Parque de los Novios A2

À l'angle de la calle 19 et de la carrera 3.
Dominée par une statue en pied du général Santander, cette place piétonne constitue le cœur de la nouvelle Santa Marta. Elle s'anime dès le coucher du soleil, lorsque les terrasses des restaurants branchés et des bars se remplissent, chacune déversant des flots de salsa, de jazz ou de rock.

Prado B3

Sur la carrera 4, entre les calles 23 et 27.
Le quartier du Prado était connu au milieu du 19e siècle sous le nom de « barrio de los Gringos ». C'est là en effet que se trouvait le siège de la **United Fruit Company** *(calle 25 et carrera 4)*. Le quartier, aujourd'hui à vocation pavillonnaire, a conservé son tracé rectiligne et ses larges artères mais peu d'édifices de la grande époque de l'exploitation bananière : la plupart ont été rasés pour laisser place à des tours, des parkings et des centres commerciaux.

À proximité

★★ Quinta de San Pedro Alejandrino B3 en dir.

À 6 km à l'est de Santa Marta - barrio de Mamatoco - av. del Libertador - Sector San Pedro Alejandrino - ✆ (5) 433 1021 - www.museobolivariano.org.co/visita - 9h-17h (18h en haute saison) - 20 000 COP - dernière entrée 30mn avant fermeture.
Ce vaste complexe abrite une hacienda, un musée, un jardin et un monument à Simón Bolívar. Décrété monument national, ce site très visité est un incontournable pour les mordus d'histoire et les visiteurs désireux de comprendre le développement et les mouvements d'indépendance d'Amérique du Sud.
Antigua Hacienda – En 1830, **Simón Bolívar** démissionna de ses fonctions de président après la dissolution de la Grande Colombie ; il fut invité à séjourner dans cette propriété par un fervent patriote du nom de Joaquín De Mier. Le grand libérateur de l'Amérique du Sud mourut le 17 décembre 1830 dans la *casa principal* (1608). Les visiteurs peuvent voir la chambre où il rendit son dernier soupir, la bibliothèque, la chapelle et quelques pièces meublées d'époque. La propriété abrite plusieurs dépendances dont une **distillerie** qui faisait partie de l'hacienda de la famille De Mier, où l'on se consacrait à la culture de la **canne à sucre**.
Museo Bolívariano de Arte Contemporáneo – Il présente une collection de **portraits** de Bolívar réalisés par des artistes réputés tels qu'Alejandro Obregón, Jorge Elias Triana, Gustavo Zalamea, Patricia Tavera, Germain Tessarolo et Maripaz Jaramillo. Des **sculptures** d'Edgar Negret, Eduardo Ramírez Villamizar, Lydia Azout et Carlos Chacin sont exposées dans les jardins.

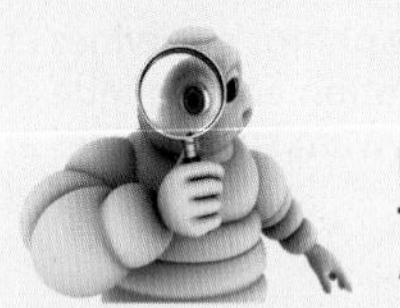

Santa Marta au fil du temps

LA TERRE DES TAYRONAS

Avant l'arrivée des Espagnols, la région était le fief des Indiens **tayronas** et de leurs parents proches, les **Arhuacos** et les Koguis. Les chroniques de **Pedro Marty Angheira**, publiées en 1530, décrivent la civilisation tayrona comme ouverte et développée, évoquent des commerces prospères, des villages de pêcheurs et des vallées aux nombreux habitants. Une randonnée vers la légendaire **Ciudad Perdida**, sur les contreforts de la Sierra Nevada, vous donnera un aperçu de cette civilisation avancée, aujourd'hui disparue. La Casa de la Aduana et son **musée de l'Or**, à Santa Marta, vous livreront d'autres clés de compréhension sur l'évolution de la culture tayrona et sur le mode de vie de ses descendants.

UN PORT ESPAGNOL

Fondée en juillet 1525 par **Rodrigo de Bastidas**, Santa Marta joua un rôle majeur dans la colonisation du pays. Elle était située non loin du río Magdalena, principale voie de communication entre la côte et l'intérieur des terres, et c'est de là que partirent les expéditions qui allaient fonder Santa Fé de Bogotá.

Aux 16e et 17e s., la ville, passerelle entre l'Espagne, les Antilles et le Nouveau Monde, fut la cible d'attaques répétées menées par les pirates français, anglais et hollandais, forçant nombre de ses habitants à se rendre dans des villes plus sûres comme Carthagène, Mompox et Ocaña. La ville fut fortifiée en plusieurs endroits pour repousser les attaques des pirates ; de son ancien système de défense, seul a survécu le fort de San Fernando, construit en 1725 et désormais intégré au complexe du bataillon de marine *(ne se visite pas)*. Au 19e s., lorsque le vent de l'**indépendance** commença à souffler sur la Colombie, Santa Marta resta fidèle à la Couronne espagnole, contrairement à Carthagène.

LES TEMPS MODERNES

Vers la fin du 19e s., la ville s'est retrouvée au centre de la **culture de la banane**, industrie alors en plein essor et qui demeura un puissant moteur économique jusqu'à la Seconde Guerre mondiale. Les marins américains et anglais au service de la United Fruit Company, qui supervisait les exportations, introduisirent le **football** dans la région *(voir l'encadré ci-contre)*.

La construction du **Rodadero** commence après la guerre, dans les années 1950. Elle s'inscrit dans le cadre du **projet Tamacá** qui vise à réhabiliter les plages de Santa Marta pour en faire un pôle touristique, destiné à une clientèle colombienne autant qu'étrangère.

Dans les années 1970, le faible coût des terres et leur fertilité attirent bon nombre de colons dont certains vont cultiver la coca et la marijuana. Cette nouvelle économie ne tarde pas à susciter des convoitises chez les groupes paramilitaires autant que chez les guérilleros des FARC et de l'ELN. Les différentes factions vont se livrer une **guerre impitoyable** pour prendre le contrôle de l'énorme manne financière générée par le trafic. Santa Marta devient le refuge d'un grand nombre de personnes déplacées, fuyant les zones touchées par ces conflits.

Aujourd'hui, la ville hésite entre un développement économique fondé sur le **tourisme** (restauration du centre historique, nombreux projets visant à en faire un lieu d'investissement immobilier) et la spécialisation de ses **installations portuaires** dans l'acheminement et l'exportation du charbon.

UNE LÉGENDE DU FOOTBALL

Sa crinière d'un blond oxygéné le distinguait des autres joueurs. **Carlos « El Pibe » Alberto Valderrama** (né en 1961), le joueur de football colombien le plus connu sur le plan international pour ses prouesses sportives, a disputé 111 matchs en équipe nationale et a également joué pour Montpellier, Tampa Bay, Miami et Valladolid. Doté d'un sens de l'anticipation légendaire sur le terrain, il a été classé par Pelé parmi les meilleurs joueurs du 20e s. Valderrama a pris sa retraite en 2004 après 22 ans de carrière et est devenu en 2007 entraîneur de l'un de ses anciens clubs, le **Junior** de Barranquilla. Il a marqué les esprits en entrant sur le terrain pendant un match pour brandir une liasse de billets sous le nez de l'arbitre et l'accuser d'avoir accepté des pots-de-vin. Sa carrière d'entraîneur ayant été un échec, il s'est reconverti dans le tournage de spots publicitaires et consacre beaucoup de temps à sa ville natale de Santa Marta, où il aide les habitants du **Pescaito**, son quartier d'origine, très pauvre. Une statue de 6 m de haut a été érigée à sa gloire à l'extérieur du stade de Santa Marta.

Altar de la Patria – Situé sur la **plaza de Banderas** (1980), ce **monument** de style républicain fut construit en 1930 pour commémorer le centième anniversaire de la mort de Bolívar.

Jardín Botánico – Ce paisible jardin de 22 ha accueille des colibris, des iguanes et des perroquets dans des espaces reproduisant certains des écosystèmes les plus caractéristiques de la Colombie caribéenne.

★ El Rodadero A3 en dir.

À 6 km au sud de Santa Marta. Bus sur le front de mer.

Cette **station balnéaire**, qui bat son plein toute l'année en fin de semaine, concentre les hôtels, les appart-hôtels et les tours résidentielles. C'est en quelque sorte la version populaire du quartier de Bocagrande à Carthagène. El Rodadero s'est construit tout au long de la baie de Gaira, où stationnent des *lancheros* qui vous proposeront des excursions dans la baie, des loueurs de pédalos, de kayaks et de scooters de mer. La nuit, le quartier se transforme en un lieu animé et festif, où abondent restaurants – le ceviche est un must – bars et discothèques. Pendant les vacances colombiennes et les **Fiestas del Mar**, célébrées du 29 juillet au 4 août, apprêtez-vous à défendre chèrement votre coin de plage !

Acuario Mundo Marino – *Carrera 2, nº 11-68 - ✆ (5) 422 9334 - déc.-janv., Semaine sainte et de mi-juin à fin juil. : 9h-22h ; reste de l'année : 8h-18h - 15 000 COP.* Il présente la flore et la faune sous-marines des alentours de Santa Marta et tente, en concertation avec l'université de biologie marine, de sensibiliser son public à la conservation du milieu marin et à la protection de l'environnement. Les lun., merc. et vend. à 16h, on vous proposera de nourrir requins, raies et tortues.

★ Taganga A1 en dir.

À 5 km au nord-est de Santa Marta. Bus à l'angle de la carrera 5 et de la calle 10.

De Santa Marta, il suffit de 10mn en taxi à travers des collines couvertes d'une végétation desséchée d'arbustes et de broussailles pour rejoindre ce **village de pêcheurs**. Faites une halte au mirador aménagé au bord de la route pour embrasser du regard la jolie baie et le village blotti sous les arbres, tache de verdure au creux des montagnes arides. Le village semble vivre à deux vitesses : murs à fresques et ruelles dépavées contrastent avec le boom des centres de **plongée** qui y font florès depuis quelques années. Les voyageurs au long cours en ont fait l'un de leurs camps de base et l'on ne compte plus les *hostales* et les chambres à louer dans le village.

Un sentier grimpant dans les rochers au bout de la baie permet de rejoindre en 20mn **Playa Grande★**, aux eaux plus propres et plus limpides que celles de Taganga même. Cette plage, bordée de petits restaurants, est littéralement envahie le week-end par les Samarios.

Bon à savoir – Les hôtels de Taganga organisent tous des excursions à **Tayrona** et à la **Ciudad Perdida**.

Sorties en mer – Sur la plage, on vous proposera des sorties en *lancha* vers Playa Grande et les principales **plages du parc Tayrona** : plage d'Arrecifes *(voir ci-dessous)* ou, moins fréquentées, **Bahía Neguanje,** la plus grande baie de Tayrona, au milieu de la partie côtière du parc, et **Bahía Concha**, qui s'étire sur le devant d'un scrub forestier (zone de broussailles sèches).

Excursions Carte de région B1 (p. 276)

★★★ PARQUE NACIONAL NATURAL TAYRONA

L'entrée principale se trouve à El Zaino, à 34 km à l'est de Santa Marta, sur la carretera 90 (route de Riohacha) - bus à l'angle de la carrera 11 et de la calle 11 - (5) 420 4504 - www.parquesnacionales.gov.co - 8h-17h - 38 000 COP. Sur place, hébergement basique (arriver tôt : dès 14h, seules les tentes restent disponibles).

Ce parc national, l'un des plus fréquentés du pays, s'enorgueillit de plages spectaculaires, magnifiques étendues de sable blanc s'étirant devant des eaux cristallines. Sa grande biodiversité et la présence de la civilisation tayrona sont les autres spécificités du parc.

De l'entrée, comptez env. 1h de marche pour rejoindre le début des sentiers et la **Playa Cañaveral**. Le pittoresque **Sendero Las Nueve Piedras** *(30mn)* vous conduira à travers jungle et passages rocheux jusqu'à un mirador en surplomb de la mer. De là part vers l'ouest un autre sentier conduisant à la **Piscina★** *(1h15)*, une petite crique protégée propice à la baignade.

Arrecifes

À 45mn de marche de la Playa Cañaveral. Une balade en terrain accidenté à travers la jungle mène à cette plage immaculée. Vous pouvez aussi louer un **âne** pour arriver plus vite ou si le sentier a été rendu impraticable par la pluie. Prudence ! La plage d'Arrecifes est incroyablement belle, mais **dangereuse** : les forts **courants** qui précipitent des vagues déferlantes sur les immenses rochers blanchis par le soleil sont régulièrement responsables de noyades.

La Piscina

À 15mn de marche d'Arrecifes. Les eaux tranquilles de La Piscina, entourée par une barrière naturelle de corail, se prêtent idéalement à la baignade.

Cabo San Juan

À 30mn de marche de La Piscina. Cette zone de camping flanquée d'un petit promontoire où sont installés des hamacs offre une des plus belles vues du parc. Elle est propice à la baignade.

El Pueblito

À 2h30 de marche d'Arrecifes. Un sentier dans le parc mène aux huttes et aux esplanades du hameau d'El Pueblito où vivent encore quelques familles koguis. Également connu sous le nom de **Chairama**, El Pueblito ressemble à une Ciudad Perdida en miniature.

★★★ PARQUE NACIONAL NATURAL SIERRA NEVADA DE SANTA MARTA

Au sud-est de Santa Marta. Vous le découvrirez à l'occasion d'une excursion à la Ciudad Perdida ou en randonnée depuis Minca (voir ci-dessous) - guide indispensable.

Le parc commence au niveau de la mer pour s'élever vers les cimes les plus hautes du pays; les pics de **Colón** et **Bolívar** culminent à 5 775 m, faisant de cette chaîne montagneuse le massif côtier le plus élevé au monde. Les montagnes de la Sierra Nevada de Santa Marta surplombent une zone protégée d'une superficie de 383 000 ha. Quelque 30 000 membres des tribus **kogui**, **wiwa**, **arhuaco** et **kamkuamo** y vivent, cultivant du cacao, des bananes plantains, de la canne à sucre, du café et des pommes de terre et pratiquant l'élevage de bovins et d'ovins. Le parc rassemble une variété incroyable de milieux : **forêts tropicales humides**, **forêts andines**, **páramos** et **neiges éternelles**, qui abritent un très grand nombre de plantes parmi lesquelles les *frailejones*, et d'animaux dont des tapirs, des pumas, des loutres, des jaguars et toutes sortes d'oiseaux.

★★ Ciudad Perdida - Parque Arqueológico de Teyuna

Nichée dans la Sierra Nevada à 1 300 m d'alt., la Cité perdue n'est accessible qu'au terme d'une marche d'env. 40 km (plusieurs circuits possibles) d'une durée de 5 à 6 j. AR, difficile sans être épuisante, qui ne peut être entreprise que dans le cadre d'un circuit organisé (voir « Activités », p. 25). Renseignez-vous sur les conditions de sécurité qui prévalent dans le secteur avant d'entreprendre ce périple. On cultive encore de la coca et de la marijuana dans cette zone de la Sierra Nevada, convoitée par la guérilla et les groupes paramilitaires.

Certes, la Cité perdue n'est pas le Machu Picchu, mais sa visite laisse un souvenir mémorable : imaginez-vous découvrant cette cité mystérieuse au terme d'une randonnée de plusieurs jours dans la montagne et la jungle sous de bonnes ondées tropicales, après avoir traversé des villages traditionnels, croisé les populations indiennes, observé la faune et la flore, et vous être lavé chaque soir de la poussière et des fatigues de la journée dans l'eau douce des ruisseaux… Vous ressentirez un pincement de fierté lorsque, après avoir franchi la énième rivière du parcours, vous vous retrouverez au pied de l'escalier de pierre de 1 260 marches, dernier obstacle avant la Ciudad Perdida.

La Ciudad Perdida n'est pas, à proprement parler, un ensemble de ruines, car des **populations indiennes** continuent de vivre aux alentours et d'y pratiquer des rituels religieux. Construite vers l'an 700 (700 ans avant le Machu Picchu, au Pérou), **Buritaca 200**, ou **Teyuna** en langue indienne, est un ensemble de **terrasses** aplanies creusées dans les contreforts de la Sierra Nevada. Les **Arhuacos**, les **Koguis** et les **Asarios** revendiquent le caractère sacré de cette zone et des constructions qui s'y trouvent. La Ciudad Perdida fut probablement un centre économique et politique pour les tribus indiennes; sa population fluctua entre 1 400 et 3 000 habitants répartis sur les **250 terrasses** qui ont été découvertes à ce jour et s'étagent entre 950 m et 1 300 m d'altitude. Les rares informations dont on dispose ont été glanées auprès de tribus réticentes à les partager, après que des pilleurs et des voleurs ont fouillé la zone en 1972 et dérobé tous les objets de valeur.

★★ MINCA

À 21 km au sud-est de Santa Marta. Taxis collectifs à l'angle de la carrera 12 et de la calle 11.

Minca, à 600 m d'altitude, bénéficie d'un climat agréable. Nouvelle destination à la mode dans la région caraïbe parmi les jeunes voyageurs européens épris de nature, ce qui n'était il y a 5 ans qu'un hameau regorge aujourd'hui de pensions bon marché et de petits restaurants d'appoint. Le village, entouré par une végétation exubérante – manguiers, papayers, bouquets de bambous géants –, offre un bon point de départ pour une randonnée vers des chutes aux eaux claires et fraîches. On y pratique le canyoning et le rappel sur les nombreux cours d'eau des environs. La région est par ailleurs un excellent site d'observation **ornithologique**. En raison de leur isolement géographique, les montagnes environnantes affichent un taux d'endémisme unique : 36 espèces d'oiseaux ont été répertoriées dans cette zone, dont le passereau de Santa Marta *(tangará serrana)*. L'élargissement de la route entre Santa Marta et Minca, prévue en 2016, devrait apporter un considérable regain de popularité à la destination, et l'atmosphère décontractée qui y règne risque d'en pâtir.

Las Piedras – *À 15mn de marche du village.* Au pied de gros rochers (*piedras* veut dire « pierres ») épars dans le cours d'eau, les tourbillons de la rivière ménagent des piscines naturelles où l'on peut se baigner.

Cascada Perdida – *À 40mn de marche du village. Mieux vaut se faire accompagner par un guide, car elle n'est pas facile à trouver.* La **« cascade perdue »** correspond à un ancien site sacré kogui. On y accède en suivant un sentier empierré, vestige d'un réseau étendu de chemins aménagés à l'époque précolombienne, ou en longeant le *río*.

Pozo Azul (puits bleu) – *À 1h30 de marche du village.* Un ensemble de trous d'eau où l'on peut se baigner, au pied de petites cascades.

Finca la Victoria – *À 2h de marche du village (ou 30mn en taxi) - 10 000 COP.* Cette exploitation agricole produit du café, du chocolat et de la bière artisanale. Située sur les hauteurs de Minca, elle se visite.

ARACATACA

À 90 km au sud de Santa Marta (1h30 en voiture).

La ville natale de **Gabriel García Márquez** (1927-2014) n'attire guère que les férus de littérature : le village a en effet inspiré celui, fictif, de **Macondo** dans *Cent Ans de solitude*. Cela dit, il n'en subsiste aucun vestige colonial, et l'ancien cinéma est aujourd'hui une quincaillerie. Un petit **musée** *(carrera 5, nº 6-35 - entrée libre)* consacré à l'écrivain a été ouvert dans la maison des grands-parents de García Márquez. Avec cette problématique sur la place respective de la fiction et de la réalité : le musée reproduit-il la maison des grands-parents de l'écrivain ou celle de la famille Buendía du roman ?

NOS ADRESSES À SANTA MARTA

Plan de la ville p. 314

INFORMATIONS UTILES

Change

Cambios Tayrona – B1 - *Calle 14, n° 4-45 - lun.-sam. 8h-18h.* Change euros et dollars en espèces.

Parcs nationaux

Parques Nacionales Naturales – B2 - *Calle 17, n° 4-06 - ✆ (5) 432 0752 - lun.-vend. 8h30-11h30, 14h30-17h30.* Le bureau des parcs vous informera sur les conditions d'accès aux différents parcs et réserves de toute la région caraïbe et vous pourrez y prendre contact avec un guide accrédité. *Guide des parcs et réserves* de tout le pays en vente dans la boutique officielle, qui se trouve juste à côté.

Sécurité

Comme partout au monde, ne laissez jamais vos affaires sans surveillance sur les plages, que ce soit celle de Santa Marta, celle de Taganga ou celle du Rodadero. Si vous devez sortir le soir, soyez vigilant et ne fréquentez que les endroits où il y a du monde.

ARRIVER/PARTIR

En avion

Aeropuerto Simón Bolívar (SMR) – *À 16 km au sud de Santa Marta de la ville.* Vols intérieurs uniquement. Vols directs fréquents de/vers Bogotá et Medellín.

En bus

Terminal de Transportes – *À env. 6 km au sud-ouest du centre-ville (comptez 6 000 COP en taxi - trajet 20mn).* Santa Marta est desservie tlj par bus depuis Bogotá (17h - 90 000 COP), Bucaramanga (8h - 60 000 COP) et Riohacha (3h - 20 000 COP) ; liaisons ttes les 30mn avec Barranquilla (2h - 12 000 COP) et Cartagena (4h30 - 24 000 COP).

TRANSPORTS

Bus urbains

Colectivos et bus de ville desservent El Rodadero et Taganga *(comptez 20mn de trajet et 1 800 COP).*
Pour Taganga, ils se prennent à l'angle de la carrera 5 avec la calle 10. Les bus à destination du Rodadero passent fréquemment sur la carrera 1 (front de mer). Les bus à destination du parc Tayrona et de Palomino stationnent derrière le marché central, à l'angle de la calle 11 et de la carrera 11. Les *colectivos* desservant Minca se trouvent une *cuadra* plus loin, à l'angle de la carrera 12.

Taxi

Station de taxis sur la carrera 1, près de la marina. Pas de compteur : négociez le prix de la course avant de monter *(à titre indicatif, comptez 6 000 COP pour la gare routière).*

Moto

Les motos-taxis sont rapides et bon marché.

HÉBERGEMENT

Santa Marta Centre

PREMIER PRIX

Panamerican – A2 - *Carrera 1, n° 18-23 - ✆ (5) 421 1239 - - 50 ch. 50/70 000 COP.* Un bâtiment blanc et bleu tout en longueur au milieu du front de mer. C'est une bonne option pour ses chambres spartiates avec

4

ventilateur, dotées d'un balcon face à la baie. La plupart des chambres avec air conditionné, en revanche, minuscules et dépourvues de fenêtres, sont sinistres. Dans cette gamme de prix et avec une telle situation, ne vous attendez évidemment pas à des merveilles en termes de confort et d'entretien.

Playa Mar – A2 - *Carrera 2, nº 18-17 - ✆ (5) 421 4537 - www.hotelplayamar.com.co - ▤ - 16 ch. 50/90 000 COP.* Les chambres, assez quelconques, sont réparties dans deux bâtiments que sépare une boutique d'artisanat. Dans celui de droite, vous trouverez la climatisation, pour des pièces assez sombres au rdc, plus lumineuses dans les étages supérieurs. Celui de gauche accueille 4 chambres plus économiques, avec ventilateur, l'une d'elles disposant d'un balcon.

BUDGET MOYEN

Nueva Granada – B1 - *Calle 12, nº 3-17 - ✆ (5) 421 1337 - www.hotelnuevagranada.com - ▤ - 21 ch. 110/130 000 COP ☕.* À quelques minutes à pied du front de mer et tout proche de l'Alliance française. Les chambres, petites et propres, équipées de ventilateur ou de l'air conditionné, se distribuent en U autour d'un patio central. Quelques transats y entourent une mini-piscine, à l'ombre d'un manguier et d'un palmier. Café offert, wifi.

POUR SE FAIRE PLAISIR

Casa Carolina – B1 - *Calle 12, nº 3-40 - ✆ (5) 423 3354 - www.hotelcasacarolina.com - ▤✕⛱ - 10 ch. 200/230 000 COP ☕.* Un bel hôtel-boutique ouvert en 2014, à ne pas confondre avec son homonyme de la calle 10. Petite piscine au rdc, une terrasse arborée au 2e étage et une autre avec transats au 3e étage : on circule avec plaisir entre les espaces soignés que réserve l'établissement. Chambres avec balcon, certaines avec patio privé, toutes très confortablement meublées et disposant de ventilateur ou de la climatisation. Sur le toit, un appartement pour 4 pers. avec cuisine équipée pour 350 000 COP.

El Rodadero

UNE FOLIE

Tamacá Beach Resort – A3 en dir. - *Carrera 2, nº 11A-98 - ✆ (5) 422 7015 - www.tamaca.com.co - ✕▤⛱ - 81 ch. 285 000 COP ☕.* Construit à l'emplacement d'un ancien sanctuaire indien de Gaira, le Tamacá (« la grande maison sur la plage » en dialecte indien) est situé sur le front de mer. C'est un établissement moderne de 5 étages dont les chambres climatisées jouissent d'une belle vue sur la baie d'El Rodadero. Le restaurant propose buffet et formules à la carte. Pour une boisson fraîche, rendez-vous au bar de la piscine.

RESTAURATION

Santa Marta Centre

PREMIER PRIX

Mercadito de Noche – B2 - *Calle 16, entre les carreras 5 et 6 - 💳 - 16h-23h - 10 000 COP.* Si les vendeurs de jus de fruits sont là dès le petit matin, les stands de snacks, eux, s'installent en fin d'après-midi pour servir parts de pizza, *arepas* farcies, brochettes, *papas rellenas*, *dedos*, etc. Pas de tables, mais ils disposent chacun d'une dizaine de chaises en plastique pour leurs clients. Certains restent ouverts toute la nuit.

Cevicheria Juancho – A2 - *Carrera 1, entre les calles 22 et 23, face à la tour Bahia Centro* - *9h-22h - 10 000 COP.* Depuis 1973, un grand stand permanent installé sur le trottoir et entouré de bancs de bois où défilent les amateurs de crustacés. Ici, on sert uniquement des *cocteles de camarones* (crevettes), en 4 tailles, servies dans des gobelets en plastique et accommodées à l'huile d'olive ou à la *salsa roja* (à base de ketchup). Fraîcheur garantie.

El Punto Clave – A1 - *Carrera 1, à l'angle de la calle 16* - *8h-0h - 25 000 COP.* Sa terrasse face au front de mer est protégée de la circulation par une rangée de ficus en pots et abritée du soleil sous de grands parasols rouges. Carte classique (viandes, poissons et restauration rapide) et, au coin de l'établissement, un stand de jus de fruits frais. Il présente l'avantage de rester ouvert plus tard que ses voisins.

BUDGET MOYEN

Hemingway – A2 - *Carrera 3, nº 19-45 - (mob.) 314 522 7843 - 16h-0h - 40 000 COP.* Sa façade orange sur laquelle se détache le masque d'Ernest Hemingway, à l'angle du parque de los Novios, attire l'œil. Les salles, jouant des contrastes entre couleurs vives, sont tapissées de photos évoquant la vie de l'écrivain. La carte, outre les spécialités locales de ceviches et de fruits de mer, propose un médaillon de bœuf au poivre sauce tamarin que vous pourrez accompagner d'un vin espagnol. Deux terrasses, l'une sur le trottoir entre un flamboyant et un manguier, l'autre sur le toit, où il fait bon venir prendre un cocktail sur fond de musique jazz en début de soirée.

POUR SE FAIRE PLAISIR

Dónde Chucho – A2 - *Calle 19, nº 2-17 (parque de los Novios) - (5) 421 0861 - ; succursale au Rodadero (angle carrera 3 et calle 6) - lun.-sam. 12h-22h30 - 60/70 000 COP.* Dans un recoin du parque de los Novios, c'est l'un des meilleurs restaurants de Santa Marta. Installé dans l'une des deux salles climatisées ou au calme sur l'agréable terrasse, on s'y régale de fruits de mer remarquablement préparés, cuisinés en cassolette ou en *risotto*, de poissons et de langoustines. Il faut absolument goûter la salade qui fait sa renommée (crevettes, poulpe, calamar, raie fumée) ou le *róbalo al gratín* (mozzarella et parmesan). Carte de vins chiliens, argentins et français.

Basilea Gourmet – A2 - *Calle 16, nº 2-54 - (5) 431 4138 - - lun.-sam. 11h-15h, 18h-22h - 65/80 000 COP.* Un restaurant chic à l'atmosphère intimiste et au beau décor de briques et poutres apparentes respectant l'âme de cette demeure ancienne. On y sert une cuisine méditerranéenne, des plats français et italiens, enrichis d'une touche d'accent caraïbe : bouillabaisse, steak au poivre, mérou, saumon teriyaki, calamar farci aux langoustines sauce champagne et, en dessert, une crêpe parfumée à l'orange et au gingembre.

El Rodadero

POUR SE FAIRE PLAISIR

Burukuka – A3 en dir. - *Sur la colline à l'extrémité nord de la plage du Rodadero, derrière l'immeuble Marina El Lago (Edificio Las Cascadas) - prenez un taxi - (5) 422 3080 - www.burukuka.com - 12h-15h, 18h-23h - 60/70 000 COP.* Un restaurant de viandes qui surplombe la plage d'El Rodadero et tient son nom des Indiens aborigènes qui vivaient ici autrefois. Le Burukuka est en général bondé ; venez-y tôt pour obtenir une table bien placée et dévorer votre steak ou boire un verre en contemplant le coucher du soleil. Vous pourrez rester toute la nuit pour danser la rumba : en fin de service, l'endroit se transforme en discothèque *(DJ jusqu'à 3h du matin en fin de semaine)*.

Taganga

PREMIER PRIX

Cevicherias – A1 en dir. - *Sur le front de mer* - - *11h-17h - 20 000 COP*. Abritées par des toits de palmes, une quinzaine de paillotes construites sur le modèle des huttes koguis alignent leurs tables et chaises en plastique tout au long de la baie. Elles servent vivaneau, bar, scie ou poisson-perroquet selon la pêche du jour, accompagnés de riz coco et de *patacones*. Les prix varient en fonction de la taille du poisson.

PETITE PAUSE

Santa Marta Centre

Dónde l'Italiano – A2 - *Carrera 3, entre les calles 16 et 17* - Parmi les cinq ou six établissements qui se succèdent sur le *Callejón*, l'une des ruelles piétonnes du quartier, celui-ci offre en outre un joli patio rempli de palmiers en pots, bienvenu pour un café ou un en-cas à la fraîche.

Estación Marina – A2 - *Au bout de la calle 22, à l'entrée de la marina - 11h-23h*. Une demi-douzaine de bars modernes se sont installés sur le quai. Ambiance marine face aux yachts et aux voiliers amarrés, cocktails et petite restauration.

Taganga

Los Baguettes de María – A1 en dir. - *Calle 18, nº 3-47 (face au terrain de football)* - *(5) 421 9328 - 9h-21h*. Sandwiches et baguettes, salades, jus de fruits et smoothies variés et toujours d'une fraîcheur indiscutable dans ce café-restaurant apprécié des habitants, où tout est bon marché et succulent. Venez vers 10h : le pain sort du four. Propose des appartements à louer.

La Ballena Azul – A1 en dir. - *Carrera 1, à l'angle de la calle 18* - *(5) 421 9009 - 7h-22h*. Grand choix de crêpes salées, ceviches et poissons grillés servis dans cette vaste salle ventilée faisant face à la baie. Pour un en-cas ou un petit-déjeuner. Propose aussi de belles chambres avec ou sans vue sur mer.

ACHATS

Centro artesanal La Feria – A2 - *Calle 20, entre le front de mer et la carrera 2 - 8h-21h*. Pour ses beaux sacs tressés main. Ceux de La Guajira, en coton fort, se distinguent par leurs couleurs vives. Vous reconnaîtrez à leurs tons beiges, bruns et gris ceux de la Sierra Nevada, en pure laine de brebis.

Quinta – B1-3 - *Carrera 5*. Sur toute sa longueur, de l'av. del Ferrocarril au quartier du Prado, la Quinta est bordée des deux côtés par des boutiques de vêtements, chaussures, téléphonie, bijouterie, etc. Les vendeurs vont jusqu'à investir les trottoirs pour proposer casquettes, lunettes de soleil et autres articles courants.

ACTIVITÉS

Culture

Alliance française – A1 - *Calle 12, nº 1C-82* - *(5) 431 6332 - www.*

alianzafrancesa.org.co. Installé dans une petite maison coloniale à la façade jaune et blanche, l'Institut culturel français de Santa Marta propose une petite programmation de ciné-club. Livres et revues en français à consulter sur place, wifi.

Plongée

Taganga est un site de plongée réputé pour ses tarifs attractifs. Les écoles y sont nombreuses, et certaines proposent des forfaits très compétitifs incluant l'hébergement ; la plupart délivrent des certifications PADI. Les plongées se font sur une petite dizaine de sites dont certains dans les eaux du parc Tayrona (baie de Granate) : récifs coralliens (Calichan), tortues de mer (La Pecera), grotte sous-marine (El Coro), ainsi qu'une épave dont les coraux ont pris possession. Comptez 185 000 COP/ plongée (2 bouteilles) et 780 000 COP le forfait de 10 plongées. À vous de bien vérifier l'état du matériel et de vous renseigner sur la qualité de l'enseignement.

Randonnée vers la Ciudad Perdida

Seuls quatre voyagistes sont agréés pour encadrer les excursions à la Ciudad Perdida. Ils proposent des formules 5 j./4 nuits (600 000 COP) ou 6 j./5 nuits (700 000 COP) comprenant repas, hamacs avec moustiquaire pour la nuit et porteurs pour la nourriture (les participants se chargeant de leurs affaires personnelles). Sachez que la visite guidée des terrasses proprement dites est de 3 à 4h seulement, le reste du temps étant consacré à la marche d'approche et au retour. Il est par ailleurs interdit de passer la nuit sur le site.

Guias y Baquianos – *Calle 10, nº 1C-59 (à l'intérieur de l'hôtel Miramar) - Santa Marta - ✆ (5) 431 9667 - www.lostcitybaquianos.com.*

Turcol – *Calle 13, nº 3-13 (Centro Comercial San Francisco Plaza - local 115) - Santa Marta - ✆ (5) 421 2256 - http://turcoltravel.com.*

Expotur – *Carrera 3, nº 17-27 (Edificio Rex - local 3) - Santa Marta - ✆ (5) 420 739 - www.expotur-eco.com. Autre bureau à Taganga : calle 18, nº 2A-07.*

Magic Tour – *Calle 14, nº 1B-50 - Santa Marta - ✆ (5) 421 9429 - http://magictourcolombia.com.*

Sports de plein air

Reserva Natural Mamancana – *À 15 km au sud de Santa Marta par la carretera 45 (près de l'aéroport) - ✆ (mob.) 317 220 8020 - http://mamancana.co - vend. 16h-0h, sam. 10h-0h, dim. 10h-19h - 5 500 COP (entrée sans les activités).* Dans cette forêt tropicale sèche de 600 ha, on peut pratiquer la randonnée, le VTT, le parapente et la varappe. Parcours de tyrolienne, mur d'escalade mais aussi yoga et observation d'oiseaux.

AGENDA

Fiestas del Mar – *El Rodadero - 29 juil.-4 août.* Régates, concours nautiques et jeux de plage : ces Fêtes de la mer attirent beaucoup de monde.

La péninsule de La Guajira

960 000 habitants – Département de La Guajira – Alt. 50 m

Bordé à l'est par la frontière du Venezuela, le département le plus septentrional de Colombie vit autour de ses deux capitales : Riohacha, l'officielle, et Uribia, l'indienne. Ses vastes plaines arides sont peuplées par les Wayúus, tribu farouchement indépendante enracinée dans ses traditions et ses valeurs, qui doivent composer avec un environnement rigoureux. Depuis quelques années, La Guajira souffre cruellement du manque d'eau potable, dû à l'absence de pluies et aux conséquences de l'exploitation minière à grande échelle du Cerrejón. La péninsule, peu densément peuplée, se caractérise par ses déserts aux couleurs spectaculaires et ses plages immaculées le long de la côte caraïbe : des beautés naturelles qui en font une destination privilégiée du tourisme nature.

NOS ADRESSES PAGE 334
Hébergement, restauration, achats, activités, etc.

S'INFORMER

Dirección Operativa de Turismo - *Paseo Peatonal El Camellón (calle 1, n° 4-42) - Riohacha - (5) 728 2046 - www.laguajira.gov.co - lun.-vend. 8h30-11h30, 14h30-17h30.*

SE REPÉRER

Carte de région BC1 (p. 276) – carte de la péninsule p. 328-329.
Voir aussi la rubrique « Arriver/partir » dans « Nos adresses ».

À NE PAS MANQUER

Un coucher de soleil au Cabo de la Vela ; les plages et les panoramas de Punta Gallinas.

ORGANISER SON TEMPS

La plupart des sites étant mal desservis par les transports en commun, lents et peu fréquents, passez par l'une des agences d'excursions de Riohacha pour organiser votre visite de la péninsule.

La basse Guajira Carte de la péninsule p. 328-329

RIOHACHA B2

À 172 km au nord-est de Santa Marta.

À l'époque coloniale, Riohacha (260 000 hab.) était un port de première importance et la source d'approvisionnement en **perles** de l'Empire espagnol. C'est aujourd'hui la **capitale administrative** du département de La Guajira (par opposition à la capitale indienne, Uribia). Cette ville assoupie, à une heure de la frontière, vit au ralenti depuis que les restrictions imposées par le gouvernement vénézuélien sur les marchandises, les devises et l'essence ont porté un coup à la contrebande, provoquant une forte baisse de l'activité économique de la ville.

Riohacha n'est pas une ville touristique ; cela dit, même s'il n'y a pas grand-chose à y voir ni à y faire, elle n'est pas déplaisante et mérite une brève étape. D'autant que le poisson et les fruits de mer que l'on sert dans ses restaurants sont de tout premier ordre.

Terres d'insoumission

LES PEUPLEMENTS PRÉCOLOMBIENS

Avant l'arrivée des Espagnols, la partie nord de La Guajira était habitée essentiellement par les **Wayúus**. Les **Arhuacos**, les **Koguis** et d'autres groupes ethniques peuplaient le Sud. Les fouilles archéologiques ont mis au jour des traces de colonies de peuplement qui remontent au 10e s. av. J.-C. Dans la haute Guajira, les **Guajiros**, **Macuiros** et **Cuanaos**, du groupe wayúu, étaient des chasseurs-cueilleurs et des pêcheurs, tandis que dans la basse Guajira, les populations apparentées aux Arhuacos, semi-sédentaires, se consacraient à l'agriculture.

UNE FAROUCHE RÉSISTANCE À LA COLONISATION ESPAGNOLE

Alonso de Ojeda, qui effectuait alors une reconnaissance des côtes du Venezuela en 1499, fut le premier Espagnol à voir ces terres hostiles et crut d'abord qu'il s'agissait d'une île, qu'il baptisa **Coquivacoa**. La Couronne espagnole et les conquistadors ne firent pas une grande impression aux farouches tribus indiennes qui peuplaient cette péninsule isolée. Les Wayúus ayant résisté à la colonisation, la haute Guajira, peu hospitalière, fut largement délaissée par les Espagnols, qui se concentrèrent sur l'exploitation des richesses du Sud.
Au 16e s., la péninsule était administrée par **Santa Marta** et Rodrigo de Bastidas. En 1535 fut fondée la colonie de Nuestra Señora Santa María de los Remedios del **Cabo de la Vela**. Elle fut la cible d'attaques fréquentes par les populations indiennes pour qui ce territoire, séjour des âmes des défunts, était sacré. Peu de temps après, la colonie de Cabo de la Vela, qui regorgeait de **perles** abondamment exploitées par les Espagnols, fut abandonnée et déplacée vers l'ouest, à **Riohacha**, fondée par **Nicolás de Federman** en 1544.
De 1701 à 1769, l'état de guerre semi-permanent entre les Espagnols et les Wayúus, qui n'avaient jamais été soumis, se transforma en **révoltes** violentes, au cours desquelles des colonies de peuplement espagnoles furent incendiées et des moines capucins tués.

LA GUAJIRA DEPUIS SON AUTONOMIE

En 1871, La Guajira fut officiellement séparée du département du Magdalena et devint un **département autonome**.
Le 20e s. connut deux grandes vagues d'immigration en provenance du **Moyen-Orient**. La première, dans les années 1930, vit l'arrivée massive de Syro-Jordaniens fuyant la désintégration de l'Empire ottoman (d'où leur nom de « Turcs »). Des Palestiniens et des Libanais suivirent la même route dans les années 1970. La péninsule de La Guajira abrite aujourd'hui la plus importante communauté musulmane du pays, autour de la grande mosquée de Maicao.
À une époque plus récente, l'éloignement et l'emplacement stratégique de La Guajira sur la côte caraïbe ont attiré des groupes armés et des bandes criminelles luttant pour le contrôle du trafic de stupéfiants ; les Wayúus se sont souvent retrouvés pris entre deux feux. Au rang des trafics illicites, la porosité de la frontière avec le Venezuela a longtemps donné un rôle de premier plan au **trafic d'alcool** et à la **contrebande**. Des contrôles plus sévères aux frontières ont porté un coup d'arrêt à ces échanges en 2005, entraînant une récession économique dans les villes qui en vivaient. Aujourd'hui, l'économie locale est largement tributaire de l'exploitation des gigantesques mines de charbon du Cerrejón.

Paseo Peatonal El Camellón (promenade piétonne El Camellón)
Malecón - calle 1, entre les carreras 1 et 15.

En fin d'après-midi, il fait bon déambuler le long de la plage sur le **Paseo de la Marina** (ou **Malecón**). Aménagé en une agréable promenade piétonne, le front de mer concentre restaurants, bars et agences d'excursions.

Le Camellón démarre à l'est sur le **parque Nicolás de Federman**, le conquistador et fondateur de la ville (1544), dont la statue en armure se dresse devant cinq canons pointant vers le large. La place accueille l'édifice imposant du **Convento de los Capuchinos** *(couvent des Capucins - ne se visite pas)* et la **Capilla de la Divina Pastora** attenante *(calle 1 et carrera 3 - ouverte pour l'office à 18h)*.

Au niveau de la carrera 6, *Identidad*, un bronze monumental de Yino Marquez Arrieta (2010), figure une allégorie de La Guajira.

Derrière part le **Muelle Turístico**, la jetée, au pied duquel des vendeuses proposent, étalées à même le trottoir, des **mochilas wayúus** colorées au tissage serré *(voir « Les Wayúus », p. 332)*.

Entre les carreras 9 et 10, les pêcheurs ramendent leurs filets ou vendent, au crépuscule, le poisson fraîchement débarqué qu'ils pèsent à l'aide de balances accrochées aux cocotiers.

Le front de mer s'achève sur un grand bâtiment contemporain rose et jaune, la bibliothèque municipale, qui fait également office de petit centre culturel *(angle calle 1 et carrera 15)*.

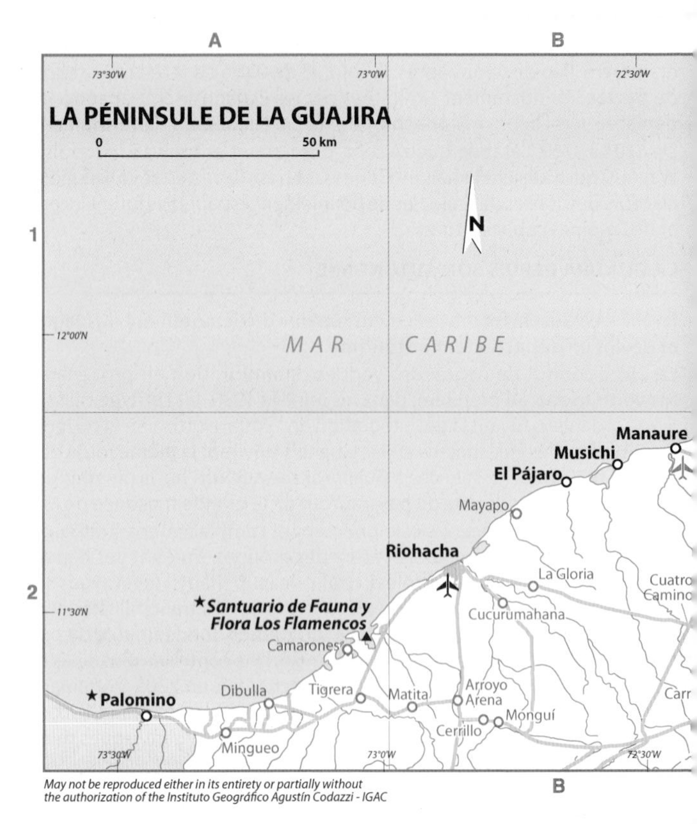

Catedral de Nuestra Señora de los Remedios

Calle 2 et carrera 8 - ouverte pour les offices uniquement.
Sa façade trapue, plaquée de marbre ocre et parée de statues blanches encadrant le portail, est flanquée d'un clocher carré. La cathédrale abrite, dans un intérieur néoclassique, le tombeau de l'amiral **José Prudencio Padilla** (1784-1828), héros de la marine colombienne et des guerres d'indépendance vénézuéliennes. Elle domine le **parque Padilla**, un lieu de rendez-vous populaire qu'ombragent les manguiers et qui fait office de *parque principal*.

EXCURSIONS

★ Santuario de Flora y Fauna Los Flamencos A2

Accès par le village de Camarones, à 23 km au sud-ouest de Riohacha - (5) 423 0752 - www.parquesnacionales.gov.co - 31 000 COP.
Traversé par plusieurs cours d'eau, ce parc de 7 000 ha situé à l'embouchure de la Tapias abrite quatre grands marais séparés de la mer des Caraïbes par des bancs de sable : Ciénaga de Manzanillo, Laguna Grande, Ciénaga de Tocoromanes et Ciénaga del Navío Quebrado. Les **marécages**, les **mangroves** et les **forêts tropicales sèches** servent d'habitat à des fourmiliers, des opossums, des renards et de nombreuses espèces d'oiseaux, une faune que l'on observe au gré des sentiers de découverte aménagés. On aperçoit toute l'année de **grandes aigrettes** et, en saison, des **espèces migratrices** en transit dans la région : la zone marine à proximité du sanctuaire est en effet

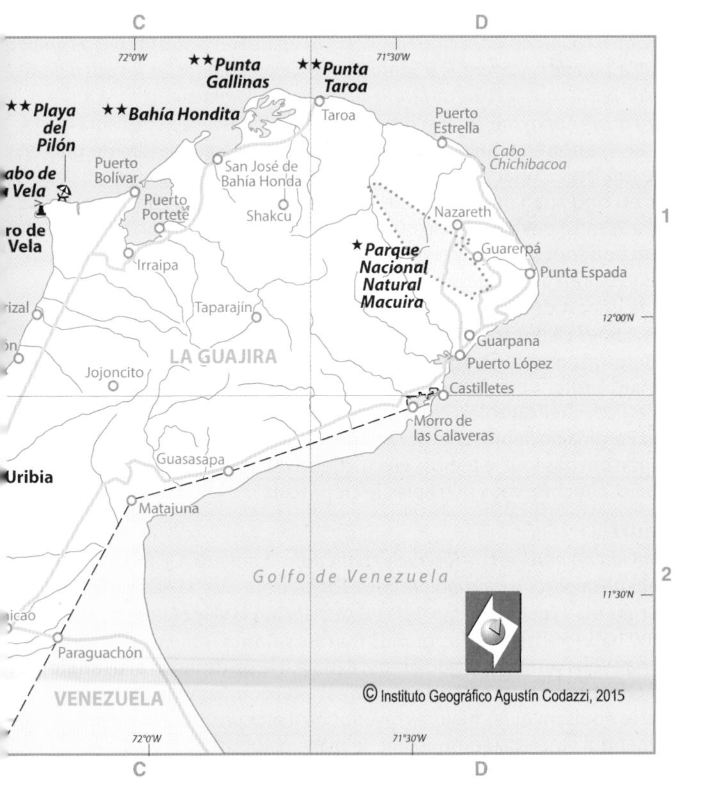

un corridor emprunté par les oiseaux migrateurs. Les spectaculaires volées de **flamants des Caraïbes** *(Phoenicopterus ruber)*, hélas, se font rares : les flamants qui ont donné leur nom au sanctuaire, souffrant de la sécheresse qui frappe Riohacha depuis plusieurs années, ont migré vers des zones plus accueillantes. Peut-être aurez-vous néanmoins l'occasion de voir l'un de leurs nids en boue, qui peuvent atteindre 60 cm de haut.
Le **Centro de Educación e Investigación de Tortugas**, situé sur le banc de sable de l'autre côté de la Ciénaga del Navío Quebrado, se consacre à la protection des **tortues marines** comme la tortue caouanne *(Caretta caretta).*

★ Palomino A2

À 95 km à l'ouest de Riohacha (env. 77 km à l'est de Santa Marta - bus à l'angle de la calle 11 et de la carrera 11 à Santa Marta). Depuis Riohacha, les bus à destination de Barranquilla et Santa Marta desservent Palomino.
Au bord du *río* éponyme, sur les contreforts de la Sierra Nevada de Santa Marta, cette destination tranquille et bohème sur la côte caraïbe attire de plus en plus de touristes : surfant sur l'engouement pour l'ethnotourisme, c'est, depuis quatre ou cinq ans, l'une des destinations montantes de la côte. La plage se trouve à 20mn à pied du *pueblo* qui s'étire au long de la route principale. C'est aussi un bon spot de surf ; attention toutefois aux forts courants qui rendent parfois la baignade dangereuse.
Point de départ de plusieurs randonnées à destination des villages indiens établis sur les rivières alentour et jusque dans la Sierra Nevada, Palomino coule une vie paisible. Descendre le *río* sur une chambre à air, paresser dans un hamac, siroter un *churro* – une liqueur artisanale allongée de jus de fruit frais – au coucher du soleil, reprendre des forces après une randonnée à la Ciudad Perdida deviennent ici des activités essentielles. Un grand nombre de maisons n'ont pas tout le temps l'électricité : vivez au rythme local, levez-vous à l'aube et couchez-vous peu après le crépuscule.

Manaure B2

À 118 km au nord-est de Riohacha par Cuatro Caminos. De Riohacha, taxis collectifs au départ du rond-point situé à l'angle de la calle 15 et de la carrera 7.
Surnommée la « Novia Blanca » (la Fiancée blanche), la ville côtière de Manaure (103 000 hab.) abrite les plus grands **marais salants** *(salinas)* de Colombie (4 000 ha). Vous verrez les paludiers qui extraient le sel de façon **artisanale** ; ce travail effectué sous un soleil de plomb est vital pour les Wayúus malgré son caractère épuisant et les maigres revenus qu'il procure. La couleur turquoise de la mer qui va en s'assombrissant, le blanc éblouissant des pyramides de

Mochilas wayúus, spécialité artisanale de La Guajira.
P. Tisserand/Michelin

sel destiné à être raffiné dans le port et la teinte rougeâtre du désert forment des contrastes qui font les délices des photographes.
La ville elle-même ne présente pas grand intérêt. Toutefois, si vous y passez, faites une halte à l'église principale pour y regarder la mosaïque de la **cosmologie wayúu**. Plusieurs plages proches, à **Musichi** et **El Pájaro**, sont agréables.

La haute Guajira Carte de la péninsule p. 328-329

Uribia C2

À 147 km au nord-est de Riohacha. De Riohacha, taxis collectifs au départ du rond-point situé à l'angle de la calle 15 et de la carrera 7.
Centre de services et carrefour commercial, la **capitale indienne** (174 000 hab.) vit à l'écart des itinéraires touristiques : on ne s'y arrête guère que pour se ravitailler avant d'entamer un circuit dans la partie nord de La Guajira. Allez pourtant faire un tour au **marché du matin** qui donne un aperçu de l'univers des Wayúus. Nombre des produits que l'on trouve ici arrivent du **Venezuela**, car les Wayúus ont la double nationalité et la frontière est connue pour sa perméabilité. En mai se tient dans la ville le Festival de Cultura Wayúu *(voir p. 332 et 335)*, principale manifestation organisée dans la région.
Longue de 150 km, la voie de chemin de fer qui passe entre Uribia et la mer sert à transporter vers Puerto Bolívar, d'où il est embarqué pour l'exportation, le charbon de l'immense mine à ciel ouvert du Cerrejón, située au sud-ouest d'Uribia.

★★ Cabo de la Vela C1

À 68 km au nord d'Uribia (160 km au nord-est de Riohacha). D'Uribia, comptez 2h en buseta.
Paisible et isolé au fond d'une baie magnifique, le village de pêcheurs veille sur une plage longue de 8 km (malheureusement sale à certains endroits). L'eau peu profonde est claire et attrayante, mais elle cache un sol vaseux et ne se prête pas à la baignade. Sur la plage, les *enramadas*, des paillotes ouvertes, invitent les Robinsons à passer la nuit dans un hamac, à l'écoute des bruits de la baie, le regard dans les étoiles – les cieux sont assez clairs pour permettre une bonne observation. Alentour s'étire un paysage lunaire, particulièrement aride et couvert de sable gris, où les vents soufflent en permanence.
Les couchers de soleil sur l'océan sont fameux. Pour gagner l'un des meilleurs points de vue au crépuscule, marchez environ 1h ou roulez pendant 10mn jusqu'au **Faro de la Vela**, le phare situé à l'extrémité septentrionale de la

Les Wayúus

RANCHERÍAS WAYÚUS

Une visite au **sanctuaire Los Flamencos** permet de passer du temps dans une *ranchería*, un hameau wayúu traditionnel. Les Wayúus vivent avec les membres de leur clan dans de petites maisons appelées *piichi* ou *miichi*, au plan semi-circulaire ou rectangulaire. Les **murs en claies** sont fabriqués à partir de paille, de boue et d'un bois sec du nom de *yotojoro*, obtenu à partir du **cactus** colonnaire arborescent *(Stenocereus griseus)* présent dans la région caraïbe.

ARTISANAT WAYÚU

Les **mochilas**, ou *bolsos típicos colombianos,* des sacs à bandoulière en laine aux couleurs et formes variées, sont très appréciés par les citadins. La fabrication d'un sac de ce type demande environ 40 heures, car ils sont méticuleusement tissés à la main. Plus une *mochila* a un tissage serré, meilleure est sa qualité et plus elle est chère. Réputés pour leurs amples dessins imbriqués, les **hamacs**, ou *chinchorros,* sont des pièces tissées colorées qui demandent des mois de travail – ne soyez donc pas étonné que les Wayúus vous en demandent un prix élevé.

Bon à savoir – Les objets artisanaux de grande qualité confectionnés par les Wayúus sont recherchés dans toute la Colombie et vendus à des prix exorbitants en dehors de La Guajira ; profitez de votre séjour dans la région pour acquérir quelques-uns de ces articles. Vous trouverez le meilleur choix à **Riohacha** : faites vos emplettes auprès des vendeurs du front de mer (on ne trouve presque rien à acheter à **Cabo de la Vela**, en dehors des bracelets habituels).

FESTIVAL DE LA CULTURA WAYÚU

Ce festival, déclaré Patrimoine culturel national, se déroule chaque année en mai ou en juin dans la ville d'**Uribia**, capitale indienne de La Guajira. Il illustre la vigueur et la richesse de la culture indigène ainsi que la force des liens familiaux et identitaires des Wayúus. On y entend de la **musique** traditionnelle jouée sur des instruments comme la *taliraai* (flûte tubulaire) et le *wootoroyoi* (sorte de clarinette), on y voit des danses en **costumes** traditionnels, et on peut y faire ses emplettes d'articles artisanaux.

Cette manifestation est l'occasion pour les Wayúus de faire découvrir leur **cuisine** traditionnelle. Le *friche* est un plat à base de viande de chèvre salée et servie rôtie ou en ragoût. Les ragoûts d'iguane à la noix de coco, la viande de tortue préparée de diverses façons, les *iguarayas* (fruits du cactus) et la *mazamorra* (boisson à base de maïs) figurent parmi les classiques de cette cuisine.

LE DICTIONNAIRE BILINGUE WAYÚUNAIKI-ESPAGNOL

Le **wayúunaiki** fait partie de la famille linguistique **arawak**. Il existe plusieurs variantes régionales pratiquées dans le sud, le centre et le nord de La Guajira. En 2006, après de longues années de labeur, le premier dictionnaire wayúunaiki-espagnol et espagnol-wayúunaiki a été publié. Ce document illustré est un outil pédagogique utilisé par les établissements d'enseignement du département de La Guajira. Il est disponible en ligne : *www.sil.org/americas/colombia/pubs/guc/WayuuDict_45801.pdf.*

baie. La pittoresque **Playa del Pilón★★**, aux teintes rouille, s'étale au pied de ses rochers abrupts.
Site sacré pour les Wayúus, qui y voient le séjour des âmes des défunts, le haut promontoire pyramidal du **Pilón de Azúcar**, qui surplombe une jolie plage propice à la baignade, abrite un petit autel dédié à la Virgen de Fatima (*15mn de marche - cramponnez-vous, les vents soufflent fort)*; de là, la **vue★** embrasse à la fois le désert et la mer.
À proximité, de petits marais bordés de mangroves et la belle **Laguna de Utta** offrent un refuge aux flamants, aux hérons et aux bécasses.

★★ Punta Gallinas C1

À 110 km au nord-est de Cabo de la Vela. Pas de transport public - en camioneta, *comptez env. 120 000 COP/pers. AR depuis Cabo de la Vela. En dehors des périodes d'affluence touristique, il est difficile de se rendre à Punta Gallinas à bon marché depuis Cabo de la Vela : mieux vaut alors faire l'excursion depuis Riohacha.*
La pointe marque l'extrémité nord du continent sud-américain. Quelques minutes de marche vous mèneront au bord de l'océan, bordé par une **baie** calme aux eaux d'un beau bleu profond, tirant par endroits sur le vert. Une fois à Punta Gallinas, embarquez pour aller voir les **flamants** sur les petits îlots et autour des îles, et, toujours en bateau, poussez jusqu'à la magnifique plage de **Bahía Hondita★★**, fréquentée par les pêcheurs de crevettes. À **Punta Taroa★★**, d'immenses **dunes** plongent dans l'océan.

★ Parque Nacional Natural Macuira D1

En l'absence de transport public, ce parc ne peut se visiter que dans le cadre d'une excursion d'au moins 2 j. organisée par l'une des agences de Riohacha (voir p. 335). Faites-vous bien confirmer que le prix d'entrée et le guide pour l'intérieur du parc sont compris dans la prestation sous peine de vous voir imposer un guide local et des surcoûts sur place - ✆ (1) 243 1634 - www.parquesnacionales.gov.co - 35 000 COP.
Largement ignoré des touristes, ce parc de 25 000 ha à la végétation exubérante, regorgeant d'animaux, apparaît comme une **oasis** inattendue, à quelques kilomètres d'une zone semi-désertique. Sa petite **forêt tropicale,** à une altitude de 865 m, héberge des plantes vivaces. Lorsque les vents forts de La Guajira chassent les nuages, la pluie tombe sur cette épaisse végétation et favorise la croissance de broméliacées, de fougères et de mousses. On y a recensé environ 140 espèces d'oiseaux, dont certains endémiques de la région, et des populations importantes de grenouilles, de crapauds, d'iguanes, d'amphibiens et de reptiles.

NOS ADRESSES DANS LA PÉNINSULE

ARRIVER/PARTIR

En avion

Aeropuerto Almirante Padilla – *À 3 km au sud-ouest de Riohacha - (5) 727 3914.* Un vol/j. pour Bogotá avec Avianca. On rejoint le centre-ville en *colectivo* ou en taxi.

En bus

Terminal de Transportes – *À l'angle de la carrera 11 et de la calle 15, à env. 2 km du front de mer.* Bus directs de/vers Barranquilla (5h30 - 40 000 COP) et Santa Marta (3h15 - 20 000 COP).

HÉBERGEMENT

Riohacha

PREMIER PRIX

Almirante Padilla – *Carrera 6, nº 3-29 - (5) 727 2328 - - 53 ch. 55/95 000 COP - 10 000 COP.* Les chambres sont un peu tristes et certaines auraient vraiment besoin d'un bon coup de pinceau, mais toutes sont propres et disposent de l'air conditionné ou d'un ventilateur, parfois d'un balcon. Le front de mer est à deux *cuadras*. Wifi.

BUDGET MOYEN

El Castillo del Mar – *Calle 9A, nº 15-352 - (5) 727 5043 - - 18 ch. 90/110 000 COP - 7 000 COP.* Une façade pseudo-gréco-romaine et un toit aux bordures crénelées annoncent cet hôtel agréable, situé en bordure de plage, à 10mn à pied du centre-ville. Les chambres au sol de ciment brut et aux draps de lit dépareillés sont meublées de rotin. Relativement spacieuses, elles occupent des bungalows aux murs blancs entourant une grande pelouse centrale. Accueil et entretien nonchalants.

Majayura – *Carrera 10, nº 1-40 - (5) 728 8666 - - 36 ch. 150 000 COP .* Pratiquant des tarifs assez raisonnables pour Riohacha, il dresse ses 8 étages (ascenseur) à côté du parque José Prudencio Padilla, à 100 m de la jetée. Donnant sur rue ou sur mer pour le même tarif, les chambres, relativement bien tenues mais un peu exiguës, disposent toutes d'un mini-réfrigérateur et d'un coffre-fort.

Palomino

BUDGET MOYEN

Finca Escondida – *Playa Donnaire - (mob.) 315 610 9561 - www.chillandsurfcolombia.com - - 5 ch. 130/150 000 COP.* Si le bar-restaurant de l'établissement donne sur la plage, les bâtiments eux-mêmes, comprenant des solutions pour toutes les bourses (bungalows privatifs, dortoirs et hamacs) sont disposés en U autour d'une grande pelouse soignée, plantée de palmiers, mais un peu en retrait de la mer. Location de planches de surf.

RESTAURATION

Riohacha

PREMIER PRIX

Juriche – *Calle 2, nº 9-46 - (mob.) 300 444 9778 - - 12h-22h - 15 000 COP.* Petite salle proprette et accueillante avec ses carrelages anciens, ses nappes vichy rouges et blanches et ses napperons brodés. On ne sert ici qu'un seul plat, la spécialité de la région, le *friche al carbón*, un ragoût de chèvre *(chivo)* accompagné de *bolitos* de maïs, de bananes plantains ou de riz aux crevettes. Ne manquez pas les desserts maison, riz au lait, crème aux trois laits ou napoléon.

POUR SE FAIRE PLAISIR

La Tinaja – *Calle 1, nº 4-59 - ✆ (5) 727 3929 - ▤ - 9h-22h - 60/70 000 COP.* Salle climatisée, tables joliment dressées, mais, hélas, TV géante sur le mur du fond. À ce détail près, vous apprécierez une excellente cuisine de la mer mariant en de multiples combinaisons langouste, calamar, langoustine, *róbalo* (bar) et crevettes. Petite carte de vins chiliens.

Cabo de la Vela

PREMIER PRIX

Refugio y Restaurante Pantu – *À la pointe nord de Cabo de la Vela - ✆ (mob) 313 581 0858 - ▭ - dîner seult.* Dans ce petit restaurant tout simple coiffé de toits de palmes, on savoure des fruits de mer accompagnés d'*arepas* et de *patacones*. Propose également deux chambres rudimentaires et une poignée de hamacs sur la terrasse.

Punta Gallinas

PREMIER PRIX

Hospedaje y Comidas Luzmilla – *Punta Gallinas - ✆ (mob.) 312 647 9881.* On peut y déguster de la cuisine wayúu à base de fruits de mer, bien installé dans des hamacs, sur la plage.

ACHATS

Dalis Argüelles – *Calle 2, nº 9-79 - Riohacha - ✆ (5) 727 3790 - http://dalisarguelles.com - lun.-sam. 8h30-19h.* Une dessinatrice de mode revisite les motifs et les couleurs des tissages traditionnels wayúus qu'elle décline en châles, robes brodées, sacs d'épaule et sacs à main, non sans une certaine élégance. Tous les articles sont tissés main dans le respect de la tradition par une équipe d'artisans locaux.

ACTIVITÉS

Excursions

Venez en haute saison ou le **week-end** pour partager les frais, la plupart des excursions étant tarifées sur la base de 4 pers. Ne vous aventurez pas seul dans le **désert** : réservez votre excursion auprès d'un tour-opérateur de confiance. Les **dangers** sont réels et nombreux : manque d'eau et de nourriture, crues subites, insolations, panne d'essence, routes non indiquées et insécurité ; régulièrement, des touristes imprudents errent pendant des heures sous un soleil brûlant, quand ils ne sont pas obligés de passer la nuit dans le désert.

Wayúu Tours – *Calle 1, nº 9-93 - Riohacha - ✆ (5) 727 0655 - www.wayuutours.com - 8h-20h.* Des excursions de 1 à 5 j. pour découvrir Manaure, Uribia, Cabo de la Vela, Punta Gallinas, le parc national Macuira, entre autres. Comptez 120 000 COP la journée. Propose également une visite du Santuario Los Flamencos *(voir p. 329)* comprenant 2h de *lancha*.

Kai Ecotravel – *Calle 1, nº 4-49 - Riohacha - ✆ (mob.) 311 436 2830 - www.macuiratours.com - lun.-sam. 7h-12h, 14h-19h.* L'enseigne regroupe 3 agences partenaires dont l'une a pour spécialité le parc national Macuira. Les autres excursions dans la péninsule de La Guajira, assez similaires à ce que proposent les 4 ou 5 autres agences situées sur le Malecón, comprennent toutes transport, guide, entrée des sites et repas, ainsi que l'hébergement pour les sorties plus longues.

AGENDA

Festival de Cultura Wayúu – *2 à 3j. mi-mai* *(voir p. 332)*.

4

San Andrés et Providencia

76 000 habitants – Département de San Andrés et Providencia

Les colons puritains, les pirates, les bâtisseurs d'empire, les Colombiens, les Nicaraguayens : au fil des siècles, tous ont cherché à s'emparer de l'archipel caribéen de San Andrés y Providencia, deux groupes d'îles en tous points dissemblables. San Andrés, île basse aux plages étroites, attire un tourisme de masse, essentiellement colombien et brésilien, adepte des formules « todo incluido » et des achats en duty free. Providencia, volcanique, tourmentée et spectaculaire, se visite plutôt de façon indépendante ; elle plaira aux amoureux de la nature et à tous ceux qui veulent s'offrir un moment de détente sur une plage de rêve. Deux petits coins de paradis que l'on n'atteint qu'en avion.

NOS ADRESSES PAGE 342
Hébergement, restauration, achats, activités, etc.

S'INFORMER

Bureaux d'information touristique – *Paseo Peatonal Spratt Bay - (8) 512 1149 - lun.-vend. 10h-13h, 15h-19h, sam. 10h-17h ; aéroport de San Andrés.*

SE REPÉRER

Carte de région A1 (p. 276) – carte de San Andrés p. 339 – carte de Providencia p. 340. Les îles San Andrés et Providencia émergent au large des côtes du Nicaragua, à 775 km au nord-ouest de Cartagena. Un bateau relie les deux îles en 4 à 5h.

Voir aussi la rubrique « Arriver/partir » dans « Nos adresses ».

À NE PAS MANQUER

Une excursion à Cayo Bolívar.

ORGANISER SON TEMPS

Louez un scooter pour découvrir Providencia.

★★ Isla de San Andrés Carte de l'île p. 339

Vous pouvez découvrir San Andrés de deux façons. La première – la plus fréquente – consiste à réserver auprès d'un hôtel ou d'une agence d'excursions un **circuit organisé** qui s'arrête à tous les points présentant un intérêt. Les individualistes préféreront louer une voiturette de golf ou une mobylette et faire le tour de l'île à leur rythme par la route de 32 km qui suit la côte.

Pour goûter les charmes de San Andrés, il vous faudra faire abstraction de son architecture : l'île la plus grande et la plus peuplée (71 000 hab.) de l'archipel est défigurée par les établissements disgracieux des chaînes hôtelières, qui profitent de l'absence de taxes dans cette zone. Longue et étroite, elle comprend trois centres urbains, dont le plus grand est l'anarchique **El Centro** (également appelé **North End**), qui accueille la majorité des commerces et des hôtels. La ville de **Playa de Spratt Bight**, connue sous le nom de **Bahía Sardinas**, et **San Luis** forment les deux autres.

La Loma A1

Située au centre de San Andrés, dans la partie la plus élevée de l'île, **La Loma** (ou **The Hill**), village raizal traditionnel aux maisons peintes de couleurs vives, offre des vues magnifiques de l'océan aux couleurs changeantes. À défaut

Des îles convoitées

San Andrés et Providencia sont bien plus éloignées de la côte colombienne (775 km) que de celle du Nicaragua (220 km). Ce dernier a intenté une action devant la Cour internationale de justice en 2001 en raison d'un différend sur les **frontières maritimes**. Le conflit a été tranché en 2012 par la Cour internationale de La Haye, qui a attribué les îles à la Colombie.

HISTOIRE

L'histoire de ces îles a été dictée par leur situation géographique et les habitants d'origine, les **Indiens miskitos** d'Amérique centrale, furent les premières victimes des luttes géopolitiques. San Andrés et Providencia furent colonisées d'abord par des **puritains** venus de Londres *via* la **Nouvelle-Angleterre** à partir de 1630. Ils firent fortune dans le **tabac**, le **coton** et l'**indigo**, ayant recours à l'esclavage pour exploiter leurs plantations. Les îles passèrent ensuite aux mains des **Espagnols**, qui les occupèrent de 1641 à 1677. Des flibustiers hollandais et des pirates – dont **Henry Morgan** – en prirent peu à peu le contrôle et conservèrent la mainmise sur l'archipel jusqu'en 1689, avant que la Couronne espagnole ne reprenne le dessus, administrant San Andrés et Providencia jusqu'à l'indépendance.

LES RAIZALES

La population actuelle montre un visage métissé. Descendant pour partie d'**esclaves** originaires de Jamaïque et de la côte miskito du Nicaragua, et pour partie des **puritains anglais**, les insulaires forment un groupe ethnique afro-caribéen protestant, dont la culture et les traditions sont très particulières. Les **Raizales** parlent le **créole de San Andrés**, un créole anglais qui présente de fortes similitudes avec le Kriol du Belize et les créoles parlés en Jamaïque et par les communautés créoles d'Amérique centrale. Un grand nombre d'expressions sont dérivées des langues africaines **kwa**, **ibi**, **ewe** et **twi**.
L'**identité culturelle** des Raizales est aujourd'hui en péril : de plus en plus de continentaux viennent s'installer à San Andrés, et la population qui parle créole est soumise à l'influence grandissante de l'**espagnol**.

SEAFLOWER, RÉSERVE DE BIOSPHÈRE

Les îles de San Andrés, Providencia et Santa Catalina et leurs mangroves côtières, leurs marais, leurs forêts tropicales sèches et les écosystèmes de leurs récifs coralliens ont été inscrits au programme sur l'Homme et la biosphère de l'**Unesco**. Cette immense **réserve maritime** nommée Seaflower contient l'une des plus grandes barrières de corail de l'hémisphère occidental et concentre 78 % des zones coralliennes de la Colombie ; elle couvre 10 % de la mer des Caraïbes, soit une superficie impressionnante de 300 000 km^2. Une **zone de protection** de 65 000 km^2 y a été créée en 2005. Mais l'œil de l'Unesco reste impuissant à protéger ces trésors naturels : la **surpêche** et, bien qu'en principe interdite, l'**exploration pétrolière** sont responsables d'une inquiétante dégradation de la réserve. Une nouvelle menace risque de poindre à l'horizon 2019, avec la construction du **canal interocéanique** nicaraguayen qui doit venir doubler celui de Panama.

de plage, on peut voir à La Loma quelques édifices intéressants comme la **Iglesia Bautista Emmanuel** (1847) et, un peu plus au sud, **La Laguna**, qui regorge d'oiseaux.

★ San Luis B2

Sur la côte est, à 6 km de La Loma.

Pour lézarder sur une plage et changer de décor, allez à **San Luis**, sur la côte orientale de l'île : le village a su préserver ses traditions et conserve un rythme paisible, loin de la vie effrénée d'El Centro.

Cueva de Morgan A1

Sur la côte ouest - Av. Circunvalar, à 8,3 km au sud de La Loma - ✆ (8) 512 2316 - de l'aube au coucher du soleil - 20 000 COP comprenant le Coconut Museum.

C'est l'une des attractions touristiques les plus visitées de San Andrés. La grande **grotte** se fraye un passage dans les fondements coralliens de l'île. La légende veut que le fameux pirate **Henry Morgan** y ait caché un trésor, et les guides, habillés en costumes d'époque, vous régaleront d'histoires sur ce célèbre butin. Tout a surtout été conçu pour amuser le touriste, mais faites tout de même la visite, divertissante – après tout, nul ne sait si Morgan a caché son trésor ici ou à Tumaco sur la côte pacifique !

Coconut Museum – *Près de la Cueva de Morgan - mêmes horaires.* Ses collections racontent le mode de vie de l'île, les coutumes et les traditions locales.

El Cove A2

Sur la côte ouest, à 7 km au sud de la Cueva de Morgan.

Ce profond mouillage est le **port** principal de la marine colombienne et des paquebots de croisière qui passent régulièrement par San Andrés.

West View – *À 1 km au sud d'El Cove - 3 000 COP.* Sa piscine naturelle protégée est idéale pour la baignade et le snorkeling.

La Piscinita – *À mi-chemin entre El Cove et Hoyo Soplador - 2 000 COP.* Un bon endroit pour barboter parmi les poissons. Atteignant les 5 m de fond, la Piscinita paraît bien moins profonde en raison de la clarté de l'eau.

Hoyo Soplador A2

À la pointe sud de l'île, à 5 km au sud d'El Cove.

Lorsque la marée monte, le jet d'eau qui surgit de ce « trou souffleur » peut parfois monter à 10 m ou 20 m de haut. Attirant toujours beaucoup de monde, ce geyser réputé du **South End** est entouré de nombreux restaurants et bars.

AU LARGE DE SAN ANDRÉS

L'océan autour de San Andrés est superbe avec ses eaux aux **sept nuances de bleu**. Plongée sous-marine et plongée de surface, planche à voile et kitesurf, voile et ski nautique, scooter des mers, pêche en haute mer : tous les sports nautiques sont organisés dans ces eaux calmes et rafraîchissantes.

Cayo Sucre (Johnny Cay) B1

À 15mn de bateau d'El Centro - droit d'accès à l'îlot 5 000 COP. Les nombreuses agences installées le long de la plage d'El Centro proposent l'excursion.

La petite île que l'on aperçoit d'El Centro ressemble à une carte postale avec ses plages de sable blanc bordées de cocotiers. Mieux vaut y aller en milieu de semaine pour éviter les hordes de fêtards qui envahissent l'île le week-end.

Haynes Cay et **Acuario** – Ces pointes de sable blanc fin et brillant à l'est de la ville, qui feront les délices des plongeurs de surface, se visitent généralement dans le cadre de l'excursion organisée à Johnny Cay. On peut aussi y aller seul, en se rendant au Muelle pour négocier une *lancha*. Outre vos masque et tuba, pensez à prendre des chaussures de plastique, les fonds marins étant parsemés de cailloux et de débris coralliens.

★★ **Cayo Bolívar** B1 en dir.
À 45mn de bateau d'El Centro.
Le trajet se fait en pleine mer et les embarcations, de petite taille, se laissent facilement chahuter par les vagues. Mais vous aurez peut-être le plaisir de voir surgir de l'eau des bancs de poissons volants. Autre île déserte aux plages de sable blanc dont les eaux cristallines se prêtent au snorkeling, Cayo Bolívar est

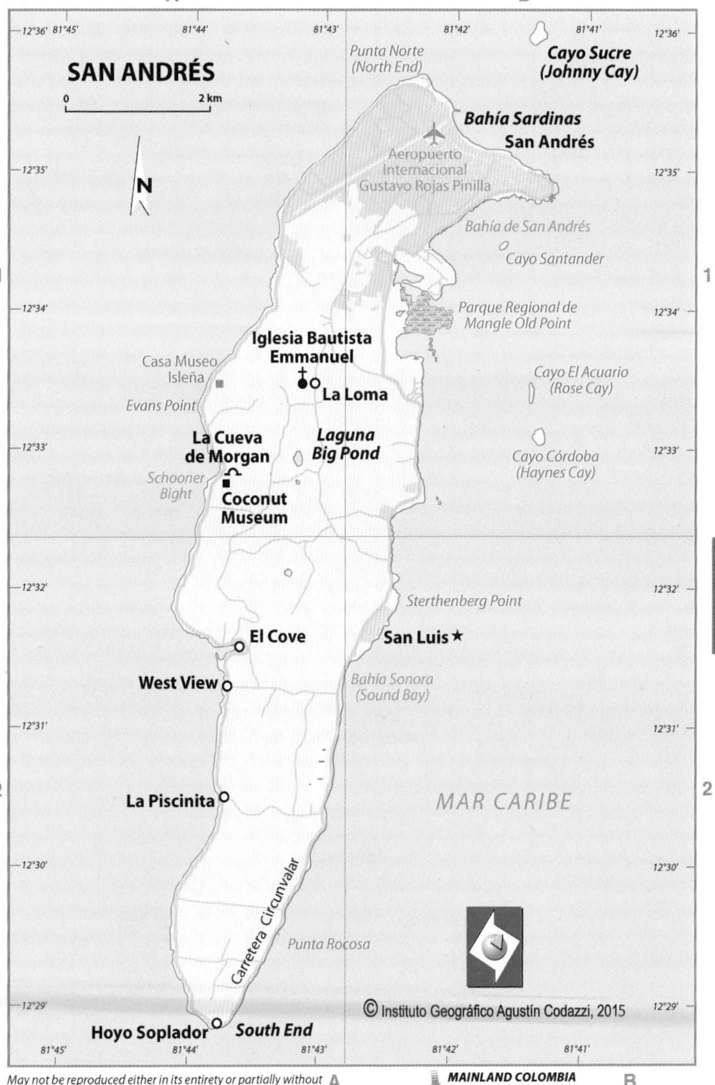

dépourvu de toute infrastructure. Là encore, il est préférable de nager avec des chaussures aux pieds – et la crème solaire s'impose !

★★ Isla de Providencia Carte de l'île

Située à 90 km au nord de San Andrés *(5h de mer, traversée souvent agitée)*, Providencia, petit îlot volcanique, séduira ceux qui aiment nature et tranquillité. Lézarder sur la plage, pratiquer le *careteo* (snorkeling), la randonnée, la pêche, explorer l'île ou assister à une course de chevaux le long de la plage, voilà le programme de vos journées sur l'île. Sachez que les **transports en commun** sur Providencia fonctionnent à la mode caribéenne… Mieux vaut louer une mobylette ou un vélo pour explorer l'île à votre guise, en suivant la **route** de 20 km qui en fait le tour.

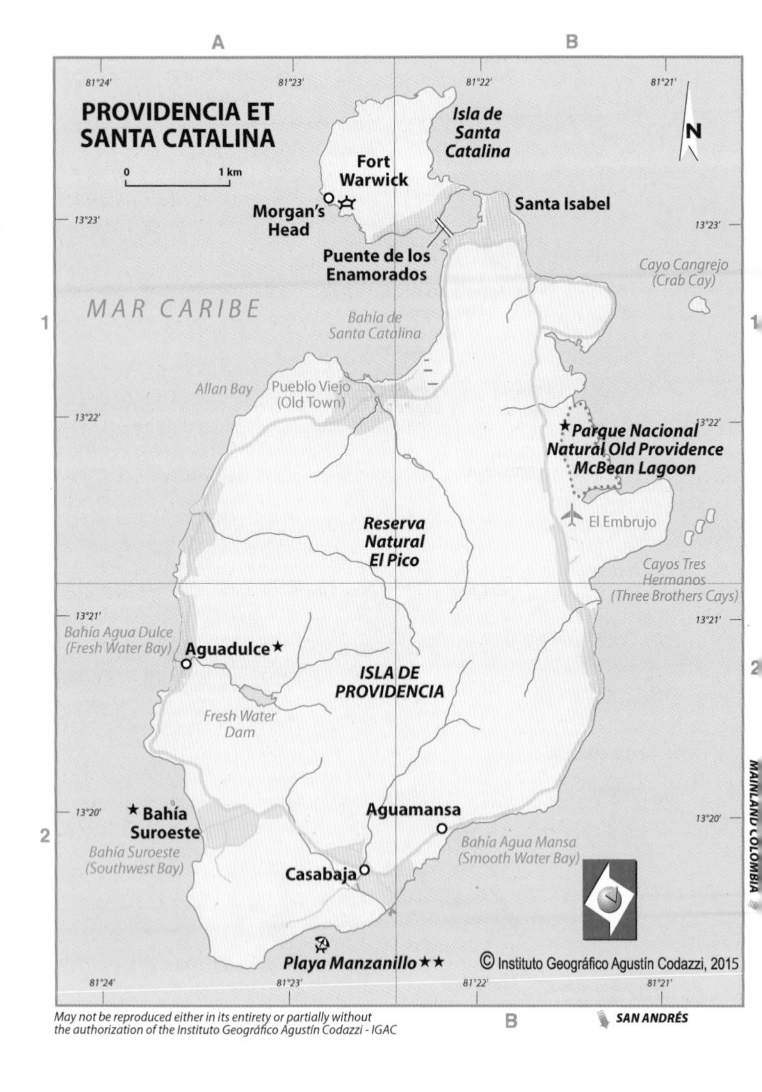

★ Bahía Aguadulce A2

Le principal centre touristique de Providencia, très différent des horreurs en béton d'El Centro à San Andrés, est pittoresque, bien tenu et plaisant à visiter. C'est le point de départ d'excursions en **lancha**.

★ Bahía Suroeste A2

À env. 2 km au sud de Bahía Aguadulce.

Sa plage au sable blanc soyeux est plus plaisante que celle de Bahía Aguadulce, et vous y serez souvent seul. Des **courses de chevaux** s'y déroulent souvent le samedi devant les *cabañas*, dans une ambiance survoltée.

★★ Playa Manzanillo A2

À env. 1,7 km au sud-est de Bahía Suroeste.

À l'extrémité sud de l'île, une plage caribéenne de carte postale. Les eaux calmes viennent mourir en clapotant sur le sable et la plage est ombragée : un bonheur !

El Pico AB1

4h AR au départ de Bottom House - faites-vous accompagner par un guide - bonne forme physique requise.

Pour un parfum d'aventure, empruntez les chemins qui partent de **Casabaja** et **Aguamansa** et montent à **El Pico** (le Pic), à 360 m d'altitude. Cet ancien volcan dévoile des **vues★★** spectaculaires sur l'île. La randonnée vous fera traverser une **jungle caribéenne** parfaitement préservée.

★ Parque Nacional Natural Old Providence McBean Lagoon B1

À l'extrémité nord-est de l'île - ✆ (5) 420 4504 - www.parquesnacionales.gov.co - 8h-17h - 14 500 COP.

Ce parc de 37 ha rassemble des forêts de palétuviers (**mangroves**), où nichent oiseaux résidents et migrateurs, et une **forêt tropicale sèche** traversée par un sentier qui serpente jusqu'à **Iron Wood Hill**. On peut faire du **kayak** dans le lagon qu'entourent les récifs de corail, ou de la **plongée** de surface ou sous-marine parmi les formations coralliennes ; certains **pics de corail** s'élèvent jusqu'à 8 m.

ISLA DE SANTA CATALINA AB1

De **Santa Isabel**, *au nord de Providencia, une passerelle piétonne de 180 m de long appelée* **Punta de los Enamorados** *conduit à la minuscule île de Santa Catalina.*

Les deux îles sont séparées par un chenal artificiel creusé au 18e s. par les pirates pour protéger leur repaire. Une **promenade** dans Santa Catalina vous mènera à **Morgan's head**, gros rocher d'origine volcanique, et aux vestiges du passage des pirates à **Fort Warwick** *(accès libre)*, où l'on peut encore voir de vieux canons. Des panneaux explicatifs racontent les événements qui se sont déroulés à Santa Catalina et sont liés à la cruelle et sanglante histoire de la piraterie, comme l'exécution de pirates hollandais. Le tout est bien entretenu et pimpant ; l'île abrite également des **maisons en bois de style caribéen**.

NOS ADRESSES DANS LES ÎLES

INFORMATIONS UTILES

Climat
Les îles bénéficient de températures stables et agréables, oscillant entre 25 et 30° toute l'année. Mars et avril sont les mois les plus secs, avec env. 20 mm de précipitations mensuelles ; évitez en revanche la période août-décembre, où elles atteignent 130 à 250 mm par mois.

Sécurité
Évitez de laisser vos affaires sans surveillance sur les plages les plus fréquentées. Pour les trajets en *lancha*, prenez des sacs plastiques étanches, de type Ziploc, pour protéger de l'eau et du sable téléphone et appareil photo.

ARRIVER/PARTIR

À votre arrivée à San Andrés, vous devez acheter une **carte de touriste** (47 000 COP) que vous présenterez lors de votre **départ**.

Rejoindre les îles
Pour rejoindre l'archipel depuis la Colombie continentale, pas d'autre solution que l'**avion**.
Aeropuerto Internacional Gustavo Rojas Pinilla (ADZ) – *À 15mn de marche au nord-ouest du centre commercial de la ville de San Andrés*. Vols directs depuis Barranquilla, Bogotá, Cali, Cartagena, Medellín et Providencia. La compagnie *low cost* VivaColombia dessert San Andrés depuis Bogotá et Medellín. Arrêt de bus face à l'aéroport. Taxis et *colectivos* pour rejoindre le centre-ville.
L'aéroport **El Embrujo (PVA)**, sur l'île de Providencia, n'est pas desservi depuis le continent. La compagnie Satena assure une navette entre San Andrés et Providencia (2 vols/j. - 35mn - 420 000 COP AR).

Dans l'archipel
Bateau – Si vous supportez une traversée de 5h sur une mer agitée, embarquez sur l'un des **catamarans** reliant San Andrés à Providencia *(www.catamaransanandresyprovidencia.com - dim., lun., merc. et vend. - 130 000 COP)* ; réservez votre passage à l'avance et prévoyez eau et en-cas.
Bus locaux – Le moyen de locomotion le moins onéreux (1 700 COP/trajet). Sur San Andrés, navette sur la route intérieure vers El Cove et les principaux sites touristiques. Le bus *San Luis* (qui dessert la côte est) et le bus *El Cove* (route intérieure par La Loma) se prennent près de l'hôtel Hernando Henry à San Andrés. Sur Providencia, ils font le tour de l'île.
Taxi – Ils sont chers ; comptez 70 000 COP pour faire le tour de San Andrés.
Location – Scooters *(70 000 COP/j.)*, bicyclettes *(25 000 COP/j., 15 000 COP/4h)* et voiturettes de golf *(80 000 COP)* à louer sur l'av. Newball (Providencia).

HÉBERGEMENT

San Andrés

BUDGET MOYEN

Las Posadas Nativas – *www.posadasturisticasdecolombia.gov.co*. Cet organisme gère les logements chez l'habitant (autour de 120/140 000 COP). Rens. office de tourisme.
Posada Nativa Trinsan – *Av. 20 de Julio, diagonal parque de Simón Bolívar - ✆ (8) 512 4931 - ⊠ - 5 ch.*

Posada Nativa Miss Trinie – *Av. 20 de Julio, carretera San Luis nº 4-16 - (8) 512 6123 - www.posadanativa.com - - 4 ch.*

Posada Nativa Lucki's Place – *Calle 21N, nº 4A-37 - barrio El Bight, vía San Luis - (mob.) 315 770 0139 ou (8) 512 9104 - 4 ch.*

Hernando Henry – *Av. Las Americas, nº 4-84 - (8) 512 3416 - www.hotelhernandohenry.com - - 26 ch. 120 000 COP.* À 3 rues de la plage. La plupart des chambres (toutes avec sdb) ont un balcon. Wifi à la réception, et un cybercafé jouxte l'établissement. Bruyant (nombreux bars aux alentours et rues très passantes).

UNE FOLIE

Casablanca – *Av. Colombia, nº 3-59 - (8) 512 4115 - www.hotelcasablancasanandres.com - - 91 ch. 360 000 COP.* Bien placé, à quelques mètres de la plage. Aux chambres vastes et douillettes s'ajoutent 10 bungalows superbement aménagés. C'est l'un des plus anciens hôtels de la région. Restaurant de fruits de mer.

Providencia

POUR SE FAIRE PLAISIR

Sirius – *South West Bay - (8) 514 8213 - www.siriushotel.net - - 10 ch. 190 000 COP.* Petit balcon pour chacune des chambres standard (ceux des suites sont plus grands et jouissent d'une vue sur la mer). Moustiquaires, hamac sur les balcons. Club de plongée. L'ensemble aurait toutefois besoin d'une rénovation.

Cabañas El Recreo – *Bahía Aguadulce - (8) 514 8010 - - 15 ch. 215 000 COP.* Juste à côté de Felipe Diving Center. Près d'une belle plage de sable, dans un cadre tranquille, des chambres-cabines simples qui auraient tout de même besoin d'un coup de jeune. Personnel aimable.

Miss Elma – *Bahía Aguadulce - (8) 514 8229 - - 8 ch. 250 000 COP.* Une délicieuse auberge adossée à des collines boisées, au centre de la baie. Les chambres, coquettes, certaines avec ventilateur, distillent une ambiance champêtre. Parties communes très agréables. La terrasse couverte se transforme en salle de jeu à la nuit tombée.

Santa Catalina

BUDGET MOYEN

Flaming Trees – *Centre de Santa Isabel - (8) 514 8049 - - 9 ch. 140 000 COP - 12 000 COP.* Le meilleur choix sur cette partie de l'île, où les touristes n'affluent pas encore. Niché au fond d'une baie pittoresque, il offre un panorama superbe sur Santa Catalina. Chambres spacieuses et confortables avec réfrigérateur et mobilier d'artisanat local.

RESTAURATION

San Andrés

POUR SE FAIRE PLAISIR

El Rincon de la Langosta – *Carretera Circunvalar, Sector Schooner Bight, km 7 - (8) 513 2707 - www.rincondelalangosta.com - 11h-22h - 60 000 COP.* Un « must » de San Andrés depuis 1994. Restaurant spécialisé dans le homard sous toutes ses formes, avec un choix infini de sauces. Quatre salles dont une à ciel ouvert avec vue sur le coucher du soleil. Poulpe à l'ail, crabes farcis et poissons locaux. Ne faites pas l'impasse sur la langouste !

Gourmet Shop Assho – *Av. Newball, face au parque de la Barracuda - ✆ (8) 512 9843 - lun.-sam. 12h-0h, dim. 18h-0h - 60 000 COP.* Dans cette cave à vins, fromages et viandes fumées sont servis sous les bouteilles accrochées au plafond en rangs serrés. Le mobilier de bois cultive une atmosphère rustique. Service très lent.

La Regatta – *Club Naútico - av. Newball - ✆ (8) 512 0437 - www.restaurantelaregatta.com - 12h-23h - 65 000 COP. Réserv. recommandée.* Des bouteilles de vin sont suspendues aux arbres bordant l'allée. La salle à manger, close de baies vitrées, est décorée sur le thème de la mer. La lumière y est douce en soirée. Ici, les fruits de mer sont à l'honneur : queues de homard au curry, ragoût de crustacés au riz à la noix de coco pimentée.

Providencia

BUDGET MOYEN

Miss Elma – *Dans la posada Miss Elma - Bahía Aguadulce - ✆ (8) 514 8229 - tlj midi et soir - 40 000 COP.* L'établissement a ouvert ses portes en 1968 et sa réputation n'est plus à faire. La nourriture, locale, est excellente. Mention spéciale pour le crabe de la maison et la langouste.

Café Studio – *Bahía Suroeste - ✆ (8) 514 9076 - - tlj sf dim 12h-21h - 45 000 COP.* Il est dirigé par une Canadienne qui cuisine avec l'aide de son mari. Tous les plats à base de fruits de mer sont délicieux, notamment les conques à la sauce créole au basilic sauvage.

Santa Catalina

POUR SE FAIRE PLAISIR

Bamboo – *De Providencia, tournez à gauche après la passerelle - ✆ (8) 514 8398 - tlj sf mar. 12h-22h30 - 70 000 COP.* Un restaurant de fruits de mer aux prix raisonnables. Pour jouir d'une vue imprenable sur le port, choisissez une table sur la terrasse. Outre les spécialités locales, il propose des plats végétariens : demandez-les, ils ne figurent pas sur la carte. Service attentionné.

ACHATS

Avenida Providencia – *San Andrés.* Pour les fans de shopping, c'est *la* rue à arpenter. Arrêtez-vous à **La Riviera** pour les cosmétiques et les parfums de créateurs, hors taxes. Pour les vêtements de marque dégriffés et le sportswear, direction **President** et **Madiera**.

ACTIVITÉS

Plongée

Bonne visibilité sous-marine, eau délicieusement tiède et peu de courant : la barrière de corail de San Andrés est le paradis des plongeurs.

Banda Dive Shop – *Hotel Lord Pierre L-104 - San Andrés - ✆ (8) 513 1080 - www.bandadiveshop.com.* Une adresse qui fait ses preuves depuis plus de 20 ans.

Sharky Dive Shop – *À 13 km sur la carretera Circunvalar - San Andrés - ✆ (8) 512 0651 - www.sharkydiveshop.com.*

L'un des îlots au large de San Andrés.
O. Garces/Camara Lucida RM/age fotostock

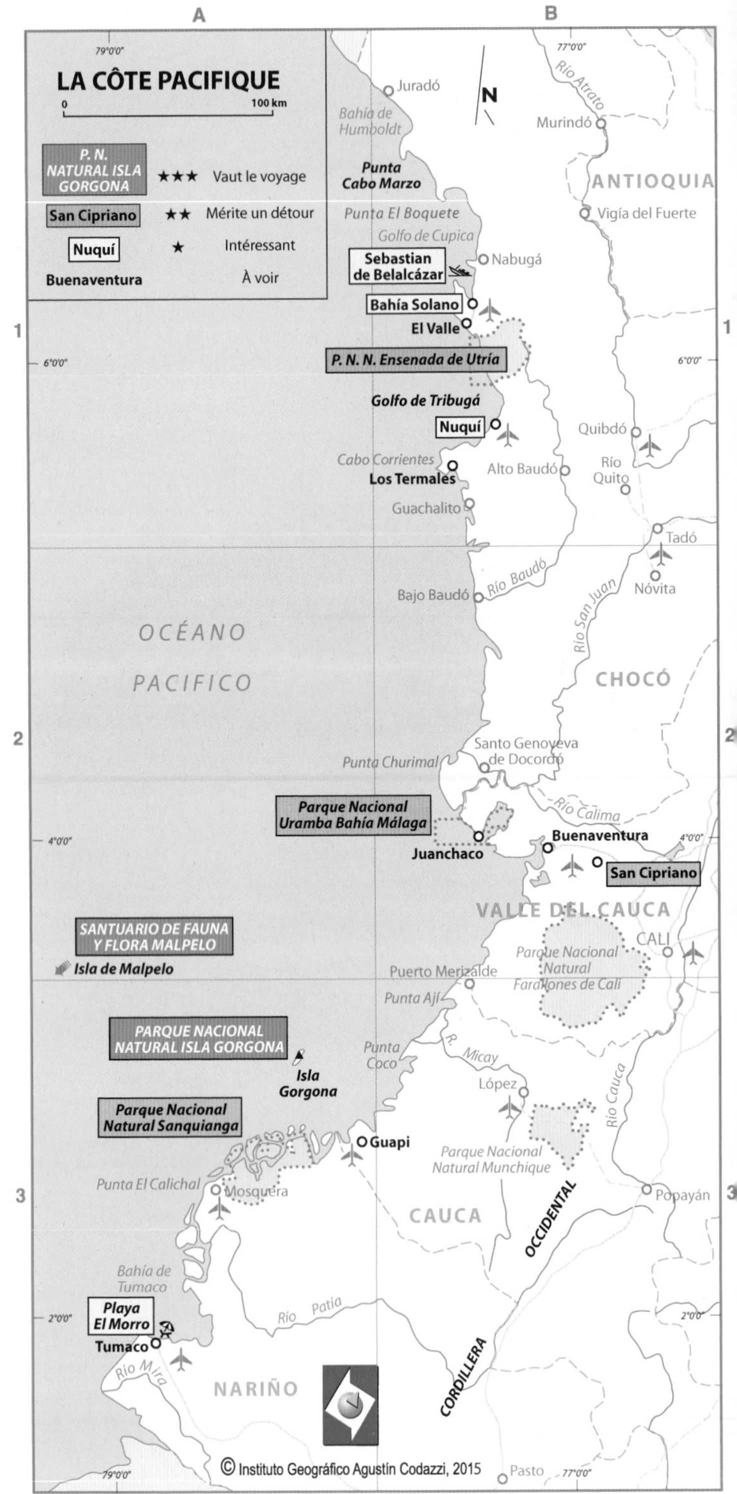
LA CÔTE PACIFIQUE
0
100 km
P. N. NATURAL ISLA GORGONA
★★★ Vaut le voyage
San Cipriano
★★ Mérite un détour
Nuquí
★ Intéressant
Buenaventura
À voir
Juradó
Bahía de Humboldt
Punta Cabo Marzo
Punta El Boquete
Golfo de Cupica
Nabugá
Sebastian de Belalcázar
Bahía Solano
El Valle
P. N. N. Ensenada de Utría
Golfo de Tribugá
Nuquí
Cabo Corrientes
Los Termales
Guachalito
Alto Baudó
Murindó
Río Atrato
ANTIOQUIA
Vigía del Fuerte
Quibdó
Río Quito
Tadó
Nóvita
Río Baudó
Bajo Baudó
Río San Juan
OCÉANO PACIFICO
CHOCÓ
Santo Genoveva de Docordó
Punta Churimal
Río Calima
Parque Nacional Uramba Bahía Málaga
Juanchaco
Buenaventura
San Cipriano
VALLE DEL CAUCA
SANTUARIO DE FAUNA Y FLORA MALPELO
Isla de Malpelo
CALI
Parque Nacional Natural Farallones de Cali
Puerto Merizalde
Punta Ají
PARQUE NACIONAL NATURAL ISLA GORGONA
Isla Gorgona
Punta Coco
R. Micay
López
Río Cauca
Parque Nacional Natural Sanquianga
Guapi
Parque Nacional Natural Munchique
Punta El Calichal
Mosquera
Popayán
CAUCA
OCCIDENTAL
Bahía de Tumaco
Playa El Morro
Tumaco
Río Patía
Río Mira
NARIÑO
CORDILLERA
Pasto
© Instituto Geográfico Agustín Codazzi, 2015

La côte pacifique 5

Une nature encore sauvage

UNE EXCEPTIONNELLE BIODIVERSITÉ

Au nord, à la frontière du Panamá, la région pacifique bute sur l'enchevêtrement impénétrable du Darién, zone de non-droit tristement célèbre mais riche d'une biodiversité exceptionnelle. En descendant vers le sud, parsemé de **mangroves** et de **baies** aux eaux cristallines où nagent les **baleines à bosse** *(voir p. 28, 350 et 360)*, le littoral pacifique se prolonge jusqu'aux ports de Buenaventura et Tumaco avant d'atteindre la frontière de l'Équateur.

UNE OUVERTURE TIMIDE

La région souffre d'une mauvaise réputation en matière de sécurité (la contrebande et le narcotrafic n'y ont pas été éradiqués) comme de climat (elle compte parmi les zones les plus pluvieuses au monde). L'enclavement et les conflits armés ont lourdement freiné le développement des infrastructures et la zone pacifique, difficile d'accès, reste négligée par nombre de voyageurs.
Lentement mais sûrement, elle commence pourtant à s'ouvrir à l'**écotourisme**. Les populations locales, d'origine afro-colombienne ou indienne, ont créé des hébergements écologiques à l'intention des amoureux de la nature, fournissant à leurs hôtes les informations voire la logistique nécessaires à la découverte de la région.

UN TOURISME D'AVENTURE

Certes, la beauté somptueuse du Pacifique se mérite. Elle se réserve aux voyageurs en quête d'aventure qui ne reculeront pas devant des trajets en bateau un peu rudes ou des déplacements à bord d'un petit avion à hélice atterrissant sur des pistes de fortune, qu'on croirait taillées à la machette et prêtes à être englouties par la jungle. Dans cette région restée sauvage, il ne faut jamais sous-estimer la puissance de la nature. Le ciel est parcouru de nuages menaçants qui éclatent en des **pluies diluviennes** et vous trempent jusqu'aux os.
Des sites exceptionnels récompenseront l'effort. Autour des villes de Nuquí, El Valle et Bahía Solano, la jungle vient mourir dans l'océan Pacifique, et la ligne entre la terre et l'eau semble n'être délimitée que par les amas de bois flotté le long de magnifiques plages vierges. Les amateurs de pêche sportive, de surf ou de plongée sur épaves auront de grandes chances d'admirer les dauphins qui s'ébattent dans les eaux transparentes ou, au large de la côte, des baleines à bosse surgissant des profondeurs de l'océan. Ceux qui aiment marcher ou observer les oiseaux tomberont sous le charme de la forêt vierge. Les randonnées, qui mènent à des chutes à l'eau pure et claire ou à des sources thermales, permettent aussi d'observer différentes espèces de grenouilles à flèches venimeuses.

SÉCURITÉ

Avant de se rendre dans les départements du **Chocó**, du **Valle del Cauca**, du **Cauca** et du **Nariño**, il est indispensable de se renseigner sur les **conditions de sécurité**. **Tumaco** et **Buenaventura** sont les principaux ports de la côte pacifique, et attirent à ce titre le trafic de stupéfiants, la contrebande et les groupes armés qui contrôlent ces activités.

La région du Chocó

Département du Chocó

Riche d'une diversité de faune et de flore hors du commun, le Chocó, l'un des départements les plus pauvres et les moins développés de Colombie, est aussi l'un des plus beaux. La région forme une passerelle écologique entre le nord, le centre et le sud du continent américain. Sa côte spectaculaire et découpée frange l'océan Pacifique tandis qu'à l'intérieur des terres, de somptueuses forêts vierges, souvent difficiles d'accès, regorgent d'une flore et d'une faune abondantes et insoupçonnées. Mais le Chocó reste boudé par les touristes, malgré une forte présence militaire qui ramène peu à peu la sécurité dans la zone, et cette région fascinante se laisse désirer : s'y rendre demande du temps et des moyens.

NOS ADRESSES PAGE 356
Hébergement, restauration, activités, etc.

S'INFORMER

En l'absence de bureau d'information touristique officiel dans le Chocó, vous vous adresserez au Palacio Municipal de Bahía Solano et de Nuquí, ou à la réception de votre hôtel.
Consultez aussi *www.colombiatudestino.com*.

SE REPÉRER

Carte de région B2 (p. 346) – carte de la région du Chocó p. 351.
Bahía Solano et, dans une moindre mesure, Nuquí, toutes deux à env. 1h de vol à l'ouest de Medellín (accès en avion uniquement), sont les deux portes d'entrée dans le Chocó.
Voir aussi la rubrique « Arriver/partir » dans « Nos adresses ».

À NE PAS MANQUER

Une sortie en mer à la rencontre des baleines à bosse ; une randonnée pour observer les oiseaux dans le Parque Nacional Natural Ensenada de Utría.

ORGANISER SON TEMPS

Venez entre juillet et octobre pour suivre les évolutions des baleines à bosse. Réservez vos billets d'avion bien à l'avance.

5

★ Bahía Solano Carte de la région du Chocó A1 (p. 351)

Palacio Municipal - Ciudad Mutis - (4) 682 7049.

Bien avant que les Afro-Colombiens s'y soient établis, et avant l'arrivée de quelques opportunistes de Medellín tablant sur un boom touristique qui n'eut jamais lieu, la région était une zone de pêche très appréciée des **Indiens emberás**. Sur une mince bande de terre entre la chaîne montagneuse du **Baudó** et l'**océan Pacifique**, entourée par la jungle, Bahía Solano s'est construite à l'embouchure de la **Jella**. Anciennement connue sur le nom de **Puerto Mutis**, la ville (9 000 hab.) vous donne l'impression d'arriver dans un autre monde. Un peu décatie, elle semble attendre encore et toujours la réalisation du projet de liaison autoroutière avec Medellín, longtemps promise et aujourd'hui abandonnée.

Peu attrayante à première vue, cette grande baie semi-circulaire offre pourtant une base de départ aux amateurs d'**aventures en pleine nature** et à ceux qui viennent observer, selon les saisons, la **migration des oiseaux** et surtout, de

juillet à octobre, la **migration des baleines à bosse★★★**, qui y séjournent le temps de mettre bas leurs baleineaux, avant de poursuivre leur route *(excursions pour observer les baleines : voir p. 358).*
La sécurité s'est améliorée grâce à la mise en place d'un fort contingent militaire destiné à combattre les opérations illicites dont s'est fait une spécialité cette plaque tournante du trafic de drogue. Les eaux poissonneuses attirent maintenant les amateurs de **pêche sportive** et de **plongée sous-marine**.

LES PLAGES

Si Bahía Solano ne possède pas de plage attrayante, elles sont légion à proximité. La **prudence** s'impose toutefois : pour toutes ces plages, et en particulier pour celles qui sont accessibles à pied par la côte, renseignez-vous impérativement sur les **horaires des marées** afin de ne pas vous retrouver bloqué par la montée des eaux.
Playa Huina – *Au nord-ouest de Bahía Solano.* Une promenade de 2h *(ou 15mn en bateau)* mène à cette longue étendue ininterrompue de plages sauvages, ponctuées de stations balnéaires, d'hôtels et de restaurants.
★ **Playa Mecana** – *Au nord-est de Bahía Solano.* En suivant les sentiers de la jungle *(voir plus bas, « Chemins de randonnée »)*, vous découvrirez des ruisseaux aux eaux limpides et de petites chutes d'eau propices à la baignade, et rejoindrez la Playa Mecana en 1h30 *(également accessible en bateau - 10mn de mer).*
Autres buts d'excursion, à pied ou en bateau : la **Playa de los Deseos** *(au nord-ouest de Bahía Solano, sur la Punta Huina - 30mn de trajet en bateau)*, la **Playa Potes** *(au nord-est de Bahía Solano, 25mn de trajet en bateau)*, la **Playa Paridera** *(peu avant la Playa Potes - 20mn en bateau)* ou encore, pour les bons marcheurs, la **Playa Cocalito** *(dans le Parque Nacional Ensenada de Utría, randonnée de 4h en passant par El Valle).*

CHEMINS DE RANDONNÉE

Bon à savoir – N'oubliez pas que les sentiers peuvent être inondés en raison des pluies quotidiennes. Prévoyez vêtements et chaussures adaptés et gardez sur vous un sac plastique étanche pour protéger votre appareil photo et vos papiers.
Derrière la ville, un court raidillon mène au **Mirador de la Virgen★**, qui offre un splendide **panorama★★** sur la ville et la baie. Les **couchers du soleil** y sont spectaculaires.
De bonnes chaussures sont nécessaires pour emprunter le chemin qui remonte la rivière et conduit, au-delà des arbres abattus et des roches glissantes, à la **Cascada El Chocolatal** *(à l'ouest de Bahía Solano).* Après avoir goûté aux eaux fraîches de la cascade, vous pourrez continuer l'excursion à pied jusqu'à la **Playa Mecana★**, une plage préservée, bordée de cocotiers *(surveillez l'horaire des marées).*

★ L'ÉPAVE DU SEBASTIÁN DE BELALCÁZAR

À 400 m au large, par 34 m de profondeur.
À quelques encablures du rivage, les plongeurs aguerris découvriront l'**épave** du *Sebastián de Belalcázar*, intentionnellement coulée ici en 2004. Ce navire de la marine, qui survécut à l'attaque de Pearl Harbor et a, entre autres titres de gloire, intercepté des cargaisons d'armes destinées à la guérilla, forme désormais un récif artificiel que fréquentent d'énormes mérous, des requins, des dauphins et des baleines.

★★ PUNTA CABO MARZO

Au nord de Bahía Solano - accès en bateau (3h de trajet).
Des bras de rivière rocheux, des eaux cristallines et des espèces marines en grand nombre font tout l'attrait de **Punta Cabo Marzo**. Depuis le début des années 1990, l'endroit est devenu l'un des sites préférés des amateurs de **pêche au gros**, venus dans l'espoir d'attraper **makaire bleu** (une sorte de marlin), **thon** ou **sériole**.
La région, connue pour ses caches discrètes et ses eaux calmes, a malheureusement suscité d'autres convoitises : celles de groupes rivaux qui l'utilisaient pour y réceptionner des cargaisons d'armes et y décharger des marchandises illicites. La situation s'est améliorée, mais il est préférable de se renseigner auprès des autorités locales avant d'envisager le déplacement.

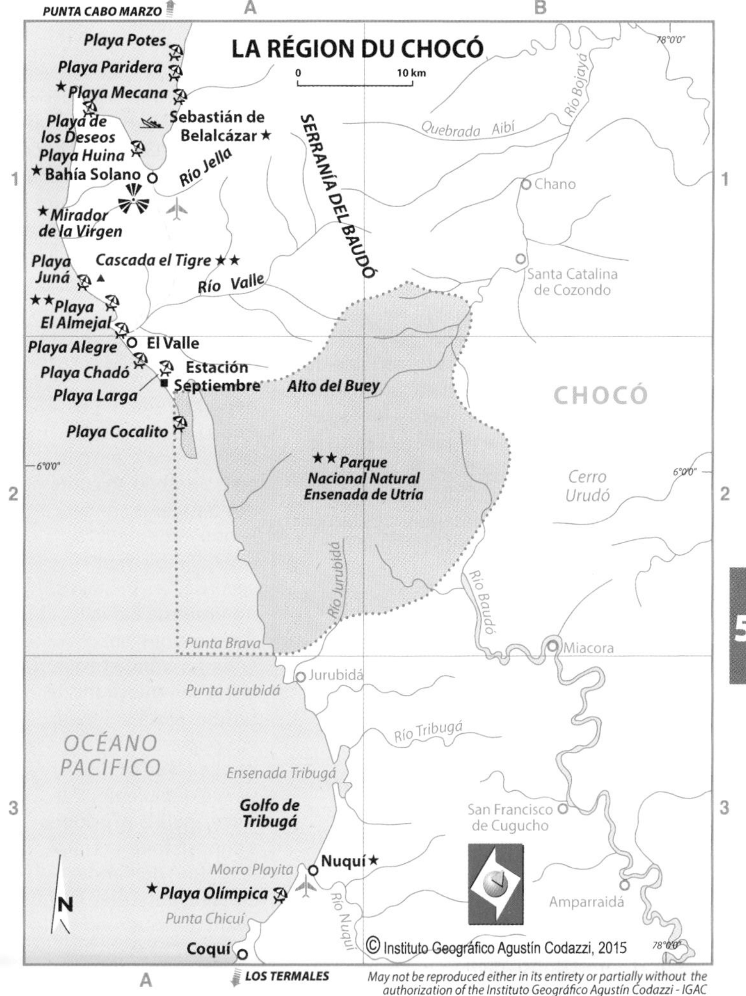

5

Le Chocó, zone troublée

LA COMMUNAUTÉ CHOCOANA

L'histoire moderne du Chocó, qui commence avec l'arrivée des Espagnols, est fortement marquée par son **héritage afro-colombien**. Une partie de la population du Chocó descend en effet directement des esclaves africains vendus en Colombie durant la période coloniale. Certains réussirent à échapper à la servitude et au travail dans les mines d'or d'Antioquia et, comme la population locale des **Emberás**, comprirent vite que la seule façon de préserver leur identité culturelle et leurs traditions était de vivre dans des coins reculés de la jungle. Ce ne fut pas chose facile compte tenu des conditions géographiques, des rivalités entre factions et de l'absence de voies de communication. Habitant un territoire isolé et oublié, la communauté afro-colombienne chocoana a aujourd'hui encore le sentiment d'être délaissée.

UNE RÉGION LONGTEMPS INSTABLE

Le département du Chocó existe sous sa forme actuelle depuis 1944. Sa suppression avait été prévue par **Gustavo Rojas Pinilla** (1900-1975) : le Chocó devait être divisé entre les départements de l'**Antioquia** et du **Valle del Cauca**, mais Pinilla fut renversé en 1957.

La région a vu arriver par vagues successives des prospecteurs colombiens et étrangers attirés par les gisements d'or, de platine, d'argent et de cuivre, et par les ressources pétrolières et forestières.

On y cultive également la banane, le riz, la noix de coco, le cacao et le maïs.

Au milieu des années 1990, la tranquillité du département a été fortement ébranlée par la **lutte armée** entre les guérilleros, les forces paramilitaires et l'armée régulière. Les combats violents qui ont secoué la région du Chocó ont entraîné des déplacements massifs de populations vers l'intérieur des terres, touchant notamment **Quibdó** (115 000 hab.), la capitale du département.

Bien que les luttes armées aient empêché les populations du Chocó de mener une vie normale et aient gravement menacé leur identité ethnique et culturelle, l'espoir commence à renaître en 2006, quand l'État lance un **plan pour le développement** économique et pour la paix dans la région, qui prévoit le retour des communautés déplacées et la récupération de leurs territoires. Dix ans plus tard, les problèmes sont pourtant loin d'avoir tous été éradiqués : exploitation minière sauvage, « disparitions » de personnes, extorsions et intimidations, déplacements forcés et tirs croisés entre mouvements de guérilla et forces d'autodéfense restent hélas toujours d'actualité.

SÉCURITÉ

Situé au cœur de la zone rouge, le département du Chocó est touché par la guerre de la drogue en Colombie. Au cours des dernières années, le gouvernement l'a considérablement sécurisé. Les militaires, nombreux à Bahía Solano, pourront vous contrôler et vous poser des questions de routine (votre adresse, vos papiers). Il n'y a pas lieu d'être effrayé par ce déploiement de force, mais la **prudence** s'impose toujours dans la région ; demandez **conseil**, aussi bien avant de vous rendre dans la région qu'une fois sur place.

OBSERVER LES BALEINES : QUELQUES RÈGLES À SUIVRE

Avant de réserver une excursion auprès d'un prestataire, interrogez votre hôtel et d'autres touristes pour être sûr de vous adresser à une société qui a bonne réputation, respecte les animaux et prendra les précautions nécessaires pour ne pas les perturber. Le **WWF** (World Wide Fund for Nature) a travaillé étroitement avec la population locale pour former les guides et les pilotes des bateaux et expliquer les consignes à respecter :

- Approcher doucement les baleines par le côté, jamais par l'avant ni l'arrière, et faire le moins de bruit possible.
- Ne jamais croiser le chemin des baleines ni leur couper la route : elles risquent de se sentir traquées et s'éloigneront du bateau.
- Ralentir de façon à ne pas laisser de sillage, et maintenir le cap : les baleines se sentiront moins menacées, et on aura plus de chances d'en rencontrer.
- Rester attentif aux autres embarcations présentes dans la zone : les baleines ne doivent jamais se sentir encerclées ; quitter la zone d'observation en cas de forte fréquentation.
- Rester particulièrement attentif à la présence de femelles et de baleineaux.
- Ne jamais passer plus de 20mn avec les baleines, sauf si elles manifestent leur désir de vous accompagner plus longtemps.
- Ne jamais nourrir les baleines pour ne pas perturber leurs habitudes alimentaires.
- Si une baleine présente des signes de souffrance, quitter la zone à très petite vitesse.

El Valle Carte de la région du Chocó A2 (p. 351)

À 18 km (40mn de piste) au sud de Bahía Solano - la route non goudronnée reliant les deux localités est empruntée tôt le matin par un 4x4 qui se remplit très vite. De/vers Nuquí : pas de route, accès par bateau uniquement.

El Valle est certainement le plus petit bourg de la côte pacifique. La localité, peu développée, n'accueille pratiquement aucun touriste hors saison, et la plupart des hôtels sont alors fermés. Ses charmantes **maisons en bois** peintes de couleurs vives lui confèrent une allure rustique.

Cette communauté de pêcheurs, d'agriculteurs et de forestiers s'entoure de plages superbes. Longue de 2 km et comptant parmi les plus belles de la région, la **Playa El Almejal★★** *(à 2 km au nord d'El Valle en suivant la vía Maritima)*, dont les vagues sont fameuses, s'est rendue populaire auprès des **surfeurs** colombiens. Parmi les autres plages du littoral, mentionnons la **Playa Alegre** *(1 km au nord d'El Valle, avant la Playa El Almejal)*, la **Playa Chadó** *(le long de la vía Maritima, en dir. du río Chadó)*, la **Playa Larga** *(2 km au sud d'El Valle)* ou, plus éloignées, la **Playa Juna** *(2h de marche au nord d'El Valle)* et la **Playa Cocalito** *(2h de marche au sud d'El Valle)*.

El Valle donne également accès au **Parque Nacional Natural Ensenada de Utría★★** *(voir plus loin)*, dont les plages bordées de palmiers, les mangroves et les innombrables oiseaux séduiront les excursionnistes. En haute saison *(déc.-janv., juin et Pâques)*, des excursions dans des **pirogues** creusées dans un tronc d'arbre sont organisées sur le río El Valle pour admirer le **morpho bleu** *(Morpho menelaus)* et divers oiseaux, dont le **martin-pêcheur** qui plonge en piqué dans l'eau avant de regagner la rive.

Estación Septiembre

À Playa La Cuevita (env. 5 km au sud d'El Valle) - ✆ (1) 245 5700 à Bogotá - www.natura.org.co/general/estacion-septiembre.html - 5 000 COP. Possibilité de logement en cabañas (45 000 COP) dans la zone protégée d'Estación Septiembre.
Ce sanctuaire marin protège de nombreuses espèces de tortues marines qui viennent pondre sur les plages entre septembre et décembre. La plage n'est pas accessible en bateau : le meilleur moyen d'accéder au sanctuaire est la marche à pied ou le vélo. Demandez à votre hôtel de vous trouver un guide qui organisera depuis El Valle une sortie nocturne pour observer les tortues.

★★ Parque Nacional Natural Ensenada de Utría

Entre El Valle (1h de bateau) et Nuquí (2h de bateau - 60 000 COP) - on y parvient après avoir traversé un pont suspendu branlant - 8h-17h - 38 000 COP.
Bon à savoir – Basée à Nuquí, l'agence **Mano Cambiada** *(✆ (mob.) 313 759 6270 - www.manocambiada.org)* gère certaines activités du parc, comme la location de bungalows et le transport en bateau entre Nuquí et El Valle ou Bahía Solano ; par leur intermédiaire, vous pourrez louer les services d'un guide qui vous conduira à pied à Lachunga, d'où vous rejoindrez le *centro de visitantes* de Jaibaná *(hébergement et restauration possible).* Organise également des randonnées guidées dans le parc, des sorties en kayak sur les rivières et du snorkeling.
Le parc Ensenada de Utría regroupe trois **écosystèmes** distincts : les récifs coralliens, sept types de **mangroves** (33 ha) différents et une **forêt tropicale humide** dont les immenses arbres peuvent atteindre 45 m de haut et que colore une grande variété de broméliacées.
Jumelles en main, les ornithologues y repéreront des oiseaux migrateurs comme le **cotinga bleu** *(Cotinga nattererii),* le **tamatia à front blanc** *(Notharchus hyperrhynchus)* et l'**organiste cul-roux** *(Euphonia fulvicrissa).* Le parc est également un bon poste d'observation pour regarder les **baleines** qui passent au large d'une petite crique bordée de mangrove.
Avec chance et patience, vous apercevrez peut-être la **tortue olivâtre** *(Lepidochelys olivacea)* se hissant sur la plage pour y pondre ses œufs. On peut aussi voir la **tortue luth** *(Dermochelys coriacea)* et la **tortue imbriquée** *(Eretmochelys imbricata)* sur les plages du parc ou dans les formations coralliennes de l'estuaire.
Plusieurs parcours randonnées de 1h à 2h *(2 à 9 km, niveau de difficulté faible à moyen selon les parcours)* ont été organisés dans le parc et à proximité de la baie. La traversée du parc vous fera passer par des ponts branlants et

LES OISEAUX DU CHOCÓ

Une zone de peuplement aviaire endémique traverse la Colombie et l'Équateur, couvrant une superficie d'environ 60 000 km². L'abondante pluviosité (les précipitations y atteignent jusqu'à 1 600 cm/an, ce qui en fait la région la plus humide au monde) et le climat tropical favorisent la biodiversité, tandis que l'isolement entre océan Pacifique et cordillère andine est un atout pour l'endémisme : lors de la formation des Andes, le Chocó s'est retrouvé coupé du bassin amazonien et a évolué différemment. La région abrite en conséquence une quantité exceptionnelle d'animaux, dont une grande partie ne se rencontrent qu'ici, et une cinquantaine d'espèces d'oiseaux. Lorsque vous serez à Bahía Solano ou à Nuquí, essayez d'apercevoir le **toucan du Chocó** *(Ramphastos brevis),* le **caïque à joues roses** *(Pyrilia pulchra)* et le **dacnis de Hartlaub** *(Pseudodacnis hartlaubi).*

Plage de Nuquí.
Ch. Sonderegger/Prisma/age fotostock

des passerelles enjambant les rivières. Vous pourrez découvrir par vous-même des plages vierges bordées de cocotiers, mais il est peu probable que vous parveniez à repérer la **faune endémique** et à trouver les endroits où elle s'abrite : pour observer oiseaux, serpents, grenouilles, insectes et tous types de mammifères, mieux vaut s'assurer les services d'un **guide**.

★★ **Cascada El Tigre** – *Au nord du Parque Ensenada de Utría.* Une marche facile de 2h au nord d'El Valle mène à ces **chutes d'eau**, par un agréable sentier qui serpente à travers la **jungle**.

★ Nuquí Carte de la région du Chocó A3 (p. 351)

À 60 km au sud de Bahía Solano. Nuquí est accessible en bateau à partir d'El Valle, Buenaventura et Bahía Solano. Accès possible en avion depuis Medellín et Quibdó (voir p. 356).

Palacio Municipal - barrio La Union - (4) 683 6005.

Restée loin du développement et de la modernité, Nuquí demeure le fief des pêcheurs qui travaillent dans les eaux du **golfe de Tribugá**. La petite ville traditionnelle (9 000 hab.), d'accès relativement aisé et disposant d'un bon parc hôtelier, offre une base pour des excursions le long du littoral du Chocó ou des sorties en mer à la rencontre des **baleines**. Nuquí commence par ailleurs à être connue des **plongeurs**. Les voyageurs sensibles à l'écologie peuvent profiter d'une immersion complète en territoire chocoano tout en étant convenablement logés : de nombreux **écolodges** se sont ouverts à proximité, à une courte distance en bateau du nord ou du sud de la ville.

★ Playa Olímpica

À l'ouest de Nuquí.

Cette plage de 5 km de long, tantôt rocheuse, tantôt de sable, attire les amateurs de **planche à voile** et de **kitesurf** notamment. Ses vagues sont réputées dans le milieu des surfeurs.

Coquí

À 11 km au sud-ouest de Nuquí, 20mn de trajet en bateau.
Des excursions en pirogue sont organisées dans les **mangroves** de Coquí tandis que le **village indien** lui-même se prête à l'observation de plusieurs espèces endémiques d'oiseaux.

Los Termales – *À env. 10 km de Coquí - 12 000 COP - www.posadasturisticasde-colombia.com.co.* Sources d'eaux chaudes thermales légèrement soufrées.

NOS ADRESSES DANS LE CHOCÓ

INFORMATIONS UTILES

Argent

Pas de distributeur à Bahía Solano ni à Nuquí et la plupart des hôtels et des écolodges n'acceptent pas la carte bancaire : prévoyez suffisamment d'argent en espèces avant de vous rendre dans le Chocó. Sachez aussi que, d'une manière générale, tout est plus cher de 30 à 40 % ici que dans le reste du pays en raison du coût des transports.

Climat

Le Chocó est l'une des régions les plus arrosées de la planète, avec quelque 9 000 mm de précipitations annuelles en moyenne : il y pleut plus de 300 jours par an, le pic étant atteint en octobre, et les minima étant relevés en février.

Électricité

Coupures fréquentes à Bahía Solano : n'oubliez pas votre torche électrique et faites provision de bougies.

Taxe de séjour

À Nuquí, les visiteurs doivent s'acquitter d'une taxe touristique de 7 000 COP.

ARRIVER/PARTIR

En avion

Bahía Solano – Aeropuerto José Celestino Mutis - *À 3 km au sud de la ville.* La compagnie Satena *(www.satena.com)* propose 6 vols/sem. (160 000-300 000 COP) pour Medellín au départ de Bahía Solano. Vols moins nombreux avec ADA *(www.ada-aero.com)* de/vers Medellín et Quibdó. Les avions ont souvent du retard à cause de la météo : ne prévoyez pas de correspondance le jour où vous quittez Bahía Solano.

Nuquí – Aeropuerto Reyes Murillo - *À 2 km au sud-ouest de la ville.* Petits avions uniquement. Vols directs de/vers Medellín (45mn - 200 000 COP) et Quibdó (15mn - 150 000 COP) avec la compagnie Satena - *(1) 605 2222 - www.satena.com.* Réservez longtemps à l'avance. En raison de l'état de la piste, la compagnie ADA a suspendu ses vols pour une durée indéterminée ; le site www.ada-aero.com indiquera la reprise des rotations.

En bateau

Les **cargos** qui viennent chaque semaine de **Buenaventura** transportent à l'occasion des passagers. Compter 8h de trajet. Également des liaisons maritimes entre **Bahía Solano** et Nuquí (2h) 3 fois/sem.

Par la route

Il existe une route non goudronnée (18 km) entre El Valle et Bahía Solano, que parcourent chaque matin des 4x4 *(10 000 COP)* et des motos *(20 000 COP)*. Il n'y a pas de route entre Nuquí et Bahía

Solano, ni entre ces deux villes et le centre du pays.

HÉBERGEMENT, RESTAURATION

Plusieurs **écolodges** se sont installés dans la région. Les clients y sont sensibilisés à la fragilité des écosystèmes et on leur propose des activités ayant un impact minimal sur l'environnement, telles que randonnées à la rencontre des communautés des environs, observation de la nature, sports nautiques sans moteur, etc. La plupart étant situés loin des centres urbains et n'étant accessibles qu'en bateau, vous y séjournerez en formule « pension complète ». Sachez aussi que bon nombre d'entre eux exigent un séjour minimum de 2 ou 3 nuitées, souvent payables d'avance, et perdues lorsque les aléas météorologiques entraînent l'annulation des vols.

Bahía Solano/El Valle

POUR SE FAIRE PLAISIR

El Almejal – *Playa El Almejal - à 14 km (40mn en jeep) de l'aéroport de Bahía Solano en dir. d'El Valle - calle 49A N, n° 65A-51 - ✆ (4) 412 5050 - www.almejal.com.co - 12 cabañas - 3 nuits mini - 350 000 COP en pension complète.* Proche de quelques-unes des plus belles plages de la côte, un écolodge bien conçu et plutôt confortable, dont les logements, avec sdb privée et terrasse, bénéficient d'une agréable ventilation naturelle. L'établissement met l'accent sur l'éducation et la préservation de la nature. Sur place : trou d'eau pour se baigner, jardin aux papillons et tourelle pour l'observation des baleines.

Nuquí

Les hôtels ne servent souvent à manger qu'aux groupes mais un certain nombre de femmes ont ouvert des tables d'hôtes à leur domicile *(midi et soir)*; il est nécessaire de réserver.

PREMIER PRIX

Palmas del Pacífico – *À un pâté de maisons derrière la route de l'aéroport, secteur nord - ✆ (094) 683 6010 ou (mob.) 314 753 4228 - ✕ - 20 ch. 70 000 COP.* Les bungalows de bois de cet hôtel aux couleurs corail ne sont pas de la première jeunesse mais restent confortables et la proximité de l'océan leur confère un atout non négligeable. Légèrement à l'écart du centre.

POUR SE FAIRE PLAISIR

Posada Vientos de Yubarta – *À 1 km au nord du centre de Nuquí, sur la plage - ✆ (mob.) 312 217 8080 - www.posadasturisticasdecolombia.com.co - ✕ - 6 ch. 190 000 COP ☕ - électricité de 18h à 23h.* Nichée parmi les palmiers, à 100 m de la plage, cette *posada* peut accueillir jusqu'à 12 personnes. Construite avec des matériaux locaux (bois, bambou…), elle possède beaucoup de caractère. Certaines chambres sont équipées d'une TV et donnent sur la mer. Un endroit confortable, plébiscité par une clientèle locale, et accessible en moto-taxi.

UNE FOLIE

Morromico – *À 45mn de bateau au nord de Nuquí - ✆ (mob.) 312 795 6321- www.morromico.com - ✕ - 7 ch. 440 000 COP en pension complète.* L'un des complexes d'hébergement les plus connus de la région, idéalement situé dans le golfe. À l'heure des repas, de grandes tablées réunissent les voyageurs et leurs hôtes dans une atmosphère conviviale. Organise des visites guidées de la forêt tropicale et des sorties

en *lancha*. Transfert (payant) de/vers l'aéroport sur demande.
Piedra Piedra Lodge – *À 15 km au sud de Nuquí, entre les caps de Terco et Terquito - ✆ (mob.) 315 510 8216 - www.piedrapiedra.com - ✕ - 7 ch. 500 000 COP en pension complète obligatoire.* Ces confortables bungalows en bois, coiffés de chaume et construits avec des matériaux de la région, comptent chacun 4 chambres, toutes dotées d'une sdb et d'une terrasse. Le lodge peut héberger 17 personnes au maximum. Proche des plages, des rivières, des cascades, des sources thermales et des pistes qui parcourent la jungle, il s'adresse à une clientèle « nature ». Organise des sorties en mer et en forêt (observation des oiseaux).
El Cantil Ecolodge – *Quebrada Piedra Piedra - Vereda Termales (35mn au sud de Nuquí en bateau) - ✆ (4) 252 0707 - www.elcantil.com - ✕ - 7 ch. 500 000 COP en pension complète, 2 nuits mini.* Cet écolodge en bois flotté, au toit couvert de galets, propose de grandes chambres confortables, dont certaines peuvent accueillir jusqu'à 6 personnes. Toutes sont équipées d'une belle salle de bains et offrent une vue extraordinaire sur la jungle. Charmante terrasse commune face à l'océan. À disposition : kayaks, surfs et boogie boards. Le transfert de l'aéroport au lodge est généralement assuré en bateau à moteur par l'établissement.
Pijiba Lodge – *Playa de Terquito - Termales (1h au sud de Nuquí en bateau) - ✆ (4) 474 5221 ou (mob.) 311 762 3763 - www.pijibalodge.com - ✕ - 6 ch. 500 000 COP en pension complète, 3 nuits mini.* Construits avec les matériaux trouvés sur place pour mieux se fondre dans l'environnement, 3 bungalows en duplex comptent chacun 2 chambres pouvant accueillir jusqu'à 8 personnes… mais sont dépourvus d'électricité. Sur place, vous trouverez des hamacs où paresser et des planches de surf à louer. Organise des plongées sous-marines et des sorties en mer pour observer les baleines. Bonne cuisine régionale au restaurant.

ACTIVITÉS

Observation des baleines

De juil. à oct., depuis Bahía Solano ou Nuquí. Un spectacle à ne pas manquer. Tous les hôtels organisent des excursions en bateau qui vous emmèneront dans la baie ou au-delà.
Les écolodges **El Almejal** *(www.almejal.com.co)*, à El Valle, et **El Cantil** *(www.elcantil.com)*, à Guachalito, près de Nuquí *(voir « Hébergement »)* s'en sont fait une spécialité.

Descente de rivière

Vous pourrez explorer les voies d'eau du Parque Nacional Natural Ensenada de Utría en kayak ou en bateau en bois avec un guide, pour découvrir de superbes cascades. *Voir p. 354.*

Pêche sportive

La plupart des hôtels et des lodges organisent des sorties en haute mer pour attraper marlins bleus et autres gros poissons qui abondent dans la zone s'étirant jusqu'au Panamá.

Surf

S'adresser à **El Cantil Ecolodge** *(voir « Hébergement »).*

Randonnée

Contactez **Rocas de Cabo Marzo** - *✆ (094) 682 7525 - www.posadasturisticasdecolombia.com.*

La côte pacifique sud

Départements du Valle del Cauca, du Cauca et du Nariño

Difficultés logistiques, absence d'infrastructures, conflits armés : la partie sud de la côte pacifique traverse une époque troublée, les villes portuaires de Tumaco et Buenaventura s'étant converties en deux points majeurs d'entrée pour les marchandises de contrebande et de sortie pour les cargaisons de drogue. Boudée par le tourisme de masse, sa côte sauvage a conservé son authenticité et sa beauté. L'ancien pénitencier de la Isla Gorgona veille désormais sur une réserve naturelle protégée aux allures d'île paradisiaque… dans une région réservée aux aventuriers n'ayant pas froid aux yeux.

NOS ADRESSES PAGE 364
Hébergement, restauration, etc.

SE REPÉRER
Carte de région A3 (p. 346) – carte de la côte pacifique sud p. 362.
Voir aussi la rubrique « Arriver/partir » dans « Nos adresses ».

ORGANISER SON TEMPS
La plupart des parcs naturels de la région étaient **fermés au public** en 2015 pour des raisons de sécurité : renseignez-vous avant de vous déplacer.

Buenaventura Carte de la côte pacifique sud B1 (p. 362)

À 126 km au nord-ouest de Cali. Liaisons régulières avec Cali en bus et avec Bogotá en avion.

Pas d'office de tourisme, mais quelques voyagistes sur le Muelle Turístico, au port.

Pour le voyageur, Buenaventura ne sera guère plus qu'une base pour rayonner dans la région. Cette agglomération de 400 000 habitants ressemble au Gotham de la bande dessinée *Batman* : c'est une ville de non-droit, dangereuse, très pauvre, avec une forte délinquance et un taux élevé d'homicides imputables aux luttes entre les guérilleros, les groupes paramilitaires et les autres bandes qui s'affrontent pour obtenir le contrôle de ce port clé. **Chaude** et **moite**, avec une température moyenne avoisinant les 28° toute l'année, cette cité anarchique est dépourvue d'intérêt architectural ; l'humidité y dégrade les bâtiments et le climat tropical semble y dicter sa loi. *Sur place, faites preuve de bon sens et ne quittez pas les principales zones touristiques, notamment la calle 1 et le* **Muelle Turístico**, *ponton flottant au centre de la cité portuaire.*

5

EXCURSIONS

La baie, qui abrite des communautés indiennes et afro-colombiennes, est la principale **base navale** du Pacifique et comprend une zone de 336 700 km² où il est interdit de pénétrer.

Juanchaco

Rattaché à Bahía Málaga - 1h de lancha (bateau, 52 000 COP AR) au départ du Muelle Turístico de Buenaventura, dir. nord-ouest. Ce village aux plages de sable noir constitue un point de départ pour aller **admirer les baleines**.

Ladrilleros

À l'extrémité sud-ouest de Bahía Málaga par Playa La Barra - lanchas (55 000 COP AR) depuis le Muelle Turístico de Buenaventura ou « tractor » (2 000 COP) à partir de Juanchaco.

45mn-1h de marche depuis Juanchaco. Le sentier est plat pour commencer, avec une **belle vue** sur l'océan, à proximité de Juanchaco. Il devient ensuite plus abrupt et dévoile des **falaises** impressionnantes près de Ladrilleros.

On peut bien sûr réserver une **excursion pour observer les baleines** à Ladrilleros, mais il est plus intéressant de faire un **tour en canot** dans le réseau dense de la **mangrove**.

★★ Parque Nacional Uramba Bahía Málaga

À 20 km au nord-ouest de Buenaventura (1h en bateau) - http://bahiamalaga.org - accès en lancha depuis le port de Juanchaco.

C'est dans les eaux côtières chaudes de **Bahía Málaga**, où la température est idéale (25°), que l'on observe le taux de reproduction des **baleines à bosse** le plus élevé de la région : elles viennent nombreuses dans la baie pour s'accoupler, mettre bas et nourrir leurs baleineaux. Le parc national, aux essences végétales luxuriantes, offre donc une excellente base pour suivre leurs évolutions parmi les centaines d'îles et de promontoires rocheux au large. Côté terre, les points forts de la visite sont les cascades de **Las Sierpes**, où le río Bonguito rejoint Bahía Málaga, la chute d'eau de **La Piscina**, tout près, et les plages situées à l'extrémité sud de Bahía Málaga, la **Playa Dorada** et la **Playa Chuchero**.

Les amateurs de culture traditionnelle rendront visite à la communauté de **La Plata** *(Archipiélago de La Plata - au nord-est de Bahía Málaga)* pour écouter le **currulao** *(voir plus loin, « Guapi »)*.

★★ San Cipriano

Au sud-est de Córdoba, entre Buenaventura et Buga.

San Cipriano se trouve à l'intérieur des terres, à l'écart de la **route Cali-Buenaventura**. Comme le village n'est pas accessible par route, la population locale a eu l'idée de le relier à la localité voisine de Córdoba par une **brujita** (littéralement « petite sorcière »), une plate-forme de bois entraînée par une motocyclette dont la roue arrière est posée sur un rail de chemin de fer. Les voyageurs, après s'être acquittés d'une somme modique, sautent sur la plate-forme pour un voyage pittoresque le long du versant pacifique de la montagne.

À San Cipriano, vous pourrez flotter avec une **bouée** sur les eaux claires de la rivière toute proche, nager au pied des **chutes d'eau** et admirer une région où abondent singes, toucans et colibris.

Guapi Carte de la côte pacifique sud A2 (p. 362)

À 4 km à l'est de l'Aeropuerto Juan Casiano Solís. Pas d'accès par la route - vols tlj de Cali.

À 6 km seulement de l'océan Pacifique, Guapi (30 000 hab.) a été fondée en 1772. Cette **ville de pêcheurs** a vu sa population croître de façon spectaculaire lorsque des gisements d'**or** ont été découverts aux alentours. Ses artisans confectionnent des articles finement tissés à la main, des bijoux en or et des **instruments de musique**. Le *currulao*, musique aux accents africains mâtinés d'influences européennes, se joue et se danse partout, au son des **marimbas** (xylophones en bois) et des tambours.

Fou masqué *(Sula dactylatra)* sur l'île de Malpelo.
Franco Banfi/WaterF/WaterFrame/age fotostock

EXCURSIONS

★★★ Parque Nacional Natural Isla Gorgona

À 46 km au nord-ouest de Guapi auquel l'île est reliée par bateau (1h30). De Buenaventura, trajet de 12h en cargo (hebdomadaire), 4h en bateau express.

Avertissement – Suite à une attaque des FARC fin 2014, l'île a été **fermée au public** pour une durée indéterminée, et Aviatur, qui gérait la concession hôtelière en accord avec le Parque Nacional Natural Gorgona, a décidé de rompre son contrat. L'État reste à la recherche d'un prestataire de services touristiques pour rouvrir le parc. Renseignez-vous sur la situation avant de vous rendre dans la région. Sachez aussi qu'il n'y a pas de commerces sur l'île.

Bon à savoir – L'île se visite obligatoirement en compagnie d'un guide qui vous fournira des bottes en caoutchouc pour vous protéger des **serpents venimeux**, très nombreux, surtout après le coucher du soleil. Quand le parc est ouvert à la visite, des baptêmes de **plongée** et des sorties avec des moniteurs certifiés PADI y sont organisés (location de matériel sur place).

L'île était habitée à l'origine par les peuples tumaco, tolita et kuna. En 1527, Francisco Pizarro la nomme **île de la Gorgone**, en mémoire des créatures de la mythologie grecque à la chevelure faite de serpents. L'île, équivalent colombien d'Alcatraz, servit ensuite de pénitencier de très haute sécurité, de 1959 à 1984. Elle fut transformée en 1985 en un parc national. Ancien **volcan**, elle possède un lac et 25 ruisseaux d'eau douce qui la sillonnent dans la longueur (9 km). Dans ses forêts vivent le **paresseux** et l'**anole bleu** *(Anolis gorgonae)*, parmi une faune abondante. On peut visiter l'**ancien pénitencier** dont certains bâtiments ont été reconvertis en centre de recherche, centre d'hébergement et restaurant.

Un sentier de découverte de 5 km traverse des **plages** idylliques, dont la Playa Blanca et La Azufrada *(au sud-ouest d'El Poblado)*, avant de se terminer à la Playa Palmeras *(à l'extrémité sud-ouest de l'île)*. Un sentier plus court, appelé **Arbol del Pan**, mène à El Poblado et à son exposition archéologique (artefacts des civilisations précolombiennes qui furent les premières à coloniser l'île).

Les amateurs de **snorkeling** et de **plongée sous-marine** seront comblés par le foisonnement de la vie marine dans les eaux proches de la côte et au large : les navires ne passant pas à proximité de l'île, on peut observer dans l'océan baleines à bosse, orques, tortues marines et raies mantas.

★★★ Santuario de Fauna y Flora Malpelo

À 490 km à l'ouest de Guapi (36h de navigation). Seuls 5 bateaux hôteliers équipés pour la plongée (dont 3 basés à Buenaventura) sont autorisés à accéder à l'île de Malpelo - http://fundacionmalpelo.org (liste des opérateurs agréés et tarifs) - 165 000 COP/j. pour le parc et 88 000 COP/j. pour le permis de plongée.

L'île, inscrite au **Patrimoine mondial de l'Unesco**, est un affleurement rocheux d'origine volcanique très fréquenté par les **oiseaux migrateurs**, qui viennent y nicher, et un incubateur du **milieu marin**, ce qui en fait un site de **plongée** particulièrement prisé. Ses eaux froides accueillent des aigles de mer, des chauves-souris de mer aux lèvres rouges, des voiliers, des dauphins et des

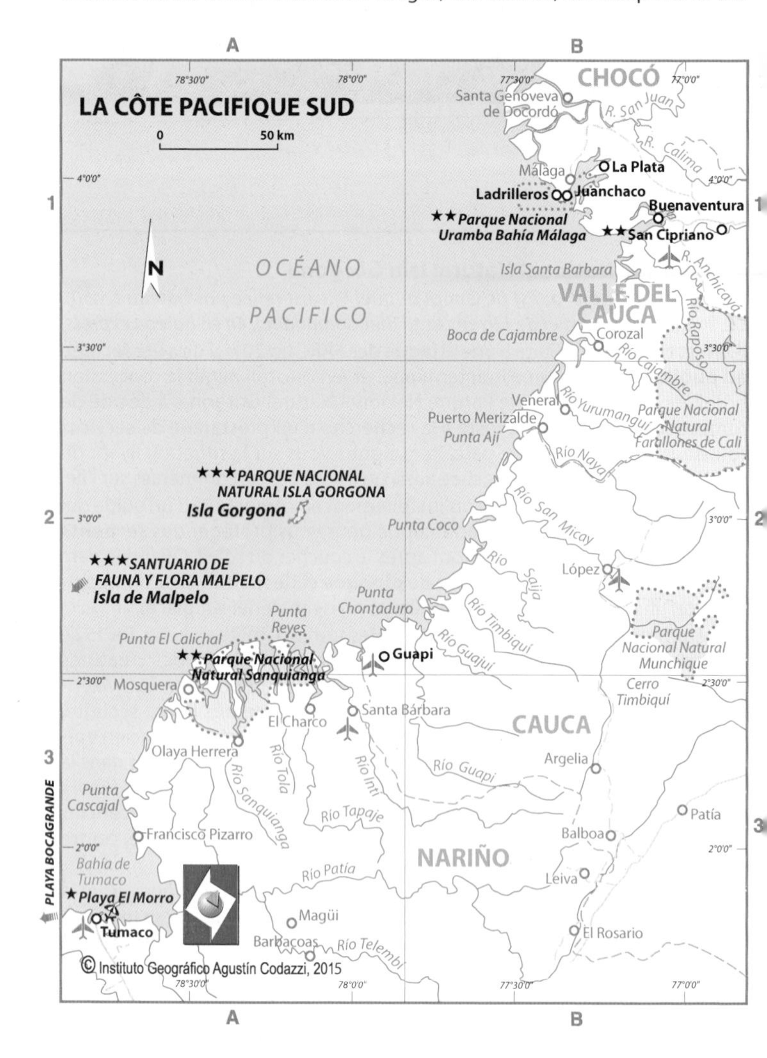

DES RICHESSES CONVOITÉES

Fondée en 1540 sur l'île de **Cascajal**, **Buenaventura** est l'une des deux cités les plus anciennes de la côte pacifique. **Tumaco** a été bâtie un siècle plus tard, en 1640, bien après que **Francisco Pizarro**, conquérant espagnol de l'Empire inca, eut traversé le territoire des **Tumas**, qui s'étendait jusqu'à **Esmeraldas** en Équateur. On a découvert dans la région de Tumaco, autour de l'embouchure du río San Juan, des **vestiges archéologiques** datant du premier millénaire avant J.-C., dont des bijoux en or et des figurines en céramique. La croissance rapide de la population s'explique pour l'essentiel par la découverte d'**or** et de **platine** dans la région.

Attaqués autrefois par les **pirates** anglais qui venaient régulièrement s'y livrer au pillage, les habitants de ces terres fertiles se trouvent aujourd'hui en butte aux mêmes **conflits intérieurs** que leurs voisins du Chocó ; Buenaventura et Tumaco, les deux ports de la région, sont des plaques tournantes pour l'exportation de la **cocaïne**, ce qui les rend dangereux et peu sûrs. Le gouvernement central et les populations locales sont par ailleurs confrontés à des problèmes socio-économiques et environnementaux. La **déforestation** des étendues de palétuviers expose les habitants aux tempêtes du Pacifique et les prive de nourriture, car les **mangroves** abritent les ressources qui leur sont nécessaires.

requins en grand nombre, dont des **requins-marteaux** et le très rare **requin féroce** *(Odontaspis ferox)*. Bien que l'île de Malpelo ne soit officiellement pas habitée, des navires colombiens stationnent à proximité pour éviter que les oiseaux ne soient dérangés et pour empêcher la **pêche illégale** aux alentours. Seuls les plongeurs intrépides et très **aguerris** peuvent s'y rendre et, en groupes de 6 personnes maxi, ils doivent obligatoirement être dirigés par un plongeur dûment certifié et qui connaît la zone.

Tumaco Carte de la côte pacifique sud A3 (p. 362)

Accessible par la route depuis Pasto (280 km) via Ipiales. Vols directs sur Cali et Bogotá avec Satena et Avianca.

Alcaldía - calle Mosquera, angle Caldas - (2) 727 1201 - www.tumaco-narino.gov.co.

Sécurité – L'Équateur se trouve au sud de la ville. La frontière, théoriquement ouverte, est **dangereuse** (forte concentration de factions armées et de trafiquants) et il est fortement déconseillé de la franchir ici.

San Andrés de Tumaco (200 000 hab.) a été construite sur trois îles : **El Morro**, **La Victoria** et **El Pindo**. Une forte présence militaire se fait sentir dans la ville, deuxième port du Pacifique colombien par la taille. Non touristique, passablement défraîchi, le centre historique s'organise autour du **parque Colón**, que domine la cathédrale et où vivent quelques iguanes.

Casa de la Cultura – *Calle Mercedes - (2) 727 1201 - lun.-vend. 8h-18h.* Un petit musée y retrace l'histoire de la ville et fournit des informations sur les alentours.

★ **Playa El Morro** – *Non loin de l'aéroport, à l'extrémité nord de l'Isla Morro.* Cette plage de sable noir forme un **arc naturel**. Un **trésor** y aurait été enfoui par **Henry Morgan**, pirate du 17e s. connu pour avoir volé l'or des Incas aux Espagnols lors d'expéditions audacieuses. Ses eaux peu profondes abritent des **raies pastenagues**. Près de la plage, l'**Asociación de Artesanos** expose des instruments de musique, des bijoux et des produits artisanaux de la région.

Playa Bocagrande

À l'ouest de Tumaco - accès en bateau (30mn - traversées en haute saison seult). Renseignez-vous impérativement sur les conditions de sécurité avant de prendre la mer (zone de culture de la coca sur l'île).

La petite île de Bocagrande, nichée dans la mangrove de l'estuaire, séduit par son sable blanc et ses eaux à 27°. Ici, pas de barrière de corail, mais les ornithologues viennent y observer les oiseaux aquatiques. Dans les zones humides de **Papayal** et **Vaqueria** se mêlent végétation tropicale et petites plages.

EXCURSION

★★ Parque Nacional Natural Sanquianga

Accès en bateau (4h de navigation) depuis la jetée de Tumaco (calle de la Merced, près de la calle del Comercio) - ✆ (1) 353 2400 - www.parquesnacionales.gov.co - temporairement fermé au public.

Située dans le département du Nariño, cette zone de protection du milieu marin d'une superficie de 80 000 ha concentre 30 % des **mangroves** du Pacifique colombien. Le parc, fondé pour préserver l'**estuaire** où se rejoignent les fleuves Sanquianga, Patía, La Tola, Aguacatal et Tapaje, compte la plus forte concentration d'**oiseaux** de la côte et abrite en particulier le râle de Wolf *(Aramides wolfi)*, la sterne hansel *(Gelochelidon nilotica)* et le cormoran vigua *(Phalacrocorax brasilianus)*. Le delta est une source d'alimentation primordiale pour ces oiseaux de mer, mais aussi pour les tortues marines, les poissons, les crabes, les paresseux, les **tamanoirs** et les **caïmans** qui y vivent. Une **écloserie** a été mise en place afin de protéger les œufs ou les jeunes **tortues** qui viennent de naître des pêcheurs locaux, des chiens et des crabes. Les **sentiers** conduisent à des **plages** tranquilles invitant à la baignade. Dans le dédale de l'estuaire vivent de petites communautés afro-colombiennes regroupées en une cinquantaine de *veredas* (hameaux) ; ses habitants sont les descendants des esclaves arrachés au Nigeria et à la Guinée au milieu du 17e s. pour exploiter l'or dans les alluvions du río Telembí. Ils vivent aujourd'hui de pêche, d'une agriculture de subsistance et du ramassage des *piangüas*, des coquillages de mangrove ressemblant à des palourdes noires.

NOS ADRESSES SUR LA CÔTE PACIFIQUE SUD

INFORMATIONS UTILES

Sécurité

Vous pouvez vous promener à pied sur les sites touristiques et les plages de la région, mais restez vigilant. L'extrême pauvreté et les activités de contrebande présentent des risques. Il est préférable de se déplacer en compagnie d'un guide ou de voyager avec un tour-opérateur de confiance. La zone a été considérablement sécurisée (présence de la police et de l'armée), mais il reste impératif de se renseigner avant d'envisager une visite de Buenaventura ou de Tumaco.

ARRIVER/PARTIR

En avion

Aeropuerto Gerardo Tovar López (BUN) – *Buenaventura - ✆ (2) 434 919*. Vols de/vers Bogotá avec Satena et Avianca.

Aeropuerto Juan Casino Solís (GPI) – *Guapi - ✆ (8) 400 188*. Satena *(www.satena.com)* dessert Cali (1h - env. 170 000 COP).

Aeropuerto La Florida (TCO) – *Tumaco - ✆ (2) 272 598*. Vols vers Cali et Bogotá avec Satena et Avianca.

En bateau

Au départ de Buenaventura, des cargos desservent Guapi (3-4h) et Juanchaco (1h30).

En bus

Depuis Cali, comptez 4h (25 000 COP) pour **Buenaventura**. Liaisons entre Pasto et **Tumaco**.

HÉBERGEMENT, RESTAURATION

Buenaventura

PREMIER PRIX

Titanic – *Calle 1, nº 2A-55 - ✆ (2) 241 2046 - http://hoteltitanicbuenaventura.com - 37 ch. 80 000 COP.* Près des quais, où se concentrent les activités touristiques de Buenaventura, cet établissement de catégorie moyenne est situé dans la zone la plus sûre de la ville. Chambres avec minibar et sdb… mais souvent pas de fenêtre. Beau panorama sur l'océan depuis la terrasse du restaurant-bar situé sur le toit.

La Galeria – *Barrio Pueblo Nuevo.* À l'étage du marché de Buenaventura, dont les étals débordent de viandes et de poissons, les grands-mères *costeñas* (« de la côte ») vous prépareront des plats typiques, comme le *sancocho de pescado* (poisson cuit dans du lait de coco), dont les recettes se transmettent de génération en génération. Venez en taxi depuis les quais et surveillez de près vos affaires.

POUR SE FAIRE PLAISIR

Tequendama Inn Estación – *Calle 2, nº 1A-08 - ✆ (2) 243 4070 - 77 ch. 200 000 COP.* Cet édifice néoclassique fut inauguré dans les années 1920. Les chambres de luxe s'ouvrent sur une véranda, avec vue imprenable sur la mer. Le personnel se chargera volontiers de vos réservations touristiques. Piscine ouverte au public de 9h à 18h. Wifi dans le lobby.

Guapi

PREMIER PRIX

Río Guapi – *Carrera 2, nº 10-40 (à un pâté de maisons du quai d'embarquement) - ✆ (2) 840 0983 - http://hotelrioguapi.com - 40 ch.* Il se dresse sur la rue principale, près du fleuve. Les chambres, sommaires, aux murs de béton, sont carrelées et possèdent sdb, TV et ventilateur au plafond. Le restaurant est réputé pour son ceviche. Cet hôtel, quoique tout simple, n'en demeure pas moins l'un des meilleurs de la ville.

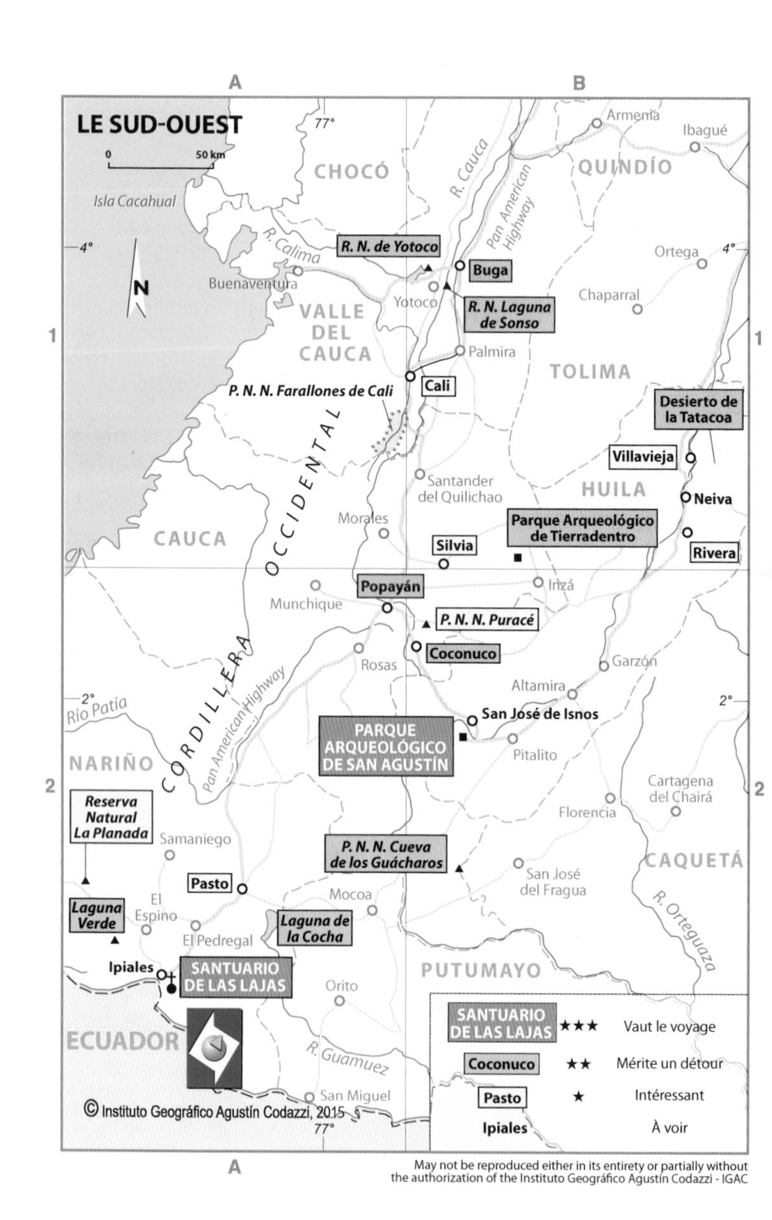
LE SUD-OUEST
0
50 km
A
B
1
2
77°
4°
2°
N
Isla Cacahual
CHOCÓ
QUINDÍO
Armenia
Ibagué
R. Cauca
Pan American Highway
R. Calima
R. N. de Yotoco
Buga
Buenaventura
Yotoco
R. N. Laguna de Sonso
Ortega
Chaparral
VALLE DEL CAUCA
Palmira
Cali
TOLIMA
P. N. N. Farallones de Cali
Desierto de la Tatacoa
Villavieja
CORDILLERA OCCIDENTAL
Santander del Quilichao
HUILA
Neiva
CAUCA
Morales
Parque Arqueológico de Tierradentro
Silvia
Rivera
Popayán
Inzá
Munchique
P. N. N. Puracé
Coconuco
Rosas
Garzón
Altamira
Río Patía
San José de Isnos
PARQUE ARQUEOLÓGICO DE SAN AGUSTÍN
Pitalito
NARIÑO
Cartagena del Chairá
Florencia
Reserva Natural La Planada
Samaniego
P. N. N. Cueva de los Guácharos
CAQUETÁ
San José del Fragua
Pasto
R. Orteguaza
Laguna Verde
El Espino
Mocoa
Laguna de la Cocha
El Pedregal
Ipiales
SANTUARIO DE LAS LAJAS
PUTUMAYO
Orito
ECUADOR
R. Guamuez
San Miguel
© Instituto Geográfico Agustín Codazzi, 2015
SANTUARIO DE LAS LAJAS ★★★ Vaut le voyage
Coconuco ★★ Mérite un détour
Pasto ★ Intéressant
Ipiales À voir

Le Sud-Ouest 6

Au confluent des cordillères

Vaste étendue à la topographie très diversifiée, la région du Sud-Ouest couvre les départements du Cauca, du Valle del Cauca, du Huila et du Nariño. La variété des altitudes et des climats a pour corollaire celle des paysages, spectaculaires : on passe sans transition de la **jungle** luxuriante à de hauts **pics neigeux**, des **étendues désertiques** parsemées de cactus aux **vallées** encaissées. Les eaux cristallines des torrents de montagne viennent irriguer les **plantations** de canne à sucre, de coton, de tabac, de soja et de café. Les terres du Sud-Ouest sont ponctuées d'églises baroques et de routes de pèlerinage, de villes assoupies et de blanches bourgades coloniales, de **sites archéologiques** dont les effigies de pierre honorent des dieux et des esprits très anciens. Contrastant avec les paysages bucoliques des environs, **Cali**, la populeuse capitale régionale, troisième ville du pays, se reconnaît de loin à ses gratte-ciel.

La forte **présence militaire** sur les routes, dans toute cette partie du pays, rappelle que la région reste très marquée par les convulsions du conflit interne colombien.

VOLCANS, LACS ET DÉSERTS

Au nœud des Pastos, dans le Nariño, se séparent la Cordillère occidentale et la Cordillère centrale, ouvrant deux larges vallées fertiles où coulent les plus grands fleuves du pays : le **Cauca** et le **Magdalena**. Culminant respectivement à 4650 et 4276 m, les sommets volcaniques du **Puracé** *(voir p. 400)* et de l'impressionnant **Galeras** *(voir p. 419)* se profilent à l'horizon. Les *lagunas* (lacs) d'altitude, parfois enchâssées dans l'épaisse verdure des forêts de montagne, comme la **Laguna de la Cocha** *(voir p. 419)* près de Pasto, apportent leur lumière à ces paysages. L'étrange **Desierto de la Tatacoa** *(voir p. 390)* révèle des étendues de sable et de cactus d'autant plus inattendues que ses parages sont verdoyants.

La diversité des altitudes et des environnements crée de nombreux **microclimats**, notamment à Cali. Cette ville, dont la dénivellation varie de 2000 m environ entre ses extrémités nord et sud, connaît des niveaux de précipitations radicalement différents d'un quartier à l'autre.

UNE BELLE DIVERSITÉ DE PEUPLES ET DE CULTURES

Le brassage des origines ethniques, dont témoignent des manifestations comme le **Carnaval des Noirs et des Blancs** de Pasto *(voir l'encadré p. 419)*, est sensible partout, des hameaux indiens isolés, perdus dans les recoins des Andes, à la bouillonnante Cali, ville universitaire où se côtoient des populations venues du Moyen-Orient, d'Europe et d'Afrique.

Les sites archéologiques comme **Tierradentro** *(voir p. 401)* ou **San Agustín** *(voir p. 408)*, restés isolés et pour ainsi dire ignorés pendant des siècles, portent trace de civilisations depuis longtemps disparues. Dans les vieilles villes coloniales bien conservées, comme **Popayán**, l'architecture religieuse baroque est omniprésente. Les grandes **manifestations religieuses**, comme les processions de la Semaine sainte à Popayán *(voir p. 398)*, attirent les foules venues de tout le pays. Comme partout en Colombie, la **musique** joue un rôle de premier plan dans la vie culturelle de la région, tout particulièrement à Cali, capitale de la **salsa** *(voir p. 374)*. Ne manquez pas non plus la **Feria de Cali**, en décembre *(voir p. 385)*.

Cali et ses environs

Santiago de Cali

2 370 000 hab. – Capitale du département du Valle del Cauca – Alt. 1 018 m

Cali l'insolente, Cali la sensuelle : entre les contreforts escarpés des Cordillères occidentale et centrale qui cernent la ville, Santiago de Cali, troisième ville de Colombie, vibre au rythme de ses musiques et de ses danses. Première ville que l'on rencontre dans l'intérieur des terres en venant de Buenaventura, le grand port du Pacifique, à 4h de route, cette cité prospère affiche une vocation commerçante ; dans le centre, les étals en plein air envahissent les trottoirs et jusqu'aux rues elles-mêmes. Peu touristique, surtout appréciée pour sa vie nocturne, la capitale de la salsa sera une étape entre Medellín et Popayán.

NOS ADRESSES PAGE 381
Hébergement, restauration, achats, activités, etc.

S'INFORMER

Punto de Información Turística (PIT) – B3 - *Centro Cultural de Cali - angle de la carrera 4 et de la calle 6 - (2) 885 6173 - lun.-vend. 8h-12h, 14h-17h, sam. 10h-14h. Autre point d'information au Terminal de Transportes (calle 30N, n° 2-29).*

SE REPÉRER

Carte de région B1 (p. 366) – plan de la ville p. 372-373 – carte des environs de Cali p. 378.
À 462 km au sud-est de Bogotá.
Voir aussi la rubrique « Arriver/partir » dans « Nos adresses ».

À NE PAS MANQUER

Les ruelles du barrio San Antonio ; une virée nocturne dans le quartier Juanchito, avec ses boîtes à salsa et ses bars ; la basilique des Miracles à Buga.

ORGANISER SON TEMPS

Prévoyez 2 j. pour découvrir Cali et ses environs. Venez de préférence en fin de semaine pour profiter de l'ambiance festive dans les clubs de salsa.

AVEC LES ENFANTS

Le Zoológico de Cali, le plus beau zoo de Colombie.

Se promener Plan de ville p. 372-373

LE CENTRE-VILLE ABC2-3-4

Au départ de la plaza de Cayzedo, circuit 1 tracé en vert sur le plan de ville (p. 372-373) – Comptez une grosse demi-journée.

Cette promenade dans le centre relativement restreint de Cali vous permettra de vous familiariser avec le cocktail architectural qu'offre la ville.

★ Plaza de Cayzedo C3

Entre les calles 11 et 12 et les carreras 4 et 5.

Le centre de cette place en étoile, ombragée par de hauts palmiers, est dominé par la statue de **Joaquín de Cayzedo y Cuero**, soldat et patriote né à Cali en 1773. Mort au combat, il a mené sa ville jusqu'à l'indépendance. Marchands

ambulants, cireurs de chaussures, vendeurs de billets de loterie ou d'épis de maïs, tout un peuple s'affaire sous les arbres, parmi les hommes d'affaires et les étudiants qui traversent la place.
Dirigez-vous vers le sud de la place.

★ Catedral de San Pedro C3

À l'angle de la calle 11 et de la carrera 5.
À l'angle sud de la plaza de Cayzedo se dresse le plus important lieu de culte de Cali, la blanche **cathédrale St-Pierre**. La première pierre a été posée en 1772, mais la cathédrale, construite par des prisonniers, n'a été terminée qu'en 1841. La juxtaposition des styles baroque et néoclassique témoigne de l'étalement des travaux dans le temps. Deux **tremblements de terre** majeurs, en 1885 puis en 1925, ont endommagé les tours et la façade, refaites avec des matériaux modernes. L'**intérieur** a conservé intact le décor d'origine, avec ses autels néoclassiques gris et or, sa châsse d'argent ouvragée sur l'autel, et son bénitier de marbre noir et blanc, le tout surmonté d'étincelants lustres de cristal.
Contournez la place et remontez vers la rivière.

★ Parque de los Poetas (parc des Poètes) C2

Carrera 3, entre les calles 12 et 13.
Aménagé en 1995 en hommage aux poètes du Valle del Cauca, ce lieu de manifestations culturelles est aussi l'endroit où les écrivains publics installent encore leurs vieilles machines à écrire. Le dernier jeudi du mois, les amateurs de poésie viennent assister à des **lectures** données par des talents nouveaux ou confirmés, qui suivent les traces de Jorge Isaacs, Ricardo Nieto, Carlos Villafañe, Antonio Llanos et Octavio Gamboa, les cinq poètes immortalisés ici par des statues de bronze réalistes.
Traversez le parc et tournez à droite.

VISAGES DE LA TROISIÈME VILLE DE COLOMBIE

Cali a été fondée en 1536 par le conquistador espagnol **Sebastián de Belalcázar**. Jusqu'à l'essor du secteur industriel, l'économie de la ville reposait sur l'élevage, la culture de la canne à sucre, du café et des fruits, la fabrication de fromages et de produits laitiers. Au 20e s., la population de Cali connaît un développement rapide, passant en 50 ans de 240 000 (1950) à plus de 2 millions de personnes : l'arrivée du chemin de fer, la proximité stratégique des **régions minières** de l'Antioquia, du Chocó et de Popayán, et celle de la ville portuaire de Buenaventura, sur le Pacifique, où arrive le trafic marchand en provenance de Chine, expliquent ce boom démographique.
Ville moderne et passablement confuse, Cali a conservé quelques vestiges de son **architecture ancienne**, de vénérables édifices qui semblent parfois perdus entre les façades contemporaines. Pour accueillir les Jeux panaméricains, en 1971, elle s'est transformée en un vaste chantier de construction. Depuis lors, en raison de l'instabilité politique et de la violence qui ont sévi en Colombie, la ville s'est développée par à-coups, de façon assez anarchique ; la population n'a cessé d'augmenter, au point qu'aujourd'hui Cali peine à l'absorber. Longtemps pénalisée par sa réputation de plaque tournante de la drogue, au même titre que Medellín, la ville a retrouvé une certaine sérénité depuis l'arrestation (1995) des parrains du **cartel de Cali**, Gilberto Rodríguez Orejuela et son frère Miguel et leur extradition en 2006 vers les États-Unis, où ils ont été condamnés.

Cali vue de la colline de San Antonio.
P. Tisserand/Michelin

★ Iglesia de la Ermita C2

À l'angle de la carrera 1A et de la calle 13 (Paso Ancho).

Cette église érigée au milieu du 20e s. dans le goût néogothique allemand abrite, sur un autel du bas-côté gauche, une fresque du 18e s. représentant **El Señor de la Caña** (le Seigneur de la Canne à sucre) qui, dit-on, a fait beaucoup de miracles – ce qui explique les files de fervents croyants.

Teatro Jorge Isaacs C2-3

Carrera 3, n° 12-28 - ✆ (2) 889 0320.

Cet élégant théâtre, qui date de 1931, porte le nom de **Jorge Isaacs Ferrer** (1837-1895), écrivain et poète colombien, auteur du roman à succès *María* *(voir p. 379)*. L'édifice a été racheté par la municipalité en 1986, dans le cadre de la rénovation du centre-ville, et soigneusement restauré. Sa majestueuse salle à l'ancienne accueille concerts, spectacles de danse, de théâtre et one-man-shows comiques.

Puente Ortiz C2

Angle carrera 1 et calle 12.

Le large **pont piétonnier** dont les arches de pierre sont devenues l'un des emblèmes de Cali relie le centre-ville au quartier de Granada. Ce bel ouvrage d'art, construit entre 1840 et 1844, est encadré d'un parc aux arbres majestueux où il fait bon s'asseoir.

Longez le río vers l'ouest en suivant la promenade piétonne aménagée et tournez à gauche dans la calle 10 pour revenir vers le centre.

Complejo Religioso de San Francisco C3

Entre les carreras 4 et 5, et les calles 9 et 10.

Dominé par le haut bâtiment de **La Gobernación**, ce complexe d'édifices religieux des 18e et 19e s. comprend le Convento de San Joaquín, la Capilla de la Inmaculada et la Iglesia de San Francisco, un édifice en brique de style néoclassique.

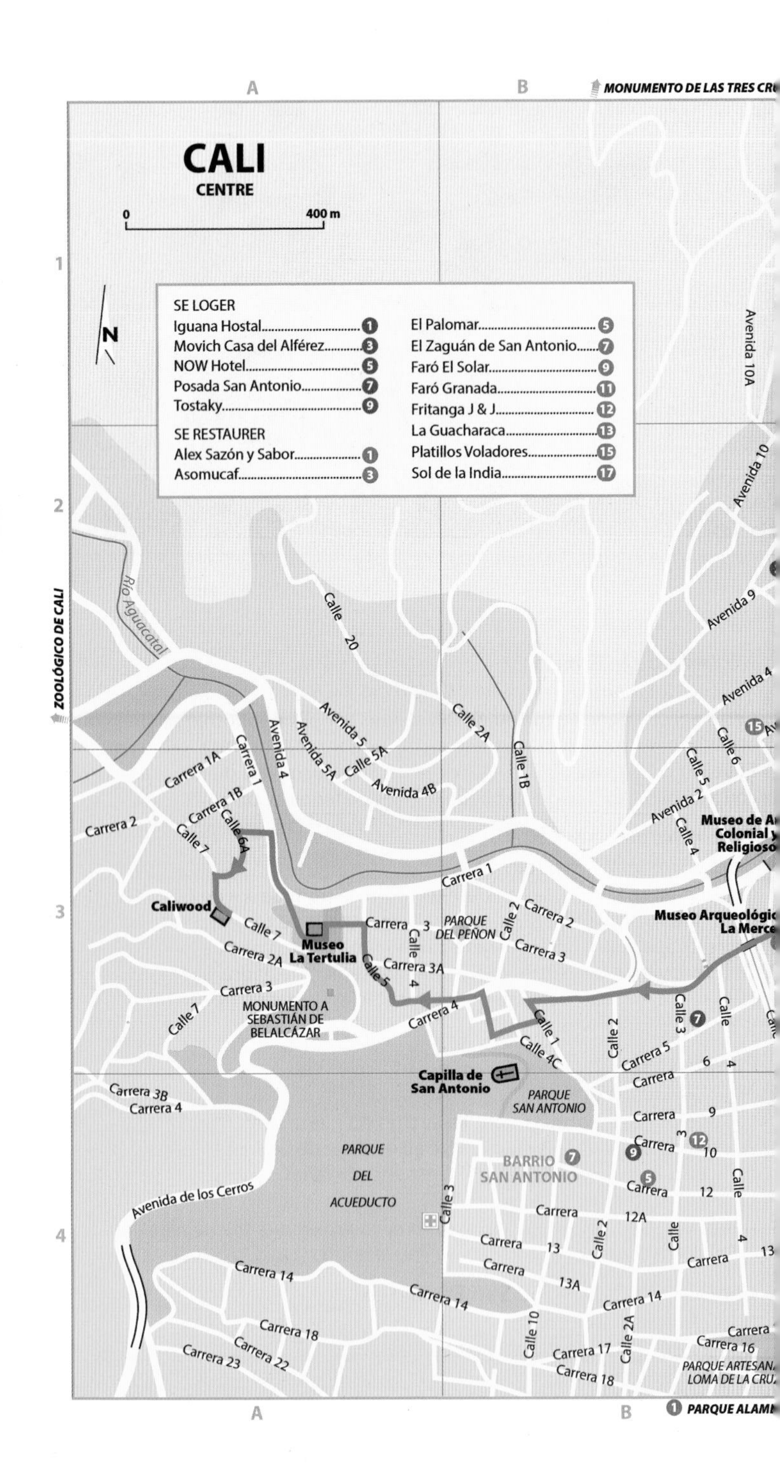
CALI
CENTRE
0
400 m
N
SE LOGER
Iguana Hostal 1
Movich Casa del Alférez 3
NOW Hotel 5
Posada San Antonio 7
Tostaky 9
SE RESTAURER
Alex Sazón y Sabor 1
Asomucaf 3
El Palomar 5
El Zaguán de San Antonio 7
Faró El Solar 9
Faró Granada 11
Fritanga J & J 12
La Guacharaca 13
Platillos Voladores 15
Sol de la India 17
MONUMENTO DE LAS TRES CR
ZOOLÓGICO DE CALI
PARQUE ALAM
Río Aguacatal
Calle 20
Avenida 5
Avenida 5A
Calle 5A
Avenida 4B
Avenida 4
Carrera 1
Carrera 1A
Carrera 1B
Carrera 2
Calle 7
Calle 6A
Calle 2A
Calle 1B
Avenida 10A
Avenida 10
Avenida 9
Avenida 2
Museo de A Colonial y Religioso
Museo Arqueológic La Merce
Caliwood
Museo La Tertulia
PARQUE DEL PEÑON
Carrera 2A
Carrera 3
Carrera 3A
Carrera 4
MONUMENTO A SEBASTIÁN DE BELALCÁZAR
Capilla de San Antonio
PARQUE SAN ANTONIO
BARRIO SAN ANTONIO
PARQUE DEL ACUEDUCTO
Carrera 3B
Avenida de los Cerros
Carrera 14
Carrera 18
Carrera 22
Carrera 23
Carrera 12A
Carrera 13
Carrera 13A
Carrera 16
Carrera 17
Calle 10
Calle 2A
PARQUE ARTESAN LOMA DE LA CRU

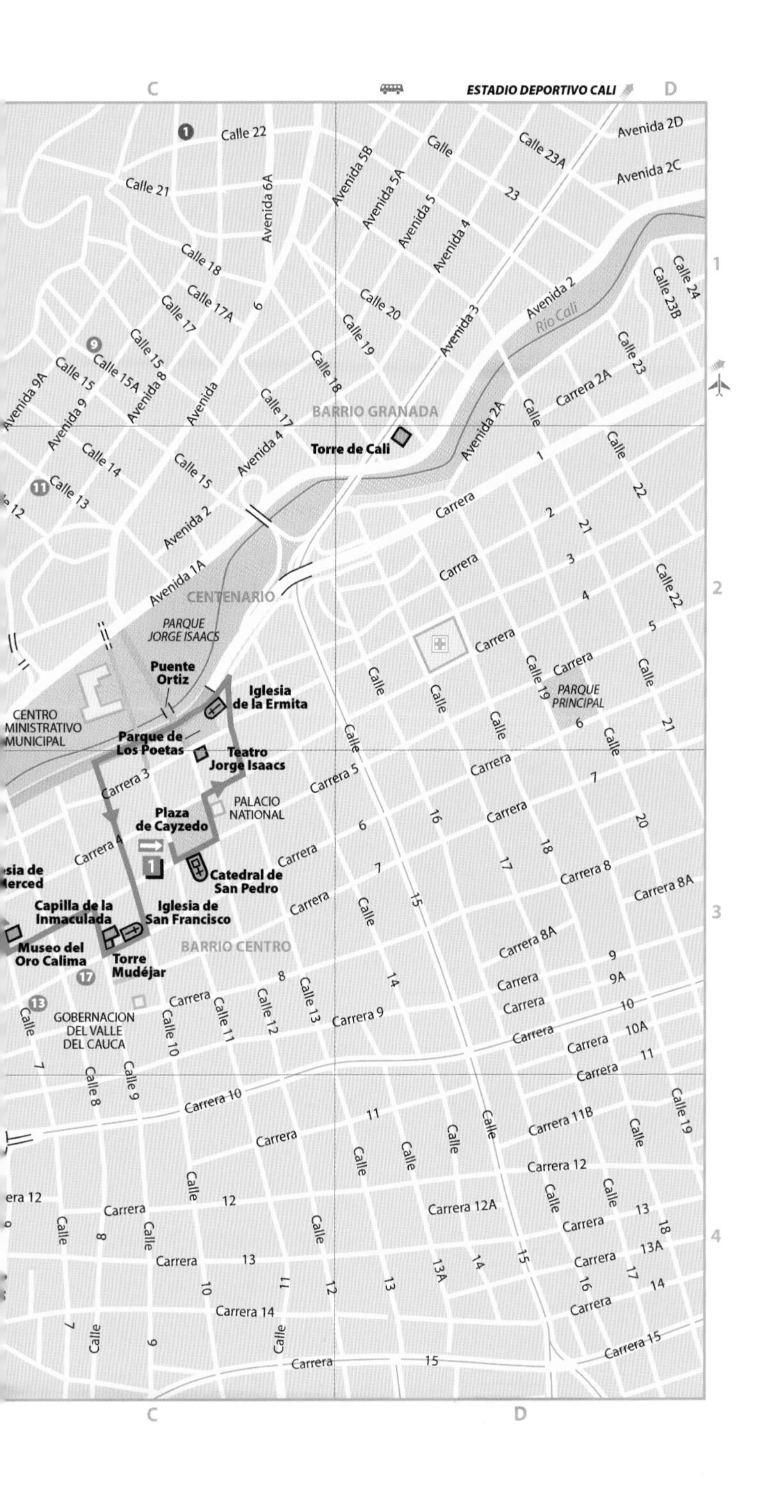
ESTADIO DEPORTIVO CALI
BARRIO GRANADA
Torre de Cali
Río Cali
CENTENARIO
PARQUE JORGE ISAACS
Puente Ortiz
Iglesia de la Ermita
CENTRO MINISTRATIVO MUNICIPAL
Parque de Los Poetas
Teatro Jorge Isaacs
PALACIO NATIONAL
Plaza de Cayzedo
Catedral de San Pedro
Capilla de la Inmaculada
Iglesia de San Francisco
Museo del Oro Calima
Torre Mudéjar
BARRIO CENTRO
GOBERNACION DEL VALLE DEL CAUCA
PARQUE PRINCIPAL
Avenida 2D
Avenida 2C
Avenida 2
Avenida 2A
Avenida 3
Avenida 4
Avenida 5
Avenida 5A
Avenida 5B
Avenida 6A
Avenida 8
Avenida 9
Avenida 9A
Avenida 1A
Calle 22
Calle 21
Calle 18
Calle 17A
Calle 17
Calle 15
Calle 15A
Calle 14
Calle 13
Calle 20
Calle 19
Calle 23A
Calle 24
Calle 23B
Calle 23
Carrera 2A
Carrera 3
Carrera 4
Carrera 5
Carrera 8
Carrera 8A
Carrera 9
Carrera 10
Carrera 11B
Carrera 12
Carrera 12A
Carrera 14
Carrera 15

Cali « caliente » : la capitale de la salsa

Des rythmes frénétiques font vibrer les artères de cette ville moderne qui s'est autoproclamée capitale nationale de la salsa. Un peu partout, les bars, les restaurants, les ateliers de danse, les cafés, les bus et les taxis résonnent au son des pulsations latines. Plus d'une centaine de vendeurs de CD, 150 orchestres, 5 000 élèves qui suivent des cours de salsa, une horde de joueurs de maracas déchaînés : voilà qui donne le ton…

UNE VIE NOCTURNE ENDIABLÉE

Ceux qui souhaitent participer à ces nuits *salseras* auront intérêt à arriver en pleine forme, car les fêtards de Cali sont difficiles à suivre. Attendez-vous à avoir les oreilles remplies de vraie, de bonne salsa colombienne, mêlée à quelques classiques de la salsa cubaine ou portoricaine. Sans oublier, parfois, quelques échappées vers la samba, la rumba et les rythmes syncopés de la bossa-nova. Presque toutes les nuits, vous trouverez des pistes bondées dans les **salsotecas** du centre-ville, ces clubs de salsa plongés dans le demi-jour hypnotique des lumières stroboscopiques et le battement frénétique des basses, des congas, des *cencerros* et des cuivres.

Vous rejoindrez ces grappes humaines virevoltantes et frénétiques dans l'une des boîtes du quartier **Juanchito**, qui en compte plus de cent : en fin de semaine, toute l'année, quelque 2 000 amateurs de musique locaux se déversent dans ce faubourg à l'est de la ville pour le transformer en une fête géante.

Jouées par les artistes eux-mêmes ou par leurs fervents admirateurs, allez donc écouter les vibrations inventives de **Jairo Varela** (1949-2012), le fondateur du **Grupo Niche**, l'accordéon de **Lisandro Meza** (né en 1939), les airs du compositeur et producteur **Kike Santander** (né en 1960), de **Joe Arroyo** (1955-2011) ou les accents salsa jazz d'**Eddy Martinez** (né en 1940), qui compte parmi les favoris des noctambules caleños en ce moment, et dont le son est aussi chaud que la ville elle-même.

LA FERIA DE CALI

Ce **festival de salsa** *(voir p. 385)*, le plus grand événement au monde consacré à ces rythmes, se célèbre tous les ans depuis 1957, du 25 au 30 décembre. Les mois qui précèdent sont entièrement consacrés à la préparation de cet événement majeur, qui bloque la presque totalité des rues.

Ce **marathon** de **musique et de danse**, devenu légendaire, gagne toute la ville qui en sort épuisée. Les festivités durent de l'aube au crépuscule et attirent de partout les amoureux de salsa. Vous y verrez des concours de danse âprement disputés, des défilés d'anthologie, des spectacles de salsa interprétés par des artistes-compositeurs colombiens, sud-américains et européens. Et toutes les manifestations de danse et de musique font salle comble.

Pour plus d'informations, consultez le site www.feriadecali.com.

★ **Torre Mudéjar** – *À l'angle de la calle 9 et de la carrera 6 - ne se visite pas.* Ce **clocher** au plan quadrangulaire de 23 m de haut est orné d'une mosaïque de briques à motifs géométriques. C'est le seul exemple d'**art néomudéjar** que possède la ville et certainement son trésor architectural le mieux conservé. Cet intéressant souvenir d'une période espagnole encore influencée par le style arabe date de 1772. Le dôme qui coiffe le clocher est recouvert de **tuiles vernissées** et surmonté d'une croix de fer forgé.
Suivez la calle 9 en direction du río et tournez à gauche dans la carrera 5.

★ Museo del Oro Calima C3

Calle 7, nº 4-69 - ✆ (2) 684 7754 - www.banrepcultural.org/cali/museo-del-oro-calima - mar.-vend. 9h-17h, sam. 10h-17h - entrée libre.
Le **musée de l'Or** a pour ambition de faire connaître 8000 ans d'histoire régionale, et notamment celle du peuple calima avant l'arrivée des Espagnols. Ses collections, réduites mais de belle facture, regroupent des **objets en or**★ et des **céramiques**★★ précolombiennes des cultures ilama, sonso et yotoco. Expositions temporaires consacrées aux artistes de la région.
Prenez à nouveau la direction du río par la calle 7.

Iglesia de la Merced C3

À l'angle de la carrera 4 et de la calle 7 - lun.-sam. 6h30-11h, 16h-18h30, dim. 8h-10h, 16h-18h30.
La plus ancienne église de Cali remonte à 1545, neuf ans à peine après la fondation de la ville. C'est un charmant édifice chaulé de blanc, dans le plus pur style colonial espagnol. L'intérieur, très simplement orné de bois et de stuc, recèle un **autel** baroque surchargé de dorures et surmonté d'une statue de la Virgen de las Mercedes (Notre-Dame de la Miséricorde), et, au fond de la chapelle de gauche, une statue en pierre de la Virgen de los Remedios trouvée dans les environs à la fin du 16e s.
★ **Museo de Arte Colonial y Religioso** – *Carrera 4, nº 6-117 - ✆ (2) 888 0646 - lun.-vend. 9h-12h, 14h-17h, sam. 9h-12h - 4000 COP.* Le **musée d'Art colonial et religieux** occupe la première maison construite à Cali (1536) ; vous verrez dans l'une des salles le mur de fondation de la bâtisse. Parmi ses collections de peintures et sculptures sacrées allant du 16e au 20e s. et ses pièces d'orfèvrerie du 18e s., notez un *copón*, récipient destiné à conserver les hosties, réalisé en argent doré en 1574. Vous y verrez aussi des œuvres de l'école de Quito (Équateur). Le musée donne également accès à l'église de la Merced. En face, un petit **Museo Religioso Etnico y Cultural** *(lun.-vend. 9h-12h, 14h-17h - entrée libre)* présente des expositions temporaires.
Museo Arqueológico La Merced – *Carrera 4, nº 6-59 - ✆ (2) 889 3434 - www.museoarqueologicomusa.com - lun.-sam. 9h-13h, 14h-18h - 4000 COP.* Installé à côté de l'ancien couvent de la Merced, il présente une collection de plus de 11 000 objets précolombiens, parmi lesquels un remarquable ensemble de **céramiques** de diverses cultures – calima, nariño, quimbaya, san agustín, tolima et tumaco –, et notamment des gobelets décorés de motifs d'oiseaux et d'animaux.
Redescendez vers la carrera 4 et tournez à droite.

★★ Barrio San Antonio B4

Au sud-ouest du centre-ville.
Ce quartier **colonial** traditionnel était naguère situé au centre de la ville, lorsque Cali comptait à peine 5000 âmes. Il est désormais blotti derrière la **calle Quinta** (voie rapide) et s'étage sur les pentes d'une colline, qui accueille

à son sommet le parque San Antonio. Le charme du quartier, où se multiplient restaurants branchés, hébergements petit budget et galeries d'art, en fait un agréable but de promenade.

★ **Capilla de San Antonio** – *Sur le Cerro San Antonio - ouverte à partir de 17h pour l'office.* Cette chapelle perchée au sommet de la colline, bien entretenue par un groupe de religieuses dévouées, a été construite en 1747. Elle conserve un **retable★★** à trois niches du 18e s., attribué à l'école de Quito. Belle **vue★** sur la ville.

Revenez au pied de la colline, rejoignez la rivière au nord et suivez-la vers l'ouest.

Museo La Tertulia A3

Carrera 1 (Av. Colombia), nº 5-105 Oeste - ✆ (2) 893 2941 - http://museolatertulia.com - mar.-sam. 10h-18h - 4 000 COP.

Installé dans un bâtiment moderne au bord de la rivière, il comprend une petite scène de concert en plein air, une cinémathèque conservant un grand nombre de classiques colombiens et un vaste espace d'exposition réputé pour sa collection d'artistes modernes et contemporains, colombiens ou étrangers (peinture, photographie, design). En quittant les lieux, jetez un coup d'œil au groupe équestre sculpté en 1929 par Giovanni Fisher, *Le Quadrige romain et l'aurige*, dressé sur la berge, devant l'hôtel Obelisco.

Grimpez sur la colline située derrière le musée.

Caliwood A3

Av. Belalcázar, nº 5A-55 Oeste - ✆ (2) 892 2544 - www.caliwood.com.co - lun.-vend. 8h-12h, 14h-18h, sam. 15h-18h, dim. 10h-18h - visite guidée (1h30) 10 000 COP - audioguide en anglais et espagnol.

Le musée de la Cinématographie, créé en 2012, expose des centaines de projecteurs à manivelle, appareils photo, gramophones, affiches et tout type de matériel servant à produire des films depuis 1899. Il évoque les grandes heures du cinéma caleño, dans les années 1970. Un ciné-club devrait prochainement voir le jour et projeter des classiques colombiens et mexicains.

UNE LONGUE TRADITION SPORTIVE

Première ville colombienne à accueillir les **Jeux panaméricains**, en 1971, Cali héberge deux des grands clubs de **football** du pays : le **Deportivo Cali** *(www.deporcali.com)* et l'**América de Cali** *(www.americadecali.com.co)*. Une rivalité féroce oppose ces deux clubs et leurs supporters, aux évidentes distinctions de classe. La bourgeoisie aisée soutient le Deportivo Cali, tandis que les supporters de l'América de Cali viennent plutôt des quartiers ouvriers de la banlieue. La tension entre les clubs a parfois dégénéré en affrontements violents lors des matchs de derby. Les nombreux fans se retrouvent les jours de match dans les deux grands stades de la ville, l'**Estadio Deportivo Cali** (construit en 2007, avec une capacité d'accueil de 55 500 personnes), et l'**Estadio Olímpico Pascual Guerrero** (datant de 1937 et disposant de 42 000 places).

D'autres disciplines sportives bénéficient des infrastructures qu'offre Cali, comme **El Pueblo**, un terrain couvert qui sert surtout pour les rencontres de basket. Plusieurs grandes **compétitions** sportives internationales se sont déroulées dans la ville : les Jeux du Pacifique, le Championnat du monde de basket, le Championnat du monde de roller-hockey, plusieurs compétitions féminines de basket et de natation, le Championnat panaméricain de cyclisme sur piste et le Championnat du monde de roller, entre autres.

CALI VUE D'EN HAUT

Prenez un taxi jusqu'au **Monumento de las Tres Cruces** *(sur le Cerro de las Tres Cruces : accès par l'av. 4 Oeste et la vía Normandía).* À 480 m d'altitude, le monument aux Trois Croix surplombe la ville, offrant une **vue★★** admirable sur son étendue. Depuis 1937, ce site est le but d'un pèlerinage qui a lieu tous les ans à Pâques ; il a été construit pour démentir une légende qui disait le lieu maudit par le diable.

À voir aussi Plan de ville p. 372-373

★★ Zoológico de Cali A2 en dir.

À l'angle de la carrera 2A Oeste et de la calle 14 Oeste - accès par le bus A02 - (2) 488 0888, poste 220 - www.zoologicodecali.com.co - 9h-17h (16h30 en basse saison) - 16 000 COP, enfants 11 000 COP. Aires de pique-nique, cafés et restaurants.
Le plus beau zoo de Colombie accueille dans un parc de 10 ha 180 espèces autochtones (environ 1 200 animaux), parmi des étangs et des bosquets que desservent des sentiers de promenade. Les enclos sont regroupés en huit grandes catégories : insectes, espèces aquatiques, oiseaux, primates, reptiles, papillons, amphibiens et tortues.

À proximité Carte des environs de Cali p. 378

Museo Aéreo Fénix B2

À 24 km au nord-est du centre-ville, près de l'Aeropuerto Alfonso Bonilla Aragón - vía Zona Franca Palmaseca - (2) 270 5008 - www.museoaereofenix.org - lun.-vend. 8h-16h, w.-end et j. fériés 9h-16h - 10 000 COP.
Le musée national des transports abrite une collection de vélomoteurs, d'hélicoptères, de voitures, de locomotives à vapeur, mais aussi de vieux avions et des charrettes typiques des régions rurales du Sud-Ouest colombien. Maquettes, aéromodélisme, section philatélique… pour passionnés.

Ecoparque río Pance A2

À 12 km au sud de Cali, par la route de La Voragine - (2) 889 9407 - 9h-18h - entrée libre - restaurants, cafés, boutiques.
Au bord des eaux limpides du río Pance, entre les montagnes et les plaines du Valle del Cauca, ce parc écologique de plus de 72 ha, très populaire, a aménagé des aires de pique-nique et des lieux de détente au bord de l'eau, des espaces baignade, des points de pêche dans le lac et dans les étangs que franchissent des passerelles. Des sentiers de promenade passent à travers les espaces fleuris d'un **jardin botanique** aux essences variées. Les familles y viennent nombreuses chaque week-end : venez plutôt en semaine pour l'apprécier au calme.

Parque Nacional Natural Farallones de Cali A2

À 28 km au sud de Cali par la route de Pichindé - bureau des P. N. N. à Cali : calle 29N, nº 6N-43 - (2) 667 9908 - www.parquesnacionales.gov.co - 8h-17h - 20 000 COP - guide indispensable (liste à l'office du tourisme de Cali) et permis à demander au préalable.
Ses 200 000 ha de verdure et d'arbres sur la Cordillère occidentale, tout près de la grosse centrale hydroélectrique qui alimente la ville de Cali, semblent à mille lieues de l'agitation urbaine. Ils sont dominés par le **Pico Pance** (4 090 m d'alt.) et le **Pico de Loro** (2 860 m d'alt.). Étagé entre 400 et 4 000 m

d'altitude, parcouru par une trentaine de cours d'eau et de torrents et ponctué d'épaisses forêts, l'immense parc protège plusieurs écosystèmes caractéristiques des Andes, de la côte pacifique et du Cauca, et abrite nombre d'**espèces endémiques** ou non : singes, ours, aigles, serpents, pécaris, cervidés, pumas et environ 300 espèces d'**oiseaux**.

Plusieurs sentiers de **randonnée** sillonnent le parc. L'un des plus fréquentés est celui du **Pico de Loro** (comptez 10h de marche difficile pour atteindre le sommet), d'où les **vues** sont magnifiques. Les importants dénivelés requièrent une bonne condition physique et un équipement adéquat : vêtements adaptés aux différences d'altitude, vêtements de rechange (une

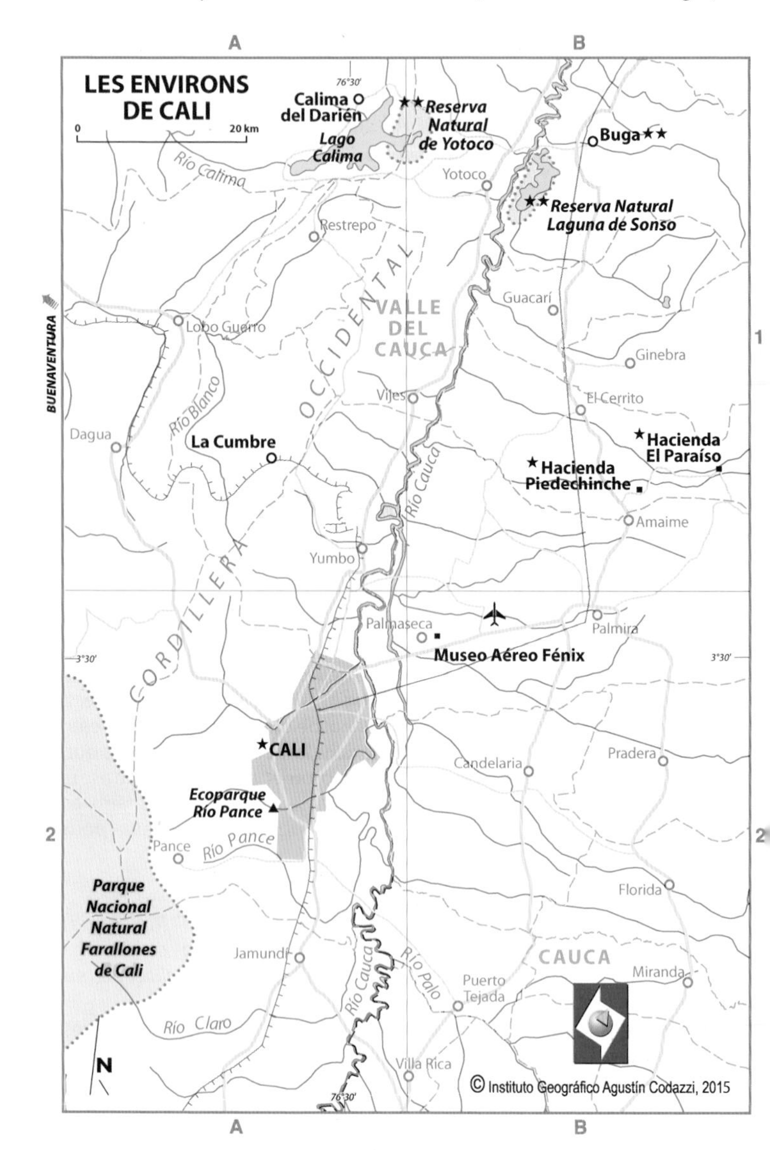

partie du chemin se fait en zone humide), chaussures de marche, protection solaire, répulsif anti-insectes, ainsi que des gants pour les passages bordés d'épineux, de l'eau et de la nourriture pour la journée. Plusieurs communautés indiennes, comme les Cholos Chocó, les Paez, les Nasas et les Emberás-Chamí habitent à proximité du parc, très souvent sur le haut des falaises.

Excursions Carte des environs de Cali p. 378

★ Hacienda Piedechinche B1

À 42 km au nord-ouest de Cali, à Amaime - (2) 554 0809 - www.museocanadeazucar.com - 9h-16h - 10 000 COP - visite guidée 1h45.

Cette belle demeure de style colonial abrite le **Museo de la Caña**, dédié à la **canne à sucre**, de sa production à sa consommation. L'hacienda, établie au cœur des plantations, propose des circuits au milieu des champs, à bord de petits trains découverts ou dans des charrettes.

★ Hacienda El Paraíso B1

À 36 km au nord de Cali, par la carretera 25, près d'El Cerrito - (2) 514 6848 - www.inciva.org - mar.-dim. et j. fériés 8h-12h, 13h-17h - 8 000 COP.

Au milieu d'immenses champs de canne à sucre, entourée de canaux et ombragée par de gigantesques *samans* (arbres à pluie), cette hacienda restaurée rappellera des souvenirs aux lecteurs de **Jorge Isaacs** : c'est en effet là qu'il a situé l'action de son roman *María* (1867), un des classiques de la littérature romantique latino-américaine, maintes fois porté à l'écran, pour le cinéma puis la télévision.

Construite entre 1816 et 1828 par un éleveur, qui était aussi le maire de Buga, l'hacienda El Paraíso fut achetée par le père de Jorge Isaacs en 1828. Avec ses vastes pièces, ses hauts plafonds, ses balcons donnant sur des jardins fleuris, c'est un bel exemple d'architecture traditionnelle de la région.

Transformée en **musée**, la maison présente des objets et des mises en scène inspirés du roman. Chacun des **personnages principaux** possède sa chambre à coucher. Vous pourrez ainsi vous attarder dans la chambre d'Efraín, où le jeune homme venait déposer des bouquets fraîchement cueillis dans le jardin, en souvenir de María ; le bureau, où il donnait ses leçons à María et ses sœurs ; le salon, où les dames travaillaient à leur broderie ; la chambre de María ; le bureau du père d'Efraín, où se prenaient les décisions importantes concernant le domaine ; et enfin, l'oratoire, où un prêtre venait tous les dimanches dire trois messes, l'une pour la famille du maître, l'autre pour son entourage, la dernière pour ses esclaves.

★★ Buga B1

À 70 km au nord-est de Cali par la carretera 25. Bus fréquents au départ de la gare routière de Cali.

Surnommée « Ciudad Señora » (la Reine des villes), en raison de son architecture coloniale et de son importance religieuse, cette jolie ville (115 000 hab.), se veut l'une des plus anciennes fondations espagnoles, puisqu'elle remonte à 1555 – la cité d'origine, Buga la Vieja, fut en réalité construite à quelques kilomètres de là, et la ville ne fut transférée ici qu'en 1573. Située au nord d'El Cerrito, Buga s'enorgueillit d'avoir reçu à plusieurs reprises la visite de Simón Bolívar pendant la guerre d'indépendance. Elle doit surtout sa célébrité à sa réputation miraculeuse.

★ **Basílica del Señor de los Milagros** – *Carrera 14, nº 3-62 - (2) 228 2823 - www.milagrosodebuga.com - 6h-19h.* Le dimanche et les jours de fête, le

LE MIRACLE DE BUGA

Une pauvre lavandière indienne travaillait au bord du Guadalajara et faisait des économies pour s'offrir un crucifix. Un jour, on lui raconte qu'un homme a été arrêté par deux soldats espagnols pour une histoire de dette impayée. Prise de pitié, la femme règle la dette avec ses économies et obtient ainsi la libération du malheureux. De retour au bord de la rivière, elle aperçoit soudain un crucifix qui flotte sur l'eau. Elle le ramasse et regarde autour d'elle pour voir si quelqu'un l'a laissé tomber. Voyant qu'elle est seule, elle se demande si ce n'est pas un don de Dieu, en récompense de sa bonne action, et rapporte l'objet chez elle. Mais très vite, elle se rend compte que le crucifix grandit chaque jour. Alarmée, elle l'apporte aux curés de la ville et leur raconte son histoire. Les prêtres commencent par douter, mais constatent vite par eux-mêmes l'étrange phénomène et crient au miracle. Bientôt, des fidèles construiront une église pour commémorer l'événement. Ce miracle, reconnu par l'Église catholique, attire chaque année à Buga quelque 3 millions de pèlerins.

Seigneur des Miracles voit s'agenouiller des fidèles venus de tout le pays pour lui demander… d'en faire un pour eux. Le musée adjacent expose le témoignage des nombreux miracles dont Buga a été le théâtre au fil des siècles *(voir l'encadré ci-dessus)*.

★★ Reserva Natural Laguna de Sonso B1

À 9 km au sud-ouest de Buga, sur la route de Loboguerrero - ☏ (2) 228 1922 - http://lagunasonso.tripod.com - 4 800 COP - demander un permis plusieurs jours à l'avance au CVC OGAT Centro Sur, à Buga - guide obligatoire.

Cette réserve est une importante **étape migratoire** pour les picumnes gris (petits oiseaux de la famille des pics), les sarcelles à ailes bleues, les tyranneaux et quantité d'autres oiseaux. Avec 90 % de ses terrains situés en zone humide, la Laguna de Sonso s'affiche comme une destination de choix pour les **ornithologues**, qui viennent observer ici l'aigle pêcheur, le kamichi cornu *(buitre de ciénaga)*, le Jacana jacana *(gallito de ciénaga)*, des pluviers *(chorlitos)*. Les migrateurs arrivent de l'hémisphère nord entre septembre et octobre, et restent dans la réserve jusqu'en février. Une remarquable variété de mammifères, de poissons et de reptiles s'est également implantée dans cet espace de 2 450 ha, dont les terres marécageuses et inondables sont fertilisées par les sédiments qu'y dépose le **río Cauca**.

★★ Reserva Natural de Yotoco B1

À 20 km à l'ouest de Buga, sur la route de Madriñal à Buenaventura - ☏ (2) 228 1922 - http://bosqueyotoco.tripod.com - 7h30-18h - demander un permis plusieurs jours à l'avance au CVC OGAT Centro Sur, à Buga - guide obligatoire.

Promenade de 2h le long de pistes panoramiques, parmi les pins, les cèdres et les bambous. Yotoco, une des plus grandes réserves forestières domaniales de la région, s'étend sur 560 ha et recèle presque toutes les espèces endémiques d'**orchidées**, plus d'un millier de **singes hurleurs**, de nombreuses espèces de **papillons** et toutes sortes d'insectes.

Calima del Darién A1

À 42 km à l'ouest de Buga, sur la rive nord du lac Calima.

Le village a été fondé en 1912. Ses ruelles étroites et sa jolie place, bordée de petits commerces familiaux – restaurants, bars, kiosques, boulangeries –, ont beaucoup de charme. Activités nautiques sur le lac : *voir p. 385*.

Museo Arqueológico Calima – *Calle 10, n° 12-50 - ✆ (2) 253 3496 - www.inciva.org - mar.-vend. 8h-12h, 13h-17h, w.-end et j. fériés 10h-18h - 3 000 COP.* Sa belle exposition d'objets issus des cultures régionales précolombiennes balaie 10 000 ans d'histoire et présente plusieurs groupes calimas, notamment les tribus **ilama**, **yotoco**, **sonso** et **malagana**. Le musée sert de fonds pour les recherches des archéologues ; il raconte aussi l'histoire de ces *guaqueros* du Sud-Ouest colombien, des chasseurs de trésors qui se sont emparés, par tous les moyens possibles, y compris illégaux, de ces vestiges de l'ancien temps.

NOS ADRESSES À CALI

Plan de la ville p. 372-373

INFORMATIONS UTILES

Banques/change

Titan – C3 - *Calle 11, n° 4-48 - lun.-vend. 8h-17, sam. 9h-13h.*

Western Union – *Carrera 4, n° 10-08 - lun.-vend. 8h-17h30, sam. 8h-12h30.*

Sécurité

Faites preuve de prudence et de bon sens dans les quartiers peu touristiques, moins fréquentés par les patrouilles de police. Le plan de ville fourni par l'office de tourisme indique les quartiers à éviter.

ARRIVER/PARTIR

En avion

Aeropuerto Internacional Alfonso Bonilla Aragón (CLO) – D1 en dir. - *À Palmira, à 20 km au nord-est de Cali - ✆ (2) 280 1515 - www.aerocali.com.co.* Vols de/vers Barranquilla, Bogotá, Guapí, Cartagena, Medellín, Pasto et Tumaco. Ttes les 30mn, des **bus** partent pour la gare routière *(5h-21h)*. Comptez 30mn pour rejoindre le centre en **taxi**.

En bus

Gare routière – D1 en dir. - *Calle 30N, près de Chipichape, à 3 km au nord-est de la plaza de Cayzedo (env. 6 000 COP en taxi).* Liaisons avec Bogotá (10h - 61 000 COP - ttes les 90mn), Medellín (9h - 52 000 COP - 10/j.), Buenaventura (4h - 25 000 COP - ttes les 30mn), Armenia (3h30 - 25 000 COP - ttes les h) et Popayán (3h - 16 000 COP - départs fréquents).

TRANSPORTS

Bus urbains – Le **MIO** *(Masivo Integrado de Occidente - www.mio.com.co)* gère un réseau de **bus articulés** circulant dans des couloirs réservés (5h-23h). Ticket : 1 700 COP.

Taxi – Ils sont équipés d'un compteur. Pour plus de sécurité, demandez à votre hôtel d'appeler un taxi et de vous communiquer le numéro du véhicule ou de la réservation. Prenez uniquement le taxi que vous attendez et vérifiez le compteur avant la course.

HÉBERGEMENT

Barrio San Antonio

PREMIER PRIX

Tostaky – B4 - *Carrera 10, n° 1-76 - ✆ (2) 893 0651 - www.tostakycali.com - 11 ch. 50 000 COP.* Le couple franco-colombien qui tient cet hôtel, à 20mn à pied du centre de Cali, fera tout pour que vous vous sentiez ici chez vous. Les chambres, bien tenues, sobres et lumineuses, partagent sdb et cuisine commune, et deux dortoirs mixtes sont prévus pour les budgets limités. Au rdc et en terrasse sur la rue, un petit café sert crêpes et salades. Wifi.

BUDGET MOYEN

Posada San Antonio – B3 - *Carrera 5, nº 3-37 - (2) 893 7413 - www.posadadesanantonio.com - - 12 ch. 128 000 COP* . Une belle demeure de style colonial (1902) au cœur du quartier historique de San Antonio. Les chambres, au mobilier de bois massif et décorées de tableaux modernes, ouvrent sur un patio baigné de lumière et orné d'une fontaine. Les parties communes sont égayées de jolies pièces anciennes. Il est prudent de réserver. Wifi.

Barrio Granada

Ce quartier, à vocation résidentielle et gastronomique, se trouve à 15mn à pied au nord de la plaza de Cayzedo et comprend la fameuse Sexta, haut lieu de la vie nocturne.

PREMIER PRIX

Iguana Hostal – C1 - *Av. 9N, nº 22N-22 - (2) 382 5364 - www.iguana.com.co - - 7 ch. et 2 dortoirs. 65 000 COP.* Situé dans un quartier résidentiel, cet établissement orienté jeunes voyageurs anglo-saxons propose des chambres simples, fonctionnelles et bien tenues. Cuisine commune, petit jardin, wifi, laverie, cours de salsa gratuits. Les amateurs de sorties nocturnes ne sont pas loin des restaurants et des boîtes de nuit de la Sexta.

POUR SE FAIRE PLAISIR

Movich Casa del Alférez – B2 - *Av. 9 Norte, nº 9N-24 - (2) 393 3030 - www.movichhotels.com - - 62 ch. 300 000 COP.* Un bel hôtel cultivant le charme de l'ancien. Chambres avec parquet, certaines en duplex, toutes avec une baignoire à remous. Les suites disposent d'un balcon privatif et d'un salon. Un confort international que d'aucuns trouveront un rien aseptisé.

UNE FOLIE

NOW Hotel – B2 - *Av. 9A Norte, nº 10N-74 - (2) 488 9797 - www.nowhotel.com.co - - 19 ch. 530 000 COP* . Dans la Zona Rosa de Cali, sur les hauteurs du quartier de Granada, cet établissement ultramoderne a été dessiné et décoré en 2009 par l'architecte Sandra Freiye. Il mise sur le développement durable et le bio, jusque dans les assiettes du petit-déjeuner, que vous prendrez sur le balcon de votre chambre, ou dans les plats servis 24h/24 aux restaurants de l'hôtel (l'un japonais, l'autre fusion péruvien). Les chambres, très lumineuses, sont pourvues de meubles design et d'une décoration en noir et blanc avec quelques touches de rouge. Petite piscine et bar sur le toit-terrasse, au 6e étage. Tarif réduit en fin de semaine.

RESTAURATION

Une fois la nuit tombée, le centre de Cali se vide et il vous faudra rejoindre le quartier de Granada ou celui de San Antonio pour dîner.

Centro / Barrio San Antonio

PREMIER PRIX

Asomucaf – B3 - *Carrera 4, nº 5-76 - (2) 881 1484 - - lun.-vend. 11h30-15h - 5 500 COP.* Sous ce nom se cache l'Association des femmes chargées de famille, une organisation de mères célibataires tentant d'améliorer leur situation par leur travail. Elles servent dans ce patio une cuisine familiale à prix imbattable. C'est l'occasion d'essayer le *champús*, mi-boisson, mi-dessert élaboré à base de maïs, de *lulo* et d'ananas. L'organisation gère la boutique attenante qui recycle verre et papier pour produire un artisanat original.

Sol de la India – C3 - *Carrera 6, nº 8-48 - ✆ (2) 884 2333 - ⊠ - lun.-vend. 8h-18h, sam. 8h-15h - 7 000 COP.* Dans un petit édifice du 19ᵉ s., un restaurant végétarien fonctionnant en self-service. Formule unique servie sur un plateau à l'indienne, que vous irez poser sur l'une des tables du patio aux piliers turquoise. Vous apprécierez ces agapes on ne peut plus saines sous l'œil attentif de Krishna dont les hymnes se font entendre en fond sonore. Goûtez les *pakoras*, beignets aux légumes.

Alex Sazón y Sabor– B4 en dir. - *Calle 7A, nº 22-103 - ✆ (2) 514 5900 - dim.-jeu. 12h-1h, vend.-sam. 12h-4h - 15 000 COP.* En terrasse face au parque Alameda, un restaurant à forte inspiration argentine pour dîner avant ou après être allé danser la salsa *(voir rubrique « En soirée », p. 385).* *Matambre* (fine lamelle découpée entre la peau et la côte de porc), *punta de anca* (culotte de bœuf), brochettes ou assortiments quatre viandes : l'adresse séduira surtout les carnivores.

Fritanga J & J – B4 - *Carrera 10, nº 3-13 - ✆ (2) 893 8723 - ⊠ - mar.-jeu. et dim. 16h30-22h30, vend.-sam. 16h30-23h30 - 17 000 COP.* Dans cette salle blanche haute de plafond, sans véritable souci de décoration, les habitués viennent faire honneur aux *fritangas* (fritures de viandes et de tubercules) régionales. Tentez le plat de *picadas*, un assortiment de spécialités comprenant boudin noir, plantains fourrées au fromage, *chicharrón*, *empanadas*, et… poumon de porc *(bofe)*.

BUDGET MOYEN

El Zaguán de San Antonio – B4 - *Carrera 12, nº 1-29 - ✆ (2) 893 8021 - ⊠ - dim.-merc. 12h-22h30, jeu.-sam. 12h-0h - 40 000 COP.* Une entrée minuscule, une multitude de salons couverts de graffitis et une immense terrasse au-dessus, avec vue panoramique sur la ville. À la carte, essentiellement des *fritangas* et, le dimanche, un *sancocho* à la poule ou à la queue de bœuf. Vin chilien au verre.

POUR SE FAIRE PLAISIR

La Guacharaca – C3 - *Carrera 7, nº 7-12 - ✆ (2) 883 3344 - lun.-jeu. 12h-15h, vend.-sam. 12h-15h, 19h-22h - 60 000 COP.* Un patio de briques et tomettes où l'on se régalera : cochon de lait confit à la sauce goyave, échine de bœuf parmentier, riz noir aux calamars ou paella… Deux jeunes chefs barcelonais ont concocté cette carte aux accents espagnols et méditerranéens, volontairement réduite, faisant appel à des produits de qualité. Bon choix de vins d'importation.

El Palomar – B4 - *Carrera 12, nº 2-41 - ✆ (2) 893 9252 - lun.-sam. 16h-22h - 65 000 COP.* On dîne dans un charmant patio croulant sous la végétation où glougloute une fontaine. La carte, restreinte, propose médaillon de bœuf et filet de courbine *(corvina)*, ainsi qu'un choix de copieuses salades et quelques plats végétariens. En attendant votre commande, faites un tour à la boutique de céramiques ouvrant sur le jardin. Carte des vins chiliens et argentins.

Barrio Granada

BUDGET MOYEN

Faró Granada – C2 - *Av. 9N, nº 13N-02 - ✆ (2) 667 6786 - www.granadafaro.com - dim.-jeu.*

12h-0h, vend.-sam. 12h-3h - 55 000 COP. Cette trattoria à la colombienne, qui fait partie d'une chaîne, possède une vaste terrasse d'angle ombragée par les palmiers. Carte éclectique : lasagnes au saumon, brochettes et ceviches de langoustines, plateaux de fromages…

POUR SE FAIRE PLAISIR

Platillos Voladores – B2 - *Av. 3RA Norte, nº 7-18 - ✆ (2) 668 7750 - www.platillosvoladores.com - lun.-sam. 12h-15h, 19h-23h - 60 000 COP.* Service parfait et excellente cuisine fusion dans ce restaurant où l'on vous servira aussi bien des spécialités thaïes que des plats de la côte pacifique : poisson à la sauce kiwi-mangue, *lomo* à la banane (à base de veau), tom yam, couscous végétarien, crabe farci… La décoration des différents petits salons a été réalisée par le plasticien colombien Carlos Andrade. Vous pouvez aussi déjeuner sur la terrasse arborée.

Faró El Solar – C1 - *Calle 15 Norte, nº 9N-62 - ✆ (2) 653 4629 - lun.-sam. 12h-15h, 18h-0h - 70 000 COP.* Une carte particulièrement étendue mêlant cuisine méditerranéenne, grillades et spécialités italiennes (raviolis, cannellonis, pâtes en tous genres…). La salsa qui anime la salle en fin de semaine fait oublier la lenteur d'un service assez désinvolte.

PETITE PAUSE

Lacatruch – B4 - *Carrera 12, nº 2-81 - Barrio San Antonio - ✆ (2) 892 0893 - mar.-dim. 8h-16h.* Derrière la salle s'ouvre une grande terrasse donnant sur le Cerro de las Tres Cruces. Formules de petit-déjeuner et, plus tard dans la journée, spécialités de truites.

BOIRE UN VERRE

Sisa Atahualpa – B4 - *Carrera 10, nº 1-15 - Barrio San Antonio - ✆ (2) 484 7814 - www.atahualparestaurante.amawebs.com. - 14h-23h.* Traversez la boutique d'artisanat dont les pièces ornent le restaurant pour accéder à ce dernier. Sa grande terrasse regarde d'un côté la Capilla de San Antonio, de l'autre la ville qui s'étend à ses pieds. Les concerts *(vend.-dim. à partir de 19h30)* programment pop et rock espagnol, un changement bienvenu dans la capitale de la salsa.

Blues Brothers Bar – C1 - *Av. 6AN, nº 21-40 - Santa Mónica - ✆ (2) 661 3412 - www.caliblues.net.* Ce bar tenu par un Irlandais s'est fait une spécialité du blues, mais on y passe aussi de la salsa et du rock; musique live certains soirs. L'endroit, animé, est fréquenté par les expatriés.

ACHATS

Parque Artesanal Loma de la Cruz – B4 - *Angle calle 5 et carrera 16.* Une cinquantaine de petits kiosques de brique et de mini-échoppes proposent, dans un parc ombragé par les bambous géants et les manguiers, un vaste choix d'artisanat : instruments de musique, céramique, tissages, maroquinerie, etc. Plus vivant en fin de semaine.

Centro Comercial Chipichape – D1 en dir. - *Calle 38 Norte, nº 6N-35 - ✆ (2) 659 2199 - www.chipichape.com.co.* Une immense galerie marchande, toujours bondée.

Mochilas Wayúu – B4 - *Carrera 9, nº 2-71 - Barrio San Antonio - ✆ (2) 893 7027.* Si votre itinéraire ne vous conduit pas jusqu'à

La Guajira, vous trouverez ici les sacs wayúus aux couleurs vives typiques de la péninsule, tissés main.

EN SOIRÉE

Sexta Avenida Norte – C1 - *Dans le barrio Granada, carrera 6N, entre les calles 14N et 16N.* Nombreux bars et discothèques sur cette artère fameuse pour sa vie nocturne.

Parque Alameda – B4 en dir. - *Angle carrera 23 et calle 7, au sud-ouest du barrio San Antonio.* La petite place triangulaire rassemble trois ou quatre clubs de salsa renommés dans un quartier à la fois plus proche et plus sûr que Juanchito. **El Habanero** présente des groupes de *música en vivo* (tenue correcte de rigueur) ; de l'autre côté de la rue, **Libaniel** fait office de discothèque-restaurant, tandis que le **Són Caribe**, en face, assure une programmation de musique antillaise.

Kukaramakara – D1 en dir. - *Calle 28 Norte, nº 2bis-97 - www.kukaramakara.com.* Pour danser sur de la salsa, du rock ou de la musique pop.

Changó – D1 en dir. - *À 3 km à l'est de Cali, sur la route de Cavasa (Juanchito) - ✆ (2) 662 9701 - www.chango.com.co.* Ambiance assurée, musique éclectique, bonne rumba : Changó a fait ses preuves depuis longtemps déjà. En période de carnaval, les soirées peuvent devenir vraiment délirantes mais le club a toujours eu une bonne réputation en matière de sécurité.

ACTIVITÉS

Lago Calima – *À env. 10 km à l'ouest de Buga (108 km au nord de Cali par la carretera 25). Centre de sports nautiques - www.calimawindsurfclub.com.* Créé en 1962, ce grand lac de barrage accueille une base de loisirs très populaire, équipée pour la planche à voile, la pêche, le canotage, le kitesurf, le ski nautique, etc. Équipez-vous chaudement : les températures autour du lac (1 500 m d'alt.) dépassent rarement les 17° et les vents peuvent être violents (certains championnats nationaux de kitesurf se déroulent ici). Randonnées équestres autour du lac et balades en barque. Chalets, hôtels et gîtes à proximité du lac.

AGENDA

Festival de Música del Pacífico Petronio Álvarez – *www.festivalpetronioalvarez.com - dernière sem. d'août.* Festival de musique afro-colombienne mettant en avant le folklore de la côte pacifique.

Festival Mundial de Salsa – *www.mundialdesalsa.com - fin sept.-début oct.* Les danseurs, chorégraphes et orchestres de salsa du monde entier se donnent rendez-vous à la Plaza de Toros de Cañaveralejo.

Feria de Cali – *www.feriadecali.com - du 25 au 30 déc.* Le plus important festival de salsa du pays *(voir p. 374)*. Concours de danse, défilés, concerts.

Neiva et le désert de la Tatacoa

342 000 habitants – Département du Huila – Alt. 440 m

Nuestra Señora de la Limpia Concepción del Valle de Neiva (de son nom complet) est située au beau milieu de plaines chaudes et poussiéreuses traversées par les flots tumultueux du río Magdalena. Ce grand fleuve représente un axe de transport vital pour les producteurs locaux de riz, de maïs, de haricots, de coton, de pommes de terre, de sésame, de tabac et de bananes qui envoient leurs denrées vers les marchés de Bogotá. Neiva se niche entre de vastes plaines à bétail et des landes arides, dominée à l'ouest par le sommet neigeux du Volcán Nevado del Huila. Tout près, Villavieja, un village colonial endormi, veille sur le spectaculaire désert de la Tatacoa.

NOS ADRESSES PAGE 392
Hébergement, restauration, etc.

S'INFORMER

Policía Turismo Neiva – *Centro cultural José Eustasio Rivera - carrera 5, n° 21-81 - (8) 875 3042.*

SE REPÉRER

Carte de région B1 (p. 366). Neiva se trouve à 320 km à l'est de Cali et à 266 km au nord-est de Popayán.
Voir aussi la rubrique « Arriver/partir » dans « Nos adresses ».

À NE PAS MANQUER

Les paysages lunaires du Desierto de la Tatacoa, tout en rochers rouges et sables brûlants ; la musique *bambuca* qui anime la fête de Neiva.

ORGANISER SON TEMPS

Prenez Villavieja, plus proche et plus sympathique que Neiva, comme base pour une escapade dans le désert de la Tatacoa.

Neiva Carte de région B1 (p. 366)

Neiva a beau être une grande ville, ses centres d'intérêt se concentrent autour du parque de Santander et le long des carreras 5 et 7. Ils demeurent modestes, et la ville ne constituera qu'une brève étape. Sur le **Malecón**, les cafés-restaurants et les *guaraperias* étalent leurs terrasses sur les bords du **río Magdalena**.

Parque de Santander

La grand-place de Neiva est bordée de quelques édifices dignes d'intérêt, comme la cathédrale néogothique de **la Inmaculada Concepción** *(calle 7, n° 4-52)*, construite entre 1917 et 1957, et le **Templo Colonial** *(carrera 5, n° 7-98, à l'angle de la calle 8)*, élevé au 17e s., qui a conservé son dallage de pierre et ses plafonds de bois.

Centro Cultural José Eustasio Rivera

Carrera 5, n° 21-81. Il regroupe un petit musée d'archéologie, une exposition d'art contemporain et un point d'information touristique.
Museo Arqueológico Regional del Huila – *(8) 875 3070 - lun.-jeu. 8h-12h30, 14h-17h.* Sa collection d'outils lithiques, de céramiques, de sculptures et de

Désert de la Tatacoa, secteur de Cusco.
P. Tisserand/Michelin

bijoux livre des éclairages instructifs sur San Agustín *(voir p. 408)* et Tierradentro *(voir p. 401)*. Tous ces objets précolombiens ont été découverts à Neiva et aux alentours, à San Agustín, Tesalia mais aussi à **Santa Ana**, site archéologique situé au bord du río Cabrera, à 165 km au sud de Neiva, où l'on a mis au jour des tombes préhistoriques, des sculptures anthropomorphiques et plusieurs objets en *tumbaga*, un alliage d'or et de cuivre.

★ **Museo de Arte Contemporáneo del Huila** – *(8) 875 3042 - http://artemach.blogspot.com - lun.-vend. 9h-12h, 14h30-18h - entrée libre.* Il abrite les œuvres d'artistes locaux, dont des sculptures faisant appel aux matériaux les plus divers : pierre, métal forgé, ferraille, cartons, objets usuels, tissus…

Museo Geológico Petrolero

Facultad de Ingeniería - Universidad Surcolombiana - av. Pastrana Borrero - (8) 875 4753 - lun.-vend. 8h-12h, 14h-18h.

Installé dans l'école d'ingénieurs de l'université de la Colombie du Sud, il raconte l'histoire de l'industrie pétrolière locale. Si vous envisagez de visiter le Desierto de la Tatacoa *(voir p. 390)*, attardez-vous devant les échantillons minéralogiques et paléontologiques.

Les monuments de Neiva

Monumento a la Gaitana – *Av. Circunvalar, à l'angle de la calle 2.* Haute de 16 m et large de 12 m, l'émouvante sculpture (1974) signée **Rodrigo Arenas Betancourt** a su rendre compte de la double personnalité de la **Cacica Gaitana**, une femme de la tribu des Pijaos qui a pris la tête d'une révolte des Indiens au 16e s. : l'une est celle d'une femme aimante, tendre et maternelle, l'autre celle d'une guerrière farouche et implacable, criant vengeance pour la mort de son fils **Timanco**.

Monumento a los Potros – *Av. La Toma, à l'angle de la carrera 16.* Il rend hommage à un enfant du pays, l'écrivain **José Eustasio Rivera** (1888-1928), auteur de *La Vorágine* (1924), un livre universellement apprécié dans lequel il dénonce la dure condition des travailleurs du caoutchouc dans la forêt amazonienne.

Traditions et ressources du Huila

Limitrophe des départements de Tolima, Cundinamarca, Meta, Caquetá et Cauca, le Huila est flanqué des Cordillères orientale et centrale et parcouru par de nombreux fleuves. Le **río Magdalena**, qui alimente des écosystèmes variés, coule dans une riche vallée. Le fleuve, voie navigable majeure, est de première importance pour l'activité industrielle et agricole de la région.

Les **terres agricoles** fertiles et bien irriguées produisent une bonne part du **café** de Colombie, de son **cacao** (utilisé par l'industrie chocolatière), de son **manioc** et de son **bétail**. La région a d'autres atouts : d'abondantes **ressources pétrolières et minières**, comme le phosphate, par exemple. Le sous-sol est riche en gisements de gaz naturel, d'or, d'argent et de quartz.

UNE RÉSISTANCE TENACE À L'OCCUPANT

Les **Opitas** – nom des habitants du Huila – sont pour la plupart d'origine espagnole ou métissée. Avant l'arrivée des conquistadors, au 16e s., le Huila était peuplé de tribus guerrières : celles des **Paeces**, des **Yalcones**, des **Pijaos**... qui toutes se sont opposées avec énergie à la mainmise des Espagnols sur leur région. **Juan de Cabrera** essaie d'implanter, sans résultat, un premier établissement sur la rive droite du río Magdalena, en 1539. Plus tard, **Juan de Alonso y Arias** tente sa chance à son tour, plus au nord, sur le site actuel de Villavieja : mais les Pijaos finiront par détruire la colonie en 1560. La ville actuelle de Neiva sera finalement fondée en 1632 par **Diego de Ospina y Medinilla**.

NEIVA, LE SENS DE LA FÊTE

Aujourd'hui, la capitale régionale ne se contente pas de jouer un rôle de premier plan dans l'économie ; elle garde aussi, bien vivantes, une identité culturelle originale et de solides **traditions folkloriques**, surtout grâce aux fêtes qu'elle organise chaque année et qui sont renommées pour la beauté et le pittoresque des costumes locaux *(voir l'encadré ci-contre)*. Partout dans la ville, les chants et danses traditionnels perpétuent le fameux « rythme du Huila », celui du bambuco.

UNE MINE DE TRÉSORS

Le Huila s'enorgueillit de ses richesses en matière paléontologique, archéologique et géologique : affleurements rouges, dunes de sable gris parsemées de **fossiles**, pierres dressées qui parlent d'un autre monde, paysages lunaires du désert de la Tatacoa. Dominant l'ensemble, le **Nevado del Huila** dresse à 5 365 m d'altitude son impressionnante silhouette. C'est le plus haut volcan en activité du pays, un concentré d'énergie sismique, à la fois magnifique et menaçant.

LA REINE DU BAMBUCO

Les cérémonies du couronnement du « **Reinado Nacional del Bambuco** » constituent le clou des **Fiestas de San Juan y San Pedro** de Neiva, en juin. Seules sont admises à participer les jeunes Colombiennes sans enfant, ayant vécu au moins dix ans dans la région. Elles doivent avoir entre 18 et 25 ans, et avoir suivi une formation universitaire. Les candidates sont jugées sur leurs qualités de danseuses – les **sanjuaneros**, des danses traditionnelles, sont une affaire sérieuse –, leur culture, leur beauté et leur popularité. Les Opitas tiennent à ce que les *sanjuaneros* soient dansés dans le respect de la tradition, en suivant les rythmes spécifiques du **bambuco**. Les chansons, accompagnées par des instruments typiques (la **bandola**, le **tiple** et la **guitare**), comptent beaucoup dans le choix d'une reine, de même que la chorégraphie. Les spectacles de *bambuco* se succèdent dans une ambiance bruyante et arrosée, sous les applaudissements et dans la ferveur populaire, pendant les mois de juin et de juillet. L'authenticité et la qualité des **costumes régionaux** portés par les candidates importent aussi : les reines potentielles sont parées de robes richement brodées, passées sur des jupons superposés qui permettent de beaux effets de frou-frou.

Excursions Carte de région p. 366

★ Rivera

À 21 km au sud de Neiva, à proximité de la carretera 45.

Centre de cure renommé, cette jolie petite ville (18 000 hab.) située à 700 m d'altitude possède plusieurs sources thermales. Les établissements comme **Termales de Rivera** *(✆ (8) 838 7147 - www.comfamiliarhuila.com/termales.html - mar.-vend. 16h-0h, w.-end et j. fériés 10h-0h - 19 000 COP)* s'y multiplient et prospèrent grâce aux vertus thérapeutiques de ses eaux sulfureuses, réputées traiter les états de fatigue, les douleurs et les raideurs articulaires.

Piedra Pintada de Aipe

À 37 km au nord de Neiva.

À une trentaine de mètres à peine de la grand-route de Bogotá, ce gros rocher de 6 m sur 3 m s'orne de **pétroglyphes** gravés à l'époque précolombienne par des Indiens **paeces** et **pijaos** et représentant des oiseaux, des animaux et des scènes de chasse. On suppose que le terrain qui l'entoure était autrefois un site funéraire. En 2014, des classes d'écoliers ont souligné de rouge les pétroglyphes, sur une initiative malheureuse de leurs maîtres.

Pas de pont entre Aipe et Villavieja, mais les piétons pourront traverser le Magdalena grâce à un service régulier de lanchas.

★ Villavieja

À 37 km au nord de Neiva.

Tout proche du désert de la Tatacoa, ce petit bourg endormi (7 300 hab.) conserve quelques exemples d'architecture coloniale. Il gravite autour de son *parque principal* au centre duquel se dresse un kapokier *(ceiba)* centenaire.

Capilla de Santa Bárbara – *Calle 3, n° 3-05 (sur le parque principal) - demandez la clé au musée voisin.* Cet édifice aurait été bâti au début du 19e s. sur les ruines d'une ancienne chapelle jésuite du 17e s. Bel **autel** baroque.

★ **Museo Paleontológico** – *Casa de la Cultura (à côté de la Capilla de Santa Bárbara) - ✆ (mob.) 314 347 6812 - 7h30-12h30, 14h-17h30h - 2 000 COP.* La Maison de la culture, qui sert aussi de point d'information touristique pour le désert

LES PÉTROGLYPHES DU HUILA

Les pétroglyphes, généralement considérés comme l'expression d'un **art chamanique et visionnaire**, se retrouvent dans presque toutes les régions de Colombie. Les mains anonymes qui ont gravé dans la pierre ces symboles mystérieux étaient vraisemblablement celles de *jeques,* des grands prêtres qui savaient parler à l'esprit des ancêtres morts, faire tomber la pluie, guérir les malades et prédire l'avenir. Dans le seul département du Huila, outre le magnifique rocher d'**Aipe**, vous pourrez découvrir nombre de ces pétroglyphes, souvent à proximité de sources ou de canaux aujourd'hui disparus.

de la Tatacoa, rassemble une collection de fossiles ramassés dans le désert, souvent par les gens du cru : mollusques, tortues, souris et même des tatous géants. Il a recueilli quelques spécimens intéressants, comme des mâchoires de crocodile dans un état de conservation remarquable, des paresseux géants fossilisés et d'autres mammifères endémiques d'Amérique du Sud. Les études menées ont permis de mettre en lumière une différence frappante entre les faunes tertiaires de la Colombie et celles du désert d'Atacama au Chili.

★★ Desierto de la Tatacoa

À env. 50 km au nord de Neiva, 6 km de Villavieja. Visites guidées organisées au départ de Villavieja, rens. à la Casa de la Cultura. Comptez 80 000 COP pour une excursion guidée de 4h (jusqu'à 4 pers.).

Conseils – Mettez-vous en route de bonne heure (dès 6h du matin, c'est l'idéal), car les températures peuvent atteindre les 50° en août ; elles ne descendent pas en dessous de 26° la nuit. Portez un pantalon, une chemise à manches longues, un chapeau, de bonnes chaussures de marche et n'oubliez ni l'écran solaire ni les réserves d'eau. C'est entre 7h et 9h puis entre 16h et 18h que vous aurez la meilleure lumière pour vos photos.

À mi-chemin du cours supérieur du **río Magdalena**, cet impressionnant désert s'étend dans une zone battue par les vents. C'est, par son étendue, la deuxième zone aride de la Colombie après celle de La Guajira, à l'extrémité nord-est de la côte caraïbe. Bien que le désert soit entouré de forêts de montagne humides, les précipitations qu'il reçoit sont violentes mais brèves et rares, reverdissant le désert puis s'évaporant en quelques heures. Vous y traverserez un écosystème unique de *bosque tropical seco*, où poussent çà et là des *cujís* (une variété d'épineux proche des acacias) noueux et tordus par le vent et des cactus candélabres, parmi des **falaises** érodées et des **ravines** instables pouvant atteindre des profondeurs de 20 m. Là vivent des **scorpions** et des **serpents à sonnettes**, mais aussi des chèvres et des vaches, broutant quelques plaques d'herbe sèche nourries par les eaux souterraines accumulées durant les mois les moins secs (avril-mai, octobre-novembre).

Adossée à de **hautes montagnes**, cette région aride et desséchée couvre une surface de 370 km², où se succèdent les étendues de sable rougeâtre parsemées de roches brûlées par le soleil, ponctuées de quelques taches de verdure rabougrie. Pendant la journée, le ciel, vide de nuages, est parfois traversé par des vols de faucons et d'aigles. À la nuit tombante, le rouge flamboyant des terres arides s'adoucit et prend des teintes dorées.

La Tatacoa est traversée par une **piste** de 8 km d'où partent des sentiers de randonnée balisés. La piste traverse d'abord le secteur de **Cusco**, la partie « rouge » du désert, particulièrement spectaculaire avec sa vallée labyrinthique aux tons ocre jaune. Quelque 6 km plus loin, le secteur de **La Ventana**,

ou « zoo de sable », montre des formations géologiques où l'on reconnaîtra, avec un peu d'imagination, une tortue, un crocodile, un chameau et un phoque. Env. 2 km plus loin surgissent les dunes de sable grisâtre du secteur de **Los Hoyos** et leurs cheminées de fées. Un escalier descend vers une piscine naturelle aménagée *(4 000 COP)*, alimentée par la nappe phréatique.
★★ **Observatorio Astronómico de la Tatacoa** – *✆ (8) 879 7584 - www.tatacoa-astronomia.com - 6h30-21h30 - 10 000 COP.* Dans la Tatacoa, le ciel dégagé, l'extrême sécheresse de l'atmosphère et l'absence de pollution lumineuse offrent des conditions optimales pour **observer les étoiles** et, certains jours, les **pluies de météores**. Plusieurs télescopes sont disposés sur une terrasse d'observation.

★★ Parque Nacional Natural Cueva de los Guácharos

À 230 km au sud-ouest de Neiva - suivez la carretera 45 jusqu'à Pitalito, puis la route de Palestina (34 km vers le sud) qui traverse de beaux paysages, enfin vers La Mensura et poursuivez jusqu'à l'entrée du parc au Sector Cedros (8 km); comptez 5 à 6h de trajet depuis Neiva - accès de 5h à 15h (fermeture à 19h) - visite soumise à une autorisation d'accès délivrée par le centre administratif du parc, à Acevedo (carrera 4, nº 9-25 - ✆ (8) 831 7487) - 35 500 COP - visites organisées par la Oficina de Ecoturismo de Bogotá (✆ (1) 353 2400 poste 138 - www.parques nacionales.gov.co).
Le plus ancien des parcs nationaux colombiens (1960) a pris le nom d'un oiseau nocturne qui peuple la façade ouest de la Cordillère orientale *(voir l'encadré ci-dessous)*. À cheval sur les départements du Huila et du Caquetá, il couvre une surface de 90 km² et englobe des **forêts d'altitude humides**. On y trouve l'une des dernières **chênaies** intactes du pays, ainsi qu'un labyrinthe de canyons, de failles et de **grottes** creusées par les eaux du **río Sauza** et de ses affluents : Cueva del Indio, Cueva del Hoyo, Cabaña La Ilusión, Cueva de los Guácharos… Un **observatoire** offre des vues panoramiques sur des forêts peuplées de 300 espèces d'oiseaux. Parmi les sites à voir : la **Cascada Cristales** et la **Cascada Quebrada Negra**, ainsi qu'un pont naturel sur le Sauza.

LE GUÁCHARO, HÔTE MYSTÉRIEUX DES CAVERNES

Connu sous le nom d'« **oiseau à huile** » car il se nourrit essentiellement des fruits du palmier à huile, le *guácharo* vit dans les grottes et les anfractuosités des parois rocheuses. À la nuit tombée, il émet un appel plaintif, aisément identifiable. Si l'on pénètre dans sa grotte avec de la lumière, il émet un cri perçant, qu'il pousse en général au moment où il en sort à la nuit. Cet oiseau aux ailes longues et aux pattes courtes s'accroche aux surfaces verticales et circule avec aisance dans l'espace restreint des grottes. C'est une espèce **migratoire saisonnière** cavernicole, qui quitte son habitat à la recherche d'arbres **fruitiers**. Il utilise son **bec crochu** et puissant pour chercher sa nourriture. Son plumage est d'un brun rougeâtre, avec des taches blanches sur le dos et les ailes. Il niche sur les saillies rocheuses (son nid est fait d'excréments), généralement à proximité d'un cours d'eau.

NOS ADRESSES À NEIVA, VILLAVIEJA ET DANS LE DÉSERT DE LA TATACOA

ARRIVER/PARTIR

En avion

Aeropuerto Benito Salas Vargas (NVA) – *Au nord de Neiva (10mn en taxi).* Vols de/vers Bogotá, Cali et Medellín.

En bus

Terminal de Transportes (gare routière) – *Carrera 7, n° 3-76S, à 2 km du parque de Santander (5mn en taxi).* Liaisons avec Bogotá (6h - 40 000 COP), San Agustín (4h - ttes les 30mn *via* Pitalito - 30 000 COP) et Popayán (11h - 50 000 COP).

TRANSPORTS

Pour le **désert de la Tatacoa**, prenez à la gare routière de Neiva un *colectivo* en dir. de Villavieja *(6 000 COP - env. 1h - ttes les 45mn)*, puis une moto-taxi (10 000 COP/ pers.) pour les 6 km restants.
Pour **Tierradentro**, départs ttes les 30mn jusqu'à La Plata (2h30 - 20 000 COP), d'où vous prendrez un *colectivo* (départs à 5h, 8h, 10h30, 12h et 15h) à destination de San Andrés de Pisimbalá.

HÉBERGEMENT

Réservez bien à l'avance si vous envisagez de séjourner à **Neiva** ou à **Villavieja** pendant la fête du département du Huila *(20 juin-5 juil.)*.
Si vous voulez passer la nuit dans le **désert de la Tatacoa** pour contempler la voûte céleste, vous trouverez des hébergements spartiates et de petits restaurants dans les deux secteurs du désert, Cusco, près de l'observatoire, et Los Hoyos, près de la piscine naturelle.

Neiva

BUDGET MOYEN

Hosteria Matamundo – *Carrera 5, n° 3Sur-51 - ☎ (8) 873 0202 - www.hosteriamatamundo.com - - 22 ch. 150 000 COP.* Cette demeure coloniale aux murs blancs, légèrement à l'écart du centre, bénéficie d'un environnement champêtre et de beaux espaces verts. Chambres claires et spacieuses. Une salle et une terrasse extérieure pour le restaurant de l'hôtel. Concerts fréquents au bar de la piscine. Wifi.

POUR SE FAIRE PLAISIR

Tumburagua Inn – *Carrera 5, n° 5-40 - ☎ (8) 871 2470 - www.htumburagua.com - - 36 ch. 200 000 COP.* Situé à une *cuadra* du parque de Santander, derrière le Banco de Bogotá, ce petit hôtel attire surtout une clientèle d'hommes d'affaires. Les chambres, particulièrement spacieuses, comprennent un coin salon et un espace bureau. Mini-frigo, wifi.

Neiva Plaza – *Calle 7, n° 4-62 - ☎ (8) 871 0806 ou 871 0498 - www.hotelneivaplaza.com - - 87 ch. 260 000 COP.* Au cœur de Neiva, sur le parque de Santander, cet hôtel fondé en 1956 et dont l'architecture d'origine a été préservée allie le cachet de l'époque au confort moderne. Il propose des chambres avec balcon donnant sur la piscine ou sur la place. L'établissement dispose d'un restaurant *(midi seult)* et d'une vaste terrasse avec salle de gym sur le toit. Ascenseur, wifi.

UNE FOLIE

Pacandé – *Calle 10, n° 4-39 - ☎ (8) 871 1766 - www.hotelpacande.*

com.co - - 29 ch. 300 000 COP . Un hôtel-boutique douillet, confortable et fort bien aménagé. Les chambres donnent sur une cour intérieure au milieu de laquelle jaillit une fontaine. Coffres-forts, salle de gym, wifi. Le restaurant de l'hôtel assure également le room service.

Villavieja

BUDGET MOYEN

Yararaka – *Carrera 4, à 20 m du parque principal - (mob.) 313 247 0165 - - 12 ch. 120 000 COP.* Un architecte mexicain a dessiné cet hôtel dont les chambres, dotées de sdb spacieuses, sont protégées par une grande *maloca* (toit de chaume). Sobrement chaulées de blanc, elles regardent une piscine orange et rouge ouvrant au milieu du patio. Dans cet hôtel écologique, ni TV, ni air conditionné.

RESTAURATION

Neiva

BUDGET MOYEN

Bandeja y Pescado Montañero – *Au bord du Magdalena, au niveau de la calle 6A - - 8h-19h - 30 000 COP.* Un restaurant de cuisine antioqueña dans une vaste salle ouverte au bord du fleuve, qui satisfera les plus affamés avec ses *bandejas* servies sur des feuilles de bananier et ses *sancochos de gallina* (soupe à la poule), de *bocachico* (poisson endémique du Magdalena) ou de *capaz* (sorte de poisson-chat). Les serveurs en habit traditionnel déambulent entre de grandes tables de bois massif qu'ornent des corbeilles de fruits.

La Casa del Folclor – *Calle 33, nº 5P-59 (près de la route de Bogotá) - (8) 875 3040 - http://lacasadelfolclor.com - 12h-21h - 35 000 COP.* Dans une ambiance conviviale, on déguste ici la cuisine *opita* (c'est le nom que l'on donne aux gens de la région). Nombreux plats à base de viande et de poissons locaux, et un assortiment de viandes grillées, spécialité de la maison. Ne faites pas l'impasse sur le jus pressé de *cholupa*, un fruit aigre-doux proche du fruit de la Passion et typique du département du Huila.

Desierto de la Tatacoa

PREMIER PRIX

El Rincón del Cabrito – *Secteur de Cusco, à 800 m de l'observatoire - (mob.) 312 528 1729 - 20 000 COP.* Spécialités de chèvre *(cabrito)*, grillée ou au four, dont l'établissement vend aussi le lait et les fromages. Au petit-déjeuner, œufs et *arepas* ou *tamales*, soupe, ou encore chocolat et pain. Dispose également de 6 chambres sommaires, avec ventilateur et sdb, assez bien tenues *(25 000 COP/pers.)* avec leurs hamacs face au désert. Location de chevaux.

PETITE PAUSE

Super Jugos La Ñapa – *Carrera 5, nº 12-26 - (8) 871 2251 - tlj sf dim.* La devanture n'est pas très attirante, pourtant ce café-restaurant mérite qu'on s'y arrête. Goûtez un assortiment de fruits exotiques locaux fraîchement pressés. En-cas et sandwiches.

AGENDA

Fiestas de San Juan y San Pedro – *Fin juin et début juil.* La grande fête annuelle de Neiva *(voir l'encadré p. 389)*.

Popayán et ses environs

277 000 habitants – Capitale du département du Cauca - Alt. 1 737 m

La « Ciudad blanca » (Ville blanche) aux façades chaulées tient une place particulière dans le cœur des Colombiens. Nichée dans les méandres verdoyants de la vallée du Cauca, Popayán est l'incarnation même du charme colonial, avec ses ruelles hors du temps et ses jolies placettes pavées. Les églises y sont nombreuses, souvenir d'une imprégnation religieuse qui revit chaque année à travers les festivités de la Semaine sainte, dont les processions comptent parmi les plus anciennes et les plus spectaculaires du pays. Cette jolie ville sera le point de départ d'escapades vers le parc naturel du Puracé et les sources chaudes de Coconuco, et surtout vers les hypogées à fresques du parc archéologique de Tierradentro.

NOS ADRESSES PAGE 404
Hébergement, restauration, achats, activités, etc.

S'INFORMER

Oficina de Turismo de Popayán – A2 - *Sur le parque Caldas, n° 4-28 - (2) 824 3348 - 8h-20h - autre bureau* B2 *sur la carrera 5, n° 4-68 - lun.-sam. 8h-12h, 14h-18h.*

SE REPÉRER

Carte de région A2 (p. 366) – plan de la ville p. 396.
À 133 km au sud de Cali.
Voir aussi la rubrique « Arriver/partir » dans « Nos adresses ».

À NE PAS MANQUER

Les processions de la Semaine sainte à Popayán ; les hypogées de Tierradentro ; le Parque Nacional Natural Puracé.

ORGANISER SON TEMPS

Comptez 1/2 journée pour le centre historique, une journée d'excursion pour le parc du Puracé et les sources thermales de Coconuco, et 2 j. d'excursion pour la zone archéologique de Tierradentro.

Se promener Plan de ville p. 396

Les communautés religieuses, particulièrement nombreuses à l'époque coloniale – jésuites, dominicains, franciscains, carmes, augustins, bethlémites… – ont laissé à la postérité un abondant patrimoine architectural maintes fois restauré à la suite des séismes qui dévastèrent la ville entre le 18e et le 20e s. Les rues du vieux centre sont bordées de pittoresques façades chaulées. C'est là

LA GRANDE SECOUSSE

En 1983, peu avant le départ de la procession du Jeudi saint, un violent **séisme** ébranle Popayán jusqu'aux fondations, endommageant gravement plus de 10 000 édifices. Ce tremblement de terre, d'une intensité de 5,4 sur l'échelle de Richter, n'a duré que 18 secondes mais a été terriblement dévastateur : il a rasé la plus grande partie du centre historique et fait de nombreuses victimes. Les **travaux de restauration** ont duré plus de 20 ans, mais le résultat est à la hauteur de l'effort : c'est à peine si l'on remarque encore quelques traces du drame dans les rues de la ville.

La cathédrale de Popayán.
P. Tisserand/Michelin

que vous trouverez la plupart des monuments historiques de la ville, dans un espace restreint d'une **dizaine de rues** qu'il vous sera facile d'explorer à pied.

★★ LE CENTRE HISTORIQUE AB2

Au départ du parque Caldas, circuit 1 tracé en vert sur le plan de ville (p. 396) – Comptez 1/2 journée. La plupart des églises n'ouvrent qu'à l'occasion des offices (horaires à l'office de tourisme).

Le **parque Francisco José de Caldas★** *(entre les calles 4 et 5, et les carreras 6 et 7)* marque le cœur du centre historique. Beaucoup de processions de la Semaine sainte partent de cet agréable parc ombragé, tracé au moment de la création de la ville (1537).

Catedral Basílica Nuestra Señora de la Asunción A2

Calle 5, entre les carreras 6 et 7, juste au sud du parque Caldas.

Construit entre 1859 et 1906, à la place d'un premier sanctuaire de l'époque coloniale détruit par un tremblement de terre, ce monument néoclassique aux murs blancs est l'édifice le plus récent du vieux Popayán. Surmonté d'un impressionnant **dôme** conçu par l'architecte **Adolfo Dueñas**, il présente des lignes très simples, à la romaine. Peu avant le séisme de 1983, l'église avait été embellie et restaurée par les soins de l'évêque Silverio Buitrago Trujillo. La catastrophe a déplacé le dôme, qui dut être à nouveau recentré. La cathédrale est réputée pour les belles tonalités de ses grandes **orgues**.

Iglesia de San Agustín A3

À l'angle de la carrera 6 et de la calle 7.

L'église et son couvent ont été fondés par **Jerónimo Escobar** à la fin du 17e s. Reconstruite après le tremblement de terre de 1736, grâce aux dons des notables de la ville, l'église a dû être à nouveau restaurée après celui de 1983. Le maître-autel porte des sculptures entre des colonnes torsadées et dorées, un **reliquaire★** baroque en argent, et une représentation de la Virgen de los Dolores.

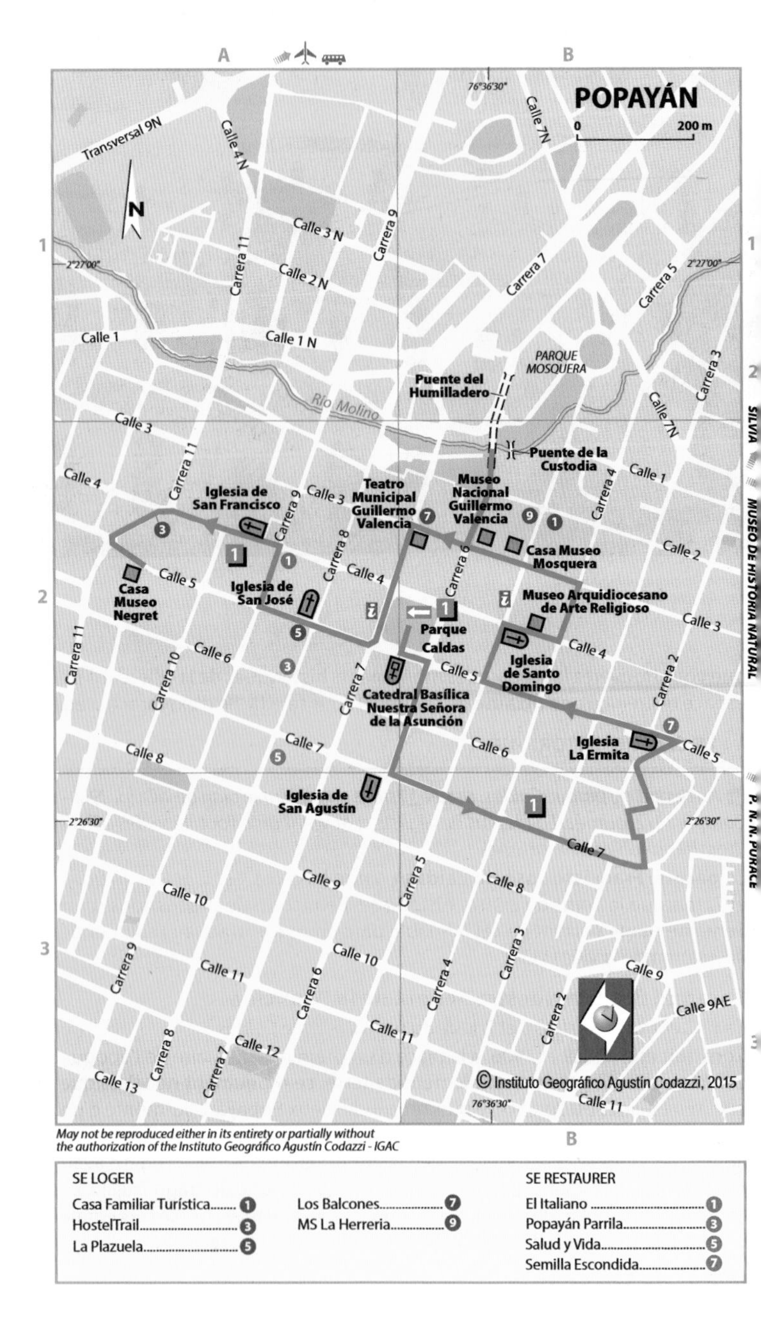

★ Iglesia La Ermita B2

Calle 5, entre les carreras 2 et 3.

La plus ancienne église de la ville (1546) a été édifiée sur l'emplacement d'une chapelle à toit de chaume consacrée à sainte Catherine et sainte Barbe. Cette petite construction a résisté à tous les tremblements de terre qui ont frappé la

ville entre 1736 et 1906 mais a dû être reconstruite après celui de 1983. Au fil des ans, une nouvelle façade, une nouvelle toiture et des embellissements apportés à sa chapelle latérale ont considérablement modifié son aspect d'origine.

Iglesia de Santo Domingo B2

À l'angle de la calle 4 et de la carrera 5.

Œuvre de l'architecte espagnol **Antonio García**, cette église a été très largement reconstruite après 1736. Elle est remarquable par son portail de **pierre sculptée** à motifs de fleurs et d'animaux, son autel néoclassique et son bénitier. Elle abrite aussi une belle **chaire** du début du 19e s., conçue par **Francisco José de Caldas** (1768-1816), illustre enfant du pays qui fut décapité pendant la période de terreur qui a accompagné la Reconquête.

★ Museo Arquidiocesano de Arte Religioso B2

Calle 4, nº 4-56 - ✆ (2) 824 2759 - lun.-vend. 8h30-12h, 14h-17h30, sam. 9h-14h - 6 000 COP.

Installé dans une jolie maison de style colonial, construite en 1763 autour d'une cour pavée, il conserve essentiellement des peintures religieuses des 17e et 18e s. présentées dans des cadres d'argent ou de bois doré. L'art quiteño (de l'école de Quito, Équateur) y tient une bonne place, tout comme l'œuvre de **Bernardo de Legarda** (grande statue polychrome de la Vierge de l'Apocalypse).

Casa Museo Mosquera B2

Calle 3, nº 5-14 - ✆ (2) 824 0683 - lun.-sam. 8h-12h, 14h-18h - entrée libre.

Le général **Tomás Cipriano de Mosquera** (1798-1878), président de la Colombie entre 1845 et 1867, est né dans cette maison datant des années 1780-1788. Son buste, œuvre du sculpteur italien Pietro Tenerani, occupe une place d'honneur dans le musée, parmi les uniformes et les décorations militaires, les documents et de nombreux objets personnels.

Museo Nacional Guillermo Valencia B2

Carrera 6, nº 2-69 - ✆ (2) 820 6160 - mar.-vend. 10h-12h, 14h-17h, w.-end 10h-11h30, 14h-16h30 - entrée libre.

Chef de file du mouvement moderniste, le poète **Guillermo Valencia** (1873-1943), auteur de *Ritos* (1898), est connu pour la subtilité de ses vers.

DES ORIGINES MODESTES

Fondée en 1537 par le conquistador espagnol **Sebastián de Belalcázar**, Popayán garde dans son nom ses origines indiennes : *po* (deux), *pa* (la paille) et *yan* (le village) ; on peut y lire les débuts rustiques de la ville, composée au départ de quelques modestes chaumières. On ne sait presque rien de l'histoire préhispanique de Popayán, sinon que l'antique site du **Morro del Tulcán** *(voir p. 399)* précéda l'arrivée des Espagnols. Pendant la période coloniale, Popayán marquait une étape stratégique entre **Quito** (Équateur) et la **côte caraïbe** : les richesses des colonies y transitaient avant de prendre le chemin de l'Espagne.

Popayán est aujourd'hui une ville universitaire, et l'on y sent la présence de la jeunesse. Ville de tradition éclairée, progressiste, elle accueille intellectuels et libres-penseurs à l'**Universidad del Cauca**, fondée en 1827, l'une des plus anciennes et des plus renommées de Colombie. Popayán a vu naître le plus grand nombre de **présidents**, dix-sept à ce jour, ainsi que de nombreux poètes, peintres, dramaturges et compositeurs.

★★ LES PROCESSIONS DE LA SEMANA SANTA
Cette tradition, inscrite au Patrimoine culturel immatériel de l'Unesco en 2009, a été introduite par les premiers colons espagnols et s'est perpétuée sans interruption depuis 1556, indifférente aux aléas de l'histoire. Chaque année, des dizaines de milliers de personnes venues de tout le pays affluent à Popayán pour y suivre les célèbres processions de Pâques, dont on dit que ce sont les plus authentiques après celles de Séville. Des **statues de bois** pesant une demi-tonne chacune et représentant les différents moments de la **Passion du Christ** sont halées à dos d'homme par les habitants de la ville et défilent dans les rues pendant plusieurs heures, escortées par une foule solennelle portant des cierges, tandis que les enfants de chœur et les thuriféraires (chargés de porter les encensoirs), somptueusement vêtus de tuniques et de capes, déploient des guirlandes de fleurs. Les processions parcourent les rues en grande pompe dès la nuit tombée, suivant un itinéraire jalonné de 54 stations. Particulièrement émouvante, la **procession du Vendredi saint** met en scène la Crucifixion, entourée de squelettes et d'une foule d'hommes armés de marteaux et de pinces. *Voir aussi « Agenda », p. 407.*

Le petit musée qui lui rend hommage est installé dans la maison de style colonial où il vécut. Flanquée d'un cloître, elle est entourée d'un jardin privé qui surplombe la tombe du poète.

Les ponts de Popayán B1-2

En haut de la carrera 6, après le croisement de la calle 2.

Deux ponts franchissent le río Molino : le **Puente de la Custodia** (pont de l'Ostensoir) et le **Puente del Humilladero** (pont du Calvaire). Le premier, et le plus petit, date de 1713. Le second, d'une structure plus robuste, a été construit quelque 160 ans plus tard. Il mesure 180 m de long et déploie ses arches de brique au milieu d'un espace arboré, au pied d'un petit marché artisanal informel.

Teatro Municipal Guillermo Valencia B2

À l'angle de la calle 3 et de la carrera 7 - ✆ (2) 822 4199 - lun.-vend. 8h-12h, 14h-17h - entrée libre.

Ce bâtiment de style républicain (1915-1927) accueille des concerts de musique religieuse, lyrique, des chorales, ainsi que des pièces de théâtre. La salle de 900 places a été superbement restaurée. Les statues des muses, regard tourné vers la ville, se dressent sur la terrasse.

Tout à côté, dans le **Panteón de los Próceres** *(carrera 7, n° 3-55, entre les calles 3 et 4)* reposent les fils les plus illustres de Popayán.

Iglesia de San José A2

À l'angle de la calle 5 et de la carrera 8.

L'église actuelle a été construite après le tremblement de terre de 1736, sur les vestiges d'un ancien sanctuaire. Mais les tremblements de terre mineurs qui ont suivi, puis les secousses de 1885 et de 1906 (qui ont d'ailleurs détruit le clocher ouest) ont beaucoup endommagé sa structure. Les dégâts provoqués par le séisme de 1983, considérables, ont rendu nécessaire une importante campagne de restauration. Bien qu'en grande partie dépouillée de ses ornements intérieurs – réquisitionnés pour financer des campagnes militaires du général Nariño au 19e s. –, l'église a conservé son **autel★** du Sacré-Cœur, qui date de 1736.

★ Iglesia de San Francisco A2

Calle 4, entre les carreras 9 et 10.

Ce bel édifice au maître-autel richement ouvragé est la plus grande église coloniale de Popayán. Il a été construit sur l'emplacement d'une église plus ancienne, détruite par le séisme de 1736. La Iglesia de San Francisco est l'œuvre de l'architecte espagnol **Antonio García** qui est également intervenu dans la construction de la Catedral de San Pedro à Cali. Il a fallu deux décennies pour la construire, tant et si bien que, de guerre lasse, les autorités l'ont consacrée en 1787, alors qu'elle n'était qu'à moitié achevée. Sa **façade**★★ est considérée comme le plus bel exemple de **style baroque** dans le pays. Le clocher abrite une cloche célèbre, don de Pedro Agustín de Valencia.

★ Casa Museo Negret A2

Calle 5, n° 10-23 - ☏ (2) 824 4546 - http://museonegret.worldpress.com - lun.-vend. 8h-12h, 14h-18h, w.-end 8h-12h, 14h-17h - 2 000 COP.

Généralement considéré comme le plus grand sculpteur colombien contemporain, **Edgar Negret** (1920-2012) est né dans cette maison construite en 1781. Le musée présente une partie de sa collection privée, un bel ensemble de pièces qui reflète la prédilection du sculpteur abstrait pour l'aluminium. Notez la maquette réalisée pour la statue de **Simón Bolívar**, qui devait être installée dans le parc Simón Bolívar de Bogotá pour commémorer le 150e anniversaire de sa mort. Vivement critiqué par les historiens et les universitaires, le projet fut abandonné.

À L'ÉCART DU CENTRE

Museo de Historia Natural B2 en dir.

Calle 2, n° 1A-25 - ☏ (2) 820 9900 - http://unicauca.edu.co/museonatural - 9h-12h, 14h-17h - 3 000 COP.

Sa vaste collection d'animaux empaillés vous familiarisera avec la faune et la flore des parcs nationaux de la région du Cauca, et notamment celles du Puracé (ours à lunettes, condor des Andes, poudou). Mention particulière pour la **section ornithologique**, recensant plus de 700 espèces. Une petite salle et deux vitrines d'**archéologie** rassemblent statuettes et poteries retrouvées dans les régions environnantes, Tierradentro, Calima, Quimbaya et Cauca notamment. Deux grandes statues de la culture agustinienne sont présentées dans le hall du musée.

Rincón Payanés (Pueblito Patojo) B2 en dir.

Suivre la carrera 2A et la calle 1A à la sortie nord-est de la ville.

Au pied du Cerro del Morro, dans le barrio Caldas, cet ensemble regroupe des reproductions à échelle réduite de quelques-uns des édifices emblématiques de Popayán comme la tour de l'Horloge, le pont de brique ou la chapelle de l'Ermita. Ses *tiendas* d'artisanat et ses stands servant *pipián*, *tamales* et autres spécialités gastronomiques de la ville attirent les familles le week-end.

★ Morro del Tulcán B2 en dir.

Accès par l'escalier du Rincón Payanés.

Cette colline herbeuse dominant la ville cacherait une tombe pyramidale dont le sommet aurait été détruit pour laisser place à la statue équestre du fondateur de Popayán. Si l'existence de la sépulture reste une hypothèse, on n'en a pas moins retrouvé sur place un certain nombre de céramiques précolombiennes, désormais conservées au musée d'Histoire naturelle. Beaux panoramas sur la ville.

★ **Capilla de Belén** B3 en dir.
Accès par une rue bordée d'arbres partant à l'angle de la calle 4 et de la carrera 1.
La charmante petite chapelle coloniale, toute simple, se dresse sur une colline à l'est du centre-ville. Son parvis fleuri offre un bon point de vue sur Popayán. Venez-y de préférence le matin pour bénéficier de la meilleure lumière sur la ville en contrebas.

Excursions Carte de région p. 366

★ **Silvia** B1
À 57 km au nord-est de Popayán, en passant par Piendamó et la carretera 25.
Cette jolie bourgade (32 000 hab.) se trouve au cœur du **pays des Guambianos**, une communauté autochtone. Vêtus de leurs habits traditionnels rouge et bleu, les Guambianos, qui vivent dans des hameaux perdus de la montagne, descendent tous les **mardis** à Silvia, empruntant de minuscules sentiers de chèvres, pour venir vendre leurs objets artisanaux, leurs fruits et leurs légumes au grand marché qui s'y tient chaque semaine. De l'**église** qui se dresse sur la colline s'offre un **panorama** à couper le souffle.
Museo de Artesanías – *Casa Turística - carrera 2, n° 14-39 - ✆ (mob.) 315 395 7043 - 8h-20h - 2 000 COP.* Collection d'objets de l'artisanat local.
Ruta Etno-ecoturística – *Rens. à la Casa Turística.* Circuit panoramique sur des sentiers de nature qui passe par plusieurs villages indiens et débouche dans le village guambiano de **La Campana**.

★★ **Coconuco** B2
À 30 km au sud-est de Popayán, dir. San Agustín (à l'ouest du Parque del Puracé).
Situé à une altitude de 2 560 m, ce village offre des paysages enchanteurs, de beaux panoramas et des bains de boue thérapeutiques et relaxants. Il est connu pour ses **sources chaudes** aux vertus curatives *(4 km du village - 6 000 COP pour chaque site - rens. à l'Hostería Comfandi à Coconuco)*, où les randonneurs se retrouvent volontiers le soir après avoir arpenté les pistes venteuses du Parque Nacional del Puracé. Vous aurez le choix entre les bassins fumants d'**Agua Herviendo**, où jaillit du sol une eau sulfureuse, et, plus haut dans la vallée, les **sources d'Aguas Tibias**.

★ **Parque Nacional Natural del Puracé** B2
À 45 km au sud-est de Popayán (sortir à Pilimbalá, à 1 km d'El Crucero) - www.parquesnacionales.gov.co - 8h-16h - 20 000 COP.
Certaines parties du parc, qui s'étend sur 83 000 ha, recoupent les réserves et les terres ancestrales des Kokonucos et des Yanaconas. Traversé par deux larges fleuves, le Cauca et le Magdalena, étagé entre 2 500 et 5 000 m d'altitude, le Puracé offre une incroyable biodiversité, les écosystèmes qui s'y développent allant des **basses terres marécageuses** aux **pics enneigés** en passant par une végétation de jungle.
Les **sentiers de randonnée** vous feront découvrir sources thermales, cascades et une cinquantaine de lacs. Les **grottes**, les **forêts** et les prairies recèlent une multitude de grenouilles, d'oiseaux, de papillons et d'insectes. Le condor des Andes, l'ours à lunettes, le puma et le tapir des montagnes sont également des hôtes habituels du parc. Les mines antipersonnel interdisaient jadis la traversée du parc, mais le déminage est désormais achevé et a permis l'ouverture de pistes menant vers le **Volcán Puracé** (4 580 m - *8 à 10h d'ascension, excellente condition physique et solide entraînement indispensables*), toujours actif, le **Pan de Azúcar** et son cône neigeux (5 000 m), ainsi que vers les neuf cratères constituant la **Cadena Volcánica de Coconuco**.

Tierradentro, hypogée orné de fresques à motifs géométriques.
G. Cusmir Camara/Camara Lucida RM/age fotostock

★★ PARQUE ARQUEOLÓGICO DE TIERRADENTRO B1 et plan du site

À l'écart des grandes voies touristiques, accessible depuis Popayán à l'ouest (env. 100 km), ou depuis Neiva au nord-est (126 km, d'abord sur route pavée jusqu'à La Plata puis par une piste) - cars réguliers depuis le Terminal de Transportes de Popayán ou celui de Neiva jusqu'à La Plata où vous prendrez un colectivo à destination de San Andrés de Pisimbalá (voir p. 392) - excursions en jeep organisées au départ de Popayán.

Isolé, difficile d'accès, Tierradentro est le moins visité des deux grands parcs archéologiques de la région. Le hameau de **San Andrés de Pisimbalá** *(à 8 km d'Inza)*, où se trouve l'entrée du parc archéologique, compte une poignée de gîtes et d'hôtels-restaurants et pourra servir de base pour l'exploration de Tierradentro. Situé à 1 700 m d'altitude parmi les champs de canne à sucre et de manioc *(yuca)*, les plantations de bananes et de café, il vous donnera l'occasion de découvrir une Colombie rurale et tranquille, loin des problèmes de sécurité qui affectent d'autres régions.

Le **site archéologique**, disséminé en plusieurs secteurs dans les montagnes alentour, rassemble une bonne centaine d'hypogées, dont certains ne sont que des trous creusés à même le sol, et d'autres des chambres funéraires très bien conservées. Les plus spectaculaires (une trentaine) sont ouvertes à la visite. Différant par leur architecture et leur décoration, ces tombes très anciennes et très complexes ont été taillées à même le tuf volcanique.

Un peu d'archéologie

Tierradentro (« vers l'intérieur des terres »), classé au **Patrimoine mondial de l'Unesco**, est géré par l'Institut colombien d'anthropologie et d'histoire (ICANH). Explorée par les archéologues à partir des années 1930, cette **nécropole** hors du commun reste entourée de mystère ; la date même de sa construction (entre les 9e et 12e s. apr. J.-C. ?) et de l'occupation du site reste à déterminer, les *guaqueros* (pilleurs) ayant fait disparaître bon nombre

d'éléments qui auraient pu aider à sa compréhension. Elle serait l'œuvre de peuples ayant vécu dans les bassins de l'Ullucos et du río Negro, près de l'actuel village de San Andrés de Pisimbalá, et aujourd'hui disparus.
La taille impressionnante de ses **hypogées** retient l'attention. De vastes dimensions (9 m de diamètre et 7 m sous plafond pour certaines), ces cavités funéraires sont parfois peintes d'**oiseaux**, d'**animaux** ou, plus fréquemment, de **motifs géométriques** réalisés avec des pigments rouges, noirs, ocres et blancs. Certains comportent des éléments sculptés ou gravés. La plupart des tombes sont orientées vers l'ouest, situées à une profondeur de 5 à 8 m, et ne sont pas sans rappeler les chambres funéraires de San Agustín (qui, elles, ne se voient que de l'extérieur).

Visite

☎ (1) 444 0544 - www.icanh.gov.co - 8h-16h - 20 000 COP - le billet, valable 2 j. pour l'ensemble du site, inclut l'entrée aux musées (mêmes horaires). Comptez env. 8h pour la visite complète du site, que vous pourrez diviser en deux demi-journées. Pensez à prendre une lampe de poche pour les tombes et une paire de jumelles pour les panoramas.
Le **sentier** principal fait le tour du site en 14 km. On peut le suivre à pied ou louer un **cheval** *(voir p. 406 - l'accès à l'Alto del Aguacate, par un chemin étroit et pentu par endroits, ne peut se faire qu'à pied).* Il n'existe pas de plan détaillé du site archéologique, mais les employés du musée vous remettront un schéma sommaire qui vous permettra de vous orienter parmi les tombes. Dans le parc, vous trouverez quelques panneaux indicateurs au bord des chemins qui serpentent entre les cinq secteurs principaux.
Devant chacun des tombeaux, un garde déverrouille une trappe d'accès au sous-sol et attend que les visiteurs se soient engagés dans les escaliers aux marches hautes et larges, parfois si irrégulières qu'elles en deviennent quasi impraticables.
Museos – À l'entrée du parc se tiennent deux petits musées. Le **Museo Arqueológico** rassemble les objets trouvés dans les hypogées, essentiellement des urnes de céramique dont certaines sont décorées, et apporte quelques éclairages sur le symbolisme attaché aux motifs peints ornant les tombes. Le **Museo Etnográfico** présente quant à lui les Indiens nasas dans leur vie contemporaine : costumes et sacs, instruments de musique, presse à cire ou à *panela*, etc.
★★ **Alto de Segovia** – *À un peu plus de 1,5 km de l'entrée du parc, à 1 800 m d'alt.* Étant les plus proches de l'entrée du parc, ses tombes sont les plus fréquemment visitées mais aussi celles qui présentent le décor pictural le plus riche.

LES HABITANTS DE TIERRADENTRO

Environ 70 000 personnes vivent à Tierradentro, une province du département du Cauca qui comprend deux chefs-lieux, **Inzá** (30 000 hab.) et **Páez** (35 000 hab.). Parmi elles, 2 % d'**Afro-Colombiens** vivent dans la municipalité de Páez (à Belalcázar et dans les environs). Quelque 41 % de **métis** habitent dans les campagnes proches et dans les villages et hameaux *(veredas)* de la municipalité d'**Inzá**, comme San Andrés de Pisimbalá. Enfin, 57 % d'Amérindiens (pour la plupart des **Nasas**, anciennement appelés les Páez) sont installés sur les terrains communaux *(resguardos)*, sous l'autorité de conseils de village traditionnels *(cabildos)*. À noter que les Nasas de Tierradentro ne se considèrent pas comme les descendants des constructeurs des mystérieux mausolées et statues mégalithiques du lieu.

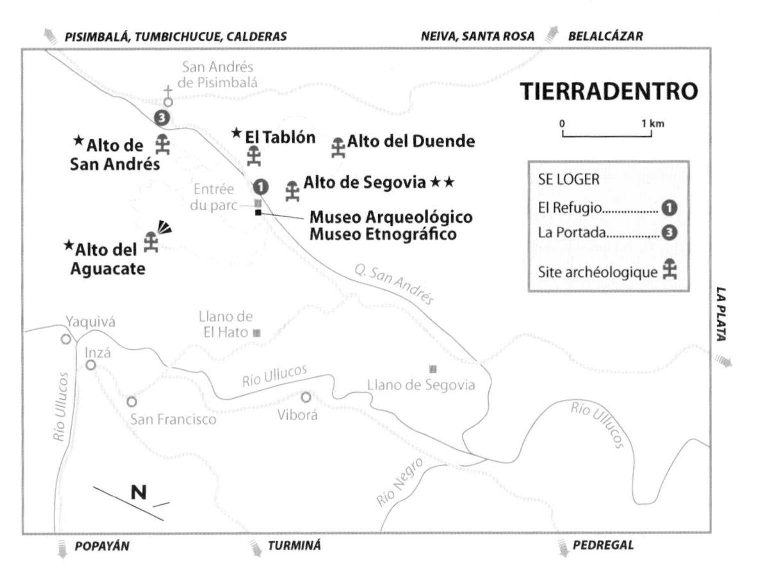

Elles bénéficient d'un système d'éclairage. Sur les 26 chambres funéraires de ce secteur, on en visite une dizaine, les mieux préservées et les plus décorées. Elles montrent des piliers sculptés de têtes humaines et leurs parois sont couvertes de peintures aux **motifs géométriques** rouges, blancs et noirs. Notez, dans l'une d'elles, une série d'urnes funéraires, et dans une autre, les cavités creusées dans le sol pour recevoir des offrandes.

Alto del Duende – *À env. 800 m de Segovia (1 850 m d'alt.).* Ce site comporte quatre tombes ouvertes au public. La première laisse entrer la lumière du jour, cas unique dans le parc archéologique. Une autre se distingue par sa voûte à deux pans, une autre encore par les motifs triangulaires rouges ornant ses piliers. Combinée avec celle du premier *alto*, la visite de l'Alto del Duende permet aux visiteurs dont le temps est limité de se faire une bonne idée de Tierradentro.

Depuis El Duende, un chemin panoramique de 5 km mène au village indien de **Santa Rosa** qui a conservé une église coloniale bien restaurée et offre sur le canyon du río Páez des vues à couper le souffle.

★ **El Tablón** – *À 2,5 km du site d'El Duende (2 000 m d'alt.).* Protégées du soleil et des pluies par un auvent, huit **statues monolithiques** de 1,50 m à 2 m de hauteur sont regroupées sur une plate-forme. Elles représentent des êtres humains, nus ou habillés, dont les lignes stylisées font penser aux statues de San Agustín.

★ **Alto de San Andrés** – *Accessible depuis le haut du hameau (chemin fléché partant au coin du restaurant de La Portada - à 30mn à pied).* Une brève ascension par un sentier boueux vous conduira à un ensemble de six tombes dont seules quatre se visitent; deux d'entre elles conservent leur polychromie sur les piliers et la voûte. Une autre laisse apparaître à ciel ouvert sa structure, son plafond s'étant effondré. Le site livre des **points de vue** admirables sur San Andrés.

De là, le sentier serpente à travers des plantations de bananiers et de caféiers pour grimper à 2 000 m d'altitude à l'Alto del Aguacate. L'ascension *(1h30)*, d'une difficulté moyenne, requiert une bonne forme physique mais la **vue★★★** que l'on a depuis cet *alto*, au sommet d'une crête rocheuse impressionnante, récompense amplement l'effort.

★ **Alto del Aguacate** – Parmi la cinquantaine de tombes de ce secteur, bon nombre sont à l'état de simples trous ouvrant au niveau du sol et ont souffert du manque d'entretien et du vandalisme. Une dizaine sont ouvertes à la visite. Ne conservant que de rares traces d'ornementation, elles montrent cependant une structure sensiblement différente des hypogées des autres *altos*, ce qui laisse penser qu'elles relèvent d'une autre tradition locale ou d'une période différente. Deux d'entre elles communiquent par un espace intérieur. Ne manquez pas la **tumba de las Lunas y de las Salamandras**, d'un plan ovale régulier : sept croissants de lune rouges et noirs surmontent des lignes polychromes horizontales qui divisent en deux la paroi et neuf salamandres (animaux associés au monde des morts ?) dont le dessin réaliste contraste avec les motifs géométriques des tombes de Segovia.

NOS ADRESSES À POPAYÁN ET À TIERRADENTRO

Plan de la ville p. 396

INFORMATIONS UTILES

Internet

Popayán est une ville universitaire ; les cybercafés sont nombreux dans le centre historique.

Banques/change

Plusieurs banques avec distributeur sur et autour du parque Caldas, où vous trouverez aussi une agence Western Union.

Almacen S. Duque – B2 - *Calle 5, n° 6-25 (à côté de la cathédrale) - lun.-sam. 9h-19h.* Un magasin de vêtements assurant le change avec des horaires plus étendus que les autres agences.

ARRIVER/PARTIR

En avion

Aeropuerto Guillermo León Valencia (PPN) – A1 en dir. - *À côté de la gare routière, à env. 1 km au nord du centre-ville (10mn en taxi - 6 000 COP).* Vols directs de et vers Bogotá.

En bus

Terminal de Transportes (gare routière) – A1 en dir. - *Au nord du centre-ville, près de l'aéroport - www.terminalpopayan.com.* Bus longue distance pour Bogotá (2 bus de nuit - 7h - 65 000 COP), Cali (3h - 16 000 COP), San Agustín (5h - 30 000 COP), Tierradentro (départ à 9h30 - 5h - 22 000 COP) et Pasto (6h - 25 000 COP). Comptez 15-20mn de marche pour rejoindre le centre de Popayán depuis la gare routière.

HÉBERGEMENT

Toutes catégories confondues, les prix des chambres doublent durant la Semana Santa – ce qui n'empêche pas les hôtels de Popayán d'afficher complet : réservez votre hôtel bien à l'avance si vous comptez venir à cette période.

PREMIER PRIX

Casa Familiar Turística – B2 - *Carrera 5, n° 2-07 - ✆ (2) 824 4853 - ⊠ - 4 ch. 35 000 COP.* Cette bâtisse ancienne située à l'orée du quartier historique colonial dispose d'un dortoir de 6 lits et de chambres pour 3 ou 4 personnes. Hautes de plafond, éclairées par des fenêtres à l'ancienne et dotées de parquet, toutes partagent des sanitaires communs (une douche chaude) au bout du couloir, près des appartements de la propriétaire et de ses 4 chiens. Wifi.

HostelTrail – A2 - *Carrera 11, nº 4-16 - ✆ (2) 831 7871 - www.hosteltrailpopayan.com - 14 ch. 65 000 COP.* Les propriétaires, un couple d'Écossais, accueillent ici des touristes du monde entier. Hébergement en dortoirs mixtes de 3 et 8 lits ou en chambre double avec sdb commune ou non. Une adresse intéressante pour la multitude de services proposés : cuisine commune, prêt de vélo, laverie, wifi, ordinateurs. Organise des excursions aux sources thermales de Coconuco et au volcan Puracé.

BUDGET MOYEN

MS La Herreria – B2 - *Carrera 5, nº 2-08 - ✆ (2) 831 8136 - www.hotelesms.com - 16 ch. 120 000 COP.* Distribuées sur deux étages dans une maison particulière de 1897, les chambres sont toutes différentes en taille et en agencement. Certaines avec plancher, d'autres avec sol de tomettes, elles sont confortables. Les deux plus belles possèdent une grande terrasse privative pour l'une, et, pour l'autre, un balcon donnant sur le Puente del Humilladero. Wifi.

La Plazuela – A2 - *Calle 5, nº 8-13 - ✆ (2) 824 1084 - hotellaplazuela.com.co - 25 ch. 150 000 COP.* Situé face à l'église San José, cet élégant bâtiment datant de 1742 abrite une cour intérieure ourlée d'arcades et des chambres modernes et confortables, meublées dans le style colonial. Si vous êtes sensible au bruit, demandez plutôt à dormir près du deuxième patio.

Los Balcones – B2 - *Carrera 7, nº 2-75 - ✆ (2) 824 2030 - www.hotellosbalconespopayan.com - 11 ch. 170 000 COP.* Cette élégante demeure du 18e s. fut à l'origine bâtie pour Don Joaquín de Mosquera y Figueroa, brièvement président de la Colombie en 1830. Avec leurs angles et leurs recoins, les chambres, au charme désuet, sont vastes et abondamment meublées. Plantes vertes dans les parties communes, petits patios à l'étage : l'ensemble est attachant. Sous les combles ont été aménagées des chambres communicantes destinées aux familles.

San Andrés de Pisimbalá (Tierradentro)

PREMIER PRIX

La Portada – *Au terminus des colectivos venant de La Plata - ✆ (mob.) 311 601 7884 - http://laportadahotel.com - 15 ch. 40 000 COP - 5 500 COP.* La bâtisse de brique et de *guadua* (bambou géant) abrite des chambres toutes simples, spacieuses, avec ou sans sdb privée (eau chaude). Le restaurant, de l'autre côté de la route, sert une savoureuse cuisine familiale préparée avec les fruits et légumes du jardin. Location de chevaux *(6 000 COP/h)*. Leonardo, le patron, s'avère une véritable mine d'informations sur le site archéologique et les différentes possibilités de balades dans les environs ; il organise aussi des observations ornithologiques.

El Refugio – *À l'entrée du parc archéologique - ✆ (mob.) 311 601 7884 - 15 ch. 55 000 COP - 5 500 COP.* Sans doute l'hôtel le plus confortable du hameau. Cette auberge se trouve à quelques pas de l'entrée du parc archéologique. Les chambres, disposant toutes d'une sdb avec eau chaude, entourent une pelouse avec

6

grande piscine. Repas sur commande.

RESTAURATION

PREMIER PRIX

Salud y Vida – A2 - *Carrera 8, nº 7-19 - Centro Histórico - ✆ (2) 822 1118 - ▭ - lun.-sam. 7h-19h30 - 5 000 COP.* Bon marché et convivial, ce restaurant végétarien sert une cuisine fraîche et goûteuse : crème d'épinards, cassolette de légumes, gâteau d'ananas ou riz au lait en dessert… Pas de carte : une formule complète vous sera proposée au petit-déjeuner, une autre pour les repas.

Popayán Parrilla – A2 - *Carrera 8, nº 5-100 - Centro Histórico - ✆ (2) 824 2497 - ▭ - lun.-sam. 9h-21h, dim. 9h-16h - 25 000 COP.* Un restaurant de grillades aux influences argentines même s'il propose aussi quelques plats de pâtes et des pizzas. Les quatre classiques, poulet, porc, bœuf et chorizo, se conjuguent *a la criolla* (sauce relevée), *a caballo* (surmonté d'œufs au plat) et bien sûr au grill. Très fréquenté le midi pour son menu *ejecutivo* à 6 000 COP, ce restaurant populaire retrouve le calme en soirée.

Semilla Escondida – B2 - *Calle 5, nº 2-28 - Centro Histórico - ✆ (2) 820 6437 - lun. 12h-15h, mar.-sam. 12h-15h, 18h-22h - 25 000 COP.* Dans la charmante ruelle pavée qui longe l'église de la Ermita, ce café-crêperie sert une cuisine légère, savoureuse et plutôt saine : crêpes végétariennes ou au fromage, poulet-champignons à l'indienne ou crêpe au beurre et au sucre toute simple, mousse au chocolat. La présentation est soignée mais les portions pourraient être plus copieuses. Menu du jour, végétarien ou non, à midi pour 6 000 COP. Vin au verre.

BUDGET MOYEN

El Italiano – A2 - *Calle 4, nº 8-83 - Centro Histórico - ✆ (2) 824 0607 - 12h-22h (20h30 le dim.) - 35 000 COP.* Spaghettis, lasagnes, 17 sortes de pizzas, cannelloni, *milanesas*, raviolis : c'est toute l'Italie que vous retrouverez dans votre assiette. En réalité, les propriétaires sont suisses et la carte propose également des fondues, au fromage, bourguignonne, etc., à déguster sur fond de musique jazz. Vin chilien au verre.

PETITE PAUSE

Panificadora Cuaresnor – B2 - *Calle 4, nº 5-84 - Centro Histórico - ✆ (2) 820 5291 - 7h-21h (20h le dim.).* Les Payanés viennent nombreux y prendre leur brunch du dimanche matin. Une partie boulangerie, une partie café-restaurant avec des formules de petit-déjeuner et des menus *ejecutivos* mais aussi des crêpes et des parts de pizza.

Mora Castilla – B2 - *Calle 2, nº 4-44 - Centro Histórico - lun.-sam. 9h30-19h.* Petite restauration de spécialités régionales dans une maison particulière : *tamales* et *empanadas de pipián* (purée à base de pommes de terre rouges, cacahuètes, sauce tomate et oignon), *carantanta* (chips de maïs à tremper dans une sauce *ají* ou tomate), *salpicones payanes*, un sorbet à la mûre et au *lulo* avec des morceaux de corossol. Tout est frais, succulent et servi avec le sourire.

Madeira Café – B2 - *Calle 3, nº 4-91 - Centro Histórico - lun.-vend. 9h-20h, sam. 14h30-19h.* Très apprécié des habitants de Popayán, il séduit par son décor aux tonalités de terre cuite mariant le bois et le fer forgé et réunit les amateurs de cappuccinos, frappuccinos ou de cafés aromatisés (*panela*, coca, *amaretto*, vanille…) ou non, et de *canelazo* (café alcoolisé). Formules de petit-déjeuner, pâtisseries et sandwiches.

ACHATS

Rincón Payanés – B2 en dir. - *Au pied du Cerro del Morro.* Un ensemble de boutiques d'artisanat vend sacs tissés, *ruanas* colorées, jouets en bois et toutes sortes de souvenirs où l'on sent déjà l'influence de l'Équateur. Profitez-en pour essayer les gourmandises locales proposées sur les étals en plein air, *tamales de pipián* (à la pomme de terre et aux cacahuètes) ou *dulces tipicas* (douceurs régionales) comme les *brevas*, des sortes de figues confites.

ACTIVITÉS

Las Ardillas – *À 8 km au sud de Popayán - Vereda La Martica, près de Timbío - ✆ (2) 830 5555 - www.canopylasardillas.com - w.-end et j. fériés 9h-17h - en sem., 8h-18h, mini 4 pers. Tyrolienne (23 000 COP), piscine (6 000 COP), sauna (9 000 COP), mur d'escalade (7 000 COP), ponts suspendus (15 000 COP).* Une réserve naturelle privée cultivant les émotions fortes : **tyrolienne** pour filer à travers les arbres à folle vitesse avec vue plongeante sur le paysage environnant, **rafting** dans les rapides du **río Honda**, traversée de précipices sur des ponts suspendus, escalade… Les **sentiers de découverte** nature se faufilent dans l'épaisseur de **zones protégées** abritant de multiples espèces de papillons, de grenouilles et d'oiseaux.

Excursion au Puracé – S'adresser à l'HostelTrail *(voir « Hébergement », p. 405)*. Départ vers le volcan à 6h30 et retour vers 17h (mini 3 pers.).

AGENDA

Semana Santa – *5 j. en mars-avril (dates variables selon le calendrier liturgique).* Les processions pascales de Popayán comptent parmi les plus impressionnantes du pays *(voir p. 398)*. À ne pas manquer.

Festival de Música Religiosa – *www.semanasantapopayan.com - pendant la Semaine sainte.* Ce festival de musique religieuse fut institué par Edmundo Troya Mosquera dans les années 1960. Sur des scènes réparties dans toute la ville se font entendre des chœurs, des solistes et des artistes venus du monde entier.

San Agustín

32 000 habitants – Département du Huila – Alt. 1 700 m

Classé en 1995 au Patrimoine mondial de l'Unesco, le Parque Arqueológico de San Agustín est un lieu hors du commun, avec ses centaines de pierres dressées, ses cryptes que gardent d'impressionnantes statues et ses tumuli funéraires qui veillent du haut de leur silencieuse éternité. Indépendamment de ses trésors archéologiques, San Agustín est une bourgade avenante, où il est plaisant de faire étape pour se plonger dans l'atmosphère rurale du Sud-Ouest colombien. Les environs proches, dans la haute vallée du Magdalena, se laissent découvrir à cheval ou à pied : de l'Alto de los Ídolos à l'Alto de las Piedras en passant par la piste El Tablón-El Purutal, ils forment un délicieux mélange de sites antiques et de paysages bucoliques.

NOS ADRESSES PAGE 414
Hébergement, restauration, activités, etc.

S'INFORMER

Oficina Municipal de Turismo - *Angle calle 3 et carrera 12, sur la place de l'Alcaldía - lun.-sam. 8h-12h, 14h-18h, dim. 8h-12h - www.icanh.gov.co et www.sanagustintravel.com.*

SE REPÉRER

Carte de région B2 (p. 366) – carte des environs de San Agustín p. 412.
À 129 km au sud-est de Popayán.
Voir aussi la rubrique « Arriver/partir » dans « Nos adresses ».

À NE PAS MANQUER

Les *mesitas* de San Agustín ; l'Alto de los Ídolos, l'un des complexes funéraires les mieux conservés de la région ; un pique-nique à l'Estrecho del Magdalena.

ORGANISER SON TEMPS

Comptez 2 à 3h à pied pour le parc archéologique, 4h pour suivre à cheval la piste El Tablón-El Purutal et une journée entière d'excursion en jeep pour apprécier les autres sites.

Découvrir Carte des environs de San Agustín p. 412

Même si tous les trésors archéologiques de la région ne se trouvent pas dans les limites du **Parque Arqueológico de San Agustín**, celui-ci en détient l'essentiel. Les statues et les tombes sont en réalité disséminées sur les deux rives de l'imposante **gorge du río Magdalena**, autour des communes de **San Agustín** et de **San José de Isnos**.

★★★ PARQUE ARQUEOLÓGICO DE SAN AGUSTÍN

À 3 km à l'ouest de San Agustín - (1) 561 9700 - www.icanh.gov.co - 8h-17h30 (dernière entrée 16h) - 20 000 COP - comptez 2 à 3h. Desservi par les bus urbains circulant sur la carrera 5. Le billet, valable 2j., inclut l'accès à l'Alto de los Ídolos et à l'Alto de las Piedras (voir « À proximité », p. 413).

Parmi les levées et les terrassements du parc archéologique, un espace bien aménagé aux pelouses impeccables, un sentier surélevé, pavé et balisé d'environ 5 km dessert une succession de monuments mégalithiques, de dolmens funéraires, de statues soutenant de grandes dalles de pierre…

Alto de los Ídolos.
P. Tisserand/Michelin

Dans la culture agustinienne, le commun des mortels était enterré sous le sol de sa hutte. Les tombes plus élaborées, à l'architecture monumentale, étaient réservées aux dignitaires ou aux personnages plus importants. Il a fallu araser les collines pour y construire les tombeaux sur de petits tertres ou pour les y creuser. Le parc inclut quatre de ces **esplanades** artificielles ou **mesitas**★★★. Elles contiennent plusieurs groupes distincts de statues, des cryptes et des figurines que l'on a datés entre le 2e s. av. J.-C. et le 10e s. apr. J.-C.

★★ Museo Arqueológico y Sala Etnográfica

Situé à l'entrée du parc, le musée archéologique et la salle ethnographique donnent un bon aperçu de ce que l'on sait à ce jour de la culture agustinienne. Y sont exposés de nombreuses statues, des sarcophages de pierre et des poteries d'époques différentes. Très didactiques, les **croquis** détaillant le symbolisme des statues seront d'une grande utilité pour mieux lire ces dernières sur le site.

Mesita D – Visible dans les jardins du musée, cet ensemble, nettement plus petit et moins complexe que ceux des autres *mesitas*, date du 2e s. av. J.-C. et des 2e et 5e s. apr. J.-C. Il comporte quelques cavités et une chambre funéraire.

★★ Mesita A

Ses deux impressionnants **dolmens funéraires**, les plus grands de la période classique (1er millénaire), mesurent 4 m de haut et sont soutenus chacun par trois superbes **statues**★★★ monumentales. Quelques chambres funéraires s'ouvrent au ras du sol, sans doute celle de proches des caciques inhumés dans les deux tombes principales.

★ Mesita C

Ce petit **complexe funéraire** comprend quatre statues sculptées sur de grandes pierres plates, dans un relief peu accusé, d'un dessin moins complexe que celles de la Mesita A. Postérieur à cette dernière, il daterait du 7e s. apr. J.-C. et n'avait pas de vocation résidentielle.

Mystérieuses « chinas »

LA STATUAIRE AGUSTINIENNE

Les statues de San Agustín, appelées **chinas**, sont généralement de forme rectangulaire ou ovale. De taille variable, elles ont été sculptées dans des blocs de tuf et de roche volcanique ; la plus impressionnante, que l'on verra à l'Alto de los Ídolos, mesure 5,50 m de hauteur et pèse plusieurs tonnes. La plupart étaient peintes en jaune, rouge, noir et blanc, mais seules celles qui sont restées sous terre ou sous abri ont conservé cette polychromie. Ces **couleurs** ornaient les tombes mégalithiques, les dolmens, les statues et les chambres funéraires. L'**iconographie** de l'ensemble renvoie au pouvoir spirituel des défunts et, de façon plus générale, à l'**au-delà**, mais le détail de son interprétation continue à faire l'objet d'hypothèses.

La plupart des *chinas* représentent des **figures anthropomorphes masculines**, avec parfois des traits félins (image de la force virile), ou deux figures superposées. Parées de pièces de vêtements, de chevelures, de pectoraux, elles possèdent plusieurs caractéristiques communes : tête énorme, yeux vides, posture raide, bras minces pliés au coude terminés par des griffes et non des mains. Lorsqu'elle est flanquée de gardes ou de guerriers, la statue du mort gagne en importance.

LA DÉCOUVERTE DES « MERVEILLES DE LA NATURE »

Le conquistador **Francisco García de Tovar** et ses hommes ont été, dans leur quête de l'Eldorado, les premiers Européens à pénétrer dans cette haute vallée, dont les tumuli leur paraissaient receler des richesses inexplorées. Mais, pour autant que l'on sache, ils n'y ont rien trouvé. Nous devons la première description de San Agustín à **Juan de Santa Gertrudis**, un moine majorquin qui est passé par là en 1756. Impressionné par la région, il a consigné ses observations dans une chronique intitulée *Maravillas de la Naturaleza (Merveilles de la nature)*, restée inédite jusqu'en 1956. Puis, en 1797, c'est **Francisco José de Caldas**, un célèbre scientifique de la Nouvelle-Grenade, qui, à son tour, a attiré l'attention sur la valeur historique de ces extraordinaires statues.

FASCINATION POUR CES VESTIGES MYSTÉRIEUX

En 1857, le géographe italien **Agustín Codazzi** vint visiter le sud du département du Huila. Il effectua quelques relevés cartographiques de la région, esquissa même quelques reconstructions hypothétiques des ruines. Au 20e s., les vestiges archéologiques de San Agustín ont fasciné et émerveillé des archéologues tels que **Konrad Theodor Preuss**, qui sera le premier à mener des études scientifiques, restées inabouties.

Les fouilles proprement dites ne commenceront que dans les années 1930. Dans les années 1970, Luis Duque Gómez et Julio César Cubillos ont mené des explorations intensives du site. Mais malgré leurs travaux et les recherches toujours en cours, nous ne savons pas grand-chose des mystérieux artistes qui ont dressé ces statues, sinon que le site était déjà occupé en 3300 av. J.-C. La période dite « classique » de San Agustín (entre 200 av. J.-C. et 800 apr. J.-C.) se caractérise par la construction de grands tumuli funéraires et la production de sculptures et de statues zoomorphes et anthropomorphes en pierre. Au 16e s., toute cette culture si particulière avait totalement disparu.

★★ Fuente de Lavapatas

Site sacré dans l'antique culture agustinienne, cet entrelacs de petits **canaux** creusés dans le lit rocheux de la rivière et de **bassins étagés** était réservé à des cérémonies religieuses et à des **bains rituels**. On y trouve une trentaine de motifs gravés ou sculptés *in situ*, à fleur d'eau, et représentant des lézards, des serpents, des salamandres, des iguanes, des crapauds, des caméléons et des tortues et de petites figures humaines. Le tout compose un ensemble mi-naturel, mi-travaillé à grande échelle. L'eau qui coule à travers les bassins, qu'elle relie à d'autres parties du labyrinthe, symbolise le voyage de la vie. La pollution de l'eau a entraîné une détérioration du site et une perte de lisibilité des motifs, la roche étant relativement fragile.

★★ Alto de Lavapatas

Ferme à 16h.

Juché au sommet d'une colline *(10mn d'ascension)* aplanie artificiellement, l'Alto de Lavapatas offre quelques **points de vue★★★** inoubliables sur les montagnes à 360°. C'est le site le plus ancien de San Agustín (3300 av. J.-C.). On y a dégagé des tombes simples, de petite taille, faisant penser qu'il s'agissait d'une nécropole d'enfants – sans doute ceux des personnages importants vivant sur le site. Les **statues monumentales** découvertes ici, postérieures, dateraient de la période classique. Parmi les représentations anthropomorphes et zoomorphes, on note un intéressant exemple de **Doble Yo** (Double Moi), statue mêlant traits humains et caractéristiques animales en référence peut-être à une danse rituelle dans l'Amérique d'autrefois, au cours de laquelle on portait sur soi la peau d'un animal dont on s'appropriait ainsi les caractéristiques ou les vertus.

★★★ Mesita B

C'est sur ce site, le plus complexe du parc, que vous verrez la célèbre statue de l'**aigle★★★** saisissant un serpent entre ses pattes et dans son bec. Deux dolmens soutenus par des statues monumentales rappellent le style de la Mesita A. Une colonne sculptée haute de 4 m, **El Obispo** (le prêtre) ou **El Partero★★** (l'accoucheur), montre deux personnages dont l'un a la tête en bas : celui du haut (le prêtre ?) tient par les pieds un nouveau-né, celui du bas représenterait la femme accouchée. Bel ensemble de tombes se présentant comme des excavations artificielles avec, au centre du chacune, un espace d'ensevelissement principal.

Revenir vers le musée du site.

★★ Bosque de las Estatuas

Un sentier dégagé dans la forêt dessert une quarantaine de statues retrouvées dans des endroits peu accessibles, ou encore abandonnées par les pilleurs, et que l'on a réunies dans ce bois. Certaines endommagées, d'autres en très bon état de conservation, elles constituent une collection illustrant les quatre principaux styles rencontrés dans la statuaire agustinienne : archaïque, naturaliste, expressionniste et abstrait.

À proximité Carte des environs de San Agustín p. 412

★★ La piste El Tablón-El Purutal

Tout proches les uns des autres, ces sites se visitent ensemble, au cours d'une belle promenade d'env. 15 km à faire à pied (env. 5h) ou à cheval (env. 4h - la plupart des hôtels peuvent vous arranger l'excursion) par une piste bien entretenue et bien signalisée mais qui peut être boueuse après les pluies.

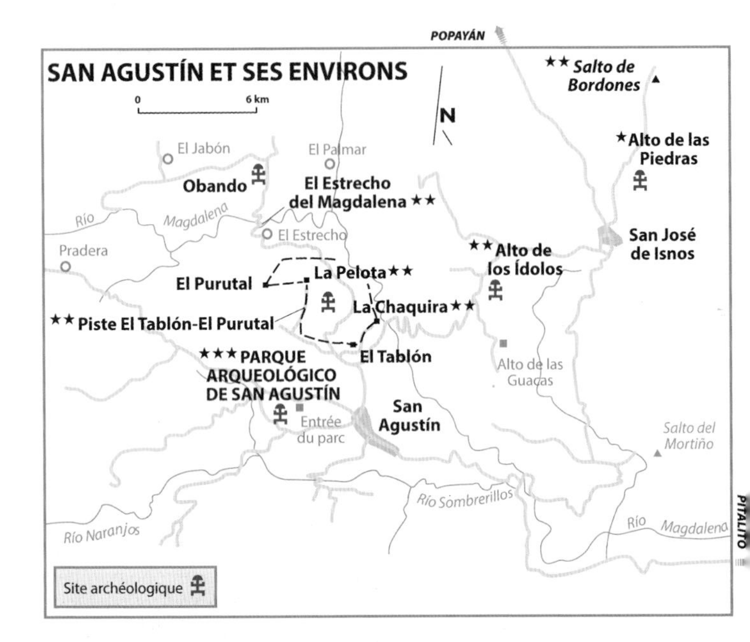

La balade, très agréable, vous fera apprécier la beauté des paysages et découvrir quelques statues précolombiennes qui complètent la visite du parc archéologique.

El Tablón – *À 2,5 km au nord de San Agustín - le site se trouve à 10mn à pied de la route asphaltée.* Un ensemble de statues aux attributs féminins probablement consacrées à une divinité de la Lune. L'une d'elles, de plus de 2 m de haut, montre un **prêtre★** richement paré et coiffé.

★★ **La Chaquira** – *À env. 20mn à pied au nord-est d'El Tablón.* Site sacré réservé aux sacrifices. Les grands rochers qui surplombent la gorge du Magdalena sont gravés de **pétroglyphes★★★** figurant des personnages les bras levés sur les côtés, peut-être en posture d'adoration.

★★ **La Pelota** – *À env. 1h à pied de La Chaquira.* Parmi les trois statues regroupées sur ce site, remarquez celle d'un aigle dévorant un serpent, similaire à celle du parc de San Agustín mais plus ancienne.

El Purutal – *À env. 10mn de La Pelota.* Rares exemples dans la région de statues ayant conservé leur polychromie. *Comptez 1h à pied pour rentrer à San Agustín.*

★★ El Estrecho del Magdalena

À 10 km de San Agustín.

El Estrecho correspond à l'endroit où le cours du Magdalena est le plus étroit : un beau goulet d'à peine 2,20 m de large, où les eaux bouillonnent et se précipitent vers la lointaine mer des Caraïbes. Photogénique et très tranquille, l'endroit offre un cadre plaisant pour un pique-nique.

Obando

Traversez le détroit du Magdalena à El Estrecho et suivez la route vers Obando. Env. 3 km avant Obando, vous trouverez à gauche l'indication d'une piste qui mène à des **pétroglyphes**.

Museo y Parque Arqueológico de Obando – *Vereda El Jabón - mar.-dim. 8h-13h, 15h-18h.* Cet ensemble de monticules funéraires abrite des tombes peintes qui rappellent quelque peu celles de Tierradentro. Il fait partie d'un parc dont le petit musée expose des meules, des pots de céramique et des objets de la vie quotidienne.

Autour de San José de Isnos

Sur l'autre rive du Magdalena, à 20 km de San Agustín (38 km par la route de Pitalito) - les bus reliant San Agustín à Popayán font une halte sur le parque principal d'Isnos où vous trouverez des taxis pour les sites environnants.

Niché dans un terrain accidenté, à 1 400 m d'altitude, Isnos, village prospère, vit de la production du **café**, vendu au bord de la route et servi dans les établissements locaux. Après la récolte, les grains de café sont étalés et mis à sécher sous des auvents, destinés à les protéger des averses intempestives, assez fréquentes. Les petits producteurs vous expliqueront que leur café a un arôme de raisin, de noix, de chocolat avec des notes très douces de caramel. Autour du village se trouvent **deux sites agustiniens** moins visités mais tout aussi fascinants que ceux du parc archéologique principal.

★★ **Alto de los Ídolos** – *À 5,5 km au sud-ouest de San José de Isnos - pas de transport public - www.icanh.gov.co - 8h-17h (dernière entrée 16h) - 20 000 COP (billet combiné avec le parc archéologique de San Agustín, valable 2j.) - comptez 1h de visite.* Ce site en forme de croissant de lune comporte 16 tombes et 17 sculptures datant du 1er s. av. J.-C. au 5e s. apr. J.-C., dont certaines conservent quelques traces de polychromie. Deux petites collines proches l'une de l'autre ont été arasées et l'espace intermédiaire comblé pour former un vaste terre-plein artificiel aux extrémités duquel ont été aménagés deux complexes funéraires. C'est là que vous verrez la **statue la plus haute** des trois sites (5,50 m). Plusieurs dolmens gardés par des **statues★★** protègent des sarcophages monolithiques pouvant mesurer jusqu'à 3 m de long et dont certains sont sculptés. L'une des deux tombes de la Mesita B montre un remarquable **sarcophage★★** en forme de crocodile.

★ **Alto de las Piedras** – *À 6 km au nord de San José de Isnos - colectivos depuis le parque principal en dir. de Bordones - comptez 25mn de visite.* Ses neuf tumuli funéraires occupent une petite colline, sur un site beaucoup moins étendu que l'Alto de los Ídolos. Certaines des statues (gardiens ? divinités ?) portent encore des traces de couleur rouge, jaune et noire. On retrouve ici, comme à San Agustín, une statue représentant une créature avec de longs crocs. La statue de **Doble Yo★★★**, plus finement ornementée et mieux conservée que celle de l'Alto de Lavapatas, montre deux figures humaines imbriquées avec trois figures animales, dont un serpent et un jaguar. Ne manquez pas non plus la statue représentant une femme enceinte, les mains posées sur le ventre.

★★ **Salto de Bordones** – *À 9 km de l'Alto de las Piedras par la même route, desservie par les colectivos en dir. de Bordones.* À la sortie du village de Bordones, cette **chute d'eau** d'environ 400 m de hauteur, l'une des plus hautes de Colombie, se profile sur un spectaculaire paysage de jungle. On y accède par une piste escarpée (*1h - baignade possible*).

NOS ADRESSES À SAN AGUSTÍN

INFORMATIONS UTILES

Policía - *Carrera 3, nº 11-86 (place de l'Alcaldía, en face de l'office de tourisme) - ✆ (8) 837 3080.*
Banco de Bogotá - *Calle 3, nº 10-58.* Distributeur. Pas de change.

ARRIVER/PARTIR

San Agustín n'est pas desservi par avion. Les aéroports les plus proches sont ceux de Neiva *(voir p. 392)* et de Popayán *(voir p. 404).*

Bus

Terminal – *À l'angle de la calle 3 et de la carrera 11.* Liaisons avec Bogotá (3/j. - 9h de trajet de nuit - 55 000 COP), Neiva (4h - 30 000 COP), Popayán (4h - 30 000 COP) et Pitalito (45mn - 6 000 COP). Pour Tierradentro, prenez le bus de 5h30 dir. Popayán où vous changerez : c'est le plus direct.

TRANSPORTS

Bus – Le site archéologique se trouve à 3 km du parque de Bolívar : minibus à l'angle calle 5 et carrera 14 (1 200 COP).
Taxi – Les tarifs sont fixes et doivent être affichés. Pour le parc, comptez 5 000 COP.

HÉBERGEMENT

Les logements sont assez simples à San Agustín ; si vous séjournez à la périphérie de la ville, prenez un taxi pour vous rendre à votre hôtel (la plupart sont situés sur les hauteurs de la ville).

PREMIER PRIX

Hipona Plaza – *Calle 3, nº 13-24 (sur le parque de Bolívar) - ✆ (mob.) 314 454 8497- - 8 ch. 60 000 COP.* Une situation on ne peut plus centrale, à côté de l'église principale et à deux *cuadras* du terminus des bus interurbains. Dans cet hôtel, propre, d'un niveau de confort convenable sans plus, toutes les chambres disposent d'une sdb avec eau chaude. La plupart donnent sur un patio couvert d'une verrière.

La Casa de François – *Carrera 13 - Vereda La Antigua (après le croisement des routes d'El Tablón et La Antigua) - ✆ (mob.) 314 358 2930 - www.lacasadefrancois.com - - 5 ch. 70 000/80 000 COP.* Sur les hauteurs de la ville, à 20mn à pied du parque de Bolívar par une pente assez raide, une adresse plébiscitée par les jeunes voyageurs. Dortoirs et chambres avec sdb privée ou à partager sont répartis dans un ensemble de *cabañas* en dur et en bambou, disséminées parmi une végétation luxuriante. Cuisine commune, restaurant, et un coin épicerie où acheter des fruits et légumes, du pain et des confitures maison. Change les dollars.

El Maco – *Finca El Maco - à 2 km du parque de Bolívar, dir. site archéologique, prenez à droite et continuez sur 400 m après la piscine - ✆ (8) 837 3437 - www.elmaco.ch - - 7 ch. 80 000 COP.* Cette auberge tenue par un Suisse se trouve à mi-chemin entre le bourg et le parc archéologique. Cinq petits chalets avec armature de bambou et plancher dans les chambres sont répartis dans un grand jardin impeccablement tenu. Un dortoir de six lits satisfera les plus petits budgets *(20 000 COP).* Cuisine commune et restaurant (crêpes, salades, pizzas) ouvert pour le petit-déj. et le dîner. Organisation d'excursions à cheval.

BUDGET MOYEN

Finca El Cielo – *À 3 km de San Agustín sur la route d'El Estrecho - (mob.) 313 493 7446 - - 5 ch. 100 000 COP* . Cette petite ferme de bambou offre un incroyable panorama sur les Andes que l'on observe depuis la fenêtre de chambres cosy et bien équipées (grand écran plat, mini-frigo, wifi). Les propriétaires, charmants, peuvent vous organiser des randonnées, du rafting sur le Magdalena, des balades à cheval accompagnées ou non. L'hôtel dispose de son propre restaurant.

RESTAURATION

PREMIER PRIX

El Fogón – *Calle 5, n° 14-04, à deux cuadras du parque de Bolívar - (mob.) 320 834 5860 - 7h30-21h30 - 20 000 COP.* Apprécié des habitants de San Agustín, cet établissement du centre ne paie pas de mine, mais vous y savourerez des steaks et des côtelettes ainsi que du lapin, l'une des spécialités du bourg. Service rapide et efficace. Au déjeuner, menu d'un excellent rapport qualité-prix.

El Mesón – *Calle 5, n° 14-26 - 1er étage - (mob.) 310 328 5323 - 8h-20h - 25 000 COP. Trucha al ajillo* (truite à l'ail), filet de porc fumé puis passé au grill ou mariné et cuit au four sont les spécialités de ce restaurant « gourmet » ; à déguster en terrasse sur la rue. Quelques plats végétariens et trois formules intéressantes au déjeuner. Vin chilien.

Restaurante Italiano – *À l'entrée du sentier pour le site d'El Tablón, sur la route pour El Estrecho - (mob.) 314 375 8086 - mar.-dim. 12h-21h - 25 000 COP.* Dans une salle vitrée avec vue sur la campagne, vous apprécierez de savoureuses pâtes maison préparées selon les recettes de son pays natal par un Italien. Cuisine aussi le traditionnel *lomo de cerdo al horno* (filet de porc au four).

Dónde Richard – *Calle 5, n° 23-45 - sur la route menant au parc archéologique - (8) 837 9692 merc.-lun. 9h-17h (jusqu'à 20h le w.-end) - 26 000 COP.* À la périphérie de la ville, il a forgé sa réputation sur ses viandes à la *parrilla*. Ici, pas de carte : vous aurez le choix entre grillades de porc, de bœuf ou de poisson. Tous les plats sont accompagnés de riz, de frites et de *yuca*.

PETITE PAUSE

Real – *Angle carrera 14 et calle 3 - 6h-22h.* Sur un coin du parque de Bolívar (la place de l'église) cette *panaderia/pasteleria* est l'adresse qu'il vous faut pour petit-déjeuner dans le centre. Trois mini-tables parmi les vitrines de croissants, meringues, gâteaux et salades de fruits. Café et jus de fruits frais.

ACTIVITÉS

Les agences touristiques, nombreuses sur la calle 3 entre les carreras 10 et 11, proposent toutes les mêmes prestations : randonnée de 4h à cheval sur la piste El Tablón-El Purutal (*env. 40 000 COP*) et circuit en jeep d'El Estrecho aux environs de San José de Isnos (*40 000 COP/pers.*).

Magdalena Rafting – *Carrera 5, peu avant le restaurant Dónde Richard - (mob.) 311 271 5333 - www.magdalenarafting.com.* Rafting sur le haut Magdalena au départ d'El Estrecho : la descente dure 1h30 pour un parcours d'env. 11 km (*45 000 COP*).

Piscina Municipal de las Moyas – *Calle 5, sur la route du parc archéologique.* Un plongeon dans ses eaux fraîches et transparentes s'impose après une journée sur le site archéologique.

Pasto et ses environs

San Juan de Pasto

440 000 habitants – Capitale du département du Nariño – Alt. 2 527 m

Aux portes de l'Équateur, San Juan de Pasto, à l'extrême sud-ouest de la Colombie, contrôle une région agricole et laitière dans la fertile vallée de l'Atriz. Blottie sur les pentes orientales du volcan Galeras, la ville a réussi à préserver une bonne part de son charme colonial, malgré les séismes et les éruptions. Surnommée « la Ciudad Teológica » (Ville de la théologie), Pasto s'enorgueillit des nombreuses églises qui bordent ses étroites rues pavées. Outre les villages et les parcs naturels tout proches, ne manquez pas la basilique de Las Lajas, l'un des sanctuaires les plus vénérés du pays.

NOS ADRESSES PAGE 424
Hébergement, restauration, etc.

S'INFORMER

Office de tourisme - *Casa de Don Lorenzo, plaza de Nariño - (2) 722 3717 - www.culturapasto.gov.co et http://turismo.narino.gov.co.*

SE REPÉRER

Carte de région A2 (p. 366) – carte Entre Pasto et Ipiales, p. 421.
À 247 km au sud de Popayán.

Voir aussi la rubrique « Arriver/partir » dans « Nos adresses ».

À NE PAS MANQUER

Une randonnée dans l'île de la Corota ; un pique-nique sur les rives de la Laguna Verde ; l'église néogothique de Las Lajas, qui enjambe l'impressionnante gorge du río Guáitara.

Se promener Carte de région A2 (p. 366)

Si Pasto a perdu beaucoup de ses monuments dans des tremblements de terre, elle reste une ville séduisante. Centre religieux important à l'époque coloniale, la ville possède un nombre d'églises étonnant pour sa taille.

★ Iglesia de San Juan Bautista

Calle 18A, nº 25-17.

Elle se dresse sur la place principale de la ville, la **plaza de Nariño**. Seul vestige religieux d'époque coloniale que Pasto ait conservé, cette église est l'ancienne cathédrale de la ville. Le bâtiment originel construit en 1537, très ébranlé par les tremblements de terre, a fini par être démoli et remplacé par l'actuel édifice de style mozarabe (1669). Voyez sa **chaire baroque** et **La Danzarina**, une statue de la Vierge sculptée au 18e s. par un artiste équatorien de renom, Bernardo de Legarda. C'est à San Juan Bautista qu'ont été enterrés les premiers habitants de la ville.

Catedral

Carrera 26, nº 17-23 (à l'angle de la calle 17).

Consacrée en 1920, la cathédrale de Pasto est un austère édifice de brique rouge à trois grandes nefs. Dans l'abside, du côté du presbytère, notez le

Sanctuaire de Las Lajas, près d'Ipiales *(p. 422)*.
allOver/Blickwinkel/age fotostock

bel **autel** à dorures dont la niche centrale, flanquée de part et d'autre de 4 colonnes corinthiennes, abrite la statue du Sacré-Cœur de Jésus. Le décor richement orné (19e s.) de la cathédrale est dû pour une bonne part à des artistes du Nariño.

Museo Juan Lorenzo Lucero

Calle 18, nº 28-87 - ✆ (2) 731 4414 - lun.-vend. 8h30-12h, 14h30-17h30, sam. 9h-12h - 2 500 COP.

Portant le nom d'un évêque de Quito et de Popayán au 17e s., il présente des collections d'art religieux de l'**école de Quito**, d'art folklorique, des instruments de musique ainsi qu'une section archéologique et ethnographique. Sa bibliothèque conserve une collection très complète d'auteurs régionaux.

Museo Madre Caridad Brader Zahner

Calle 18, nº 32A-01 - ✆ (2) 731 2092 - lun.-vend. 8h-12h, 14h-16h - Donation.

Outre les souvenirs de la vie et de l'œuvre de la religieuse franciscaine dont le musée porte le nom, vous y découvrirez une collection archéologique et ethnographique constituée d'objets rituels autochtones (bijoux, textiles, vanneries), dont beaucoup proviennent des cultures de Calima, San Agustín et Pasto.

Museo Taller Alfonso Zambrano Payán

Calle 20, nº 29-79 - ✆ (2) 731 2837 - lun.-sam. 8h-12h, 14h-16h - entrée libre.

Ce modeste musée porte le nom d'un artiste local (1915-1991) connu pour ses sculptures religieuses sur bois et pour ses contributions artistiques aux chars du carnaval de Pasto. Les collections, éclectiques, se composent d'œuvres d'art sacré (quelques belles pièces de l'école de Quito), d'instruments de musique et d'objets précolombiens des cultures de Quillasinga, Pasto et Tumaco.

★ Iglesia del Cristo Rey

À l'angle de la calle 20 et de la carrera 24.

L'église d'origine, construite par les dominicains au 16e s., a été remplacée dans les années 1930 par le bâtiment actuel, de brique jaune et crème. Son

PASTO LA REBELLE

Fondée par **Sebastián de Belalcázar** en 1537, Pasto fut transférée sur son site actuel deux ans plus tard par **Lorenzo de Aldana**. Lors des guerres d'indépendance, elle est devenue un **bastion royaliste**, menant sous le commandement d'un *mestizo*, **Agustín Agualongo** (1780-1824), une lutte farouche contre les armées républicaines. Au 19e s., lors des conflits qui ont opposé les libéraux aux conservateurs, Pasto a été quelques mois durant la capitale de la République. À la création du département du **Nariño**, en 1904, elle en est devenue la capitale. C'est aujourd'hui une ville profondément métissée, comme le proclame son **carnaval**, et la fusion des cultures, des croyances et des saveurs lui confère un caractère unique.

élégante façade de style néogothique flamboyant est encadrée de tours jumelles que surmontent des anges. Une monumentale statue du Christ-Roi accueille les fidèles à l'entrée. Vous pourrez y admirer deux grands tableaux d'Isaac Santacruz, un peintre nariñense du début du 20e s., et, derrière le **maître-autel**, une série de 19 **sculptures sur bois**, œuvre de plusieurs artistes équatoriens et d'Alfonso Zambrano, enfant du pays et sculpteur de talent. Les belles **dorures** de l'autel, dues à Alfonso Chaves Enríquez, un autre artiste de Pasto, et les **vitraux** complètent l'ornementation intérieure.

Iglesia Nuestra Señora de Las Mercedes

Carrera 22, nº 18-24.

Les deux églises qui ont précédé cet édifice, dont une datant de 1609, ont été détruites par des tremblements de terre. L'église actuelle a été construite au début du 20e s. C'est la plus fréquentée de la ville, sa statue de la **Virgen de las Mercedes**, sainte patronne de Pasto, faisant l'objet d'une profonde vénération ; elle tient entre les mains le bâton de commandement du colonel royaliste Basilio García, qui a combattu Simón Bolívar au 19e s. L'église possède un rarissime **escalier hélicoïdal** réalisé par Lucindo Espinosa.

Museo del Oro Nariño

Calle 19, nº 21-27 - Centro Cultural Leopoldo López Alvarez - ✆ (2) 721 9100 - www.banrepcultural.org/pasto - mar.-vend. 10h-17h, sam. 9h-17h - entrée libre.

La collection permanente comprend quelque 400 objets d'art précolombien provenant des cultures du sud de l'Altiplano (**capulí**, **piartal** et **tuza**), ainsi que des plaines côtières du Pacifique (**tumaco**). L'auditorium accueille des colloques et des conférences.

Museo Taminango de Artes y Tradiciones Populares de Nariño

Calle 13, nº 27-67 - ✆ (2) 723 5539 - lun.-vend. 8h-12h, 14h-18h, sam. 9h-12h - 2 000 COP.

Occupant une maison coloniale construite en 1623, ce musée présente plusieurs techniques artisanales propres à la région, comme le **barniz de Pasto** utilisé à l'époque précolombienne : ce vernis obtenu à partir d'une résine tirée d'un arbre appelé *mopa-mopa* servait à décorer bols, assiettes et boîtes en bois. À voir aussi, le petit jardin planté d'herbes médicinales traditionnelles.

Museo del Carnaval

Au nord du centre-ville (20mn à pied de la cathédrale) - Centro Cultural Pandiaco - à l'angle de la calle 19 et de la carrera 42 - ✆ (2) 731 4598 - 8h-18h.

Il présente une collection permanente de marionnettes, costumes et masques traditionnels, ainsi que des éléments des chars monumentaux du carnaval.

À proximité Carte Entre Pasto et Ipiales p. 421

★ VOLCÁN GALERAS

Accès aux sentiers de randonnée par le secteur Urcunina (11 km de Pasto) ou par le secteur Telpis (26 km de Pasto), les deux postes de garde - 8h-17h sf phases d'activité du volcan. Rens. office du tourisme de Pasto ou www.sgc.gov.co/Pasto.aspx.
Les Indiens le nommaient **Urcunina**, la « montagne de feu ». La première éruption du Galeras à avoir laissé une trace dans les archives remonte au 7 décembre 1580, mais le volcan est sans doute actif depuis plus d'un million d'années, et ses périodes de complet assoupissement sont rares. En 2010, il a recommencé à cracher fumées et cendres, entraînant l'évacuation de 8000 personnes : c'était sa dixième éruption en douze mois... Depuis, l'activité a sensiblement décru, se limitant à de faibles jets de cendres et de vapeurs, mais la vigilance reste de mise.
Lorsque les conditions sont sûres, des randonnées guidées sont organisées vers le sommet *(8 km - excellente condition physique requise),* à travers des terrains instables et jusqu'à une altitude de 4276 m. L'ascension, plutôt rude, conduit aux *páramos* et aux *subpáramos* (des pâturages humides de haute altitude) qui se déploient sur les pentes; magnifique **panorama★★** depuis le sommet.
Ruta Dulce de Nariño – La « douce route du Nariño », ou **Circunvalar del Galeras** *(118 km)*, traverse de magnifiques paysages et passe par plusieurs **villages coloniaux** perdus sur les contreforts du volcan Galeras : **Nariño**, **La Florida** (réputée pour ses **panamas** en fibre de palme), **Sandoná**, **Consacá** (marché le sam.), **Tangua** et **Yacuanquer**, avant de regagner Pasto. Sachez que, la route passant au pied du volcan, vous n'aurez pas de vue dégagée sur celui-ci.

★★ LAGUNA DE LA COCHA

À 25 km au sud-est de Pasto (40mn par la carretera 45 et El Encanto).
Enchâssé dans son écrin de verdure alpine, à 2830 m d'altitude, le deuxième lac de Colombie par sa superficie (14 km de long sur 4,5 km de large) est aussi

LE CARNAVAL DES NOIRS ET DES BLANCS

Chaque année, en janvier, se déroule à Pasto une grande manifestation emblématique de la diversité ethno-culturelle du pays : le **Carnaval de Negros y Blancos**, inscrit au Patrimoine culturel immatériel de l'humanité. Ce carnaval mêle des influences diverses, certaines fort anciennes, comme celles des Indiens **pastos** et **quillasingas** qui célébraient des divinités tutélaires pour qu'elles protègent leurs récoltes, et d'autres plus récentes, remontant à la période esclavagiste (17e et 18e s.), d'où la mise en scène des rapports entre l'esclave et son maître espagnol, et de la dynamique du pouvoir.
Pendant les deux jours que dure le carnaval, les processions rythmées par les tambours envahissent les rues de la ville; les participants revêtent des costumes traditionnels et se peignent le visage. Point d'orgue des réjouissances, le joyeux **barbouillage à la peinture noire** *(el Día de los Negros, ou « journée des Noirs », le 5 janvier)* est suivi par les **batailles de farine et de talc** *(el Día de los Blancos, ou « journée des Blancs », le 6 janvier)* qui doivent, dit-on, favoriser la tolérance et le respect de l'autre.

l'un des plus spectaculaires des Andes. L'air pur, les eaux cristallines – excellentes pour la pêche à la truite –, les couleurs magnifiques, la splendeur de l'environnement revêtent un charme quelque peu scandinave. Des **sentiers** de balade bordent ses rives et un jardin botanique a été aménagé sur l'île de la Corota, au centre du lac.

★★ Santuario de Fauna y Flora Isla de la Corota

Au centre de la Laguna de la Cocha - bateau depuis le Puerto del Encanto (10mn de traversée - 25 000 COP AR) - droit d'accès au parc 1 000 COP - www.parquesnacionales.gov.co - 8h-17h.

L'île se situe à 2 830 m d'altitude et subit l'influence climatique du Nudo de los Pastos (nœud des Pastos), où se rejoignent les Cordillères occidentale et centrale. Il y règne une température moyenne de 11°, si bien que l'on retrouve une végétation de *páramo* dès 2 770 m d'altitude.

La petite **réserve insulaire** est constituée de forêts humides où les chercheurs de l'université du Nariño mènent des investigations scientifiques sur les amphibiens (grenouilles et tritons) et les 300 espèces de plantes recensées ici. Le **belvédère** qui domine le lac se prête à l'observation ornithologique : 32 espèces aquatiques nichent dans la zone.

Un **sentier** traverse l'île parmi des massifs d'épiphytes (broméliacées et orchidées en particulier) et d'anthuriums. Deux autres **sentiers** font le tour de l'île et permettent de voir de près cet **habitat aquatique** constitué de roseaux, de joncs et de hautes herbes où s'ébattent les foulques, les grèbes et les hérons bihoreaux. L'île abrite également une petite **chapelle** consacrée à la Vierge de Lourdes, qui fait l'objet d'un pèlerinage annuel le deuxième dimanche de février.

Excursions Carte Entre Pasto et Ipiales p. 421

TÚQUERRES

À 72 km au sud-ouest de Pasto.

Túquerres (41 000 hab.), situé dans les montagnes à 3 051 m d'altitude, dans un paysage de rêve, sert de point de départ pour l'exploration des contreforts escarpés d'un strato-volcan semi-actif. Bien que l'exploitation agricole (champs de pommes de terre et extension des terres à bétail) ait quelque peu modifié la physionomie de Túquerres, elle n'a rien enlevé à la beauté du site. Au **marché du jeudi**, vous trouverez des *ruanas*, les ponchos de laine de l'Altiplano.

★★ Laguna Verde

À env. 10 km à l'ouest de Túquerres. Prenez un taxi (50 000 COP AR) jusqu'à la cabaña de Corponariño, le bureau régional de l'environnement - dernière entrée 13h - 1 000 COP.

De là, comptez 6 km à pied (3h) jusqu'aux rives du lac. Le chemin se faufile entre les touffes de *frailejones* et de *chupallas* du *páramo* jusqu'au bord du cratère, délivrant au passage de beaux **points de vue★★** sur les lacs de l'Azufral, qui présentent tous le même caractère éthéré. Par temps clair, la vue porte au sud jusqu'à Cayemba (dans le nord de l'Équateur), et l'on aperçoit, à l'est, le volcan Galeras.

Culminant à 4 070 m, le **Volcán Azufral** fait partie de la **Reserva Natural del Azufral**. Il est surtout connu pour son étonnante **Laguna Verde**, le plus vaste de ses trois **lacs de cratère**, qui occupe le nord-est de la caldeira : à 3 900 m d'altitude, le « lac vert », alimenté par des sources sulfureuses, doit la couleur

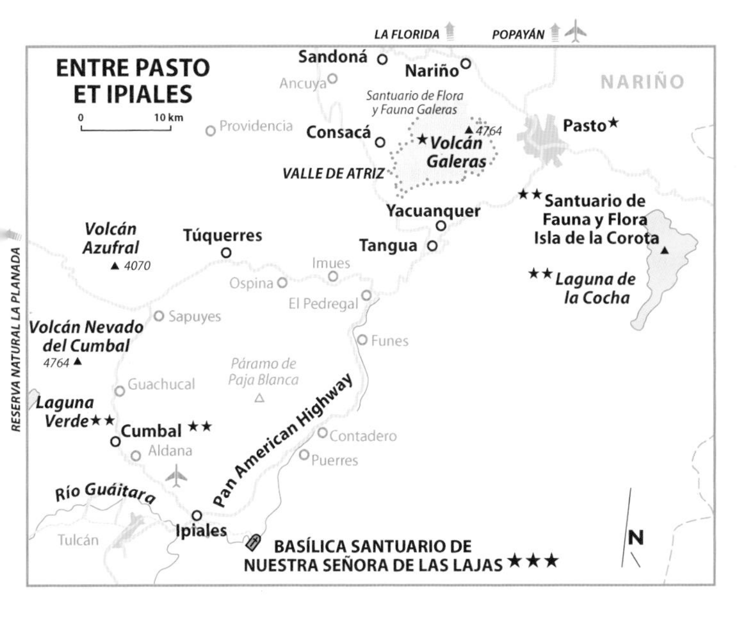

particulière de ses eaux à leur teneur en soufre et en fer. Une piste mène jusqu'au rivage, 800 m plus loin, où les roches sulfureuses, les eaux bouillonnantes et les fumerolles rappellent que le volcan n'est pas éteint.

★ Reserva Natural La Planada

À 70 km au nord-ouest de Túquerres - 8 km de piste après Ricaurte, près de la carretera 10 qui conduit à Tumaco - (mob.) 313 681 3383 - http://reservalaplanada.blogspot.com - circuits guidés sur demande à la réserve - informations et cartes des sentiers de nature à l'accueil - possibilité de restauration et de logement en cabaña sur place.

Cette réserve privée couvre 3 200 ha de forêts d'altitude humides et luxuriantes, qui abritent une extraordinaire concentration d'espèces d'**oiseaux endémiques** à l'Amérique du Sud et quantité de **broméliacées** et d'**orchidées** comptant parmi les plus impressionnantes de Colombie. Au cœur du territoire des **Indiens awas**, La Planada s'étend sur un plateau rocheux, à une altitude qui varie de 1 850 m à 2 300 m. Ce riche habitat naturel, parfaitement intact, abrite aussi des amphibiens (grenouilles et salamandres) et des **ours à lunettes**, depuis qu'un programme de réintroduction contrôlée a été mené avec un certain succès.

IPIALES

À 80 km au sud-ouest de Pasto.

Préparez-vous à affronter les frimas andins : situé à 2 897 m d'altitude, sur les bords du **río Guáitara**, Ipiales (138 000 hab.), souvent plongé dans le brouillard, est parfois glacial. La ville n'est qu'à 2 km de l'Équateur : ceux qui transitent par là se dirigent vers la frontière ou vers le **sanctuaire de Las Lajas**, une grosse église néogothique célèbre pour ses miracles, qui attire des pèlerins colombiens autant qu'équatoriens.

Comme beaucoup de villes frontalières, Ipiales manque de charme, même si quelques édifices, concentrés autour des deux parcs au cœur de la ville, méritent un bref détour. Mais elle accueille tous les vendredis l'un des plus beaux **marchés indiens** de Colombie. Alentour, les **villages indiens** tout proches vivent au rythme de leurs marchés hebdomadaires dont les étals débordent de produits frais et d'objets artisanaux.

Parque de la Independencia

Entre les carreras 5 et 6 et les calles 8 et 9.

Au milieu du square, une fine colonne porte à son sommet une statue de la Liberté chevauchant un condor aux ailes déployées. Juste au sud-est se dresse la **Catedral Bodas de Plata** (cathédrale des Noces d'Argent - *angle carrera 6 et calle 13*) : sa façade (1823) assez ingrate, en brique rouge, cache un intérieur impressionnant avec ses imposantes colonnes, ses marqueteries, ses grilles de chapelles dorées et ses hautes fenêtres.

Parque de la Pola

Entre les carreras 5 et 6 et les calles 13 et 14.

Cette place au centre de la ville est entourée d'une multitude de banques et de bureaux de change – frontière oblige. Les bus qui font la navette avec l'Équateur passent à grands coups de klaxons. Au milieu de toute cette agitation, la statue de **Policarpa Salavarrieta** (1795-1817) représente l'héroïne de l'Indépendance s'arrachant aux chaînes qui la lient à un poteau. La **Iglesia de San Felipe Neri** *(à l'angle de la place et de la carrera 5),* dont la façade bleue et blanche de 1825 donne sur le parc, arbore des clochers à dôme.

★★★ Basílica Santuario de Nuestra Señora de Las Lajas

À 6 km d'Ipiales par la route de Potosí (colectivos) - ✆ (2) 775 4490 - 6h-18h - musée 7h-12h, 14h-18h.

Dans un cadre austère de montagnes et de cascades, c'est un étonnant sanctuaire de style **néogothique**. L'imposante basilique grise et blanche, divisée en trois nefs, semble décliner à l'infini tours et flèches, rosaces, clochetons et arcs-boutants. Elle prend appui contre la paroi rocheuse du canyon. Un **pont à deux arches** (50 m de haut pour 20 m de long), orné de statues d'anges, enjambe le précipice verdoyant, au fond duquel coule le **río Guáitara**, et relie la basilique à l'autre bord du canyon.

L'image de la **Vierge du Rosaire**, peinte sur une pierre plate (*laja*, sorte de lauze), trône au centre du retable principal, au bout de la nef centrale. Histoire pour les uns, légende pour les autres : vénérée par les pèlerins de Colombie et d'Équateur, cette image aurait été trouvée par une femme indienne, vers le milieu du 18e s., dans une **grotte** au bord du río Guáitara. Très vite, on parle de miracle. Très vite, la dévotion envers la mystérieuse image s'étend dans la région, et une modeste chapelle de bois couverte de chaume se dresse bientôt sur les lieux. En 1795, les fidèles érigent une deuxième chapelle, cette fois en pierre et en brique. Il leur faut sept ans pour achever le bâtiment, qui mesure 7 m sur 6 m. En 1853, la chapelle est agrandie sur les instructions de l'architecte équatorien **Mariano Aulestia**. Mais elle se révèle bientôt trop petite pour accueillir le nombre toujours croissant de pèlerins qui affluent. Une dernière campagne de travaux, entreprise en 1915 et achevée en 1949, donne à **Las Lajas** l'aspect que nous lui connaissons aujourd'hui.

Le sanctuaire, géré et entretenu par la congrégation des sœurs franciscaines de la Vierge immaculée, est un lieu de culte permanent particulièrement fréquenté. Les innombrables *ex-voto* placardés à l'intérieur ont été offerts par des pèlerins reconnaissants, souvent venus à pied d'Ipiales, de Pasto, de Túquerres ou même d'Équateur, et qui ont parfois cheminé pendant 12h ou plus pour atteindre Las Lajas.

LA ROUTE DE L'ÉQUATEUR

Entre Popayán et Ipiales, l'**autoroute panaméricaine** traverse certains des plus beaux paysages de Colombie. Entre Popayán et Pasto, un vaste bloc montagneux, le **Macizo Colombiano** (massif colombien), marque le point où les Cordillères occidentale et centrale se séparent de la grande chaîne andine. La route se déploie en éventail au-dessus de profonds à-pics et de gorges escarpées avant de se lancer à l'assaut des crêtes où s'alignent les volcans, dont certains atteignent 4600 m d'altitude. Elle offre des **vues★★** stupéfiantes sur les versants verdoyants de la Cordillère occidentale. Des forêts humides grimpent en rangs serrés sur les pentes accidentées où prennent leurs sources les deux grands fleuves colombiens, le **Magdalena** et le **Cauca**, qui se frayent un chemin dans ce paysage chaotique. Au cours de leur long voyage vers la mer des Caraïbes, ces fleuves vont traverser crevasses et ravins, bananeraies et plantations de canne à sucre, canyons, champs de maïs et hautes futaies – vous en ferez autant pendant les 6 ou 9h que dure le trajet. Le **Valle del Patía** marque la frontière entre le département du Cauca et celui du Nariño, à une altitude de 550 m. À ces basses altitudes, l'air est moite et suffocant, mais très vite la route remonte à 1 000 ou 1 500 m d'altitude, à travers des champs où les caféiers dressent leurs têtes touffues, et l'air se fait plus respirable. Le grondement des poids lourds sur l'autoroute ne parvient pas à gâcher la beauté du paysage autour de la carretera 25. Passé la frontière du Nariño, la ville de Pasto est toute proche (80 km), nichée dans le **Valle de Atriz**, au pied du **Volcán Galeras**. La route devient sinueuse, les virages en épingle à cheveux se succèdent. À partir de la spectaculaire **gorge de Guáitara** (1 700 m) et jusqu'à Ipiales (2 900 m), vous verrez défiler des paysages de montagne à couper le souffle.

★★ CUMBAL

À 34 km au nord-ouest d'Ipiales.

La commune (37 000 hab.) doit son nom au cacique pasto **Cumbe** qui, en 1529, fonda un *pueblo* au pied du Nevado del Cumbal (4 764 m), l'un des volcans les plus actifs du pays, entre le río Blanco et le río Chiquito. Cumbal vaut le déplacement pour son **marché du samedi**, haut en couleur, mais aussi pour les admirables **panoramas★★** qu'elle offre sur son volcan et sur le sommet de son voisin, le **Volcán Chiles** (4 748 m).

Des pistes sinueuses mènent au sommet du **Nevado del Cumbal**, où les gens du cru allaient ramasser de la glace et du soufre. L'ascension *(temporairement interdite en raison de la reprise de l'activité volcanique)* est rude, mais récompensée par les **vues★★** sur les sommets neigeux de l'Équateur, au sud, et les miroitements du Pacifique, à l'ouest.

Piedra de Machines

À 2 km de Cumbal, sur la piste qui mène au volcan. Situé sur un ancien lieu de culte du peuple pasto, ce grand rocher de 2,50 m de long sur 2 m de haut est gravé de **pétroglyphes**. Parmi les figures anthropomorphes et zoomorphes, vous repérerez le symbole en forme d'étoile que les anthropologues appellent *sol de los Pastos* (soleil des Pastos).

Laguna de la Bolsa (Laguna de Cumbal)

À 6 km de la Piedra de Machines, au pied du volcan. Les **truites arc-en-ciel** se plaisent dans les eaux froides de ce joli **lac** de 5 km sur 2 km, situé à une altitude de 3 638 m.

NOS ADRESSES À PASTO

INFORMATIONS UTILES

Sécurité

Pasto est ravagée par la drogue et la violence. Les contrôles sont presque impossibles sur la frontière Colombie-Équateur, colonisée par la jungle et tombée aux mains de la guérilla : la contrebande et le trafic de drogue y font rage. Visitez Pasto en journée, mais ne vous y risquez pas après la tombée de la nuit.

Frontière Colombie-Équateur

Soyez vigilant si vous vous rendez en Équateur. La frontière est matérialisée par un pont, et les bureaux colombien et équatorien d'immigration sont situés à chaque extrémité de celui-ci. Présentez votre passeport au bureau du pays que vous quittez pour obtenir votre **visa de sortie**. Traversez ensuite le pont et rendez-vous à l'autre bureau pour obtenir votre **visa d'entrée**. Arrêtez-vous bien aux deux guichets : il serait très imprudent d'oublier de récupérer votre visa de sortie. Vous aurez besoin d'un certificat de vaccination contre la **fièvre jaune** pour entrer en Équateur.

ARRIVER/PARTIR

En avion

Aeropuerto Antonio Nariño (PSO) – *À 35 km au nord de Pasto.* Vols directs depuis Bogotá et Cali.
Aeropuerto San Luis (IPI) – *Ipiales.* Vols vers Bogotá. Pas de vol direct pour l'Équateur.

En bus

Des bus et des *colectivos* font la liaison entre Pasto et Ipiales, à 80 km au sud-ouest de Pasto. Circulez **impérativement** de jour : des attaques de bus sont à déplorer sur les trajets de nuit.
Gare routière de Pasto – *Carrera 20A et calle 17 - à 2 km du centre-ville.* Bus pour Bogotá (22h - 110 000 COP), Cali (9h - 50 000 COP) avec arrêt à Popayán, et Ipiales (2h - 14 000 COP). Du centre-ville, comptez 5 000 COP pour le trajet en taxi jusqu'à la gare routière *(10mn).*
Gare routière d'Ipiales – *À moins de 1 km du centre.* Au départ d'Ipiales, asseyez-vous sur la droite pour jouir d'un superbe panorama. Bus de/vers Bogotá (25h - 135 000 COP), Cali (10h - 80 000 COP) et Popayán (8h - 56 000 COP). Des bus pour la frontière équatorienne partent d'Ipiales, à l'angle de la calle 14 et de la carrera 10. Ne passez **en aucun cas** cette frontière après la tombée de la nuit.

HÉBERGEMENT

PREMIER PRIX

Koala Inn – *Calle 18, n° 22-37 - ✆ (2) 722 1101 - www.hosteltrail.com/hostels/koalainn - (pas de carte bancaire) - 15 ch. 40 000 COP.* Plutôt quelconque à première vue, cet hôtel situé à 15mn en taxi de la gare routière constitue pourtant le camp de base favori des voyageurs au long cours partant à la découverte de la région. Le décor est chaleureux. Grande salle de TV, bibliothèque, laverie et petit-déjeuner à l'américaine pour 15 000 COP. Les chambres sont de taille variable, avec des vues différentes. Salles de bains individuelles ou à partager. Wifi.

BUDGET MOYEN

Cuellars – *Carrera 23, n° 15-50 - ✆ (2) 723 2879 - www.hotelcuellars.*

com - ✕ - *53 ch. 180 000 COP* ☕. Au centre de Pasto, à quatre pâtés de maisons de la plaza de Nariño, l'un des plus grands établissements de la région jouit d'une excellente réputation. Son personnel est charmant et ses chambres, spacieuses et claires, sont remarquablement équipées : wifi, bureau, coffre-fort et sèche-cheveux dans les salles de bains.

Loft – *Calle 18, n° 22-23 - ✆ (2) 722 6733 - www. lofthotelpasto.com* - ✕ - *24 ch. 180 000 COP* ☕. Dans le quartier des affaires de Pasto, cet hôtel au décor minimaliste est un havre de sérénité et de luxe. Repos garanti. Influence asiatique pour les chambres et les suites, éclairage tamisé, parquets, grands lits. Le Loft possède également un sauna et une salle de gym. Wifi.

RESTAURATION

PREMIER PRIX

Picantería Ipiales – *Calle 19, n° 23-37 - Edificio Ariel - Pasto - ✆ (2) 723 0393 - www. picanteriaipiales.com* - 💳 - *tlj sf dim. - 20 000 COP.* Plats typiques du sud de la Colombie et spécialités à base de porc. Mention spéciale pour les *lapingachos* (crêpes aux pommes de terre et fromage), le *hornados* (porc rôti) et le *maíz tostado* (maïs et couenne de porc). Succursale à Ipiales.

BUDGET MOYEN

Tipi Cuy – *Calle 18, n° 51-110 - Torobajo - Pasto - ✆ (2) 731 7604 - www.tipicuy.com.* Fondé en 2003, ce restaurant discret peut accueillir 100 convives dans sa salle aux murs vert citron. Le personnel vous y servira des plats à base d'ingrédients locaux tels que le *cuy* (cochon d'Inde), roboratifs et sains. Musique *in vivo* les week-ends, en soirée.

PETITE PAUSE

Tienda del Café del Parque – *Carrera 24, n° 18-62 - tlj sf dim.* Situé à proximité de la plaza de Casino, cet établissement colombien sert un excellent café bio cultivé dans le département du Nariño. Pâtisseries, en-cas et sandwiches. Des compositions artistiques ornent les murs. À l'étage, un bar pour admirer le coucher du soleil.

AGENDA

Carnaval de Negros y Blancos – *5 et 6 janv.* *Voir p. 419.*

LES PLAINES ORIENTALES ET L'AMAZONIE

Les plaines orientales et l'Amazonie 7

Au sud-est de Bogotá :

À l'extrémité sud-est du pays :

Le monde des plaines

Située à l'est des Andes, la **région des Llanos** est constituée de grandes **plaines herbeuses** nourries par le río Orinoco (l'Orénoque), qui traverse ensuite le Venezuela et poursuit son cours jusqu'à l'océan l'Atlantique.

EN ROUTE POUR LA « PORTE DES PLAINES »

L'autoroute reliant **Bogotá** à Villavicencio (108 km) offre des **vues**★★ spectaculaires : elle semble jouer les montagnes russes, passant à plus de 3 100 m avant de redescendre brusquement. Pour atteindre votre destination, vous franchirez cinq tunnels et plus de 50 ponts. Vous traverserez de magnifiques vallées verdoyantes dans lesquelles poussent les palmiers géants et scintillent les cascades. Considéré comme un lieu sacré pour les Muiscas, le *páramo* de Sumapaz *(voir p. 154)* constitue l'arrière-plan saisissant de la capitale colombienne.

Vers le sud-est, des producteurs locaux vendent du yaourt, de la crème et du fromage fumé sur des étals improvisés en bois le long de la route. Après la petite ville de **Chipaque**, ses boutiques et gargotes familiales, la route descend dans une charmante vallée bordée de rochers aux couleurs ambrées. Des chaises et des tables en plastique installées à l'extérieur d'un restaurant, sur le côté droit de la route, invitent à s'arrêter pour reprendre des forces, à quelques mètres à peine des troupeaux de bétail : au menu, de gigantesques pavés de bœuf grillés au feu de bois. L'étape suivante vous mène à **Abasticos**, petite bourgade qui se résume à une série d'échoppes sur la gauche de la route, où l'arôme du chorizo grillé parfume l'air.

Le terrain rocheux se couvre peu à peu de *cucharillos*, littéralement **arbres à cuillères** *(Trichilia havanensis)* et laisse entrevoir quelques prairies où paissent des taureaux. La route passe ensuite sous le tunnel de Quebrada Blanca, avant de traverser **Guayabetal**. En arrière-plan, on aperçoit la forêt andine, arrosée par les cours d'eau cristallins jaillissant de la montagne. À 70 km de Bogotá, la route franchit un pont jaune duquel vous apercevrez les vestiges de l'ancienne route, en partie dissimulés sous l'enchevêtrement de lianes moussues.

À une dizaine de kilomètres de Villavicencio, un groupe de fermes couleur prune indique le début de la montée ardue vers l'**Alto de Buena Vista** qui offre de magnifiques vues sur la végétation dense, les jolies **fincas** et le **río Meta**. Gardez votre appareil photo sous la main !

UNE TERRE LONGTEMPS IGNORÉE

Pendant plus de trois siècles, ces immenses savanes tropicales peu hospitalières, alternant périodes de sécheresse et pluies diluviennes suivies d'inondations terribles, restèrent ignorées des colons, qui leur préféraient les plaines côtières. D'importants obstacles géographiques, comme le **río Orinoco** au courant rapide, et la chaleur étouffante et oppressante pesant sur la région ont longtemps freiné le développement de cet arrière-pays. Il a fallu attendre le début des années 1840 pour qu'un petit groupe de fermiers de l'est de Bogotá fonde **Gramalote**, la future Villavicencio.

Des parcelles de terres **subventionnées**, voire gratuites, furent concédées aux familles paysannes déplacées par le gouvernement, désireux de faire de la zone un carrefour commercial. De nouvelles **routes** furent construites pour faciliter l'accès aux endroits les plus reculés de la savane, et permettre ainsi l'acheminement des produits agricoles et du bétail vers les marchés de Bogotá. Outre l'**élevage**, première activité économique des plaines orientales, la culture du **riz**, du maïs, du sorgho, du manioc et de la canne à sucre a modelé les paysages, où l'on traversera aussi des bananeraies (banane plantain), des champs de coton et des **plantations de cacao**. Plus récemment, le **pétrole** est devenu une source d'emplois et de revenus importante, la région extrayant quelque 500 000 barils par jour ; le Meta est en effet devenu le premier département producteur d'hydrocarbures de Colombie.

ÉCOSYSTÈME ET ENVIRONNEMENT

Les Llanos vénézuéliens et colombiens constituent 17 % de l'**écosystème des savanes** qui couvre 29 millions d'hectares en Amérique du Sud, dont 17 millions d'hectares sur la seule Colombie. Composant une éco-région unique, ses herbages comptent parmi les prairies tropicales les plus riches du monde. Mélange de forêts sèches, de terres basses vallonnées et herbeuses et de plaines inondées en saison des pluies, les Llanos fourmillent de vie sauvage. Un delta de marais et de marécages forme l'habitat de plus de 100 espèces de mammifères et 700 espèces d'oiseaux. On y trouve aussi l'endémique **crocodile de l'Orénoque**, un reptile en voie de disparition. Parmi les autres espèces menacées, on trouve la tortue Arran, la loutre géante, l'ocelot, le tatou géant, l'aigle d'Isidore et diverses espèces de poisson-chat. Le **jaguar**, le plus grand félidé américain, a été chassé à l'excès dans les Llanos, que ce soit pour le sport ou pour la protection des troupeaux ; la disparition progressive de son habitat naturel devant l'extension des domaines de pâture et de culture l'a désormais fait classer parmi les espèces en danger d'extinction.

LA CULTURE LLANERA

Les **Llaneros**, d'ascendance **espagnole** et **indienne**, vivent dans l'une des régions les plus traditionnelles de Colombie. Leur façon de s'exprimer est délicieusement poétique, d'autant qu'ils pimentent leur **dialecte** nasal et tonal de mots et d'expressions qui étaient utilisés par les colons espagnols au 16e et au 17e s. Les compétitions chantées, enjouées et rythmées, appelées *contrapunteos,* font partie de la tradition.

La culture des Llaneros reste imprégnée par bon nombre de **mythes** et **légendes**. Parmi les plus répandues, la *Leyenda de Diablo*, où le diable propose à un homme des richesses inégalées et toutes les femmes du monde en échange de son âme ; la légende des *Bolas de Fuego*, dont il existe plusieurs versions, l'une d'elles contant comment des boules de feu tombèrent du ciel pour punir un amour interdit ; ou celle du *Motorista sin Cabeza*, l'histoire d'un pilote de bateau décapité par l'hélice de son embarcation lors d'un accident sur le río Guaviare : certaines nuits, le bruit de son moteur se fait entendre, et les pêcheurs attardés sur la rive peuvent apercevoir une silhouette hiératique privée de tête.

Du berceau à la tombe, les éleveurs *llaneros*, équivalents des *gauchos* argentins, passent de longues journées en selle, sous un soleil de plomb et des vents violents. Ils conduisent leurs immenses troupeaux dans les plaines, sur des milliers d'hectares. Les **compétitions de coleo** (semblable au rodéo) sont l'occasion pour eux de démontrer leur adresse en matière de rassemblement de troupeaux et de maniement du lasso. Pendant la saison des pluies, le bétail est déplacé sur des terrains plus élevés pour échapper aux plaines inondées ; durant les mois plus secs, il est reconduit vers les zones humides où l'herbe est plus grasse.

Villavicencio et ses environs

484 000 habitants – Capitale du département du Meta – Alt. 467 m

À l'entrée de la ville, un panneau annonce « La Puerta al Llano », la Porte des Plaines. La capitale du département du Meta est le principal nœud commercial de la région. Située sur les rives du río Guatiquía, dans une zone agricole verdoyante au pied des montagnes, elle est au carrefour des échanges entre le bassin amazonien et les Andes orientales. Fondée en 1840, « Villavo » est passée, ces vingt dernières années, du statut de petite localité à celui de métropole animée. Elle fait la fierté de ses habitants qui, tout en reconnaissant que leur ville n'est pas d'une grande beauté, sont très attachés à son histoire et à son âme. Dans la région, une petite merveille à ne pas manquer : la rivière aux sept couleurs (voir p. 436).

NOS ADRESSES PAGE 436
Hébergement, restauration, etc.

S'INFORMER

PIT – *Parque de los Libertadores (face à la cathédrale) - ✆ (8) 670 3975 - www.turismovillavicencio.gov.co - mar.-dim. 8h-12h, 13h-17h.* Autres PIT à l'aéroport et à la gare routière.

SE REPÉRER

Carte de région A1 (p. 426) – carte des environs de Villavicencio p. 435.
À 108 km au sud-est de Bogotá.

Voir aussi la rubrique « Arriver/partir » dans « Nos adresses ».

À NE PAS MANQUER

La vue sur la ville depuis le Monumento a Cristo Rey ;
la musique et la danse *llaneras* à la Casa del Joropo ;
une excursion à Caño Cristales, « la rivière des sept couleurs » du parc national de la Macarena.

Se promener Carte des environs de Villavicencio A2 (p. 435)

★ Catedral Metropolitana Nuestra Señora del Carmen

Calle 39, carreras 32 et 33.

Cette belle église (1845) fut l'un des premiers bâtiments de Gramalote, le hameau fondé par les colons espagnols. Le prêtre **Ignacio Osorio** confia sa réalisation à une congrégation locale, décision qu'il regretta plus tard. Construit sommairement, l'édifice a connu, au fil du temps, de considérables améliorations. Un incendie le ravagea en 1890, mais il fut minutieusement restauré. Observez l'**intérieur** de style gothique et ses arches richement décorées.

HÉROS DE L'INDÉPENDANCE

À l'origine un simple hameau connu sous le nom de Gramalote, la ville fut rebaptisée Villavicencio en l'honneur d'**Antonio Villavicencio** (1775-1816), martyr de la lutte pour l'indépendance. Les premiers habitants des Llanos étaient d'excellents cavaliers. Pendant la guerre d'indépendance, ils combattirent d'abord aux côtés des royalistes espagnols avant de rejoindre les indépendantistes, traversant les Andes avec Bolívar pour prendre les Espagnols à revers en 1819.

Spectacle de *coleo* (rodéo llanero) à Villavicencio.
F. Mesa/Camara Lucida RM/age fotostock

Casa de la Cultura Jorge Eliécer Gaitán

Carrera 32, n° 39-62 - ✆ (8) 662 6327 - lun.-vend. 8h-11h30, 14h-17h30, sam. 8h-11h.
Destinée à promouvoir le patrimoine régional passé et présent, elle occupe un immeuble peint en orange et jaune et comprend une bibliothèque publique, une salle d'exposition et le **Ciné-Club Villavicencio**, petite salle de cinéma qui diffuse des films culturels.

★ Casa del Joropo

Calle 44, n° 56-21 - barrio Galan - ✆ (8) 664 3000 - www.corculla.com - lun.-vend. 10h-12h.
Vitrine de la **musique** et de la **danse llaneras** traditionnelles, elle offre la possibilité de rencontrer les artistes locaux lors des expositions ou d'ateliers consacrés aux instruments. Le personnel, habillé de costumes régionaux, guide les visiteurs dans un voyage autour des contes musicaux.

★ Monumento a Cristo Rey

Cerro El Redentor - dans la prolongation de la calle 40.
30mn par l'escalier le long du Caño Parrado puis un agréable sentier. Perché au sommet d'une colline dominant la ville, le **monument au Christ-Roi** offre une vue à la fois rurale et urbaine sur Villavicencio. Il fut réalisé en 1954 par **Pedro Elíseo Achury Garavito**. Protectrice et sereine, la statue est devenue un emblème prisé des photographes.

★ Parque de los Fundadores

Au sud de la ville - angle av. 40 et vía a Bogotá.
Vous y verrez le Monumento a los Fundadores, la dernière sculpture de **Rodrigo Arenas Betancourt**. Ponctués de **fontaines** illuminées et de cascades, les espaces verts sont séparés par de petites esplanades pavées où se côtoient joueurs de dominos, comédiens de rue, vendeurs de nourriture et étals de produits artisanaux. Le week-end, les familles villavicenses viennent y pique-niquer et s'y détendre.

UNE VILLE À LA FRONTIÈRE DU MONDE MODERNE

Avec la chaleur qui monte, une brume pulvérulente s'élève au-dessus des rues chaotiques de Villavicencio, témoins d'un développement difficilement géré. Des logements délabrés en périphérie de ville s'entassent autour de marchés improvisés, contrastant avec les quartiers commerçants chics du centre et les zones résidentielles tape-à-l'œil. La plupart des habitants de la ville sont employés dans les secteurs de l'élevage de bétail, de la brasserie et de l'agroalimentaire. De nombreux négociants agricoles transitent par ce nœud commercial animé, au volant d'un de ces camions crachant des gaz d'échappement à grosses volutes et pétaradant sur les routes poussiéreuses du nord-est et du sud du département du Meta. Villavicencio est maintenant reliée par l'**autoroute** à Bogotá, à une centaine de kilomètres au nord-ouest, un trajet de deux heures, loin des dix heures que nécessitait l'état de la route au début des années 2000. Cette récente proximité avec la capitale explique le fort développement commercial de la ville depuis la fin du 20e s. Un essor qui n'est pas terminé puisque de nouveaux points de vente au détail, de grands centres commerciaux et des dizaines de petites boutiques devraient ouvrir prochainement.

★ Parque Las Malocas

Vía Kirpas - mar.-dim. 9h-17h - 7 000 COP.

Ce parc thématique est le temple du rodéo version *llanera*, le **coleo**. Des expositions présentent la vie, le travail et la culture des Llaneros. Vous y découvrirez les répliques de maisons traditionnelles, des enclos pour le bétail et une zone destinée à la culture du manioc et des bananes plantains. Un petit **musée** à l'entrée est consacré aux industries importantes dans la région, à commencer par l'élevage et ses 90 000 têtes de bétail. Des panneaux d'information renseignent sur la production de lait, de viande ainsi que sur les héros et les légendes des Llanos. Mais ce sont surtout les **rodéos** et les concours équestres, se déroulant dans de grandes **arènes**, qui attirent les foules.

★ Monumento a las Arpas (monument aux Harpes)

À 2 km de la ville vers l'aéroport de Vanguardia par la carretera 65.

Ce monument de 10 m de haut domine le rond-point **Vía Marginal de la Selva**. Il est constitué d'un trio de structures métalliques angulaires d'où tombent des rais d'eau colorés formant comme les cordes de harpes *llaneras* géantes. L'ensemble, illuminé, offre un beau spectacle après la tombée de la nuit.

Excursions Carte des environs de Villavicencio p. 435

Trois **routes touristiques** au départ de Villavicencio mènent plus loin dans les plaines orientales.

★★ RUTA DEL PIEDEMONTE LLANERO A2-B1

La **route des Contreforts llaneros** suit la carretera 65 vers le nord-est.

★ Bioparque Los Ocarros A2

À 3 km au nord-est de Villavicencio - ✆ (8) 666 48713 - www.bioparquelosocarros.com.co - lun.-vend. 9h-16h, w.-end 9h-17h - 12 000 COP. Pas de transports publics. Pour profiter pleinement de la visite, mieux vaut venir le matin, avant que la chaleur ne soit trop forte, ou en fin d'après-midi, lors de la distribution de nourriture aux animaux.

Cette réserve de faune et de flore est dédiée aux espèces endémiques du **bassin de l'Orénoque**. Sur une surface de 5,7 ha, elle héberge 181 espèces, du gibier d'eau aux caïmans, en passant par les singes et les jaguars, tous rescapés des trafics animaliers ou abandonnés par leur propriétaire. Des panneaux d'information renseignent sur l'habitat naturel et le comportement de chaque animal. Beaucoup ont reçu un nom et vous pourrez en caresser certains ou les nourrir.

★★ Centro Cultural Etno Turístico El Maguare A2

À 2 km au nord-est de Los Ocarros. Visites organisées par Maguare Tours - ✆ (mob.) 312 456 3031 - bureau à Villavicencio, carrera 33, n° 34A-46 - 20 000 COP.
Les **Huitotos** sont arrivés récemment dans les Llanos, une région où les peuples de l'ère précoloniale ont disparu. Représentant l'un des plus grands groupes indiens de Colombie, ils viennent de **La Chorrera**, dans la jungle amazonienne. Artisans talentueux, ils fabriquent des masques, des *capachos* (les maracas des plaines) et des sarbacanes, ainsi que des bijoux à base de tissu d'écorce, de graines et de noix teintés avec un colorant végétal. Dans le village huitoto, vous pourrez admirer les danses et les rituels de la communauté, écouter des récits sur les terres ancestrales, suivre des cérémonies traditionnelles et des débats sur la marginalisation de cette population, et bien entendu acquérir des objets d'artisanat. Son restaurant vous donnera l'occasion de goûter un menu typiquement huitoto : viandes grillées, bananes plantains et riz, servis dans une feuille de bananier et accompagnés d'une boisson au maïs.

★ Restrepo A2

À 10 km au nord-est de Villavicencio - www.restrepo-meta.gov.co/turismo.shtml.
Cette petite ville (11 000 hab.) au charme rural se distingue par son église à deux tours, le **Santuario Inmaculada Concepcion★**, très bien conservée. Dominant la grand-place, l'édifice est orné de fresques peintes par **Patricia Corzo**. La **Casa de Cultura**, également sur la place, organise des expositions et des événements folkloriques permettant de découvrir la musique, la danse, les langues et les traditions de la région.

★ Cumaral A2

À 26 km au nord-est de Villavicencio - www.cumaral-meta.gov.co/turismo.shtml.
Cumaral (18 000 hab.) est traversée par cinq rivières et trois canaux. Fondée en 1901, la ville d'origine fut déplacée sur un terrain plus élevé après qu'une maladie eut décimé la population. Elle tient son nom du **palmier cumari** ou **awara** dont elle entretient la production et dont elle utilise les fibres pour fabriquer des paniers, de la corde et des hamacs. La ville est aussi renommée pour ses restaurants de viande grillée au feu de bois et pour le **coleo** (rodéo llanero) : tout au long de l'année, plusieurs fêtes attirent des spectateurs de toute la région. En mai, le **Festival Internacional El Cumare** célèbre l'artisanat, la culture et les traditions llaneros.

★ Reserva Natural Aguas Calientes B1

Près de Barranca de Upía, à 107 km au nord-est de Villavicencio - 19 000 COP. Excursions organisées depuis Villavicencio : ✆ (mob.) 310 751 8226 - http://aguascalientestermales.wordpress.com.
Dans cette luxuriante forêt miroitent des cascades d'eau de source et des bassins d'eau chaude dotés de vertus thérapeutiques. Les sentiers écologiques qui longent les bassins vous apprendront tout sur les propriétés des nombreuses plantes médicinales de la forêt.

★★ RUTA DEL EMBRUJO LLANERO A3-4

La **route des Enchantements llaneros** suit la carretera 65 vers le sud.

★ Acacías A3

À 21 km au sud-ouest de Villavicencio - www.acacias-meta.gov.co/turismo.shtml.
La ville (69 000 hab.) organise le populaire **Torneo Nacional de Música Llanera y de Toros Coleado** (Tournoi national de musique des plaines et de rodéo). Elle offre aussi l'opportunité d'une belle randonnée le long de la rivière, à l'ombre des arbres. Dans la campagne environnante, vous verrez des ranchs et leur bétail.

★ Guamal A3

À 43 km au sud de Villavicencio - www.guamal-meta.gov.co/turismo.shtml.
Guamal (9 400 hab.), sur les rives du **río Humadea**, est réputée pour ses **eaux thermales** et ses traitements curatifs. La baignade dans des eaux à la température constante de 26° est appréciée toute l'année. La destination est populaire : durant les vacances de décembre, mois le plus animé, des milliers de touristes colombiens descendent à Guamal. La ville se distingue par sa culture d'inspiration allemande, qu'elle tient des premiers colons des années 1920, arrivés en Colombie après avoir combattu pour l'Allemagne pendant la Première Guerre mondiale.

★★ San Martín de los Llanos A4

À 66 km au sud de Villavicencio - http://sanmartin-meta.gov.co/turismo.shtml.
Fondée en 1585, la plus ancienne ville (25 000 hab.) de la région est considérée comme le cœur spirituel du **coleo** et du rassemblement de troupeaux. Des tournois sont organisés dans l'arène **Hernando Rodríguez Solano**, très réputée dans le département du Meta. Des foires, des fêtes traditionnelles et le **Festival Internacional Folclórico y Turístico del Llano** *(nov.)* attirent les propriétaires de ranchs et les éleveurs de toute la région.

Cette ville coloniale invite à la flânerie sur ses places pavées et dans ses ruelles étroites où subsiste une architecture du 16e s. Ses habitants vous inviteront peut-être à entrer chez eux pour admirer leurs cours et leurs boiseries. Il n'est pas inhabituel de repartir avec un sac de fruits fraîchement cueillis ou un gâteau fait maison.

> **AGENDA**
> Au mois de novembre, ne manquez pas **las Tradicionales Cuadrillas de San Martín**. Cet impressionnant ballet équestre, dansé au rythme du *joropo*, célèbre la tradition équestre des Llanos et les mythes et légendes des plaines orientales.

★ RUTA DEL AMANECER LLANERO B2

La **route du Levant** suit la carretera 40 vers l'est.

★ Puerto López B2-3

À 83 km à l'est de Villavicencio - http://puertolopez-meta.gov.co/turismo.shtml.
Principal port du **río Meta**, Puerto López (33 500 hab.) a toujours joué un rôle crucial dans le trafic fluvial. Ces dernières années, la ville s'est lancée dans le tourisme et organise des **excursions en bateau** et des journées de **pêche** sur le fleuve. Une foule de guides proposent des randonnées écologiques et des excursions avec bivouac dans les plaines. Des aires de pique-nique ombragées ont été aménagées le long de la rivière.

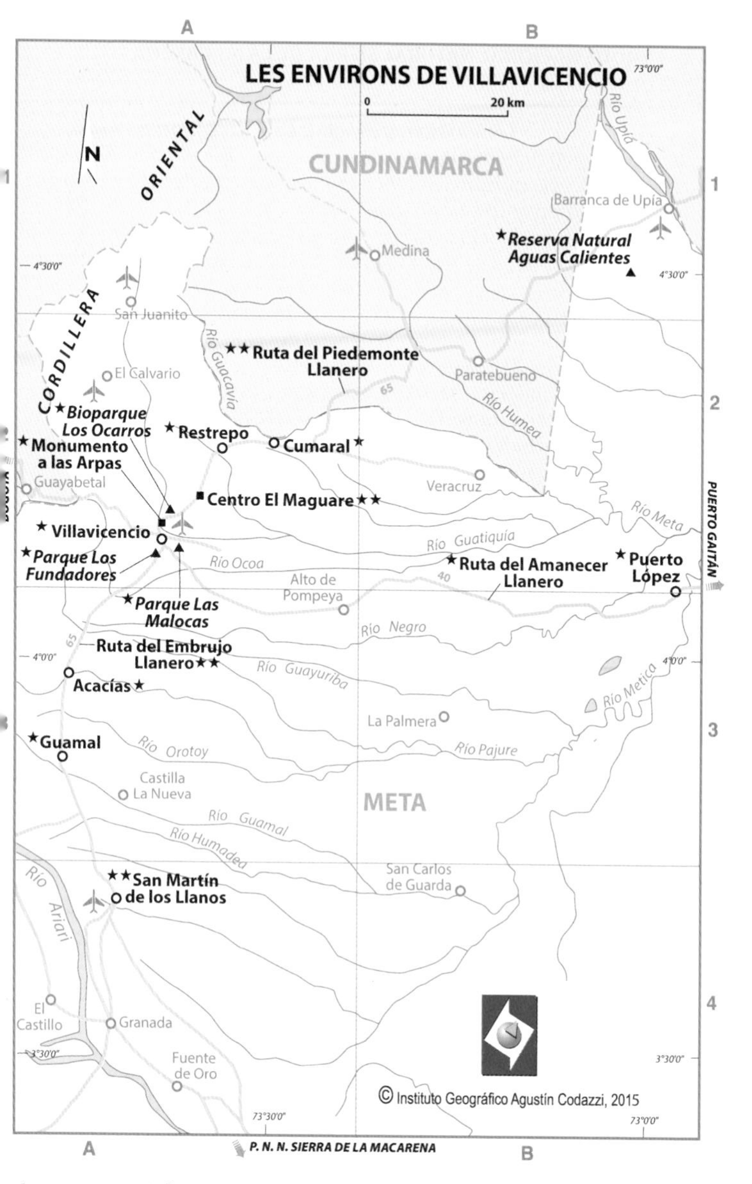

Avant votre arrivée, prenez le temps d'admirer l'**obélisque Alto de Menegua**, haut de 30 m, en périphérie de la ville. Marquant le centre géographique de la Colombie, cette structure svelte et pointue est entourée d'un marché d'artisanat et d'échoppes proposant *empanadas* et *arepas*.

Puerto Gaitán B2 en dir.

À 150 km à l'est de Puerto López. De cette petite ville portuaire des Llanos, au centre de la plus grosse zone d'exploitation pétrolière du département, sont organisées des excursions en bateau en direction de l'embouchure du **río Meta**, à la rencontre des dauphins roses *(voir l'encadré p. 446)*.

★★★ PARQUE NACIONAL NATURAL SIERRA DE LA MACARENA

Carte de région A1

Accès en petit avion Cessna jusqu'au village de La Macarena depuis Villavicencio (30mn) ou Bogotá (1h). La route est fortement déconseillée : le parc ne se visitant qu'en saison des pluies, les routes sont quasiment impraticables. 15 mai-15 déc., 6h-16h - www.cano-cristales.com - guide local obligatoire.
Plusieurs agences de Bogotá, Medellín et Villavicencio proposent des formules « tout compris » (sf avion) de 2 à 4 j. ; cette solution, qui vous reviendra à env. 400 €/pers. (avec l'avion), s'avère moins onéreuse que d'organiser l'excursion par soi-même (tarifs des lanchas et des guides à négocier, etc.) et vous fera gagner beaucoup de temps.
Après avoir longtemps été le quartier général des FARC, qui tenaient sous leur coupe la population locale et contrôlaient cette importante zone de culture de la coca, le Parque Nacional Natural Sierra de la Macarena n'a été sécurisé que récemment et n'a rouvert ses portes au public que dans les années 2010. Situé au point de confluence entre des écosystèmes divers, il réunit les biotopes spécifiques au bassin de l'Orénoque, au bouclier guyanais, à la forêt amazonienne et aux régions andines.
On vient **entre juin et novembre** admirer les tonalités changeantes du **Caño Cristales★★★**, la spectaculaire « rivière aux sept couleurs ». Une **algue** saisonnière dont le cycle repose sur le niveau des eaux, la *Macarenia clavijera*, tapisse le fond rocheux de la rivière et la parsème de grandes taches rouges, vertes, noires, bleues ou jaunes, avant de disparaître en saison sèche. Les cinq chutes d'eau des cascades de **Caño Canoas★★**, celle du **Salto de Yarumales★**, des piscines naturelles d'eau thermale, des canyons, des gours ou « marmites de géants » ponctuent les différents *caños* (petits cours d'eau) qui sillonnent le parc. Votre guide vous conduira jusqu'aux **peintures rupestres** et aux **pétroglyphes** laissés sur les bords du **Caño Cafre** et près du **Raudal Angostura** par les Indiens guayaberos.

NOS ADRESSES À VILLAVICENCIO

ARRIVER/PARTIR

En avion – **Aeropuerto La Vanguardia (VVC)** – *À 5 km au nord-est du centre-ville, de l'autre côté du fleuve.* Vols de/vers Bogotá avec les compagnies Avianca et LAN.
En bus – **Terminal de Transportes** – *À 4 km du centre-ville.* Liaisons avec Bogotá (2h de trajet - 21 000 COP).

TRANSPORTS

Les **bus urbains** sillonnant la ville desservent également Restrepo, toute proche.
Taxi – Ils sont nombreux. Utilisez-les sur de longs trajets ou pour vous rendre dans un quartier que vous ne connaissez pas. Demandez à votre hôtel d'en appeler un pour vous.
Voiture – Louer une voiture avec chauffeur est la meilleure solution pour parcourir les Llanos et sillonner les trois itinéraires touristiques.

HÉBERGEMENT

À la périphérie de la ville, des *fincas* et des chambres d'hôtes de toutes catégories sont à votre disposition, mais elles sont parfois difficiles à trouver dans cette région rurale. Demandez votre route à l'office de tourisme.

BUDGET MOYEN

Napolitano – *Carrera 30, nº 36-50 - ✆ (8) 662 8470 - - 68 ch. 120 000 COP*. Un hôtel familial aux chambres simples mais confortables et plaisantes, en plein centre-ville. Wifi à la réception.

POUR SE FAIRE PLAISIR

Don Lolo – *Carrera 39, nº 20-32 - ✆ (8) 670 6020 - www.donlolohotel.com - - 60 ch. 208 000 COP*. Hôtel classique, l'un des plus fréquentés du secteur touristique du Meta. Les chambres sont de taille très variable – simple, double, triple – mais certaines sont vraiment minuscules. Pour jouir de la vue, demandez une chambre en angle. Réserv. indispensable en haute saison. Wifi.

Hotel del Llano – *Carrera 30, nº 49-77 - El Caudal - ✆ (8) 671 7000 - www.hoteldelllano.com - - 115 ch. 250 000 COP*. Situé dans un quartier résidentiel au nord de Villavicencio, cet établissement propose des chambres modernes, spacieuses, claires et parfaitement équipées. Très grande piscine.

María Gloria – *Carrera 38, nº 20-26 - ✆ (8) 672 0197 - www.hotelmariagloria.com - - 60 ch. 255 000 COP*. Un établissement très couru pour ses aménagements intérieurs modernes et le joli volume de ses chambres aux boiseries chaleureuses.

El Campanario – *À 2 km à l'est de Villavicencio sur la route de Catama - ✆ (8) 661 6666 - www.hotelelcampanario.co - - 50 ch. 270 000 COP*. Annexe d'un centre de congrès, cet *hotel campestre* de luxe est remarquablement aménagé, avec piscine, salle de sport et aire de jeux pour les enfants. Les chambres, décorées avec goût, disposent toutes d'un accès Internet, écran plat et bureau et les sdb disposent d'un jacuzzi.

RESTAURATION

PREMIER PRIX

Asadero El Amarradero del Mico – *À 2 km au nord-est de Villavicencio (carretera 65, dir. Restrepo, non loin du péage de l'aéroport de Vanguardia) - ✆ (8) 664 8307 - 6h-18h - 25 000 COP*. Ce restaurant coiffé de chaume fait partie d'une chaîne. On y sert des spécialités des Llanos : viande grillée, *mamona* (veau de lait cuit au barbecue et pimenté), langue de bœuf et soupes typiques.

El Llano y sus Hayacas – *Carrera 24A, nº 37-62B - ✆ (8) 671 6896 - lun.-sam. 7h-19h, dim. 7h-15h - 30 000 COP*. Une vaste salle et un café attenant, réputés pour leurs savoureuses *hayacas* (papillotes de feuilles de bananier) et leurs *tungos* (sortes de *tamales* faits avec du riz). Vous pourrez aussi goûter au veau *a la llanera* et au porc grillé. Salades de fruits tropicaux et fromages figurent également à la carte. Beau choix de desserts.

BUDGET MOYEN

La Fonda Quindiana – *Carrera 32, nº 40-4 - ✆ (8) 662 6857 - 12h-20h - 30 000 COP*. L'une des plus anciennes adresses de la région, où l'ambiance s'annonce toujours trépidante. Plats traditionnels et locaux ; l'accent est mis sur la cuisine créole et le grill fonctionne à plein.

La Cofradía – *Calle 15, nº 371-10 - ✆ (mob.) 315 297 3034 - 12h-15h, 18h-22h - 50 000 COP*. Un restaurant chic, avec une bonne carte des vins, spécialisé dans les poissons et crustacés (prévoir une tenue habillée pour le dîner).

Leticia et ses environs

41 000 habitants – Capitale du département de l'Amazonas – Alt. 96 m

Située sur le fleuve Amazone, dans des plaines basses chaudes et humides, Leticia marque la frontière de la Colombie avec le Brésil et le Pérou. Le fleuve est parcouru par des canoës de bois sur lesquels s'entassent des sacs de riz, de bananes plantains et d'odorantes cargaisons de poisson frais ou séché, transportés vers l'aval. Au carrefour des langues, des cultures et des traditions culinaires, la ville est peuplée par différentes ethnies : les migrants de Cali, Medellín et Bogotá, qui y ont élu domicile dans les années 1950, côtoient des citoyens d'origine péruvienne ou brésilienne et plusieurs dizaines de communautés indiennes d'Amazonie.

NOS ADRESSES PAGE 449
Hébergement, restauration, activités, etc.

S'INFORMER
DAFEC – *Aéroport Alfredo Vásquez Cobo - (8) 592 6600.*

SE REPÉRER
Carte de région B2 (p. 426) – carte de Leticia et ses environs p. 443.
À 1 100 km au sud-est de Bogotá (accès par avion uniquement).

Voir aussi la rubrique « Arriver/partir » dans « Nos adresses ».

À NE PAS MANQUER
Une excursion à Puerto Nariño et à son Centro Natütama ; une balade sur l'Amazone et ses affluents ; les dauphins roses du lac Tarapoto, sur fond de jungle et d'îles marécageuses.

Se promener Carte de Leticia et ses environs B3 (p. 443)

Avec ses rues envahies par les deux-roues, où s'alignent restaurants, boutiques et maisons, et la jungle en arrière-plan, Leticia ne manque pas d'un certain charme. Elle demeure néanmoins une ville frontière particulièrement isolée, qui semble parfois perdue dans le temps et l'espace. Il faut dire que, s'il existe des liaisons aériennes régulières avec Bogotá, l'autoroute la plus proche se trouve à plus de 800 km. Le **Pirarucú de Oro** *(voir « Agenda », p. 451)*, un festival

Maisons sur pilotis et ponton sur l'Amazone.
W. Bello/Camara Lucida RM/age fotostock

de musique folklorique amazonienne, vient apporter un supplément d'animation aux rues de la ville chaque année en décembre.

★ Parque de Santander

Av. Vásquez Cobo - calles 10 et 11.
Le **square central** est à la fois un lieu de promenade et de rencontre, un terrain de jeu et le QG des adolescents et des étudiants qui viennent s'y connecter au réseau wifi, et un poste de commérages pour les habitants de Leticia. Chaque jour, à l'aube et au crépuscule, l'esplanade devient le théâtre de volées colorées de *pericos* (petits **perroquets** verts) criards.

★ Biblioteca del Banco de la República

Carrera 11, n° 9 - 43 - ✆ (98) 592 7729 - www.banrepcultural.org/leticia/museo - lun.-vend. 8h30-18h, sam. 9h-12h30 - entrée libre - visite guidée en espagnol.
La Banque nationale colombienne s'est engagée depuis plusieurs années dans un programme social et culturel visant à promouvoir le patrimoine historique et ethnique du pays. Cette jolie petite collection, qui réunit des masques sculptés et des pots en céramique provenant des tribus amazoniennes **ticuna** et **huitoto**, est installée dans le complexe ultramoderne de la banque.
★ **Museo Etnográfico Fray Antonio Jover Lamaña** – *Mêmes horaires - entrée libre.* Le musée ethnographique rassemble une série d'instruments et objets de la vie quotidienne réalisés par les artisans de plusieurs communautés indiennes de la région. Les panneaux d'information expliquent leur origine et leur importance dans la vie des populations amazoniennes à différentes époques. Le musée entretient un petit **jardin** de plantes médicinales.

Museo Alfonso Galindo

Calle 8, n° 10-35 - ✆ (8) 592 7056 - lun.-sam. 9h30-11h30, 15h30-18h30.
Son importante collection **zoologique** regroupe des animaux empaillés, des carapaces de tortues, des peaux de serpents, des insectes naturalisés, des vitrines de papillons, des fossiles… La **section ethnographique** présente les plantes médicinales et sacrées des communautés amazoniennes. Quelques souvenirs et objets artisanaux dans la **Galería Arte Indígena**.

Jardín Botánico Zoológico Francisco José de Caldas

Av. Vásquez Cobo (en direction de l'aéroport) - 8h-17h - 2 000 COP.
Les animaux de ce zoo évoluent dans des enclos ou des cages dont l'état laisse à désirer. Vous y ferez connaissance avec des espèces amazoniennes telles que l'**anaconda** géant, le tapir, l'ocelot, l'aigle, l'ara ou le singe hurleur. Renseignez-vous sur les heures auxquelles les gardiens nourrissent les animaux, et notamment les serpents qui, en dehors de ce moment, restent immobiles.

Leticia, ville frontière

LES RELATIONS COLOMBIE-PÉROU

La ville de Leticia fut fondée en 1867 par le capitaine péruvien **Benigno Bustamante**, futur gouverneur du département du Loreto ; elle aurait été baptisée en l'honneur d'une certaine **Leticia Smith**, qui aurait résidé à Iquitos, une localité du rivage amazonien côté Pérou.
À l'époque, les incidents frontaliers entre Pérou et Colombie étaient monnaie courante, chacun des deux pays revendiquant la possession de cette zone. Les différentes tentatives de traités bilatéraux qui se sont succédé, d'abord au 19e s., puis en 1906, 1909, 1911 et 1922, furent des échecs. L'accord de 1922, qui attribuait le secteur de Leticia à la Colombie, en échange de la reconnaissance des droits du Pérou sur la zone au sud du río Putumayo, s'est avéré impopulaire auprès de la population péruvienne, contraignant le gouvernement du Pérou à le dénoncer. Une guerre pour la possession de Leticia éclata entre la Colombie et le Pérou en 1932. La ville, aux mains des Colombiens depuis 1930, fut attaquée par des civils, vite rejoints par l'armée péruvienne. Le conflit dura jusqu'en mai 1933, date à laquelle fut signé un traité de paix provisoire, négocié par la **Société des Nations** après plusieurs mois de hargne diplomatique entre les deux pays. Il fut suivi en juin 1934 par un autre accord bilatéral, qui restituait Leticia à la Colombie et forçait le Pérou à présenter des excuses officielles pour l'invasion de 1932. Depuis la ratification définitive de l'accord en septembre 1935, les relations entre la Colombie et le Pérou sont cordiales.

L'INFLUENCE BRÉSILIENNE

Leticia et Tabatinga, côté Brésil, n'ont pas de douanes à proprement parler, et piétons comme véhicules effectuent des allers-retours permanents entre les deux villes. De ce fait, les échanges culturels sont nombreux : attendez-vous à entendre beaucoup de **samba** enivrante (originaire de Rio de Janeiro), de **pagode** sensuelle (de Salvador de Bahía), de **forró** endiablé (du nord-est du Brésil) et de **boi bumbá** traditionnelle (du nord de l'Amazonie brésilienne). Vous trouverez également des cocktails brésiliens corsés dans tous les bars, tandis que de nombreux restaurants brésiliens servent des plats de *churrasqueira* fumée qui mettent l'eau à la bouche.

LETICIA, DE LA DROGUE AU TOURISME

Loin des regards de Bogotá, le port fluvial de Leticia, difficile d'accès, a constitué une excellente base pour le **trafic de stupéfiants**. La drogue était achetée et vendue en plein jour, et les chargements s'effectuaient par bateau sur le **Putumayo**. Les narcotrafiquants sont allés jusqu'à commencer la construction d'une autoroute pour faciliter le transport de la drogue par camion : 12 km furent creusés dans la jungle avant que la police ne procède à des arrestations et ne mette fin au projet.
Aujourd'hui, Leticia est devenue beaucoup plus sûre. Depuis les mesures de répression prises dans les années 2005 pour lutter contre le trafic de stupéfiants, le tourisme a pris son envol et espère devenir l'un des nouveaux moteurs économiques de la ville. Plusieurs complexes touristiques sont prévus et le développement des liaisons aériennes avec Bogotá devrait favoriser l'expansion économique de l'Amazonie colombienne.

À proximité Carte de Leticia et ses environs p. 443

★★ Lago Yahuarcaca B3

À 2 km au nord-ouest de Leticia - guide obligatoire - location de kayaks au bord du lac.

Étape obligatoire de toutes les excursions à partir de Leticia, cette île pittoresque sur le lac, que beaucoup iront découvrir en **kayak**, est particulièrement photogénique. Des **heliconias** et des **palmiers** colorent le rivage et accueillent de nombreux perroquets. Les spectaculaires **nénuphars géants** *(Victoria Regia)*, baptisés en l'honneur de la reine Victoria d'Angleterre, sont les plus grands au monde et ont un cycle de vie unique de 93 jours. La *Victoria Regia* peut mesurer jusqu'à 40 cm de diamètre et fleurit la nuit : sa corolle s'ouvre au crépuscule, vers 18h, et se referme vers 8h du matin, avant la chaleur. Dans les eaux du lac nage le redoutable **piranha**.

★ Tabatinga (Brésil) B3

À 4 km de Leticia par Faja Central.

Tabatinga (50 000 hab.) est la plus grande des trois villes frontières. La ville semble en perpétuel mouvement, avec ses rues congestionnées bordées de bars et de discothèques. Des échoppes vendent des bibelots, des hamacs, des sacs de laine et des CD copiés en provenance directe de Rio de Janeiro, tandis que les cafés diffusent de la samba à plein volume. Cet avant-poste fréquenté se concentre moins sur le tourisme que Leticia (la ville portuaire de Manaus au Brésil, bien plus en amont du fleuve, joue ce rôle), mais des **bateaux** relient tous les jours Tabatinga à **Iquitos**, **Manaus** et **Benjamin Constant**. C'est donc un bon point de départ pour rendre visite aux communautés indiennes qui vivent le long des rivières **Yavarí**, **Curuca** et **Quixito**.

★ Santa Rosa de Yavarí (Pérou) B3

À 2 km au sud-ouest de Leticia.

Cette **petite île péruvienne** reculée ne se trouve qu'à 5mn en bateau de Leticia. Comme Tabatinga, Santa Rosa de Yavarí (env. 2 500 hab.) n'exige pas de formalités douanières, sauf si vous voyagez plus loin au Pérou. Des **départs** réguliers de bateaux *(lanchas)* ont lieu presque tous les jours vers les villes de l'**Amazone** et de ses **affluents**.

Santa Rosa est beaucoup plus petite que Leticia et Tabatinga. Bâtie autour d'une longue et large rue principale qui constitue sa seule concession au tourisme, cette **ville fluviale rustique** est entièrement tournée vers la **pêche**. Des centaines de bateaux de toutes formes et de toutes tailles s'alignent sur les plages ou dans des arsenaux tout simples. Autour d'eux, des hommes s'occupent à les réviser, les réarmer, ou à réparer des moteurs de hors-bord en sirotant leur **Inca Cola**, tandis que la brise légère soulage à peine de la chaleur et de l'humidité. Sur le sable, devant des rangées de bicoques en bois, d'autres se regroupent pour raccommoder les filets pendant que la pêche de la journée est déchargée.

FRONTIÈRES

Gardez toujours votre passeport à portée de main. Si vous prévoyez plus qu'une petite incursion à la journée à Tabatinga ou à Santa Rosa de Yavarí, renseignez-vous sur les formalités à effectuer avant de passer la frontière péruvienne ou brésilienne : passeport à faire tamponner, visa, certificat de vaccination.
Voir « Informations utiles », p. 449.

★★ Le long du fleuve Amazone

EN AMONT

Isla de los Micos (île aux Singes) B2

À 35 km au nord-est de Leticia. Visites guidées organisées par l'hôtel Decameron de Leticia : ☏ (8) 592 6600 - www.decameron.com (comptez 150 000 COP/pers.).

Cette île a appartenu à Mike Tsalikys, un chasseur d'origine gréco-américaine, qui, dans les années 1960, l'a peuplée de singes et de reptiles. Cette forêt primaire de 450 ha offre désormais leur habitat à quelque 5 000 singes, dont des **ouistitis pygmées** et des **singes capucins**, mais aussi à un grand nombre d'oiseaux. L'île est parcourue par plusieurs **sentiers de randonnée écologiques** menant à des villages huitotos et ticunas. « El Griego » (le Grec) fut arrêté pour trafic de cocaïne en 1989, ce qui l'auréola d'une réputation sulfureuse, mais n'a pas empêché l'endroit de devenir une des étapes classiques des excursions au départ de Leticia.

★★★ **Parque Nacional Natural Amacayacu** A1

À 60 km au nord-ouest de Leticia - www.parquesnacionales.gov.co. Visites guidées organisées par l'hôtel Decameron : ☏ (8) 592 6600 - www.decameron.com - 7h-18h - 35 000 COP. Parc temporairement fermé : renseignez-vous au Decameron sur la date prévue pour la réouverture avant de vous déplacer.

On accède à cette étendue de forêt tropicale de 293 500 ha, qui occupe une grande partie du trapèze amazonien, après un superbe trajet de 1h30 en bateau. Autrefois terre ancestrale de plus d'une douzaine de communautés indiennes amazoniennes, cette magnifique jungle n'abrite plus aujourd'hui que les Indiens **ticunas**.

Elle renferme plusieurs écosystèmes très différents, de marais et de forêts, de terre ferme et de sols inondés. Le cèdre rouge et le cèdre blanc, l'acajou *(caoba)*, le caoutchouc, le baumier et le raisinier *(uvo)*, laissent progressivement la place à une végétation luxuriante où d'immenses arbres atteignent parfois 50 m de haut. Le tronc des gigantesques **ceibas** (kapokiers) peut mesurer jusqu'à 3 m de diamètre.

On trouve dans les **zones humides marécageuses** les spectaculaires **nénuphars géants Victoria Regia** *(voir p. 441)* et deux arbres endémiques de la région, « l'arbre à vache » *(Couma macrocarpa)*, à la sève laiteuse, et le munguba *(Pseudobombax munguba)*, dont le tronc est utilisé pour la fabrication des canoës. La faune est riche de quelque 150 mammifères – jaguars, loutres, dauphins roses *(botos)*, singes – et de dizaines de reptiles – dont le caïman *(Caiman crocodilus)*, l'alligator noir et des serpents comme le boa, l'**anaconda** et le serpent corail. De nombreuses espèces de poissons abondent dans les eaux du parc, qu'ils partagent avec les étonnants dauphins gris et roses *(voir l'encadré p. 446)*. C'est là que vit la plus grande tortue d'eau douce au monde. Un **pont suspendu** traverse la canopée à 30 m d'altitude et plusieurs **plates-formes** d'observation où l'on peut passer la nuit ont été aménagées à 10 m du sol.

À VOS JUMELLES

Quelque 468 espèces d'oiseaux vivent dans le parc d'Amacayacu, notamment des aras dont on aperçoit les volées colorées. Vous verrez peut-être aussi l'agami trompette, le caracara à gorge rouge, la coracine ornée *(Cephalopterus ornatus)*, des *anhigas* ou oiseaux serpents, des aigrettes et des hérons.

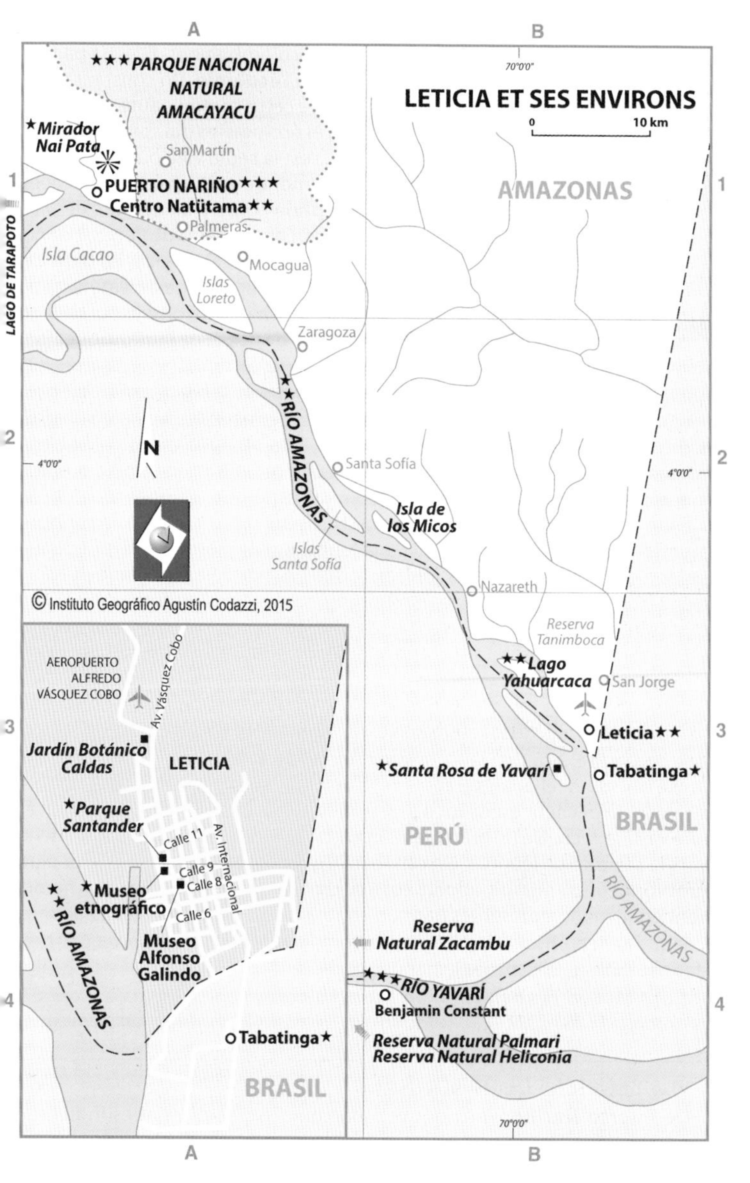

★★★ Puerto Nariño A1

À 15 km au sud-ouest d'Amacayacu.

PIT à la mairie (alcaldía) - http://puertonarino-amazonas.gov.co.

Fondée en 1961 et baptisée en l'honneur du général **Antonio Nariño**, qui lutta contre les Espagnols durant la guerre d'indépendance, cette petite ville (8 000 hab.) se trouve au confluent de l'**Amazone** et du **Loretoyacu**.

Sa population est majoritairement issue des peuples ticuna, cocoma et yagua. Entretenue avec soin, Puerto Nariño est une ville propre et sans circulation,

à la différence d'une bonne partie des villes colombiennes. Elle est par ailleurs réputée pour ses initiatives en faveur de l'**écologie**. Un constant souci de protection de l'environnement caractérise cette communauté pionnière, peut-être grâce aux nombreux biologistes et écologistes qui sont passés par là au fil des ans. La **gestion des déchets** (c'est la seule ville où le recyclage soit devenu une initiative citoyenne : tout le monde participe d'une manière ou d'une autre) et la **collecte des eaux de pluie** figurent au nombre des initiatives largement suivies par la communauté. Les pêcheurs de Puerto Nariño aident les agents de la protection de l'environnement à déplacer les œufs de tortue déposés la nuit pour les mettre en sécurité sur la plage de Natütama et à protéger les arbres qui servent à la **nidification** des hérons. Ils surveillent également les populations de **dauphins d'eau douce** et de **lamantins** et forment les autres villages à la préservation et la protection de ces espèces qui jouent un rôle essentiel dans l'équilibre écologique de la région amazonienne.
★★ **Centro de Interpretacion Natütama** – *Près de Puerto Nariño - ✆ (mob.) 312 410 1925 - www.natutama.org - merc.-lun. 8h-12h, 14h-17h - contribution bienvenue.* Ce centre est géré par **Natütama**, une organisation non gouvernementale (ONG) qui travaille avec les communautés locales pour protéger la vie sauvage et les habitats amazoniens. Une série de 70 **sculptures sur bois** grandeur nature offre un aperçu de la faune aquatique amazonienne : dauphins d'eau douce, lamantins, loutres, tortues, *pirarucú* (le plus grand poisson d'eau douce au monde) et de nombreuses autres espèces de poissons sont représentés nageant entre les arbres de la forêt tropicale, inondée pendant la saison des hautes eaux. Cette représentation pédagogique veut donner aux visiteurs un aperçu des richesses que cache l'Amazone : le fleuve est en effet tellement riche en sédiments que ses eaux, troubles et opaques, dissimulent l'incroyable diversité des animaux et des plantes qui y vivent.
Une seconde exposition raconte la **vie nocturne**. Des morceaux de tissu bleu foncé cousus et rehaussés d'étoiles et d'une lune surplombent une rivière sur laquelle un pêcheur guide un dauphin d'eau douce vers son filet. Sur la rive, une vasière accueille un grand caïman tandis que de jeunes tortues se hâtent vers la sécurité de leur nid. Un capybara (*Hydrochoerus hydrochaeris* ; le plus gros rongeur du monde, appelé aussi cochon d'eau), une tortue et un héron sont également représentés dans un entrelacs de végétation amazonienne. Chaque année, en juin, des ateliers sont organisés autour de la protection des dauphins d'eau douce, des lamantins et des tortues.
★ **Casa Museo Etnocultural Ya Ipata Ünchi** – *Angle carrera 7 et calle 5 - ✆ (mob.) 313 885 2237 - lun.-vend. 7h-12h, 14h-17h45 - contribution bienvenue.*

SENTIERS DE RANDONNÉE

De **Puerto Nariño**, vous pouvez marcher jusqu'aux villages indiens proches, San Martín de Amacayacu et Veinte de Julio. Cette randonnée est l'occasion d'en apprendre plus sur les plantes locales et leur utilisation dans les médecines traditionnelles. Trois sentiers de randonnée mènent hors de la périphérie de la ville, à travers un terrain luxuriant, vers des sites exceptionnels pour l'observation des oiseaux. Le **Sendero Ecológico**, qui traverse la forêt, est renommé pour ses plantes médicinales, écorces et fleurs thérapeutiques. Le **Sendero Ecológico Mitológico**, un sentier sinueux, se concentre sur l'écologie et la mythologie de la région amazonienne. Sur le **Sendero Interpretativo Nama Araku**, vous apercevrez beaucoup d'oiseaux et recueillerez des informations sur les usages ancestraux des plantes dans les cultures indiennes.

Visages du bassin amazonien

L'Amazonie colombienne est constituée d'une **jungle humide et luxuriante** et de plaines marécageuses tour à tour submergées et découvertes par les flux et reflux du fleuve Amazone. Située dans l'extrême sud-est du pays, elle ne représente qu'une petite partie des 7 millions de km² du bassin amazonien transfrontalier. Un **climat équatorial** et de **fortes précipitations** nourrissent une végétation dense et exubérante dans laquelle évolue une incroyable faune.

LES INDIENS D'AMAZONIE

Des **communautés indiennes** éparses vivent près du fleuve : Nukaks, Ticunas, Tucanos, Camsás, Huitotos, Yaguas et Ingas. Les **rituels chamaniques** et les plantes sacrées continuent à jouer un rôle important dans leur culture. Les différents peuples autochtones ont chacun leur propre langue, parfois parlée par moins de 5 000 locuteurs, comme c'est le cas du camsá.
Les initiatives visant à préserver le mode de vie de ces communautés se multiplient, notamment en matière de gestion foncière. Autour du lac Yahuarcaca, vous apercevrez divers exemples de **chagras**, petites fermes traditionnelles dont les cultures possèdent une grande valeur nutritionnelle et médicale. Ces fermes ont reçu le soutien du gouvernement colombien qui met en place des programmes visant à impliquer les communautés dans la protection de leur environnement.

MENACES SUR LA FORÊT ET SUR SES HABITANTS

Composante environnementale vitale pour la planète, la forêt amazonienne absorbe le dioxyde de carbone à une vitesse phénoménale. Les communautés indiennes vivant dans la forêt perpétuent des **techniques ancestrales** – elles limitent par exemple l'emploi des haches pour l'abattage des arbres, préférant l'utilisation des machettes, plus adaptées à leurs besoins. Ces méthodes qui ont pour conséquence un prélèvement scrupuleux et attentif des ressources naturelles contribuent à la protection de la région amazonienne. Une goutte d'eau au regard des pratiques industrielles, cependant.
Si la **déforestation** à grande échelle au Brésil fait régulièrement la Une de l'actualité, elle éclipse les dommages qui se produisent sur le sol colombien : en 2013, sur les 121 000 ha de forêt qui ont disparu du pays, plus de la moitié se trouvaient dans la région amazonienne, et la tendance se maintient depuis une dizaine d'années. En cause, l'installation récente d'exploitations pétrolières, qui profitent du recul des FARC et de la sécurisation progressive de la région, mais aussi le déboisement massif au profit de plantations de cacao, de caoutchouc et de palmiers à huile. Dans le nord du Caquetá, l'élevage et la production laitière, très demandeurs d'espace, jouent pour beaucoup dans le recul de la forêt.
Les **crues** restent l'autre grande préoccupation des populations locales. S'il pleut toute l'année en Amazonie, la période allant de février à juin est particulièrement arrosée, avec des pics de précipitations entre mars et mai. Les eaux peuvent alors monter jusqu'à 15 m et engloutir de grandes étendues de jungle. Si l'immersion prolongée des basses terres amazoniennes est bénéfique pour l'enrichissement des sols par les alluvions, les inondations peuvent être dramatiques pour la population, car les villages installés sur les berges courent le risque d'être submergés par le fleuve.

Les objets artisanaux provenant de la culture des **Ticunas**, des **Cocamas** et des **Yaguas** narrent l'héritage singulier de cette région fertile, au point de confluence de l'Amazone et du Loretoyacu.

★ **Mirador Nai Pata** – *5 000 COP.* Cette **tour d'observation** en bois construite en 2004 constitue le plus haut point de la ville. Du belvédère installé au sommet s'offrent des **vues★★** uniques sur l'ouest de Puerto Nariño et le río Loretoyacu, qui se jette dans l'Amazone.

★★ Lago de Tarapoto A1 en dir.

À 10 km à l'ouest de Puerto Nariño. Excursions à la rencontre des dauphins organisées par les agences de Leticia et celles (moins chères) de Puerto Nariño. Discutez avec votre guide : le lac n'est pas forcément toujours le meilleur point d'observation des dauphins qui peuvent avoir migré vers d'autres endroits de la rivière.

Encerclé par de gigantesques ficus, ce lac sacré pour les communautés indiennes est entouré de mythes et de légendes. Il abrite des **dauphins roses** et des **lamantins**, qui viennent s'y nourrir, et regorge de **nénuphars géants**. Nombre de légendes locales évoquent les mystères cachés dans les profondeurs du lac. L'une d'entre elles décrit une étrange lumière verte illuminant le ciel la nuit, au-dessus du lac. À sa vue, les pêcheurs s'empressent de relever leurs filets et regagnent le rivage à la hâte : la légende rapporte que les hommes qui se risquent à pêcher la nuit sous cette brume verte sont retrouvés décapités au lever du soleil. D'autres histoires parlent de pirates qui surgissent de l'eau pour tuer les pêcheurs imprudents quand brille la lumière verte. On rapporte aussi que les **botos**, les dauphins roses, prennent parfois une forme humaine dans les eaux du lac de Tarapoto.

EN AVAL

Benjamin Constant (Brésil) B4

À 40 km au sud de Tabatinga.

Plus que l'Amazonie colombienne, la partie brésilienne a fait l'objet d'une **déforestation massive**. Les excursions vers le Brésil depuis Leticia donnent l'occasion de s'arrêter dans les **scieries** situées le long du fleuve, qui permettent de se familiariser avec l'histoire de l'industrie du bois dans le bassin amazonien.

LES DAUPHINS DE L'AMAZONE

Les **dauphins roses de l'Amazone** ou **botos**, l'une des espèces les plus communes de dauphins d'eau douce, sont répertoriés parmi les **espèces en danger** : ils sont menacés par la pollution, les barrages, la circulation des bateaux et la chasse. Nés gris, les *botos* deviennent roses en vieillissant, et passent du rose pâle à un rose plus éclatant quand ils sont excités. Ils nagent lentement et sont reconnaissables à leur long et puissant bec et à leurs petits yeux. Ils possèdent un cerveau 40 % plus grand que celui d'un humain et leurs dents, semblables à des molaires, leur permettent de mâcher leur proie. Solitaires, les *botos* vivent au fond des rivières tropicales boueuses et stagnantes. Pendant la saison des pluies, ils se déplacent vers les forêts inondées, où ils se faufilent entre les arbres à la recherche de nourriture. Dans les Llanos, les *botos* peuvent être observés à **Puerto Gaitán**, à 150 km à l'est de Puerto López, où le **río Meta** et le **río Yucao** rencontrent le **río Manacacias**. On peut apercevoir un autre dauphin dans le bassin amazonien, la **sotalie de l'Amazone** *(Sotalia fluviatili)*, une espèce marine qui s'aventure parfois en eau douce.

Un bras du fleuve Amazone.
F. Braibanti/Marka/age fotostock

Benjamin Constant (35 000 hab.), un avant-poste brésilien, est bâti autour d'un port où passagers et chargements de latex et de résine embarquent pour **Manaus**, en aval. La ville doit son nom à **Benjamin Constant Botelho de Magalhães** (1836-1891), figure militaire et penseur politique.

Museo Magüta – *Av. Castelo Branco 396 - ✆ (97) 3415 6077 - http://museumaguta.com.br.* Ce petit **musée d'anthropologie** contient des objets liés à la culture ticuna, dont quelques rares livres et écrits. Les **Ticunas**, l'une des populations indiennes les plus importantes du Brésil, vivent dans une petite centaine de villages dispersés sur les rives en amont du **río Solimões** et de ses affluents.

★★★ Le long du río Yavarí Carte p. 443

Ce puissant **affluent** de l'Amazone traverse une superbe forêt tropicale, offrant d'incomparables points d'observation de la vie sauvage. Le río Yavarí court sur 870 km, de la frontière entre le Brésil et le département du Loreto (Pérou) jusqu'à son confluent, où il rejoint le fleuve Amazone, près de Benjamin Constant (Brésil). Avant de l'emprunter, vous devez vous informer sur les formalités en matière de visa et les contrôles aux frontières. Juste après avoir quitté Leticia, vous aurez de grandes chances d'apercevoir des **dauphins roses** *(botos)* et, plus rarement, des **sotalies de l'Amazone** *(voir l'encadré ci-contre)*. Gardez vos jumelles sous la main pour observer les petits **singes saïmiris**, les **tamarins à manteau noir**, les **singes nocturnes**, les isothrix, les agoutis cendrés, les **écureuils nains de l'Amazone**, les **ouistitis pygmées** et les **capucins** à front blanc. Nombreux sont aussi les singes laineux, les sakis de moine, les singes hurleurs roux, les titis roux, les pécaris à collier, les tapirs, les **tatous géants**, les paresseux, les **jaguars**, les oncilles (chat-tigre) et les ocelots (des félins), ainsi que les **loutres géantes**. Sans oublier les poissons d'Amazonie, depuis le poisson-chat cuirassé *pleco* jusqu'au puissant *pirarucú* ; les scientifiques, qui en ont répertorié environ 3 200 types, pensent qu'il en existe près de 4 000.

Grenouille de la forêt amazonienne.
Zoonar/C Butler/Zoonar GmbH RM/age fotostock

RÉSERVES NATURELLES Carte de Leticia et ses environs

Reserva Natural Zacambu (Pérou)

À 60 km au nord-ouest de Leticia. Visites organisées par Amazon Holidays : (mob.) 313 872 3207 - www.amazon-holidays.com - hébergement simple.
Au milieu des forêts inondées des terres basses, sur la rive bordée de **palétuviers** du lac Zacambú, vous suivrez des sentiers envahis de **papillons** et écouterez le son des dauphins qui batifolent dans l'eau, ou prendrez un canoë depuis un quai en bois pour aller observer les énormes **caïmans**.

Reserva Natural Heliconia (Brésil)

À 109 km au sud-ouest de Leticia - (8) 592 5773 - www.amazonheliconia.com. Contact à Leticia : calle 13, n° 11-74 - barrio Victoria Regia - (mob.) 311 508 5666.
Au milieu des palmiers et des arbres de la forêt tropicale, sur 15 ha de jungle préservée, cette réserve se prête aux découvertes à pied de la rivière, des criques et de la jungle. Un vaste éventail d'activités y est proposé, dont l'**observation des dauphins**, le kayak, la pêche, l'**exploration de la canopée** et l'observation des oiseaux (le gîte a ses propres tours d'observation).

Reserva Natural Palmari (Brésil)

À 110 km au sud-ouest de Leticia. Visites organisées par le Palmari Jungle Lodge : (1) 610 3514 - www.palmari.org.
Situé sur un endroit de la rivière où l'on vient observer les dauphins roses et gris, ce gîte est connu pour sa tour d'observation offrant un **panorama** inégalé. La réserve étant également un centre de recherche, toutes les excursions revêtent un aspect écologique. Un impressionnant inventaire d'oiseaux (plus de 541 espèces) couvre 60 familles distinctes, un record dans les trois écosystèmes amazoniens, sec, semi-inondé et inondé.

NOS ADRESSES À LETICIA

INFORMATIONS UTILES

Argent

Vous trouverez des distributeurs automatiques à Leticia. Sachez que les prix en Amazonie sont en moyenne 15 à 20 % plus élevés que dans le reste du pays en raison des coûts de transport.

Bagages

Les magasins de Leticia n'offrent pas le même choix que les grandes villes du pays. Préparez vos bagages avec soin et n'oubliez pas vos médicaments, votre spray antimoustiques, votre pharmacie de voyage (qui comprendra des sels de réhydratation) et des vêtements adaptés à la forêt tropicale. Pensez aux indispensables jumelles et appareil photo. Sachez qu'en saison sèche, les rivières sont basses et les sentiers de jungle secs et poussiéreux ; à la saison des pluies, les rivières sont hautes, ce qui rend la navigation difficile, et de fortes averses tombent tous les jours.

Formalités aux frontières

Leticia se situe aux frontières du Brésil et du Pérou.
Les formalités y sont plus souples qu'ailleurs. Pour une excursion à la journée au Pérou ou au Brésil, il n'est pas nécessaire de faire viser son passeport. Dans les autres cas, vous devrez demander un tampon de sortie au bureau du DAS (Departamento Administrativo de Seguridad) de l'aéroport de Leticia puis vous présenter au bureau d'immigration de Santa Rosa ou de Tabatinga pour faire viser votre passeport. Vous devrez également être en mesure de montrer un certificat de vaccination contre la fièvre jaune.

Frontière Colombie-Brésil – Pas de douaniers ni de contrôle des passeports entre Leticia (Colombie) et Tabatinga (Brésil). Vous devrez faire viser votre passeport au bureau de l'immigration si vous envisagez de poursuivre votre route au-delà de Tabatinga. Les ressortissants français, belges et suisses n'ont pas besoin de visa. Les Canadiens s'en procureront un au consulat du Brésil (Leticia).

Frontière Colombie-Pérou – Elle suit le fleuve le long du village péruvien de Santa Rosa, à 5mn en bateau de Leticia. Les procédures sont informelles si vous passez la frontière pour la journée, mais ayez toujours votre passeport sur vous. Français, Belges et Suisses sont exemptés de visa. Les Canadiens se procureront le visa directement à la frontière.

ARRIVER/PARTIR

En avion – **Aeropuerto Internacional Alfredo Vásquez Cobo (LET)** – *☎ (8) 592 7771. À 1,5 km au nord de Leticia.* À leur arrivée, les étrangers doivent s'acquitter d'une taxe touristique de 19 000 COP. Vols directs de Bogotá (Avianca, CopaAirlines ou LAN - 400 000 COP AS). Des taxis (8 000 COP) rallient le centre-ville. L'aéroport international de **Tabatinga** tout proche (mais au Brésil) dessert Manaus *(600 000 COP AS)*. Les *colectivos* de Leticia portant l'inscription **Comara** vous laisseront à côté de Tabatinga.

TRANSPORTS

En dehors des liaisons de proximité, aucune route

ne mène à Leticia, mieux desservie par le fleuve.
En bateau – Compter 2h30 de trajet et 19 000 COP pour Puerto Nariño (4 départs/j.). La navigation est moins aisée à la saison sèche *(juil.-août)*.
En bus – Des *colectivos (1 000-5 000 COP)* relient Leticia à Tabatinga et à d'autres villages au nord de l'aéroport.
En taxi – Les taxis sont chers *(15 000 COP)*, préférez les motos-taxis (grosses motos rouges - 1 000 COP). Attention, ils ne sont pas tous agréés et la conduite est souvent acrobatique.
En scooter – Location *(30 000 COP, essence en sus)* à Leticia, agences ouvertes en semaine.
À pied – Probablement le meilleur moyen de locomotion, même pour se rendre à Tabatinga, au Brésil.

HÉBERGEMENT

PREMIER PRIX

Los Delfines – *Carrera 11, nº 12-85 - ✆ (8) 592 7488 - ▭ - 10 ch. 50 000 COP.* Petit établissement familial à 10mn à pied du centre de Leticia. Chambres vastes mais rudimentaires (lits et hamacs) avec vue sur une cour intérieure fleurie. Salles de bains individuelles, ventilateurs. L'hôtel possède son propre système de filtrage de l'eau.

BUDGET MOYEN

Yurupary – *Calle 8, nº 7-26 - ✆ (8) 592 4743 - www.hotelyurupary.com - ▤✕⛱ - 29 ch. 130 000 COP ☕.* Signalé par un panneau rouge et jaune, cet établissement est situé au centre de Leticia. Jolis volumes pour des chambres avec vue sur une cour verdoyante. Buffet du petit-déjeuner (inclus) copieux ; n'hésitez pas à déjeuner ou dîner sur place. Le bar est bien fourni.

Malokamazonas – *Calle 8, nº 5-49 - ✆ (8) 592 6642 - www.hotelmalokamazonas.es.tl - 9 ch. 140 000 COP ☕.* Noyé sous les arbres fruitiers (des essences locales), il se trouve sur la triple frontière Colombie-Brésil-Pérou, une localisation qui se reflète dans la décoration. Le mobilier est façonné dans des bois de la région et les œuvres d'artisans locaux ornent les murs. Les chambres, dépourvues d'air conditionné, bénéficient de la brise rafraîchissante de la jungle.

POUR SE FAIRE PLAISIR

Waira Suites – *Carrera 10, nº 7-36 - ✆ (8) 592 4428 - www.wairahotel.com.co - ▤✕⛱ - 47 ch. 192 000 COP ☕.* Confort et qualité de service au cœur de la jungle amazonienne. En centre-ville, à deux *cuadras* du port fluvial, cet hôtel propose des chambres claires et modernes, toutes dotées d'un écran plasma et d'un minibar. Les suites sont spacieuses et les familles apprécieront les chambres communicantes.

Anaconda – *Carrera 11, nº 7-34 - ✆ (8) 592 7119 - www.hotelanaconda.com.co - ▤✕⛱ - 50 ch. 250 000 COP ☕.* Considéré autrefois comme le plus bel hôtel de Leticia, il se dresse au cœur de la ville, à 10mn de l'aéroport Vásquez Cobo. Les chambres, défraîchies, ont une belle vue sur le fleuve. La piscine extérieure et la salle de restaurant à ciel ouvert justifient le séjour. Wifi dans les parties communes.

UNE FOLIE

Decameron Decalodge Ticuna – *Carrera 11, nº 6-11 - ✆ (8) 592 6600 - www.decameron.com - ▤✕⛱ - 28 ch. 400 000 COP ☕.* Touche d'artisanat amazonien dans les chambres et « cabanes » de style contemporain, parfaitement équipées. Visites guidées de la ville et circuits à vélo dans la région à la demande. Cuisine péruvienne au restaurant.

RESTAURATION

Le *pirarucú* est le plus grand poisson d'eau douce au monde : il peut peser jusqu'à 300 kg et mesurer jusqu'à 2,50 m. Vous en trouverez au menu des restaurants de toute la région.

PREMIER PRIX

El Sabor – *Calle 8, nº 9-25 - [pas de carte bancaire] - tlj sf dim.* On déjeune en salle ou dans le patio protégé par un toit de chaume de ce café-restaurant sans prétention mais très prisé à Leticia. Pas de *comida corriente*, uniquement des plats à la carte : viandes grillées, poissons locaux, plats végétariens, soupes, salades.

BUDGET MOYEN

Tierras Amazónicas – *Calle 8, nº 7-50 - ✆ (8) 592 4748 - 10h-22h30 (21h le lun.) - 35 000 COP.* Les murs sont décorés de souvenirs d'Amazonie un brin kitsch. Vous dégusterez ici de savoureux poissons. Si vous devez n'en choisir qu'un, ce sera le *pirarucú* grillé. Bar et musique romantique presque tous les soirs.

Puerto Nariño

PREMIER PRIX

Las Margaritas – *Calle 6, nº 6-80 - barrio Comercio - ✆ (mob.) 311 276 2407 - [pas de carte bancaire] - 12h-14h30 - 15 000 COP.* Protégé par une barrière et dissimulé sous son toit de chaume, c'est l'un des rares restaurants de la ville. Il sert des plats locaux aussi délicieux que copieux, des *carnes asadas* (steaks grillés) et du *pirarucú* (poisson). Plats du jour et buffet à volonté mais pas de menu.

PETITE PAUSE

Mimo's – *Carrera 11, nº 7-26 - ✆ (8) 592 5129.* Pléthore de parfums et de formats pour ces glaces qui régaleront tous les becs sucrés. Instant détente sur la terrasse, à l'orée du parque Orellana.

ACTIVITÉS

Reserva Tanimboca – *À 8 km de Leticia - ✆ (8) 592 7679 - www.tanimboca.org - différentes formules de séjour (5 à 8 j.) sur demande. Visite à la journée : 12 000 COP, activités non comprises.* Sur le sentier de Tarapaca, village indien huitoto, cette réserve de jungle propose des activités à sensation parmi les lézards, les oiseaux et les singes. Une plate-forme installée au milieu des arbres délivre de spectaculaires vues sur le bassin amazonien. De la plus haute partie de la canopée, vous vous laisserez glisser d'arbre en arbre, sur une distance de 80 m. Excursions nocturnes pour observer les caïmans sur le río Tacana, sorties de pêche aux piranhas.

SelvAventura – *Carrera 9, nº 6-85 - ✆ (8) 592 3977 - www.selvaventura.org.* Kayak en rivière dans le bassin de l'Amazone, sorties de pêche sportive, randonnées en forêt avec observation de la faune.

AGENDA

El Pirarucú de Oro – *3 j. début déc.* Un festival international de **musique populaire amazonienne** organisé depuis 1987. Spectacles et concerts ont lieu en différents endroits de Leticia et de la région ; ils rendent hommage aux trois cultures frontalières, la colombienne, la péruvienne et la brésilienne. Le festival doit son nom au plus grand poisson d'eau douce au monde.

Parce que le monde est mobile, **Michelin** améliore notre mobilité.

PAR TOUS LES MOYENS ET SUR TOUTES LES ROUTES.

Depuis l'avènement de l'entreprise – il y a plus d'un siècle ! – Michelin n'a eu qu'un objectif : aider l'homme à toujours mieux avancer. Un défi technologique, d'abord, avec des pneumatiques toujours plus performants, mais aussi un engagement constant vis-à-vis du voyageur, pour l'aider à se déplacer dans les meilleures conditions. Voilà pourquoi Michelin développe, en parallèle, toute une collection de produits et de services : cartes, atlas, guides de voyage, accessoires automobiles, mais aussi applications mobiles, itinéraires et assistance en ligne : Michelin met tout en œuvre pour que bouger soit un plaisir !

ROAD ATLAS
FRANCE
Paris
RESTAURANTS
PARIS
PAR ARRONDISSEMENT
Les Alpes à
MICHELIN
CODE
DE LA ROUTE
RÉFORME PERMIS EUROPÉENS ET NOUVEAUX PANNEAUX

Europe
More than 40 countries
MICHELIN
Routes
des vignobles
en France
BERLIN
Stadtplan und Register

Un pneu
→ *c'est quoi ?*

Rond, noir, à la fois souple et solide, le pneumatique est à la roue ce que le pied est à la course. Mais de quoi est-il fait ? Avant tout de gomme, mais aussi de divers matériaux textiles et / ou métalliques... et d'air ! Ce sont les savants assemblages de tous ces composants qui assurent aux pneumatiques leurs qualités : adhérence à la route, amortissement des chocs, en deux mots : confort et sécurité du voyageur.

1 ***BANDE DE ROULEMENT***
Une épaisse couche de gomme assure le contact avec le sol. Elle doit évacuer l'eau et durer très longtemps.

2 ***ARMATURE DE SOMMET***
Cette double ou triple ceinture armée est à la fois souple verticalement et très rigide transversalement. Elle procure la puissance de guidage.

3 ***FLANCS***
Ils recouvrent et protègent la carcasse textile dont le rôle est de relier la bande de roulement du pneu à la jante.

4 ***TALONS D'ACCROCHAGE À LA JANTE***
Grâce aux tringles internes, ils serrent solidement le pneu à la jante pour les rendre solidaires.

5 ***GOMME INTÉRIEURE D'ÉTANCHÉITÉ***
Elle procure au pneu l'étanchéité qui maintient le gonflage à la bonne pression.

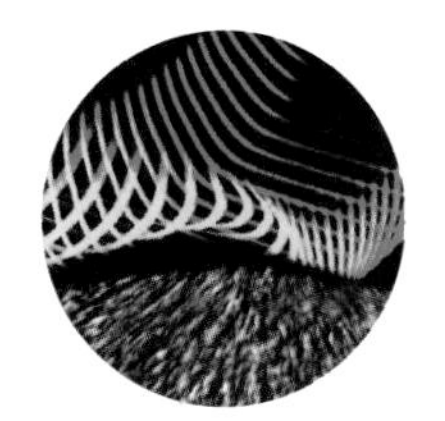

Michelin
→ *l'innovation en mouvement*

Créé et breveté par Michelin en 1946, le pneu radial ceinturé a révolutionné le monde du pneumatique. Mais Michelin ne s'est pas arrêté là : au fil des ans, d'autres solutions nouvelles et originales ont vu le jour, confirmant Michelin dans sa position de leader en matière de recherche et d'innovations, pour répondre sans cesse aux exigences des nouvelles technologies des véhicules.

→ *la juste pression !*

L'une des priorités de Michelin, c'est une mobilité plus sûre. En bref, innover pour avancer mieux. C'est tout l'enjeu des chercheurs, qui travaillent à mettre au point des pneumatiques capables de "freiner plus court" et d'offrir la meilleure adhérence possible à la route. Aussi, pour accompagner les automobilistes, Michelin organise, partout dans le monde, des campagnes de sensibilisation à la sécurité routière : les opérations "Faites le plein d'air" rappellent à tous que la juste pression des pneumatiques est un facteur essentiel de sécurité.

La stratégie Michelin : → *des pneumatiques multiperformances*

Qui dit Michelin dit sécurité, économie de carburant et capacité à parcourir des milliers de kilomètres. Un pneumatique MICHELIN, c'est tout cela à la fois.

Comment ? Grâce à des ingénieurs au service de l'innovation et de la technologie de pointe. Leur challenge : doter tout pneumatique – quel que soit le véhicule (automobile, camion, tracteur, engin de chantier, avion, moto, vélo et métro !) – de la meilleure combinaison possible de qualités, pour une **performance globale optimale**.

Ralentir l'usure, réduire la dépense énergétique (et donc l'émission de CO^2), améliorer la sécurité par une tenue de route et un freinage renforcés : autant de qualités dans un seul pneu, c'est cela Michelin Total Performance.

Chaque jour, **Michelin** innove en faveur de la mobilité durable.

DANS LE TEMPS ET
LE RESPECT DE LA
PLANÈTE.

La mobilité durable

→ *c'est une mobilité propre... et pour tous*

La mobilité durable c'est permettre aux hommes de se déplacer d'une façon plus propre, plus sûre, plus économique et plus accessible à tous, quel que soit le lieu où ils vivent.

Tous les jours, les 113 000 collaborateurs que Michelin compte dans le monde innovent :

• en créant des pneus et des services qui répondent aux nouveaux besoins de la société,

• en sensibilisant les jeunes à la sécurité routière,

• en inventant de nouvelles solutions de transport qui consomment moins d'énergie et émettent moins de CO^2.

→ *Michelin Challenge Bibendum*

La mobilité durable, c'est permettre la pérennité du transport des biens et des personnes, afin d'assurer un développement économique, social et sociétal responsable. Face à la raréfaction des matières premières et au réchauffement climatique, Michelin s'engage pour le respect de l'environnement et de la santé publique. De manière régulière, Michelin organise ainsi le Michelin Challenge Bibendum, le seul événement mondial axé sur la **mobilité routière durable.**

MICHELIN
CHALLENGE
BIBENDUM

Notes

Notes

Bogotá : villes, curiosités et régions touristiques.
Bolívar, Simón : noms historiques ou termes faisant l'objet d'une explication.
Les sites isolés (lacs, îles…) sont répertoriés à leur propre nom.

A

B

C

D

E

Q

R

S

T

U

V

W

Y

Z

CARTES ET PLANS

CARTE GÉNÉRALE

CARTES DES RÉGIONS

PLANS DE VILLE

CARTES THÉMATIQUES

LÉGENDE DES CARTES ET PLANS

Curiosités et repères

- Itinéraire décrit, départ de la visite
- Église
- Mosquée
- Synagogue
- Monastère - Phare
- Fontaine
- Point de vue
- Château - Ruine ou site archéologique
- Barrage - Grotte
- Monument mégalithique
- Tour génoise - Moulin
- Temple - Vestiges gréco-romains
- Temple : bouddhique - hindou
- Autre lieu d'intérêt, sommet
- Distillerie
- Palais, villa, habitation
- Cimetière : chrétien - musulman - israélite
- Oliveraie - Orangeraie
- Mangrove
- Auberge de jeunesse
- Gravure rupestre
- Pierre runique
- Église en bois
- Église en bois debout
- Parc ou réserve national
- Bastide

Sports et loisirs

- Piscine : de plein air - couverte
- Plage - Stade
- Port de plaisance - Voile
- Plongée - Surf
- Refuge - Promenade à pied
- Randonnée équestre
- Golf - Base de loisirs
- Parc d'attractions
- Parc animalier, zoo
- Parc floral, arboretum
- Parc ornithologique, réserve d'oiseaux
- Planche à voile, kitesurf
- Pêche en mer ou sportive
- Canyoning, rafting
- Aire de camping - Auberge
- Arènes
- Base de loisirs, base nautique ou canoë-kayak
- Canoë-kayak
- Promenade en bateau

Informations pratiques

- Information touristique
- Parking - Parking - relais
- Gare : ferroviaire - routière
- Voie ferrée
- Ligne de tramway
- Départ de fiacre
- Métro - RER
- Station de métro (Calgary, ...) (Montréal)
- Téléphérique, télécabine
- Funiculaire, voie à crémaillère
- Chemin de fer touristique
- Transport de voitures et passagers
- Transport de passagers
- File d'attente
- Observatoire
- Station-service - Magasin
- Poste - Téléphone
- Internet
- H Hôtel de ville - Banque, bureau de change
- J Palais de justice - Police
- Gendarmerie
- T U M Théâtre - Université - Musée
- Musée de plein air
- Hôpital
- Marché couvert
- Aéroport
- Parador, Pousada (Établissement hôtelier géré par l'État)
- A Chambre d'agriculture
- D Conseil provincial
- G Gouvernement du district, Délégation du Gouvernement Police cantonale
- L Gouvernement provincial (Landhaus)
- P Chef-lieu de province
- Station thermale
- Source thermale

Axes routiers, voirie

- Autoroute ou assimilée
- Échangeur : complet - partiel
- Route
- Rue piétonne
- Escalier - Sentier, piste

Topographie, limites

- Volcan actif - Récif corallien
- Marais - Désert
- Frontière - Parc naturel